IM SPIEGEL
DER ZEIT

IM SPIEGEL DER ZEIT

Erlebtes

Erfahrenes

Erforschtes

Reader's Digest

DEUTSCHLAND · SCHWEIZ · ÖSTERREICH

Die vier Kurzfassungen in diesem Band erscheinen
mit Genehmigung der Autoren und Verleger.
Dies gilt auch für Briefe, Zitate und Dokumente, die
in leicht gekürzter Form wiedergegeben sein können.

Alle Rechte an Bearbeitung und Kurzfassung,
insbesondere das der Übersetzung, Verfilmung und
Funkbearbeitung, im In- und Ausland vorbehalten.

© 2007 Reader's Digest
– Deutschland, Schweiz, Österreich –
Verlag Das Beste GmbH,
Stuttgart, Zürich, Wien

629 / 933

Printed in Germany

ISBN Hardcover: 978-3-89915-430-6
ISBN Softcover: 978-3-89915-431-3

www.readersdigest.de

INHALT

6

HÖR AUF DEN WIND

von Greg Mortenson und David Oliver Relin

184

WAS IN ZWEI KOFFER PASST

von Veronika Peters

286

MEINE FARM AM MATANJE

von Bookey Peek

396

DER MANN, DER DIE MAUER ÖFFNETE

von Gerhard Haase-Hindenberg

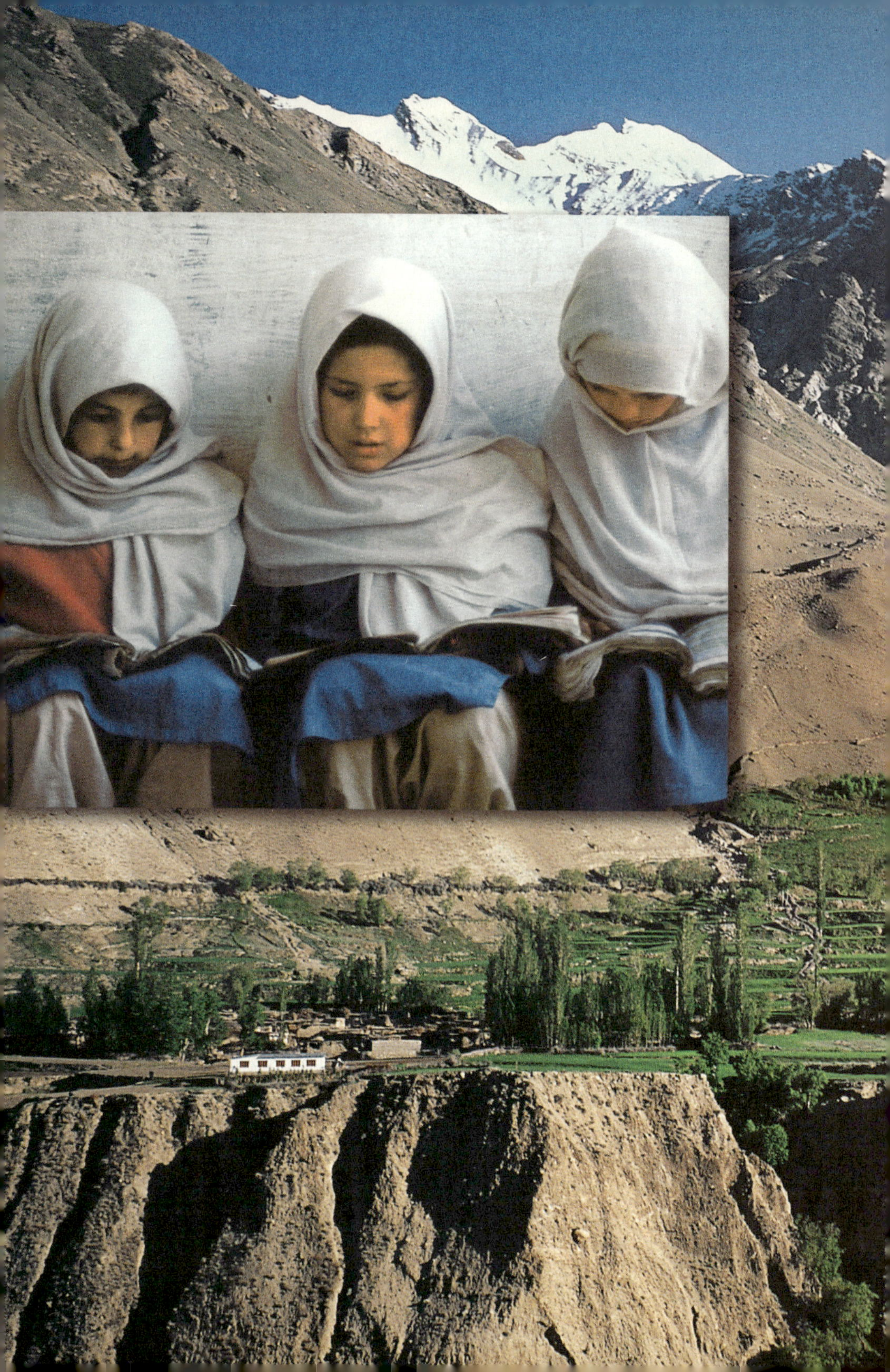

HÖR AUF DEN WIND

Wie ein Einzelner
Kindern eine Zukunft schenkt

GREG MORTENSON
UND DAVID OLIVER RELIN

Zwei Dutzend bärtige Männer mit schwarzen Turbanen blockierten die Straße. Ihre Raketenwerfer und Kalaschnikows waren lässig auf eine Abteilung pakistanischer Soldaten in schmucken Uniformen gerichtet, die ihre Waffen klugerweise hatten stecken lassen. „Nicht gut", murmelte Mohammed, zwei der wenigen englischen Wörter, die er beherrschte.

Greg Mortenson / David Oliver Relin

Scheitern an den eigenen Grenzen

Im pakistanischen Karakorum, der sich über ein knapp 160 Kilometer breites Gebiet erstreckt, erheben sich mehr als sechzig der weltweit höchsten Berge majestätisch über eine in großer Höhe gelegene Wildnis. So selten verschlägt es ein Lebewesen in diese kahle Eiswüste, dass bis Anfang des 20. Jahrhunderts kaum jemand von der Existenz des zweithöchsten Berges der Welt, des K2, wusste.

Der 62 Kilometer lange Baltoro-Gletscher, der sich vom K2 den bewohnten oberen Regionen des Indus-Tals entgegenschiebt, stört die Stille in dieser Kathedrale aus Fels und Eis kaum, denn der gefrorene Fluss bewegt sich mit einer fast nicht wahrzunehmenden Geschwindigkeit von zehn Zentimetern pro Tag.

Am Nachmittag des 2. September 1993 schien es Greg Mortenson, als käme auch er nicht viel schneller von der Stelle. Wie seine pakistanischen Träger mit einem vielfach geflickten braunen *salwar kamiz* bekleidet – dem aus einer Pluderhose und einem knielangen Hemd bestehenden traditionellen Gewand –, hatte er den Eindruck, dass seine schweren Bergstiefel ihn ohne sein Zutun im selben langsamen Tempo bergab zogen, das der Baltoro vorlegte.

Mortenson rechnete damit, jeden Moment auf Scott Darsney zu stoßen, ein anderes Mitglied seiner Expedition, der sich ebenfalls auf dem Rückweg in die Zivilisation befand. Sicher wartete er irgendwo auf einem Felsen und würde ihn wegen seines Schneckentempos hänseln. Allerdings erinnert der obere Teil des Baltoro eher an ein Labyrinth als an einen Weg, und Mortenson hatte noch nicht bemerkt, dass er sich verirrt hatte und allein auf weiter Flur befand.

Er war vom Hauptgletscher abgekommen und einem Seitenarm gefolgt, der nicht nach Westen ins achtzig Kilometer entfernte Dorf Askole führte, wo er jemanden zu finden hoffte, der ihn mit dem Jeep aus diesem Gebirge brächte. Stattdessen war er in südlicher Richtung in ein undurchdringliches Gewirr sich auftürmender Gletscherbrüche geraten. Außerdem handelte es sich bei dieser Gegend um ein Kampfgebiet, in dem sich pakistanische und indische Truppen Artilleriegefechte lieferten.

Unter gewöhnlichen Umständen wäre Mortenson aufmerksamer gewesen. Er hätte darauf geachtet, seinen Träger Mouzafer nicht aus den Augen zu verlieren, der die schwere Kletterausrüstung, das Zelt und die Lebensmittel transportierte. Und normalerweise hätte er auch mehr auf die gefährliche Umgebung geachtet. Doch als nun die Sonne hinter den Granitzacken im Westen verschwand und Schatten die östlichen Talwände hinaufkrochen, fiel ihm das gar nicht auf, denn er war an diesem Nachmittag ganz und gar mit sich selbst beschäftigt. Er hatte nämlich eine für ihn völlig neue Erfahrung gemacht – die des Scheiterns.

Mortenson griff in die Tasche seines Salwars und betastete die Kette aus Bernsteinperlen, die seine kleine Schwester so oft getragen hatte. Mit drei hatte sich Christa in Tansania, wo ihre Eltern als Missionare tätig gewesen waren, eine schwere Hirnhautentzündung zugezogen. Da sie nie völlig genesen war, hatte der zwölf Jahre ältere Greg die Beschützerrolle übernommen. Obwohl Christa selbst mit den einfachsten Anforderungen des Alltags Mühe gehabt und außerdem an starken epileptischen Anfällen gelitten hatte, hatte Greg seine Mutter gedrängt, sie so selbstbestimmt wie möglich aufwachsen zu lassen.

Jedes Jahr – ganz gleich ob während seiner Militärzeit in Deutschland, seiner Ausbildung zum Krankenpfleger in South Dakota oder als von der Hand in den Mund lebender Bergsteiger in Kalifornien – hatte er darauf bestanden, dass seine Schwester ihn für einen Monat besuchte. Doch dann hatte sie in den frühen Morgenstunden ihres 23. Geburtstags einen tödlichen Anfall erlitten.

Unter ihrer spärlichen Habe hatte Mortenson die Halskette gefunden. Fest entschlossen, das Andenken seiner Schwester zu ehren, hatte er das Schmuckstück in eine tibetische Gebetsfahne gewickelt und mit nach Pakistan genommen. Als Bergsteiger hatte er sich für einen Weg entschieden, der für ihn den größten Ehrenerweis darstellte: Er wollte den K2 besteigen, der unter Fachleuten als eine der größten Herausforderungen der Welt gilt, um Christas Kette dort in einer Höhe von 8611 Metern zu hinterlegen. Vor drei Monaten war er voller Zuversicht, den zweithöchsten Berg der Welt zu bezwingen, mit einem Team aus zehn englischen, irischen, französischen und amerikanischen Bergsteigern den Gletscher hinaufmarschiert.

Verglichen mit dem anderthalbtausend Kilometer entfernten Mount Everest ist der K2 um einiges anspruchsvoller. Bis heute bedeutet die Pyramide aus scharfkantigem Granit, die so steil ist, dass kein Schnee auf ihren schroffen Hängen liegen bleibt, die schwerste Prüfung für alle Bergsteiger. Doch Mortenson, zu dieser Zeit ein kräftiger Mann von 35 Jahren, der mit elf den Kilimandscharo bestiegen, sich an den glatten Granitwänden des Yosemite geschult und als Reifeprüfung ein halbes Dutzend Gipfel im Himalaja erklommen hatte, hatte bei seiner Ankunft im Mai nicht im Geringsten am Erfolg seines Vorhabens gezweifelt.

Bis auf knapp sechshundert Meter war er an den Gipfel herangekommen. Doch nun war der K2 hinter ihm im Nebel verschwunden, während sich die Kette noch immer in Mortensons Tasche befand. Nach 78 Tagen am K2 war er völlig geschwächt und fühlte sich wie ein Schatten seiner selbst. Er wusste nicht, ob seine Kraft für den noch achtzig Kilometer langen Marsch nach Askole reichte.

Als mit einem an einen Gewehrschuss erinnernden Krachen eine Gesteinslawine zu Tal ging, wurde er jäh aus seinen Grübeleien gerissen und bemerkte, wie weit die Schatten inzwischen schon die Felswände hinaufgekrochen waren. Er rechnete nach, wann er zuletzt ein Zeichen menschlichen Lebens wahrgenommen hatte. Seit Darsney auf dem Pfad vor ihm verschwunden war, waren mehrere Stunden vergangen. Und vor etwa einer Stunde, vielleicht auch mehr, hatte er die Glocken einer Maultierkarawane der Armee gehört, die Munition zum etwa zwanzig Kilometer südöstlich gelegenen Siachen-Gletscher gebracht hatte, wo sich pakistanische und indische Einheiten beharrlich und gnadenlos aus ihren Stellungen heraus bekämpften, ohne dass eine der beiden Seiten einen Vorteil hätte erzielen können.

Mortenson hielt Ausschau nach Spuren. Wäre er auf dem richtigen Weg nach Askole gewesen, hätte er von den Soldaten hinterlassenen Unrat entdecken müssen – aber weit und breit sah er weder Zigarettenkippen noch Konservendosen oder Maultierkot. Eigentlich war das hier auch gar kein Weg, sondern eher eine Spalte in einem Gewirr aus Fels und Eis. Mortenson wunderte sich, wie er hierhergelangt war.

In einem Anflug von Panik setzte er sich auf einen Stein, um eine Bestandsaufnahme durchzuführen. Sein kleiner Tagesrucksack enthielt eine dünne Wolldecke aus pakistanischen Armeebeständen, eine leere Wasserflasche und einen Proteinriegel. Sein Daunenschlafsack, die warme Kleidung, das Zelt, der Kocher, ja sogar seine Taschenlampe und die Streichhölzer steckten in dem großen Rucksack, den sein Träger bei sich hatte.

Es sah ganz danach aus, als müsste er hier übernachten und morgen bei Tagesanbruch den richtigen Weg suchen. Obwohl die Temperaturen bereits unter null Grad gefallen waren, befürchtete Mortenson nicht, zu erfrieren. Außerdem war es viel gefährlicher, nachts auf einem sich in Bewegung befindlichen Gletscher umherzuirren, wo sich immer wieder tiefe Spalten auftaten. Also suchte er sich eine Stelle, die weit genug von den Felswänden entfernt war, damit er nicht im Schlaf von herabstürzenden Steinen erschlagen wurde. Allerdings musste der Untergrund auch fest genug sein, damit er nicht unter ihm wegbrach und ihn in die Gletschertiefen stürzen ließ.

Er entdeckte einen flachen Felsen, der einen stabilen Eindruck machte, füllte die Wasserflasche mit gefrorenem Schnee, wickelte sich in die Decke und zwang sich, nicht daran zu denken, wie allein und schutzlos er war. Zitternd lag er auf dem unebenen Felsen und beobachtete, wie das Licht der untergehenden Sonne die schattigen Gipfel im Osten in einen blutroten Schein tauchte. Dann verlosch es, und in der blauschwarzen Dunkelheit waren nur noch düstere Nachbilder zu sehen.

Der Wind frischte auf. Die Nacht wurde bitterkalt. Jetzt Schlaf zu finden war offenbar aussichtslos. Und so lag Mortenson unter den Sternen und fragte sich, warum er gescheitert war.

Die Leiter der Expedition, Dan Mazur und Jonathan Pratt, sowie der französische Bergsteiger Etienne Fine waren so flink und anmutig wie Vollblutpferde, während Mortenson, einsdreiundneunzig groß und 95 Kilo schwer, eher langsam und kräftig wie ein Bär war. Deshalb waren die mühsamen Aufgaben, die beim Besteigen eines Berges anfielen, automatisch ihm und Darsney zugefallen. Doch er genoss die Herausforderung. Achtmal schleppte er wie ein Packesel Lebensmittel, Brennstoff und Sauerstoffflaschen zu den verschiedenen Depots auf dem Weg zum Japaner-Couloir, wo die Expedition sechshundert Meter vom Gipfel des K2 entfernt einen horstartigen Lagerplatz aus Schnee und Eis herausgehauen hatte. Auf diese Weise wurden sämtliche Hochlager ausgerüstet, damit die vorsteigenden Kletterer alles Notwendige vorfanden, wenn sie zum Gipfelsturm bliesen.

Nach mehr als siebzig Tagen am Berg befand Mortenson sich mit Darsney eines Abends im Basislager, um sich nach 96-stündiger Kletterei im Rahmen einer weiteren Versorgungsmission endlich den wohlverdienten Schlaf zu gönnen. Doch als sie durch ein Fernrohr einen letzten Blick auf den Gipfel warfen, bemerkten sie hoch oben am Westgrat ein flackerndes Licht. Ihnen wurde klar, dass es sich um Mitglieder ihrer Expedition handeln musste, die ihnen mit ihren Helmlampen Signale gaben, und sie vermuteten, dass Etienne Fine in Schwierigkeiten steckte. „Von Haus aus Alpinist, war er schnell und mit nur leichtem Gepäck unterwegs", erinnert sich Mortensen. „Wir hatten ihn schon vorher rauspauken müssen, weil er sich nicht die Zeit gelassen hatte, sich zu akklimatisieren."

Die beiden bezweifelten, dass sie so kurz nach dem anstrengenden Abstieg genug Kraft hätten, um Fine zu erreichen, und versuchten deshalb, im Basislager unter den fünf anderen Expeditionen Freiwillige für die Aktion zu gewinnen. Doch niemand erklärte sich dazu bereit. Nachdem sie sich zwei Stunden in ihren Zelten ausgeruht und ihren ausgetrockneten Körpern Flüssigkeit zugeführt hatten, packten sie deshalb abermals ihre Sachen zusammen und zogen los.

Auf dem Abstieg vom in 7600 Meter Höhe gelegenen Lager IV sahen sich Pratt und Mazur unvermittelt in einem Kampf auf Leben und Tod. „Fine war uns gefolgt, um mit uns gemeinsam den Gipfel zu stürmen", erzählt Mazur. „Aber als er uns eingeholt hatte, brach er zusammen." Fine litt an einem Lungenödem, einer durch die Höhe ausgelösten Wasseransammlung in der Lunge, die den Betroffenen das Leben kosten kann, wenn er nicht sofort in tiefere Regionen geschafft wird.

Pratt und Mazur koppelten sich abwechselnd mit Fine zusammen und seilten sich mit ihm ab. Als Mortenson und Darsney nach 24-stündiger Kletterei auf einem Felsen unweit von Lager I mit ihren Teamkameraden zusammentrafen, war der Franzose kaum noch bei Bewusstsein. Er litt jetzt auch noch an einem Hirnödem, einem höhenbedingten Anschwellen des Gehirns. Die vier bereits erschöpften Bergsteiger machten sich daran, in einer 48-stündigen Odyssee ihren Kameraden weiter die schroffen Felswände hinunter abzuseilen.

Zweiundsiebzig Stunden waren nach Mortensons und Darsneys Aufbruch vergangen, als es der Gruppe gelang, Fine auf ebenes Gelände zu ihrem vorgeschobenen Basislager zu schaffen. Darsney funkte die kanadische Expedition an, die sich ein Stück unter ihnen befand, und diese gab seine Bitte um Luftrettung mit dem Helikopter an das pakistanische Militär weiter. Doch die Zentrale erwiderte, das Wetter sei zu schlecht und der Wind zu stark. Fine müsse in ein tiefer gelegenes Gebiet gebracht werden.

Solch einen Befehl zu geben war nicht weiter schwer. Aber wie die vier völlig erschöpften Männer ihn ausführen sollten, stand auf einem ganz anderen Blatt.

Schließlich schleppten sie Fine in einem Schlafsack hinter sich her zum Basislager.

„Alle anderen Expeditionen kamen uns einen halben Kilometer den Gletscher hinauf entgegen und feierten uns als Helden", erinnert sich Darsney. „Nachdem der Armeehelikopter Etienne weggebracht hatte, feierten alle eine Party. Doch Greg und ich verzichteten darauf, wir fielen nur wie erschossen in unsere Schlafsäcke."

Zwei Tage verbrachten die beiden in dem schlafähnlichen Dämmerzustand, der selbst dem erschöpftesten Menschen auf dieser Höhe nur vergönnt ist. Als sie erwachten, fanden sie eine Nachricht von Pratt und Mazur vor, die sich auf den Rückweg ins Hochlager gemacht hatten und sie aufforderten, gemeinsam mit ihnen den Gipfel zu stürmen, wenn sie sich erholt hätten. Doch damit war es endgültig vorbei. Die Rettungstat so kurz nach der Versorgungsaktion hatte Mortenson und Darsney den letzten Rest ihrer Kraftreserven gekostet.

Durch ihren kameradschaftlichen Einsatz hatten sie die Chance verwirkt, den Gipfel zu erreichen, obwohl sie sich so dafür abgemüht hatten. Sie beschlossen, sich gemeinsam auf den Rückmarsch in die Zivilisation zu machen. Eine Woche später sollten Mazur und Pratt aller Welt verkünden, sie hätten auf dem Gipfel gestanden, und dann nach Hause zurückkehren, um sich in ihrem Ruhm zu sonnen.

Doch nun lag Mortenson allein und verirrt unter seiner dünnen Wolldecke. Nachdem er die Rettung hatte Revue passieren lassen, versöhnte er sich mit dem Gedanken, dass es ihm nicht gelungen war, Christa die letzte Ehre zu erweisen. Er kam zu dem Schluss, dass ihn sein Körper, nicht seine Willenskraft im Stich gelassen hatte. Jeder Körper hatte seine Grenzen, und er war nun zum ersten Mal an die seinen gestoßen.

MORTENSON schlug die Augen auf. Im ersten Moment verstand er nicht, warum er panisch nach Atem rang. Nachdem er seine Hände aus der engen Hülle der Decke befreit hatte, griff er sich an den Kopf. Mund und Nase wurden von einer glatten Maske aus Eis verschlossen. Mortenson riss die gefrorene Schicht ab und holte erst einmal tief Luft.

Während er sich streckte, schaute er sich in alle Richtungen um. Die Gipfel hatten kitschige Zuckergussfarben angenommen und leuchteten rosa, violett und hellblau.

Als das Blut wieder durch seine Gliedmaßen strömte, wurde er sich des vollen Ausmaßes seiner misslichen Lage bewusst. Er hatte noch immer keine Ahnung, wo er sich befand. Allerdings machte er sich keine großen Sorgen, denn bei Tageslicht sah alles schon ganz anders aus. Als er das Tal entlang- und den Weg zurückblickte, den er gekommen war, wurde ihm klar, dass er irgendwann auf den richtigen Pfad stoßen musste, wenn er umkehrte und einige Stunden lang zurückmarschierte.

Also brach er nach Norden auf. Obwohl er immer wieder über Felsbrocken stolperte, kam er verhältnismäßig schnell voran. Eine Stunde verstrich. Dann noch eine. Mortenson schleppte sich einen steilen Weg hinauf. Als sich die aufgehende Sonne über die Talwände erhob, stand er oben auf einem Bergkamm. Der Anblick der kolossalen Gipfel war atemberaubend. Die in Eis gehüllten Giganten Gasherbrum, Broad Peak, Mitre Peak und Muztagh Tower, die kahl ins grelle Sonnenlicht ragten, erstrahlten wie Leuchtfeuer.

Obwohl Mortenson sich bereits seit Monaten in dieser Gegend aufhielt, konnte er sich dem faszinierenden Panorama nicht entziehen. „Den ganzen Sommer lang hatte ich diese Berge nur als Marschziele betrachtet und ausschließlich Augen für den größten gehabt, den K2. Ich dachte lediglich an die Höhenmeter und die bergsteigerische Herausforderung", erläutert er. „Nun jedoch nahm ich diese Giganten zum ersten Mal richtig wahr und erstarrte vor Ehrfurcht."

Er setzte seinen Weg fort. Am späten Vormittag hörte er leises Glockengebimmel im Westen und steuerte darauf zu. Eine Eselskarawane. Er suchte nach den Steinkreisen, die den Hauptweg den Baltoro hinunter kennzeichneten, fand jedoch nur wie zufällig verstreute Felsbrocken. Nach dreißig Minuten stieß er auf eine Zigarettenkippe, dann tatsächlich auf einen Steinkreis. Er marschierte den noch immer nicht zu erkennenden Pfad weiter in Richtung des Gebimmels, das inzwischen deutlicher an sein Ohr drang, konnte allerdings die Karawane selbst nicht entdecken. Schließlich erblickte er in etwa anderthalb Kilometer Entfernung die Umrisse eines Mannes, der auf einem über den Gletscher ragenden Felsen stand. Mortenson rief, aber seine Stimme trug nicht so weit. Der Mann verschwand, erschien jedoch kurz darauf abermals auf einem etwa hundert Meter näher gelegenen Felsen. Diesmal schrie Mortenson aus Leibeskräften, und der Mann drehte sich ruckartig zu ihm um. Doch schon im nächsten Moment war er nicht mehr zu sehen.

Keuchend und unter lautem Rufen hastete Mortenson auf die Stelle zu, wo er den Mann zuletzt bemerkt hatte. Plötzlich tauchte dieser auf der anderen Seite einer breiten Gletscherspalte mit einem noch breiteren Lächeln auf dem Gesicht wieder auf. Mortensons gewaltiger Rucksack schien fast größer zu sein als Mouzafer, der Träger, der ihn auf dem Rücken trug. Mouzafer suchte die schmalste Stelle der Spalte und sprang dann trotz der mehr als 45 Kilo Gepäck mühelos darüber.

„Mr Gireg, Mr Gireg!", rief er, warf den Rucksack auf den Boden und fiel Mortenson um den Hals. „*Allahu akbar!* Allah ist groß! Du lebst!"

Die feste Umarmung des Mannes, der dreißig Zentimeter kleiner und zwanzig Jahre älter war als er selbst, schnürte Mortenson die Luft ab, sodass er zu husten anfing.

„*Cha* wird dir Kraft geben", verkündete Mouzafer, nachdem er besorgt festgestellt hatte, wie schwach Mortenson war, und führte ihn zu einer kleinen windgeschützten Höhle. Dort rupfte er zwei Handvoll Beifuß von dem Bündel, das er am Rucksack befestigt hatte, kramte einen Feuerstein aus der Tasche seiner ausgeblichenen Goretex-Jacke, suchte einen Topf heraus und kochte Tee.

Mortensons erste Begegnung mit Mouzafer Ali hatte vier Stunden, nachdem er mit Darsney den K2 verlassen hatte, stattgefunden. Der knapp fünf Kilometer lange Marsch zum Basislager am Broad Peak, für den man normalerweise eine Dreiviertelstunde benötigte, war in eine vierstündige Quälerei ausgeartet, und die beiden ausgezehrten Amerikaner hatten ratlos vor der Frage gestanden, wie sie ihr schweres Gepäck noch weitere 95 Kilometer schleppen sollten. Mouzafer und sein Freund Yakub hatten gerade ihren Auftrag für ein mexikanisches Team erledigt gehabt und sich erboten, für vier Dollar pro Tag Mortensons und Darsneys Rucksäcke nach Askole zu tragen. Die Amerikaner waren sofort einverstanden gewesen.

Mouzafer war ein Balti, ein Angehöriger des Bergvolkes, das die unwirtlichsten Hochtäler des nördlichen Pakistan bewohnt. Vor mehr als sechshundert Jahren waren die Balti von Tibet aus nach Südwesten gezogen. Auf dem Weg über die schroffen Berge hatten sie den Buddhismus abgelegt und waren zum schiitischen Islam übergetreten. Doch ihre Sprache, eine altertümliche Form des Tibetischen, hatten sie bewahrt. Mit ihrer geringen Körpergröße, ihrem Durchhaltevermögen und ihrer unglaublichen Angepasstheit an Höhenverhältnisse, in die sich nur die wenigsten Menschen wagen, erinnern sie viele Bergsteiger an ihre entfernten Verwandten im Osten, die Sherpa in Nepal.

Mouzafer war ein sympathisch aussehender Naturbursche, der jedoch aufgrund seiner Zahnlücken und der wettergegerbten Haut älter wirkte als Mitte fünfzig. Er bereitete *paiyu cha* zu, den Buttertee, der bei den Balti die Ernährungsgrundlage darstellt. Nachdem er den Tee in dem Blechtopf gekocht hatte, gab er Salz, Natron, Ziegenmilch und zu guter Letzt ein Scheibchen *mar* hinzu – abgestandene, ranzige Yakbutter, die bei den Balti als *die* Delikatesse schlechthin gilt – und rührte sie mit einem nicht sonderlich sauberen Zeigefinger in das Gebräu.

Mortenson kannte den Geruch von Paiyu Cha seit seiner Ankunft in Baltistan und fand ihn „übler als den stinkendsten Käse, der je in Frankreich erfunden wurde". Inzwischen hatte er eine ganze Reihe von Ausreden auf Lager, um diesen Tee bloß nicht trinken zu müssen. Aber nun reichte Mouzafer ihm den dampfenden Becher.

Mouzafer Ali, der Mortenson nicht nur auf dem Baltoro, sondern auch in den Jahren danach hilfreich zur Seite stand

„Nur" der Zweithöchste, dafür aber gefährlicher als sein großer Bruder Everest: der K2

Ein Dutzende Kilometer langes Labyrinth aus Eis und Fels, in dem man sich leicht verirren kann: der Baltoro-Gletscher

Mortenson musste den Würgereiz unterdrücken. Doch sein Körper brauchte das Salz, und außerdem wollte er dringend etwas Warmes in den Magen bekommen. Also leerte er den Becher.

Mouzafer füllte nach. „Sehr gut, Mr Gireg", lobte er seinen Schützling nach dem dritten Becher.

Darsney war mit Yakub in Richtung Askole weitermarschiert. In den nächsten drei Tagen ließ Mouzafer Mortenson nicht mehr aus den Augen, bis sie den Baltoro hinter sich hatten. Selbst während der fünf täglichen Gebete wandte der ausgesprochen fromme Träger immer wieder verstohlen den Blick von Mekka ab, um sich zu vergewissern, dass Mortenson unterdessen nicht verloren gegangen war.

Mortenson wollte von Mouzafer die Balti-Begriffe für alles wissen, was sie unterwegs sahen. *Gangs-zhing* war das Wort für Gletscher, eine Lawine hieß *rdo-rut*, und wie die Inuit für Schnee kannten die Balti unzählige Wörter für Stein. *Brak-lep* war ein flacher Fels, den man als Schlafunterlage oder zum Kochen verwenden konnte, *khrok* ein keilförmiges Felsstück, das sich optimal eignete, um Löcher in den Mauern der Steinhäuser zu stopfen. Auf diese Weise verfügte Mortenson bald über ein Grundvokabular in der Sprache der Balti.

Als sie den gefährlichen Baltoro endlich hinter sich ließen und der Amerikaner zum ersten Mal seit über drei Monaten wieder festen Boden unter den Füßen hatte, wanderte Mouzafer voraus, um wie jeden Abend das Lager aufzuschlagen und das Essen vorzubereiten, ehe Mortenson eintraf. Obwohl dieser ab und zu an einer Weggabelung in die falsche Richtung abbog und auf einer Schafweide landete, fand er immer wieder auf die richtige Strecke zurück. Es war nicht weiter schwer, dem Braldu-Fluss zu folgen, der sich aus den mehr als sechzig Kilometer unter dem Eis des Baltoro dahinfließenden Strömen speiste, und abends stieß Mortenson dann wieder auf Mouzafers Lagerfeuer. Seine geschwächten, müden Beine trugen ihn zwar nur mühsam, aber da er keine andere Wahl hatte, raffte er sich nach den immer öfter notwendigen Rastpausen stets wieder auf.

Am siebten Tag nach dem Aufbruch vom K2 sah er auf einem Felssims hoch über dem Südufer des Braldu die ersten Bäume seit Monaten. Es waren fünf Pappeln, die ihm, vom Wind gebeugt, zuwinkten wie die Finger einer grüßenden Hand. Sie waren in einer Reihe gepflanzt worden, was menschlichen Einfluss verriet. Der Anblick dieser Bäume bestätigte Mortenson, dass er sein Abenteuer lebend überstanden hatte.

Er war so sehr in ihre Betrachtung versunken, dass er die Abzweigung hinunter zum Fluss verpasste, wo ein *zamba*, eine aus zusammengeknüpften Yakhaarseilen bestehende und zwischen zwei Felsen gespannte „Brücke" über den reißenden Strom führte. Zum zweiten Mal hatte Mortenson sich verlaufen. Über die Brücke hätte er sein Ziel, das zwölf Kilometer nördlich des Flusses gelegene Askole, erreicht. Stattdessen ging er nun entlang dem Felssims über dem Südufer auf die Bäume zu.

Auf die Pappeln folgte ein Aprikosenhain. Hier, auf dreitausend Meter Höhe, war die Ernte Mitte September bereits vorbei, und reife Früchte türmten sich haufenweise in flachen Weidenkörben. Daneben knieten Frauen, brachen die Früchte auf und sortierten die Kerne aus, um sie später wegen ihres nussigen Inneren zu knacken. Beim Anblick des *angrezi*, des fremden weißen Mannes, zogen sie sich hastig die Schleier vors Gesicht. Die Kinder hingegen kannten keine Scheu und liefen wie ein Kometenschweif hinter Mortenson her, als er durch bräunliche Felder weitermarschierte, wo andere Frauen mit Sicheln Buchweizen und Gerste ernteten. Über ihre Körbe hinweg musterten sie ihn prüfend.

Zum ersten Mal seit Monaten wurde er sich seines Aussehens bewusst. Sein Haar war lang und zottig, und er kam sich wie ein schmutziger Riese vor. Seit drei Monaten hatte er nicht mehr geduscht. Er ging gebeugt, um die Kinder nicht allzu sehr zu überragen, aber sie schienen ihn nicht als bedrohlich zu empfinden. Ihre Salwars waren so fleckig und abgetragen wie sein eigener, und trotz der Kälte waren die meisten barfuß.

Mortenson konnte das Dorf Korphe schon aus einiger Entfernung wittern, denn der Geruch von Wachholderholzrauch und ungewaschenen Körpern war nach der sterilen Hochgebirgsluft übermächtig. Da er immer noch glaubte, auf dem richtigen Weg zu sein, nahm er an, dass es sich um Askole handelte, das er bereits auf dem Hinweg zum K2 passiert hatte. Allerdings erschien ihm nichts hier vertraut. Als er den zeremoniellen Eingang zum Dorf erreichte – einen schlichten Torbogen aus Pappelstämmen, der einsam am Rand eines Kartoffelackers stand –, blickte er sich nach Mouzafer um. Stattdessen sah er auf der anderen Seite des Tors einen gebrechlich wirkenden Greis, der so markante Züge hatte, als wären sie aus den Felshängen gehauen. Der Mann trug ein *topi*, eine runde Kopfbedeckung aus Schafwolle, die denselben würdigen Grauton besaß wie sein Bart. Er hieß Hadschi Ali und war der *nurmadhar*, der Dorfvorsteher, von Korphe.

„*As-salaam alaikum*", begrüßte er Mortenson und schüttelte ihm die Hand. Dann führte er ihn zu einem zeremoniellen Bach, wies ihn an, sich Hände und Gesicht zu waschen, und lud ihn danach in sein Haus ein, denn für einen Balti ist Gastfreundschaft etwas Unverzichtbares.

Korphe schmiegte sich auf einen Felsvorsprung etwa 250 Meter über dem Braldu. Man hätte die dicht gedrängten schmucklosen dreistöckigen Steinhäuser kaum von den Felswänden unterscheiden können, wären da nicht die bunten Aprikosen, Zwiebeln und Weizengarben gewesen, die sich auf den Flachdächern türmten. Hadschi Ali führte Mortenson in ein Haus, das ebenso schlicht wirkte wie die anderen, legte am Ehrenplatz vor einer offenen Feuerstelle Kissen auf den Boden und forderte den Gast auf, dort Platz zu nehmen.

Während der Tee zubereitet wurde, sprach niemand ein Wort. Nur das Scharren von Füßen und das Rascheln von Kissen waren zu hören, als zwanzig männliche Mitglieder von Hadschi Alis weitverzweigter Familie nacheinander hereinkamen und sich um das Feuer herum niederließen. Der Großteil des beißenden Qualms entwich durch eine große viereckige Öffnung in der Decke. Als Mortenson aufblickte, sah er die Augen der Kinder, die ihm gefolgt waren. Sie hatten sich rings um die Öffnung auf das Dach gelegt und spähten hinunter. Noch nie hatte sich ein Ausländer nach Korphe verirrt.

Als Hadschi Ali Mortenson einen Becher mit Buttertee reichte, trank der Gast gehorsam. Nachdem nun der erforderlichen Höflichkeit Genüge getan war, beugte sich der Dorfvorsteher vor und hielt sein bärtiges Gesicht dicht an das von Mortenson. „*Cheezaley?*", fragte er barsch, ein wichtiges Wort in der Sprache der Balti, das in diesem Fall so viel wie „Was zum Teufel hast du hier verloren?" bedeutete.

Mit ein paar Brocken Balti und viel Zeichensprache erklärte Mortenson, er sei Amerikaner und gekommen, um den K2 zu besteigen (was bei den Männern beifälliges Murmeln auslöste). Leider sei er krank und schwach geworden und deshalb hierher nach Askole zurückgekehrt, um jemanden zu finden, der ihn mit dem Jeep in das acht Stunden entfernte Skardu, die Hauptstadt von Baltistan, bringe.

Von der mühevollen Auskunft ebenso erschöpft wie von dem langen Marsch, sank er in die Kissen zurück. Hier am warmen Feuer spürte er, wie die Müdigkeit, die er so lange zurückgedrängt hatte, Besitz von ihm ergriff.

„*Met Askole*. Hier ist nicht Askole", erwiderte Hadschi Ali lachend und wies auf den Boden zu seinen Füßen. „Korphe", fügte er hinzu.

Erschrocken fuhr Mortenson hoch. Von Korphe hatte er noch nie gehört, und er war sicher, dass das Dorf auf keiner der ihm bekannten Karten des Karakorum verzeichnet war. Also erklärte er, er müsse nach

Askole, um dort einen Mann namens Mouzafer zu treffen, der sein gesamtes Gepäck bei sich habe.

Hadschi Ali hinderte den Gast am Aufstehen, rief seinen Sohn Twaha, der oft genug in Skardu gewesen war, um etwas Englisch aufzuschnappen, und wies ihn an zu übersetzen. „Heute nicht Askole gehen. Mit Fuß halbe Tag", radebrechte Twaha, der seinem Vater wie aus dem Gesicht geschnitten war. „Hadschi schicken morgen Mann suchen Mouzafer. Jetzt du schlafen."

Trotz aller sorgenvollen Gedanken, die ihm durch den Kopf gingen, und einer unbändigen Wut auf sich selbst, weil er sich schon wieder verlaufen hatte, schlief Mortenson rasch ein.

JEMAND hatte eine schwere Steppdecke über ihn gebreitet. Sie war warm und kuschlig, und Mortenson genoss das angenehme Gefühl. Seit dem späten Frühjahr hatte er keine Nacht mehr in einem Gebäude verbracht. Um sich herum sah er weitere schlafende Gestalten. Schnarchen hallte durch den Raum. Er drehte sich auf die andere Seite.

Als er wieder aufwachte, war er allein. Durch die Öffnung in der Decke war deutlich ein blauer Himmel zu sehen. Als Hadschi Alis Frau Sakina bemerkte, dass Mortenson sich bewegte, brachte sie ihm ein *lassi*, ein joghurtartiges Getränk, ein frisches *chapati*, Fladenbrot aus Weizenmehl, und süßen Tee. Sie war die erste Balti-Frau, die sich ihm je genähert hatte. Mortenson fand, dass sie ein ausgesprochen gütiges Gesicht besaß. Sie trug ihr langes Haar nach tibetischer Sitte in einer komplizierten Flechtfrisur und hatte eine mit Perlen, Muscheln und antiken Münzen verzierte Wollmütze auf dem Kopf.

Er biss in das warme Chapati, tunkte es in das Lassi, verschlang die Mahlzeit in Windeseile und stürzte den Tee hinunter. Sakina lachte beifällig und brachte ihm einen Nachschlag. Hätte Mortenson gewusst, wie teuer und schwierig Zucker für die Balti aufzutreiben war und wie sparsam sie damit umgingen, hätte er die zweite Tasse Tee abgelehnt.

Nachdem Sakina gegangen war, blickte er sich in dem Raum um, der spartanisch, ja geradezu ärmlich eingerichtet war. An einer Wand hing das ausgeblichene Plakat eines Reisebüros, das eine Schweizer Berghütte darstellte. Alle anderen Gegenstände, von den geschwärzten Kochutensilien bis zu den oft reparierten Öllampen, erfüllten einen rein praktischen Zweck. Die Decke, unter der er geschlafen hatte, bestand aus dicker rostbrauner Seide und war mit winzigen Spiegeln verziert, während die der anderen aus dünner, abgewetzter Wolle bestanden. Offenbar hatten seine Gastgeber ihm die beste Decke ihres Haushalts überlassen.

Am späten Nachmittag hörte Mortenson laute Stimmen. Als die Dorfbewohner zu der Felskante strömten, von der aus sich der Blick auf den Braldu öffnete, schloss er sich ihnen an. Er sah einen Mann, der sich in einer aus alten Brettern zusammengeschusterten Kiste, die an einem in etwa siebzig Meter Höhe über den Fluss gespannten Stahlseil hing, vorwärtszog. Den Braldu auf diese Weise zu überqueren ersparte dem Besucher einen Fußmarsch von einem halben Tag, denn so lange hätte es gedauert, flussaufwärts zur nächsten Brücke zu wandern. Doch ein Sturz hätte den sicheren Tod bedeutet. Als der Mann etwa die Hälfte der Strecke bewältigt hatte, stellte Mortenson fest, dass es Mouzafer war, der sich in die winzige Gondel gezwängt hatte. Als Sitz diente ihm ein sehr vertraut aussehender 45 Kilo schwerer Rucksack.

Bei einem Brathuhn in Hadschi Alis Haus erfuhr Mortenson später, dass Mouzafer im Karakorum ein bekannter Mann war und seit drei Jahrzehnten als einer der fähigsten Träger im Himalaja galt. Diskret überreichte Mortenson ihm dreitausend Rupien – viel mehr als den vereinbarten Lohn – und versprach ihm, ihn in seinem Dorf zu besuchen, wenn er wieder bei Kräften sei. Er ahnte nicht, dass Mouzafer in den nächsten zehn Jahren noch eine wichtige Rolle in seinem Leben spielen sollte, indem er ihm half, die Klippen der gesellschaftlichen Konvention im nördlichen Pakistan zu umschiffen. Denn dafür besaß der Balti dasselbe Feingefühl wie für das Vermeiden von Lawinen und das Aufspüren von Gletscherspalten.

Einige Tage später trafen Mortenson und Mouzafer mit Darsney zusammen und sie machten sich im Jeep gemeinsam auf den Weg nach Skardu. Doch nachdem Mortenson die schlichten Freuden einer guten Mahlzeit und eines bequemen Bettes in einer Bergsteigerherberge genossen hatte, spürte er, wie ihn eine unerklärliche Macht wieder in den Karakorum zog. Irgendetwas an Korphe fesselte ihn, und so kehrte er dorthin zurück, sobald er eine Mitfahrgelegenheit auftreiben konnte.

Er kam bei Hadschi Ali unter und gewöhnte sich bald einen festen Tagesablauf an. Jeden Morgen und Nachmittag unternahm er, stets in Begleitung von Kindern, einen kurzen Spaziergang durch Korphe. Dabei stellte er fest, dass diese winzige grüne Oase in einer staubigen Steinwüste ihre Existenz mühevoller Arbeit verdankte. Hunderte Bewässerungsgräben leiteten das Schmelzwasser des Gletschers zu den Feldern und Obsthainen.

Da er den gefährlichen Marsch über den Baltoro und die Gefahr nun hinter sich hatte, wurde Mortenson klar, wie knapp er dem Tod entronnen und wie schwach er inzwischen geworden war. Er schaffte es kaum

Eine grüne Oase zwischen tiefen Schluchten und schroffen Felswänden: Wie in Korphe oder Askole trotzen die Menschen überall im Karakorum der unwirtlichen Umgebung einen Platz zum Überleben ab.

Das über zehn Kilometer von Korphe entfernte Askole ist der Verkehrsknotenpunkt im oberen Braldu-Tal.

Mortensons Fürsprecher und Freund Hadschi Ali, der Dorfvorsteher von Korphe

den Fußweg zum Fluss hinunter, und als er dort sein Hemd auszog, um es im eiskalten Wasser zu waschen, erschrak er über sein eigenes Aussehen. Seine Arme waren dünn wie Zahnstocher; er konnte kaum fassen, dass sie ihm gehörten. Als er keuchend ins Dorf zurückkehrte, fühlte er sich so gebrechlich wie die alten Männer, die stundenlang unter den Aprikosenbäumen saßen. Ausgelaugt legte er sich wieder auf die Kissen bei Hadschi Alis Feuerstelle.

Der Nurmadhar behielt Mortensons Zustand sorgfältig im Auge. Schließlich befahl er, einen kostbaren großen Widder zu schlachten. Vierzig Menschen nagten jeden Fetzen gebratenes Fleisch von den Knochen des mageren Bocks und brachen dann mit Steinen die Knochen selbst auf, um das Mark mit den Zähnen herauszuholen. Als Mortenson sah, wie gierig sie das Fleisch verschlangen, wurde ihm klar, dass eine solche Mahlzeit für die Einwohner von Korphe Seltenheitswert besaß. Offenbar waren sie ständig vom Hunger bedroht.

Mit seinen Kräften kehrte auch seine Aufmerksamkeit zurück. Anfangs hatte er gedacht, in Korphe auf eine Art unberührtes Paradies gestoßen zu sein – so wie viele Touristen aus dem Westen glaubten, dass die Balti ein einfacheres und besseres Leben führten als sie selbst in ihren hoch entwickelten Heimatländern. Nach einigen Tagen jedoch wurde ihm zunehmend bewusst, dass Korphe alles andere war als die Idylle, von der westliche Idealisten träumten. In jeder Familie litt zumindest ein Mitglied an einem Kropf oder grauem Star. Das ingwerfarbene Haar der Kinder, das er zuerst so bewundert hatte, war die Folge von Entfärbung durch eine von Protein-Energie-Mangel bestimmte Form der Unterernährung. Außerdem erfuhr er aus seinen Gesprächen mit Twaha, dass der nächste Arzt eine Woche Fußmarsch entfernt in Skardu wohnte und nur eines von drei Kindern in Korphe seinen ersten Geburtstag erlebte.

Twaha erzählte ihm auch, seine eigene Frau Rhokia sei vor sieben Jahren bei der Geburt des ersten Kindes, der kleinen Dschahan, gestorben. Die rotbraune Decke mit den Spiegeln, unter der Mortenson hatte schlafen dürfen, war das wertvollste Stück aus Rhokias Mitgift gewesen.

Mortenson wusste nicht, wie er sich bei seinen Gastgebern für ihre Großzügigkeit bedanken sollte. Doch er war fest entschlossen, es wenigstens zu versuchen. Kleine nützliche Gegenstände wie frost- und auslaufsichere Bergsteigerflaschen und Taschenlampen waren bei den Balti sehr begehrt, sodass Mortenson sie an Hadschi Alis umfangreiche Verwandtschaft verteilte. Sakina schenkte er seinen Campingkocher.

Das für den Betrieb notwendige Kerosin fand sich in jedem Balti-Dorf. Seine weinrote Fleecejacke hängte er Twaha über die Schultern, obwohl sie diesem einige Nummern zu groß war. Und Hadschi Ali gab er die gefütterte Jacke, die ihn auf dem K2 gewärmt hatte.

Allerdings erwiesen sich der Inhalt des Erste-Hilfe-Pakets sowie seine Ausbildung zum Krankenpfleger in der Notaufnahme als am wertvollsten. Er behandelte offene Wunden mit Antibiotikasalbe, schnitt Entzündungen auf, schiente Knochenbrüche und verabreichte Schmerzmittel und Antibiotika. Bald sprachen sich seine Erfolge herum, sodass die Kranken in der Umgebung von Korphe ihre Verwandten schickten, um „Dr. Greg" zu holen – der Name, unter dem Mortenson später im ganzen nördlichen Pakistan bekannt werden sollte.

Während seiner Zeit in Korphe spürte er oft die Gegenwart seiner Schwester Christa, insbesondere wenn er mit den Kindern zusammen war. „Ihr Leben war so entsetzlich mühsam", berichtet er. „Sie erinnerten mich daran, wie Christa um die einfachsten Dinge kämpfen musste. Und daran, wie sie nicht lockerließ, ganz gleich welche Steine ihr das Leben auch in den Weg legte." Er beschloss, etwas für die Kinder zu tun, und nahm sich vor, von seinem letzten Geld Schulbücher oder Lernmaterialien zu kaufen und sie an ihre Schule zu schicken, wenn er wieder in Islamabad war.

Als er eines Abends vor dem Schlafengehen mit Hadschi Ali am Feuer saß, äußerte er Interesse daran, die Schule von Korphe zu besuchen. Obwohl er sah, wie sich das faltige Gesicht des alten Mannes verdüsterte, ließ er nicht locker. Schließlich erklärte sich der Dorfvorsteher bereit, ihn am folgenden Vormittag dorthin zu begleiten.

Nach dem Frühstück führte Hadschi Ali ihn einen steilen Pfad zu einem großen, hoch über dem Braldu gelegenen Felssims hinauf. Das Panorama war malerisch, die eisigen Gipfel des oberen Baltoro ragten oberhalb von Korphes grauen Felswänden rasiermesserscharf in den Himmel. Doch zu seinem Entsetzen musste Mortenson feststellen, dass die 82 Kinder – 78 Jungen und die vier Mädchen, die den Mut gehabt hatten, sich ihnen anzuschließen – im Freien auf dem gefrorenen Boden knieten. Hadschi Ali wich Mortensons Blick aus, als er erklärte, das Dorf habe keine Schule, da die pakistanische Regierung keinen Lehrer zur Verfügung stelle. Ein Lehrer verdiene umgerechnet einen Dollar am Tag, und das könne das Dorf sich nicht leisten. Also müssten sie sich mit dem Nachbarort einen Lehrer teilen, der drei Tage pro Woche in Korphe unterrichte. Die übrige Zeit sei es den Kindern überlassen, die Aufgaben, die er ihnen stelle, allein zu wiederholen.

Mortenson sah zu, wie die Schüler Habtachtstellung einnahmen und den „Schultag" mit der Nationalhymne begannen. „Gesegnet sei das heilige Land, glücklich das Reich des Wohlstandes, das Symbol unserer Entschlossenheit, unser Land Pakistan", sangen sie, während ihnen der Atem in der bereits winterkalten Luft in Wolken vor dem Mund stand. Mortenson erkannte Twahas siebenjährige Tochter Dschahan, die mit ihrem umgelegten Kopfschleier kerzengerade dastand.

Während er in Korphe wieder zu Kräften gekommen war, hatte Mortenson die Dorfbewohner häufig über die vom Volk der Panjabi dominierte pakistanische Regierung klagen hören, die sie als Fremdlinge aus dem Tiefland betrachteten. Sie verstanden nicht, warum man sich in Islamabad so ins Zeug gelegt hatte, um den Indern diese Region abzunehmen, die einmal zu Kaschmir gehört hatte, aber dennoch nichts für die dortige Bevölkerung tat. Außerdem war offensichtlich, dass die meisten Gelder, die nach Baltistan flossen, der Armee zugedacht waren, um den kostspieligen Kampf mit den indischen Truppen am Siachen-Gletscher zu finanzieren. Aber ein Dollar täglich für einen Lehrer? Mortenson traute seinen Ohren nicht. Wie kam es, dass ein Staat, selbst wenn er so arm war wie Pakistan, an etwas so Lebensnotwendigem sparte?

Als die letzten Töne der Nationalhymne verklungen waren, ließen sich die Kinder in einem Kreis nieder und fingen an, die Multiplikationstabelle abzuschreiben. Die meisten kratzten die Zahlen mit eigens zu diesem Zweck mitgebrachten Stöckchen in die Erde. Die Privilegierteren wie Dschahan besaßen Schiefertafeln, auf die sie ebenfalls mit Stöckchen sowie einer Mischung aus Matsch und Wasser schrieben. „Der Anblick zerriss mir das Herz", bekennt Mortenson. „Ich wusste, dass ich etwas unternehmen musste."

Aber was? Wenn er sich einfach ernährte und in den billigsten Unterkünften übernachtete, genügte sein Geld gerade, um mit Jeep und Bus nach Islamabad zu fahren und den Flug nach Hause zu nehmen. In Kalifornien erwarteten ihn Zeitverträge als Krankenpfleger, und alles, was er besaß, passte in den Kofferraum des spritdurstigen Buick, in dem er mehr oder weniger wohnte. Und dennoch musste es einen Weg geben.

Als er neben Hadschi Ali auf dem Felssims stand und über das Tal blickte, erschien es ihm plötzlich absurd, auf den K2 zu steigen, nur um dort eine Kette abzulegen. Um das Andenken seiner Schwester zu ehren, gab es eine viel bedeutsamere Geste. Er legte Hadschi Ali die Hände auf die Schultern, so wie der alte Mann es seit ihrer ersten gemeinsamen Tasse Tee schon oft getan hatte. „Ich werde eine Schule für euch bauen", verkündete er, ohne zu ahnen, dass er mit diesen Worten einen völlig neuen Lebensweg einschlug, der noch viel kurvenreicher und beschwerlicher sein sollte als die falsch gewählten Pfade auf seinem Rückmarsch vom K2. „Ich werde eine Schule bauen", wiederholte er. „Das verspreche ich euch."

Der Lagerraum

Innen roch es nach Afrika. Als Mortenson auf der Schwelle der zwei mal drei Meter großen Kabine stand, während draußen auf der San Pablo Avenue der Berufsverkehr vorbeibrauste, fühlte er sich so fremd, wie man sich nur nach einer 48-stündigen Luftreise fühlen kann. Beim Abflug aus Islamabad war er voller Tatendrang gewesen. Doch nun, zurück im kalifornischen Berkeley, machte sich Ratlosigkeit in ihm breit. Sein Versprechen an Hadschi Ali erschien ihm inzwischen wie eine Szene aus einem der halb vergessenen Filme, die er im Dämmerschlaf während einem der drei schier endlosen Flüge gesehen hatte.

Zeitverschiebung, Kulturschock – ganz gleich wie man diese eigenartige Benommenheit auch nennen mochte, er kannte diese Dämonen nur zu gut. Deshalb war Mortenson auch hierhergekommen, so wie immer nach einem Bergabenteuer. Nach Berkeley in den Lagerraum Nummer 114, eine muffige Kabine, die seine Identität beherbergte.

Er tastete nach dem Zugseil der Glühbirne, die an der Decke hing, und machte Licht. An einer Wand stapelten sich staubige Fachbücher über das Bergsteigen. Die aus kostbarem Elfenbein geschnitzte Elefantenkarawane, die auf einem eselsohrigen Fotoalbum stand, hatte seinem Vater gehört. Gigi, der kaffeebraune Stoffaffe, war immer Mortensons treuester Freund gewesen. Als er nach dem Spielzeugtier griff, stellte er fest, dass die afrikanische Kapokfüllung aus einer Naht auf der Brust rieselte. Er hielt sich den Affen an die Nase, atmete ein und befand sich schlagartig wieder im Garten des langgezogenen Holzhauses unter den schützenden Ästen des Pfefferbaums. In Tansania.

WIE SEIN Vater wurde Mortenson im US-Bundesstaat Minnesota geboren. Doch er war gerade einmal drei Monate alt gewesen, als seine Eltern ihn 1958 mit auf das größte Abenteuer ihres Lebens genommen hatten, einen Einsatz als Missionare und Lehrer im Schatten des Kilimandscharo, des höchsten Berges auf dem afrikanischen Kontinent.

Gregs Vater Irvin war groß und kräftig, was ihm nach einem berühmten Boxer den Spitznamen Dempsey eingebracht hatte. Dank seiner sportlichen Fähigkeiten hatte er mit einem Football-Stipendium die Universität von Minnesota besucht und einen Abschluss als Sportlehrer gemacht.

Seine Frau Jerene war ebenfalls Sportlerin und Spielführerin ihrer Highschool-Basketballmannschaft gewesen. Die beiden hatten Hals über Kopf geheiratet, als Dempsey, damals in der Armee, auf Heimaturlaub gewesen war. „Dempsey hatte Fernweh", erinnert sich seine Frau Jerene. „In seiner Militärzeit war er in Japan stationiert gewesen und hatte es genossen, mehr von der Welt zu sehen als Minnesota. Als ich mit Greg schwanger war, kam er eines Tages nach Hause und meinte: ‚In Tanganjika werden Lehrer gebraucht. Lass uns nach Afrika gehen.' Wenn man jung ist, hält man sich nicht mit Zweifeln auf. Also haben wir es einfach gemacht."

Die Familie verliebte sich leidenschaftlich in das Land, das nach der Unabhängigkeit und der Vereinigung mit Sansibar ab 1964 Tansania hieß. „Je älter ich werde, desto mehr weiß ich meine Kindheit zu schätzen. Sie war ein Paradies", urteilt Mortenson im Rückblick. „Bei unserem Haus stand ein gewaltiger Pfefferbaum. Wenn es geregnet hatte, roch der ganze Garten nach Pfeffer. Ein köstlicher Duft."

In der südlich des Kilimandscharo gelegenen Stadt Moshi stürzte sich Dempsey mit Feuereifer in seine Lebensaufgabe, die darin bestand, Mittel für die Errichtung des ersten Lehrkrankenhauses in Tansania zu sammeln. Mit demselben Einsatz widmete sich Jerene der Gründung der Internationalen Schule von Moshi, die von einem bunten Gemisch Kinder aus aller Herren Länder besucht wurde. Greg, der ebenfalls auf diese Schule ging, fühlte sich inmitten der vielen verschiedenen Sprachen und Kulturen wohl wie ein Fisch im Wasser.

Mit elf bestieg er seinen ersten hohen Berg. „Seit meinem sechsten Lebensjahr starrte ich auf den Gipfel des Kilimandscharo und bettelte meinen Vater an, mich dorthin mitzunehmen." Endlich war Dempsey der Meinung, dass sein Sohn nun alt genug sei, um die Strecke zu schaffen. Allerdings wurde die Tour zum höchsten Punkt Afrikas alles andere als ein Spaß. „Ich übergab mich den ganzen Weg", erzählt Mortenson. „Es war einfach scheußlich. Doch als ich bei Morgengrauen auf dem Gipfel stand und unter mir die Savanne sah, war ich dem Klettern für den Rest meines Lebens verfallen."

Jerene brachte noch drei Mädchen zur Welt: Kari, Sonja und Joy. Als Greg zwölf war, wurde schließlich Christa geboren. Anders als die älte-

Der kleine Greg mit zwei seiner Schwestern
und einem Freund der Familie in Tansania

ren Geschwister war sie klein und zierlich. Als sie gerade laufen lernte, zeigte sie eine starke Unverträglichkeitsreaktion auf eine Pockenimpfung. Mit drei erkrankte sie an einer schweren Hirnhautentzündung, von der sie sich nie wieder ganz erholte. Im Alter von acht Jahren begann sie an Anfällen zu leiden, und man stellte bei ihr Epilepsie fest.

Kurz nach Gregs 14. Geburtstag wurde das Krankenhaus mit seinen 640 Betten fertig. Dempsey besorgte literweise Bananenbier und rodete sämtliches Gebüsch im Garten, um Platz für die fünfhundert Einheimischen und Zugereisten zu schaffen, die er zu einer Grillfeier eingeladen hatte. „Das Hospital existiert bis heute und ist das beste Lehrkrankenhaus in Tansania", hebt Mortenson hervor. „Ich war so stolz auf meinen Vater. Er hat mir beigebracht, dass man alles schaffen kann, wenn man nur an sich glaubt."

Nachdem ihre Aufgabe in Tansania erfüllt war, beschlossen Dempsey und Jerene, dass ihre Kinder nun die Vereinigten Staaten kennen lernen sollten. Also packten sie ihre Habe in Kisten und kamen zuerst bei Jerenes Eltern in Saint Paul in Minnesota unter, bevor sie günstig ein Haus in einem gutbürgerlichen Vorort kauften.

Im Großen und Ganzen gewöhnte Greg sich rasch an die amerikanische Kultur. Er war ein guter Schüler, insbesondere in Mathematik,

Musik und den Naturwissenschaften sowie, dank seiner erblichen Veranlagung, selbstverständlich auch im Sport.

Der Einsatz der Familie in Afrika war zwar in vielerlei Hinsicht lohnend gewesen, nur leider nicht finanziell, weshalb die Studiengebühren an einer privaten Universität die Mittel der Mortensons überstiegen. Also fragte Greg seinen Vater um Rat. „Ich habe mit einem Stipendium der Army das College besucht", entgegnete Dempsey. „Das ist nicht die schlechteste Möglichkeit." Und so suchte Greg im April seines letzten Highschool-Jahres ein Rekrutierungsbüro auf und verpflichtete sich für zwei Jahre. „So kurz nach dem Vietnamkrieg wirkte das auf mein Umfeld ziemlich merkwürdig", meint er heute. „Meine Mitschüler konnten es nicht fassen, dass ich allen Ernstes zum Militär wollte. Aber wir waren pleite."

Vier Tage nach seinem Schulabschluss begann er mit der Grundausbildung. Er wurde an Artilleriegeschützen geschult, zum Sanitäter ausgebildet und schließlich bei einer Panzerdivision in Deutschland stationiert. Für die Evakuierung verwundeter Soldaten während eines Manövers erhielt er eine Auszeichnung. Froh über dieses Stück Lebenserfahrung, wurde er nach zwei Jahren ehrenhaft entlassen.

Mit einem Football-Stipendium schrieb er sich an einem winzigen College in Minnesota ein. Allerdings wurde er des Lebens an der kleinen, provinziellen Universität bald überdrüssig, weshalb er mit einem Army-Stipendium an die Universität von South Dakota wechselte, die bedeutend mehr Möglichkeiten bot.

Inzwischen war Jerene ebenfalls wieder Studentin geworden und promovierte in Pädagogik, während Dempsey für ein geringes Gehalt im Schuldnerarchiv der Staatskanzlei von Minnesota beschäftigt war. So war das Geld bei den Mortensons knapper als je zuvor.

Im April 1981 – Greg studierte gerade im zweiten Jahr an der Universität von South Dakota Chemie und Pflegewissenschaft – wurde bei Dempsey Krebs diagnostiziert. Er war 48 Jahre alt. Als Greg erfuhr, dass sich Metastasen gebildet und bereits auf Lymphknoten und Leber ausgebreitet hatten, wurde ihm klar, dass er seinen Vater vermutlich bald verlieren würde. Obwohl er eigentlich für Klausuren büffeln und außerdem neben dem Studium jobben musste, setzte er sich jedes zweite Wochenende sechs Stunden lang ins Auto, um bei seinem Vater zu sein.

Im September besuchte er ihn das letzte Mal. Inzwischen lag Dempsey bereits im Krankenhaus.

„Es fiel ihm nie leicht, Zuneigung zu zeigen", erinnert sich Mortenson. „Doch er hatte die ganze Zeit die Hand auf meiner Schulter. Als ich schließlich aufstand, um zu gehen, meinte er: ‚Es ist alles erledigt. Alles ist gut.' Er hatte erstaunlich wenig Angst vor dem Tod." Dempsey starb friedlich am nächsten Morgen.

Nach dem Tod seines Vaters und mit einem ausgezeichneten Universitätsabschluss in der Tasche, fühlte Mortenson sich vollkommen ungebunden. Er spielte mit dem Gedanken, Medizin zu studieren, doch die Vorstellung, noch einmal fünf Jahre warten zu müssen, bevor er endlich eigenes Geld verdiente, schreckte ihn ab. Außerdem begann er sich zunehmend Sorgen darüber zu machen, auch Christa zu verlieren, denn sie litt immer häufiger an epileptischen Anfällen. Deshalb kehrte er für ein Jahr nach Hause zurück und kümmerte sich um sie.

1986 schrieb er sich an der Universität von Indiana in Neurophysiologie ein, da er in seinem Idealismus glaubte, auf diese Weise ein Mittel gegen die Krankheit seiner Schwester finden zu können. Allerdings drehen sich die Räder der medizinischen Forschung zu langsam für einen ungeduldigen 28-Jährigen: Je mehr er über Epilepsie lernte, desto weiter schien Christas Heilung in die Ferne zu rücken. Und während er im Labor saß, ertappte Mortenson sich dabei, dass seine Gedanken immer öfter zu den Granitwänden der Needles schweiften, spitzen Felsformationen in South Dakota, wo er sich im Jahr davor die Grundlagen des Kletterns angeeignet hatte.

Er spürte diesen Drang immer stärker werden. Er besaß den alten Buick seiner Großmutter, den er *La Bamba* getauft hatte. Er verfügte über einige Tausend Dollar Ersparnisse. Und er sehnte sich nach einem anderen Leben, einem, das sich hauptsächlich in der freien Natur abspielte – wie jenes, das er damals in Tansania so geliebt hatte. Da Kalifornien ihm dazu am geeignetsten erschien, lud er seine Habe in *La Bamba* und machte sich auf den Weg nach Westen.

Wie bei den meisten Dingen, mit denen er sich beschäftigt und denen er genug Leidenschaft entgegenbringt, verbesserten sich seine Fähigkeiten als Kletterer rasant. Wenn er heute seine ersten Jahre in Kalifornien beschreibt, klingt es, als hätten der einwöchige Lehrgang im Süden des Bundesstaats und seine Tätigkeit als Expeditionsleiter zu den Siebentausendern Nepals unmittelbar aneinander angeschlossen. Dazwischen arbeitete er als Pfleger in der Notaufnahme und leistete Nacht- und Wochenendschichten in verschiedenen Krankenhäusern im Umkreis von San Francisco. Als Gegenleistung für die bei den anderen unbeliebten Arbeitszeiten nahm er sich die Freiheit heraus, verschwinden zu können, wenn der Berg ihn rief.

Am 22. Juli 1992 stieg er mit seiner damaligen Freundin auf den Mount Sill in der Sierra Nevada. Als sie am nächsten Morgen nach einem Nachtbiwak einen Gletscher hinabgingen, stolperte Mortenson plötzlich, überschlug sich und rutschte den steilen Hang hinab. Dabei hatte er so viel Schwung, dass er bei jedem Aufprall anderthalb Meter in die Luft geschleudert wurde, ehe er wieder auf dem betonhart gefrorenen Schnee landete. Wegen des schweren Rucksacks kugelte er sich die linke Schulter aus und brach sich das Schlüsselbein. Erst nach einem Fall von über 250 Höhenmetern gelang es ihm, die Spitze seines Eispickels in den Schnee zu rammen und sich mit dem gesunden Arm festzuhalten.

Nachdem er 24 Stunden unter Halluzinationen und Schmerzen den Berg hinunter- und den Wanderpfad zum Wagen zurückgetaumelt war, fuhr seine Freundin ihn ins nächste Krankenhaus. Von dort aus rief er seine Mutter an, um ihr mitzuteilen, dass er das Abenteuer heil überstanden habe. Allerdings erhielt er eine schreckliche Nachricht. Während er am Mount Sill um sein Leben gekämpft hatte, hatte seine Mutter Christa an deren 23. Geburtstag wecken wollen. „Als ich hereinkam, kauerte sie auf allen vieren", erinnert sich Jerene. „Sie war blau angelaufen. Wahrscheinlich sollten wir erleichtert sein, dass der Tod durch den schweren Anfall so schnell kam. Sie war buchstäblich mitten in der Bewegung erstarrt."

Mit dem Arm in der Schlinge kam Mortenson zur Beerdigung nach Minnesota. Zurück in Kalifornien fühlte er sich so ziel- und hoffnungslos wie noch nie in seinem Leben. Deshalb empfand er den Anruf des erfahrenen Bergsteigers Dan Mazur als Rettung in letzter Minute. Mazur plante eine Expedition zum K2 und brauchte einen Sanitäter. Ob Mortenson Lust habe mitzukommen? Für Mortenson bedeutete die Anfrage eine Möglichkeit, sein Leben ins Lot zu bringen und gleichzeitig das Andenken an seine Schwester zu ehren.

MORTENSON ließ Gigi sinken und setzte den Stoffaffen wieder auf das Fotoalbum. Dann verließ er den Lagerraum, um seine Kletterausrüstung aus dem Kofferraum von *La Bamba* zu holen.

Er hängte Geschirr, Seile, Steigeisen, Karabinerhaken, Bohrhaken und Steigklemmen an die Wand, wo sie während der letzten fünf Jahre nur kurz zwischen den Reisen und Klettertouren verweilt hatten. Seine Ausrüstung hatte Mortenson über Kontinente und auf Gipfel getragen, die für den Menschen einstmals unbezwingbar schienen – doch nun kamen ihm diese Hilfsmittel nutzlos vor. Was konnte ihm dabei helfen, Gelder zu sammeln?, fragte er sich. Wie konnte er seine Landsleute dazu bringen, sich für ein paar Kinder zu interessieren, die am anderen Ende der Welt draußen in der Kälte im Kreis saßen?

DIE SCHREIBMASCHINE war zu klein für Mortensons Hände. Immer wieder erwischte er zwei Tasten auf einmal, worauf er den Brief herausriss und von Neuem begann, was die Angelegenheit nur teurer machte. Die Mietgebühr von einem Dollar pro Stunde für die alte elektrische Maschine war ihm zunächst vernünftig erschienen. Allerdings hatte er nach fünf Stunden in dem Kopierladen erst vier Briefe geschafft.

Ein weiteres Problem bestand darin, dass er nicht wusste, wie er sich am besten ausdrücken sollte. Er begann den fünften Brief an die bekannte Talkmasterin Oprah Winfrey.

> Sehr geehrte Ms Winfrey,
> ich bin ein Bewunderer Ihrer Sendung. Für mich sind Sie jemand, dem das Wohlergehen seiner Mitmenschen am Herzen liegt. Ich schreibe Ihnen, um Ihnen von einem kleinen Dorf in Pakistan zu erzählen, das Korphe heißt. Dort möchte ich gern eine Schule gründen. Wussten Sie, dass viele Kinder in diesem wunderschönen Teil des Himalajas gar nicht zur Schule gehen?

Nun kam die Stelle, an der er immer wieder hängen blieb. Er war sich nämlich nicht sicher, ob er den Stier bei den Hörnern packen und von Geld sprechen oder nur allgemein um Unterstützung bitten sollte.

> Ich plane, eine Schule mit fünf Räumen für etwa hundert Schüler bis zur fünften Klasse zu bauen. Dazu möchte ich vor Ort verfügbare Materialien verwenden und einheimische Handwerker beschäftigen. Ich bin sicher, dass zwölftausend Dollar genügen würden.

Und jetzt wurde es richtig schwierig:

> Jede Summe, die Sie dazu beitragen könnten, wäre eine große Hilfe.

Im nächsten Moment stellte er fest, dass er sich beim letzten Wort vertippt hatte, und riss das Blatt wieder aus der Maschine.

Als er nach San Francisco fuhr, um seine Nachtschicht in der Notaufnahme des UCSF Medical Center anzutreten, hatte er gerade mal sechs Briefe fertiggestellt, kuvertiert und mit einer Briefmarke versehen. Ein ziemlich kläglisches Ergebnis für einen ganzen Arbeitstag. Aber wenigstens hatte er den ersten Schritt gemacht. Er hatte sich fünfhundert

Briefe zum Ziel gesetzt. Nun drehte sich ihm der Kopf vor freudiger Erwartung, und er fühlte sich, als hätte er eine Zündschnur angesteckt. Jetzt brauchte er nur noch auf gute Nachrichten zu warten.

FALLS es wieder einmal zu einer Messerstecherei gekommen war, konnte die Zeit in der Notaufnahme vergehen wie im Flug. Wurden jedoch keine dringenden Fälle eingeliefert, krochen die Stunden im Schneckentempo dahin. In Nächten wie diesen hielt Mortenson ein Nickerchen oder plauderte mit den Ärzten, wie zum Beispiel mit Tom Vaughan. Der Lungenspezialist war ebenfalls Bergsteiger und hatte 1982 als begleitender Arzt an der amerikanischen Expedition zum Gasherbrum II in Pakistan teilgenommen. Deshalb freundeten sich der Arzt und der Krankenpfleger rasch an.

„Greg war bei einem Notfall unglaublich schnell und tüchtig und hatte immer die Ruhe weg", erinnert sich Vaughan. „Allerdings schien er mit dem Herzen nicht dabei zu sein, wenn man mit ihm über medizinische Themen sprach. Damals hatte ich den Eindruck, dass er nur die Zeit bis zu seiner Rückkehr nach Pakistan zu überbrücken versuchte."

Um während des Geldsammelns möglichst wenig auszugeben, beschloss Mortenson, sich die Wohnungsmiete zu sparen. Schließlich hatte er seinen Lagerraum. Und der Rücksitz von *La Bamba* war so lang wie ein Sofa, verglichen mit einem zugigen Zelt auf dem Baltoro also ein verhältnismäßig bequemer Schlafplatz. Seine Mitgliedschaft bei einem Sportstudio für Kletterer erhielt er jedoch aufrecht, nicht nur wegen der Kletterwand, die er fast täglich nutzte, um in Form zu bleiben, sondern auch wegen der Duschen. Jeden Abend suchte er sich eine dunkle, ruhige Straße, um ungestört in seinem Buick schlafen zu können.

Wenn er nicht arbeiten musste, verfasste er Briefe an alle amerikanischen Senatoren. In der öffentlichen Bibliothek durchforstete er Lifestyle-Zeitschriften nach den Namen von Filmstars und Popsängern. Und er schrieb Adressen aus einem Buch heraus, das die hundert reichsten Amerikaner aufführte. „Ich legte einfach eine Liste von Personen an, die mir einflussreich, beliebt oder wichtig erschienen, und schrieb ihnen einen Brief", erklärt er. „Damals war ich sechsunddreißig und hatte nicht die leiseste Ahnung von Computern. So naiv war ich in jener Zeit."

Als er eines Tages wieder zu dem Kopiergeschäft wollte, fand er es geschlossen vor. Also machte er sich auf den Weg zum nächsten Laden, um dort eine Schreibmaschine zu mieten.

„Ich erklärte ihm, dass wir keine Schreibmaschinen hätten", erzählt Kishwar Syed, der Besitzer. „Schließlich lebten wir im Jahr 1993. ‚Warum mieten Sie keinen Computer?', fragte ich, und er antwortete, er wisse nicht, wie ein Computer funktioniert."

Bald erfuhr Mortenson, dass Syed aus Pakistan stammte. Und als der Ladenbesitzer hörte, warum Mortenson diese Briefe schreiben wollte, setzte er ihn an einen Computer und erteilte ihm einige kostenlose Unterrichtsstunden.

Mortenson war verblüfft von den neuen Möglichkeiten. Er erkannte, dass er innerhalb eines Tages die dreihundert Briefe hätte erstellen können, an denen er monatelang getippt hatte. Im Verlauf eines einzigen Wochenendes hatte er sein Ziel von fünfhundert Anschreiben erreicht. Danach stellte er mit Syed eine Liste mit Dutzenden weiterer prominenter Namen zusammen. Nachdem er insgesamt 580 Bettelbriefe verschickt hatte, kehrte er an seinen freien Tagen in Syeds Laden zurück, um 16 Anträge auf Fördermittel für die Schule in Korphe zu schreiben.

Aus der Ferne hatte die inzwischen in Wisconsin lebende Jerene die Aktivitäten ihres Sohnes verfolgt. Nach ihrer Promotion war sie Grundschulrektorin geworden und schlug ihm nun vor, vor ihren sechshundert Schülern einen Diavortrag zu halten. „Erwachsenen zu erklären, warum ich Schülern in Pakistan helfen wollte, war mir ziemlich schwergefallen", erinnert er sich. „Aber die Kinder verstanden mich sofort. Als sie die Bilder sahen, konnten sie es nicht fassen, dass es Gleichaltrige gab, die bei kaltem Wetter draußen sitzen und Unterricht ohne Lehrer abhalten mussten. Und da beschlossen sie, etwas zu unternehmen."

Einen Monat nach seiner Rückkehr nach Berkeley erhielt er einen Brief seiner Mutter. Sie schrieb, ihre Schüler hätten spontan die Aktion „Pennys für Pakistan" ins Leben gerufen und 62 345 Ein-Cent-Münzen gesammelt. Als Mortenson den mitgeschickten Scheck über 623,45 Dollar auf ein Konto einzahlte, hatte er das Gefühl, dass das Blatt sich endlich gewendet hatte. „Die Kinder hatten den ersten Schritt getan, um die Schule zu bauen", betont er. „Und zwar mit etwas, das in unserer Gesellschaft praktisch wertlos ist. In anderen Ländern kann man mit Pennys jedoch Berge versetzen."

Seit er den ersten seiner 580 Briefe verschickt hatte, waren mittlerweile sechs Monate vergangen. Endlich erhielt er die erste und einzige Antwort, und zwar von einem Fernsehreporter, der wie er Absolvent der Universität von South Dakota war. Der Journalist schickte einen Scheck über hundert Dollar und wünschte ihm viel Glück. Nach und nach trudelten auch die Antworten der verschiedenen Stiftungen ein, die Mortenson davon in Kenntnis setzten, dass alle 16 Anträge auf Fördermittel abgelehnt worden waren.

Er berichtete Tom Vaughan, wie schleppend sich die Beschaffung von Geldern hinzog. Der Arzt war Fördermitglied der American Himalayan Foundation (AHF) und beschloss, diese Organisation um Hilfe zu bitten. Sein kurzer Artikel über Mortensons gescheiterte K2-Ersteigung und dessen Bemühungen, in Korphe eine Schule zu bauen, wurde im landesweiten AHF-Infobrief veröffentlicht. Außerdem erinnerte Vaughan die Mitglieder der Stiftung, von denen viele zu den berühmtesten Bergsteigern der Vereinigten Staaten gehörten, an Sir Edmund Hillarys Erbe in Nepal. Nachdem Hillary in Begleitung von Tenzing Norgay 1953 den Mount Everest bezwungen hatte, hatte er sich einer Aufgabe gewidmet, die er selbst als viel schwieriger beschrieb als die Ersteigung des höchsten Gipfels der Welt – er hatte Schulen in den armen Dörfern der Sherpas gebaut, deren Trägern er den Erfolg seiner Expedition verdankte.

Als Mortenson eines Sommertags zur Arbeit kam, reichte Vaughan ihm einen von seinem Rezeptblock abgerissenen Zettel. „Dieser Typ hat den Artikel über dich im Infobrief gelesen und mich angerufen", erklärte er. „Allerdings hat er keinen sonderlich sympathischen Eindruck auf mich gemacht. Aber er scheint reich zu sein. Du solltest dich bei ihm melden." Mortenson betrachtete den Zettel. *Dr. Jean Hoerni* stand da neben einer Nummer mit der Vorwahl von Seattle.

Am nächten Tag schlug er den Namen in der öffentlichen Bibliothek nach. Hoerni war ein in der Schweiz geborener Physiker. Zusammen mit einer Gruppe kalifornischer Wissenschaftler hatte er den Vorläufer des Siliziumchips entwickelt und das Verfahren patentieren lassen. Mit jetzt siebzig Jahren besaß er ein Privatvermögen von mehreren Hundert Millionen Dollar. Außerdem war auch er Bergsteiger. Als junger Mann hatte er sich am Mount Everest versucht und Gipfel auf fünf Kontinenten erklommen. Den Karakorum, den er von Wandertouren kannte, hatte er besonders ins Herz geschlossen, und die Kluft zwischen der idyllischen Landschaft und der bitteren Armut der Balti hatte ihn sehr betroffen gemacht.

Vom öffentlichen Fernsprecher der Bibliothek rief Mortenson Hoerni in Seattle an. „Hier spricht Greg Mortenson. Tom Vaughan hat mir Ihre Nummer gegeben. Ich rufe an, weil …"

„Ich weiß, was Sie wollen!", fiel ihm eine barsche Stimme mit französischem Akzent ins Wort. „Aber wer garantiert mir, dass Sie sich mit dem Geld, das ich Ihnen für die Schule gebe, nicht an einen mexikanischen Strand verdrücken und Gras rauchen?"

„Nein, Sir, das werde ich auf gar keinen Fall tun. Ich möchte nur Kindern zu einer Schulbildung verhelfen. Im Karakorum. Sie brauchen dringend unsere Unterstützung. Das Leben dort ist sehr hart."

„Das ist mir bekannt. Ich war 1974 selbst dort. Und was genau soll Ihre Schule kosten?"

„Ich habe mich mit einem Architekten und einem Bauunternehmer in Skardu getroffen und den Preis aller Materialien mit ihnen durchgerechnet. Die Schule soll fünf Räume bekommen, vier als Klassenzimmer und einer ..."

„Eine Summe!"

„Zwölftausend Dollar", entgegnete Mortenson verlegen, „aber jeder Betrag wäre –"

„Ist das alles?", unterbrach Hoerni ihn ungläubig.

„Ja, Sir."

Als Mortenson eine Woche später sein Postfach öffnete, befand sich darin ein Umschlag mit einem Empfangsbeleg für einen Scheck über zwölftausend Dollar, den Hoerni, auf Mortensons Namen ausgestellt, an die AHF geschickt hatte. Auf einem zusammengefalteten Zettel aus kariertem Papier stand: *Machen Sie bloß keinen Unsinn. Grüße. J. H.*

Während Mortenson darauf wartete, dass der Scheck gutgeschrieben wurde, verkaufte er alles, was er besaß, um sein Flugticket und seine Lebenshaltungskosten in Pakistan zu finanzieren.

Am Morgen vor dem Abflug fällte er eine besonders schwere Entscheidung: Für fünfhundert Dollar verkaufte er *La Bamba* an einen Gebrauchtwagenhändler. Nachdem er noch einmal die Motorhaube getätschelt hatte, steckte er das Geld ein und ging mit seiner Reisetasche zum Taxi, das darauf wartete, ihn zur nächsten Station seines Lebens zu bringen.

Dämmerung über den Dächern von Rawalpindi

Den Körper schützend um das Geld gekrümmt, wachte Mortenson völlig durchgeschwitzt auf. In einem abgewetzten grünen Nylonbeutel hatte er 12 800 Dollar in abgegriffenen Hundertern bei sich. Zwölftausend für die Schule und achthundert, von denen er in den nächsten Monaten leben wollte. In dem spartanisch ausgestatteten Zimmer gab es keine andere Möglichkeit, das Geld zu verstecken, als unter seiner Kleidung. Ganz automatisch tätschelte er den Beutel und schwang dann die Füße von dem wackligen *charpoy*, der schlichten feldbettartigen Liege, auf den feuchten Betonboden.

Als er den Vorhang beiseiteschob, wurde er mit der Aussicht auf ein Stück Himmel belohnt, in den das grün gekachelte Minarett der nahe gelegenen Moschee des Ministeriums für Transportwesen hineinragte. Der Himmel war violett. Der Abend dämmerte. Offenbar hatte Mortenson einen ganzen Tag verschlafen. Bei Morgengrauen war er in Islamabad eingetroffen und befand sich nun in dessen grüner Schwesterstadt, dem geschäftigen Rawalpindi, wo die Hotelpreise günstiger waren. Wie der Geschäftsführer des „Hotel Khyaban" ihm versichert hatte, handelte es sich bei seiner Unterkunft um das „am meisten billige" Zimmer.

Jede Rupie zählte, jeder vergeudete Dollar bedeutete weniger Bausteine oder Bücher für die Schule. Für acht Rupien, etwa zwei Dollar, die Nacht bewohnte Mortenson eine gut sechs Quadratmeter große verglaste Kabine auf dem Hoteldach, die eher an ein Gewächshaus als an ein Gästezimmer erinnerte. Er zog die Hose an, zupfte sich das an der Haut klebende Salwar-Hemd von der Brust und öffnete die Tür. Jetzt, am frühen Abend, war die Luft draußen kaum kühler geworden. Aber wenigstens bewegte sie sich.

Abdul Shah, der Wachmann des Hotels, kauerte auf den Fersen, als hätte er den ganzen Nachmittag darauf gewartet, dass Mortenson sich rührte. „Allah sei mit dir, Greg *Sahib*", begrüßte er ihn und erhob sich, um Tee zu holen.

Mortenson nahm die angeschlagene Porzellankanne mit dem klebrig süßen, milchigen Tee entgegen. Er musste dringend einen klaren Kopf bekommen und Pläne schmieden. Bei seinem letzten Aufenthalt im Khyaban vor einem Jahr war er – im Gegensatz zu heute – Mitglied einer bis ins Letzte durchorganisierten Expedition gewesen.

„Mr Greg, Sahib", meinte Abdul, als hätte er seine Gedanken gelesen, „darf ich Sie fragen, warum Sie zurückgekommen sind?"

„Ich möchte eine Schule bauen."

„Hier in Rawalpindi?"

Während Mortenson nach und nach seine Teekanne leerte, erzählte er Abdul von seinem Scheitern am K2, dem Herumirren auf dem Gletscher und davon, wie die Einwohner von Korphe ihn Fremden gastfreundlich aufgenommen hatten.

Abdul kauerte sich wieder auf die Fersen und zog Luft durch die Zähne ein. „Sind Sie reich?" Zweifelnd musterte er dabei Mortensons abgewetzte Turnschuhe und seinen abgetragenen braunen Salwar.

„Nein. Viele Leute in Amerika, sogar Kinder, haben ein wenig Geld für die Schule gespendet." Er zog den grünen Nylonbeutel unter seinem Hemd hervor und zeigte Abdul das Geld. „Das reicht genau für eine Schule, wenn ich sorgfältig wirtschafte."

Entschlossen stand Abdul auf. „So Allah, der Gnädige und Allmächtige, will, werden wir morgen ein Geschäft abschließen. Wir müssen aber hart verhandeln." Er sammelte das Teegeschirr ein und ging.

Von einem Klappstuhl auf dem Dach aus lauschte Mortenson dem elektrischen Knistern, als im Minarett der benachbarten Moschee Stromkabel zusammengedreht wurden, damit der Ausrufer die Gläubigen per Lautsprecher zum Abendgebet auffordern konnte.

In ganz Rawalpindi hallten die Rufe der Muezzine von einem halben Dutzend weiterer Moscheen durch die Abendluft. Mortenson war, als sprächen sie ihn direkt an und forderten ihn auf, endlich etwas zu unternehmen. Die Befürchtungen, die ihn schon das ganze Jahr quälten, er könnte am Bau der Schule scheitern, schob er beiseite. Morgen finge er an.

Abduls Klopfen fiel mit dem morgendlichen Ruf des Muezzins zusammen. Als sich um halb fünf die Lautsprecher mit einem elektrischen Knistern ankündigten, öffnete Mortenson die Tür seines Verschlags und stand vor Abdul, der ein Teetablett in der Hand hielt. „Das Taxi wartet. Aber zuerst trinken Sie Ihren Tee, Greg Sahib."

„Taxi?", wiederholte Mortenson schlaftrunken.

„Der Zement", erwiderte Abdul geduldig, als müsste er einem besonders begriffsstutzigen Schüler die Grundregeln der Arithmetik erklären. „Wie soll man eine Schule ohne Zement bauen?"

„Das geht natürlich nicht", antwortete Mortenson lachend.

Bei Sonnenaufgang rasten sie auf der ehemaligen Grand Trunk Road nach Westen. Früher einmal war diese Straße die wichtigste Verbindung zwischen Kabul und dem 2600 Kilometer entfernten Kalkutta gewesen. Doch inzwischen hatte man sie zur Staatsstraße herabgestuft, denn die Grenzen zu Afghanistan und Indien waren viel zu häufig geschlossen. Der gelbe Kleinwagen besaß offenbar keine Stoßdämpfer, sodass Mortenson, der sich auf den Rücksitz gezwängt hatte, ständig darauf achten musste, sich nicht mit den Knien gegen das Kinn zu schlagen.

Als sie um sechs in Taxila eintrafen, war es schon sehr heiß. Im Jahr 326 vor Christus hatte Alexander der Große auf dem letzten Vorstoß seiner Truppen zum östlichen Rand des Reiches seine Soldaten hier einquartiert. Taxilas Lage an der Kreuzung der Handelsstraßen von Osten nach Westen, die später die Grand Trunk Road werden sollten, mit der

Seidenstraße aus China hatte die Ortschaft in der Antike zu einem wichtigen Umschlagplatz gemacht. Heute war die staubige Ansammlung von Gebäuden an den braunen Hügelausläufern des Himalajas eine Industriestadt, in der die pakistanische Armee Nachbauten veralteter sowjetischer Panzer herstellen ließ. Die vier qualmenden Schlote gehörten zu den vier großen Zementfabriken, die das Grundmaterial für den Großteil der pakistanischen Infrastruktur lieferten.

Mortenson wollte schnurstracks in die erste Fabrik marschieren und mit den Verhandlungen beginnen. Doch wieder wurde er von Abdul zurechtgewiesen wie ein unwissender Schüler. „Aber Greg Sahib, zuerst müssen wir Tee trinken und über Zement reden."

Auf einem wackeligen Hocker balancierend, pustete Mortenson in sein fünftes Gläschen grünen Tee und versuchte, dem Gespräch zu folgen, das Abdul mit drei uralten Gästen der Teestube führte. Ihre eigentlich weißen Bärte waren gelb vom Nikotin. Die Debatte verlief mit großer Leidenschaft.

„Also", meinte Mortenson, nachdem er ein paar schmutzige Rupienscheine auf den Tisch gelegt hatte, „in welche Fabrik gehen wir?"

„Das konnten sie mir leider nicht sagen", erwiderte Abdul. „Aber sie haben mir eine andere Teestube empfohlen. Der Cousin des Wirts war früher in der Zementbranche."

Zwei weitere Teestuben und unzählige Tassen mit grünem Tee später – es war bereits gegen Mittag – hatten sie endlich eine Antwort. Fauji-Zement galt als preisgünstig und außerdem verhältnismäßig frei von Zusätzen, sodass er bei den Wetterverhältnissen im Himalaja nicht zerbröckeln würde. Mortenson machte sich schon auf harte Verhandlungen gefasst, als er Abdul ins Büro von Fauji folgte. Doch der Hotelwächter bestellte nur brav die Ware und bat Mortenson um eine Anzahlung von hundert Dollar.

„Warum handeln wir nicht?", fragte der Amerikaner und steckte die Quittung ein, die eine Lieferung von hundert Säcken noch in derselben Woche zusicherte.

Im heißen Innern des Taxis zündete Abdul sich eine Zigarette an und wedelte den Rauch zusammen mit Mortensons Befürchtungen beiseite. „Handeln? Bei Zement geht das nicht. Die Zementbranche ist –" Er suchte nach den richtigen Worten, damit dieser begriffsstutzige Ausländer ihn auch ja richtig verstand. „Wie eine Mafia. Morgen im Radschah-Basar geht das Handeln richtig los."

Mortenson zwängte die Knie unter das Kinn und das Taxi machte sich auf den Rückweg nach Rawalpindi.

Als er sich in der Männerdusche des Hotels den braunen Salwar über den Kopf ziehen wollte, hörte er Stoff reißen. Bei näherer Betrachtung stellte sich heraus, dass das Kleidungsstück zwischen Schultern und Taille entzweigegangen war. Nachdem Mortenson sich unter der tröpfelnden Dusche so gut wie möglich den Straßenstaub abgewaschen hatte, zog er sein einziges pakistanisches Kleidungsstück wieder an. Der Salwar von der Stange hatte ihm auf dem Weg zum K2 und zurück gute Dienste geleistet, doch nun brauchte er dringend einen neuen.

Abdul fing ihn auf dem Weg zu seinem Zimmer ab, schnalzte beim Anblick des Risses missbilligend mit der Zunge und schlug den Besuch bei einem Schneider vor.

Sie verließen die grüne Oase des Khyaban und traten hinaus in die Straßen von Rawalpindi. Die Schneiderwerkstatt lag versteckt in einem Betonlabyrinth in der Haider Road, das verschiedene Läden beherbergte. Obwohl Mansur Khan in einem ein Meter achtzig breiten Schaufenster kauerte, strahlte er eine majestätische Würde aus. Mit seiner strengen schwarz geränderten Brille und dem akkurat gestutzten weißen Bart wirkte er fast wie ein Wissenschaftler, als er Mortenson ein Maßband um die Brust legte, erstaunt das Ergebnis musterte und sich die Zahlen auf einen Block notierte.

„Mansur möchte sich bei Ihnen entschuldigen, Sahib", erklärte Abdul. „Denn er wird für Ihren Salwar sechs Meter Stoff brauchen, während bei unseren Landsleuten vier genügen. Deshalb muss er Ihnen fünfzig Rupien mehr berechnen."

Mortenson war einverstanden und bestellte zwei Garnituren Salwar Kamiz. Daraufhin kletterte Abdul auf die Arbeitsfläche des Schneiders und zerrte energisch Ballen in leuchtendem Blau und Pistaziengrün hervor. Doch Mortenson, der an den Staub von Baltistan dachte, bestand auf zwei Garnituren in einem identischen Braun. „Da sieht man den Dreck nicht so", meinte er zu dem enttäuschten Abdul.

Während Mansur Mortensons Anzahlung entgegennahm, schrillte der Ruf des Muezzins durch die kleinen Läden. Rasch steckte der Schneider das Geld weg, entrollte einen Gebetsteppich und richtete ihn präzise aus.

„Möchten Sie mir zeigen, wie man betet?", fragte Mortenson, einer plötzlichen Eingebung folgend.

„Sind Sie Moslem?"

„Ich achte den Islam", erwiderte er unter Abduls beifälligem Blick.

„Kommen Sie!" Erfreut winkte Mansur ihn auf die mit Gegenständen bedeckte Arbeitsfläche, auf der auch eine Schaufensterpuppe ohne Kopf herumlag. „Vor dem Gebet muss sich jeder Moslem waschen", begann der Schneider. „Ich habe dieses *wudu* bereits erledigt. Also zeige ich es Ihnen beim nächsten Mal." Er wies den Amerikaner an, sich neben ihn zu knien. „Zuerst müssen wir uns nach Mekka wenden, wo unser heiliger Prophet, der Friede sei mit ihm, ruht. Dann müssen wir vor Allah dem Allmächtigen knien, gesegnet sei sein Name."

Mortenson hatte Schwierigkeiten, sich in dem winzigen Kabuff des Schneiders hinzuknien, und stieß gegen die Puppe.

„Nein!", rief Mansur und überkreuzte Mortensons Arme. „Wir treten nicht vor Allah wie ein Mann, der auf einen Bus wartet, sondern beugen uns respektvoll seinem Willen."

Die Arme steif überkreuzt, hörte Mortenson zu, wie Mansur leise begann, das wichtigste Gebet des Islam – die Schahada, das Glaubensbekenntnis – zu sprechen.

„Er sagt, Allah ist freundlich und groß", übersetzte Abdul hilfsbereit.

„Das habe ich verstanden."

„Ruhe!", schimpfte Mansur. Er verbeugte sich starr aus der Taille heraus und berührte mit der Stirn den Gebetsteppich.

Mortenson versuchte seinem Beispiel zu folgen, hielt aber inne, als er spürte, wie sein zerrissenes Hemd unschön auseinanderklaffte, sodass der Lufthauch des Ventilators seinen nackten Rücken streifte. „Gut?", fragte er.

Der Schneider musterte ihn durch seine Brille mit dem dicken schwarzen Gestell. „Versuchen Sie es noch einmal, nachdem Sie Ihren Salwar Kamiz abgeholt haben." Er rollte seinen Gebetsteppich fest zusammen. „Dann wird es vielleicht noch."

BEI SONNENAUFGANG herrschte auf dem Radschah-Basar das organisierte Chaos. Abdul nahm Mortenson am Arm und führte ihn geschickt durch das Gewühl von Trägern, die schwankende Drahtrollen auf den Köpfen balancierten, und von Eselskarren, die es eilig hatten, in Sackleinen gewickelte Eisblöcke an den Empfänger auszuliefern.

Rings um einen großen Platz befanden sich Läden, in denen es alles gab, was man auch nur im Entferntesten zum Errichten oder Abreißen eines Gebäudes brauchte. Acht nebeneinandergelegene Geschäfte boten in fast identischen Auslagen Vorschlaghämmer an. In einem Dutzend weiterer schien man nur mit Nägeln zu handeln. Nachdem Mortenson so viel Zeit mit dem Sammeln von Geldern verbracht hatte, war er begeistert, die Materialien zum Bau seiner Schule greifbar vor sich zu sehen. Unter dem Arm trug er ein schuhkartongroßes und in Zeitungspapier gewickeltes Bündel Rupien, das er beim Geldwechsler für zehn seiner Hundertdollarscheine erhalten hatte. Sie fingen bei einer Holzhandlung an, die sich äußerlich nicht von ihren Nachbarn zur Linken und Rechten unterschied. Doch Abduls Entschluss stand fest. „Dieser Mann ist ein guter Moslem", erklärte er.

Mortenson folgte ihm einen schmalen Flur entlang. Man bot ihnen einen Platz auf einem Stapel ausgeblichener Teppiche neben dem Inhaber Ali an, dessen lavendelfarbener Salwar trotz seines staubigen und schmutzigen Geschäfts so sauber war, dass es an ein Wunder grenzte. Ali entschuldigte sich, dass der Tee noch nicht fertig sei, und schickte einen Jungen, um drei Flaschen Orangenlimonade zu holen, während sie warteten.

Für zwei nagelneue Hundertdollarscheine hatte ein Architekt, dessen winziges Büro sich in der Lobby des Khyaban befand, Pläne der L-förmigen Schule mit fünf Räumen nach Mortensons Vorstellungen gezeichnet. Am Rand hatte er die Materialien vermerkt, die zum Errichten des siebenhundert Quadratmeter großen Gebäudes nötig waren. Das Holz war mit Sicherheit der kostspieligste Posten. Mortenson entrollte den Plan und las die in winziger Handschrift verfassten Anmerkungen des Architekten vor. „Zweiundneunzig Vierkanthölzer von je einsachtzig Länge. Fünfundvierzig Sperrholzplatten à einszwanzig mal zweivierzig." Allein dafür hatte der Architekt bereits 2500 Dollar veranschlagt. Mortenson reichte Abdul die Pläne.

Während er die lauwarme Orangenlimonade durch einen löchrigen Strohhalm trank, sah er zu, wie Abdul die einzelnen Punkte laut vorlas, und zuckte zusammen, als Alis geschickte Finger die Beträge in den Taschenrechner auf seinen Knien eintippten.

Schließlich rückte der Inhaber die blendend weiße Gebetskappe auf seinem Kopf zurecht und nannte eine Summe. Sofort sprang Abdul aus dem Schneidersitz auf und fasste sich an die Stirn, als hätte man auf ihn geschossen. Im nächsten Moment stieß er Klagelaute aus und stöhnte Verwünschungen. Mortenson konnte sich zwar im Alltag gut auf Urdu verständigen, doch die Flüche, Beschwerden und wortreichen Beleidigungen, die Abdul nun von sich gab, kamen in seinem Vokabular nicht vor. Schließlich beruhigte sich Abdul und beugte sich drohend über Ali. Mortenson verstand deutlich, dass er ihn fragte, ob er ein Moslem oder ein Ungläubiger sei. Der Herr, der sich die Ehre gebe, sein Holz kaufen zu wollen, sei ein Heiliger, der gekommen sei, um einen Akt von Nächstenliebe auszuführen. Ein wahrer Moslem würde die Gelegenheit ergreifen, armen Kindern zu helfen, anstatt ihnen das Geld aus der Tasche zu ziehen.

Während Abduls Darbietung verzog Ali keine Miene. Bevor er in Gefahr geriet, auf die Vorwürfe antworten zu müssen, wurde der Tee gebracht. Alle drei gaben Zucker in ihre Tassen, und eine Weile war es bis auf das Klappern der Löffel beim Umrühren still im Raum.

Ali nahm einen kennerischen Schluck, nickte beifällig und rief dann einige Anweisungen in den Flur. Mit noch immer finsterer Miene stellte Abdul die Teetasse unberührt neben seine überkreuzten Beine. Alis halbwüchsiger Sohn erschien mit zwei Mustern Vierkanthölzer.

Ali ließ den Tee in der Tasse kreisen, als handelte es sich um alten Bordeaux, trank aus und setzte dann zu einem fachlichen Vortrag an. Zuerst deutete er auf das Holzstück zu Mortensons Rechten. Die Oberfläche wies dunkle Astlöcher und Harzspuren auf. Splitter ragten heraus wie die Stacheln eines Stachelschweins. Ali nahm es, hielt es längs ans Auge wie ein Fernglas und blickte Mortenson durch Wurmlöcher an. „Arbeit von hier", verkündete er auf Englisch. Dann zeigte er auf das andere Stück Holz. „Englische Arbeit." Das Holz war frei von Astlöchern und ordentlich diagonal gesägt.

Nun holte Alis Sohn zwei Sperrholzplatten, die er auf einige aufeinandergestapelte Holzklötze legte. Danach zog er die Sandalen aus und stellte sich darauf. Obwohl er sicher nicht mehr als fünfzig Kilo wog, gab die erste Platte unter ihm nach. Die zweite wippte nur ein bisschen. Auf Alis Befehl fing der Junge an, auf und nieder zu springen, um die Stabilität der Platte zu beweisen. Das Holz blieb unversehrt.

„Drei Schichten", meinte Ali zu Mortenson und schürzte verächtlich die Lippen, ohne die erste Platte auch nur eines Blickes zu würdigen. „Vier Schichten", erklärte er dann strahlend vor Stolz und wies auf die Platte, auf der sein Sohn noch immer unbeschadet herumhüpfte.

Er fiel wieder in Urdu. Allerdings war es überflüssig, jedes Wort zu verstehen, denn er wollte offenbar sagen, dass man natürlich auch Holz für ein Butterbrot kaufen könne – allerdings auf Kosten der Qualität.

Dreimal marschierte Abdul zur Tür, als wollte er gehen. Und dreimal gaben Alis Preisvorstellungen ein wenig nach. Nachdem sie fast zwei Stunden so verbracht hatten, war Mortenson mit seiner Geduld am Ende. Er stand auf und bedeutete Abdul, ihm nach draußen zu folgen. Schließlich müssten sie noch etwa drei Dutzend ähnlicher Verhandlungen führen. Wenn er wirklich übermorgen mit einem voll beladenen Lastwagen nach Baltistan aufbrechen wollte, konnten sie keine Minute mehr entbehren.

„Setzen Sie sich, setzen Sie sich!" Ali packte Mortenson am Ärmel. „Sie haben gewonnen. Er hat mich im Preis schon gedrückt!"

Mortenson sah Abdul an. „Ja, das stimmt, Greg Sahib. Sie müssen nur siebenundachtzigtausend Rupien bezahlen." Rasch rechnete Mortenson im Kopf nach: 2300 Dollar. „Was habe ich Ihnen gesagt?", meinte Abdul. „Er ist ein guter Moslem. Und jetzt machen wir den Vertrag."

AM SPÄTEN Nachmittag des zweiten mit Feilschen verbrachten Tages fuhr Mortenson, die Blase voller Tee, mit Abdul ins Khyaban zurück. Die Tasche seines Salwars war vollgestopft mit Quittungen über Hämmer, Sägen, Nägel, Wellblech für das Dach und Holzbalken, die ganz sicher nicht über den Schulkindern zusammenbrechen würden. Sämtliche Materialien würden ab dem Morgen des folgenden Tages zu dem Lastwagen geliefert werden, den sie für die dreitägige Fahrt auf dem Karakorum-Highway gemietet hatten.

Im Hotel spülte Mortenson sich den Staub des Tages eimerweise mit lauwarmem Wasser vom Leib. Anschließend machte er sich eilig auf den Weg zum Schneider, um seine neuen Kleider abzuholen, bevor der Laden wegen des Freitagsgebets schloss.

Mansur Khan war gerade dabei, Mortensons fertige Salwars mit einem kohlebeheizten Bügeleisen zu glätten. Mortenson schlüpfte in eines der sauberen hafermehlfarbenen Hemden und zog dann, durch das lange Oberteil dezent vor Blicken verborgen, die weite Hose an. Nachdem er den Tunnelzug an der Taille, den *azarband*, mit einer festen Schleife zugebunden hatte, drehte er sich zu Mansur um, damit dieser sein Werk in Augenschein nahm.

„Wie entsetzlich!" Der Schneider griff nach dem Azarband, das dem Ungläubigen aus der Hose hing, und steckte es in den Taillenbund. „Es so zu tragen ist verboten", mahnte er. Mortenson fühlte sich in der pakistanischen Kultur wie in einem Minenfeld, wo die strengen Verhaltensregeln nur darauf zu warten schienen, dass er von einer Sprengfalle in die nächste stolperte. Dennoch nahm er sich fest vor, nach Möglichkeit keine weitere Missbilligung mehr hervorzurufen.

Mansur putzte seine Brille mit dem Hemdzipfel und unterzog Mortenson einer gründlichen Musterung. „Jetzt sehen Sie aus wie ein halber Pakistaner. Wollen wir es noch einmal mit dem Gebet versuchen?"

Er schloss seinen Laden und ging mit Mortenson nach draußen. Das Tageslicht wurde rasch von der Dämmerung verdrängt, sodass die Hitze ein wenig nachließ. Arm in Arm mit dem Schneider schlenderte Mortenson dahin.

Da sie sich lediglich zwei Straßenecken von der Regierungsmoschee entfernt befanden, nahm er an, dass diese ihr Ziel war. Doch Mansur führte ihn zu dem großen, staubigen Parkplatz einer Tankstelle, wo mehr als hundert Männer mit der traditionellen Waschung vor dem Gebet beschäftigt waren. Mansur füllte einen Wasserkrug an einem Hahn und zeigte Mortenson dann die strenge Reihenfolge, in der das Wudu stattzufinden hatte. Mortenson folgte dem Beispiel des Schneiders, ging in die Hocke, krempelte Hosenbeine und Ärmel auf und begann mit den unreinsten Körperteilen, indem er Wasser erst über seinen linken, dann den rechten Fuß laufen ließ. Im Anschluss waren die linke und die rechte Hand an der Reihe.

Als seine Hände gereinigt waren, drückte der Schneider einen Finger zunächst ans linke, danach ans rechte Nasenloch und schnaubte. Wieder ahmte Mortenson ihn nach. Um sie herum hob ein Getöse aus Husten und Spucken an, das von den entfernten Rufen zum Gebet untermalt wurde. Wie Mansur spülte Mortenson sich dann ordentlich die Ohren und zu guter Letzt den Körperteil aus, der bei den Moslems als der heiligste gilt – den Mund, aus dem die Gebete direkt in Allahs Ohren aufsteigen.

Mortenson war schon seit Längerem bekannt, dass „Moslem" wörtlich „der sich unterwirft" bedeutet. Und wie viele Amerikaner hatte er diese Vorstellung stets als entwürdigend empfunden. Als er nun zwischen Hunderten von Fremden kniete und zusah, wie sie nicht nur Unreinheit, sondern offenbar auch die Beschwernisse und Sorgen ihres Alltags wegwuschen, konnte er zum ersten Mal auch Vorzüge in diesem gemeinsamen ritualisierten Gebet entdecken.

Jemand schaltete den Generator der Tankstelle ab, und die Tankwarte verhüllten die grellfarbigen Zapfsäulen mit dezenten Laken. Mansur nahm eine kleine weiße Gebetskappe aus der Tasche und drückte sie platt, damit sie auf Mortensons großem Kopf sitzen blieb. Die beiden Männer reihten sich ein und knieten sich auf die Teppiche, die der Schneider mitgebracht hatte. Mortenson wusste, dass sich hinter der Mauer mit dem riesigen Schild, das für die Benzinmarke warb und dem sie sich nun zugewandt hatten, Mekka lag. Er konnte nichts dagegen tun – es kam ihm so vor, als sollte er sich vor der Geschäftstüchtigkeit der amerikanischen und saudi-arabischen Ölkonzerne verneigen, aber diesen zynischen Gedanken verdrängte er sogleich wieder.

Wie Mansur kniete er sich mit überkreuzten Armen hin und wendete sich respektvoll an Allah. Während er mit der Stirn den Boden berührte, wurde ihm klar, dass man ihn zum ersten Mal seit seiner Ankunft in Pakistan nicht als Außenstehenden betrachtete. Niemand achtete auf ihn.

„Gott ist groß", betete er leise. Er stimmte in den Chor auf dem dunklen Parkplatz ein und spürte den starken Glauben der Menschen um sich herum, der so mächtig war, dass er eine Tankstelle in eine Gebetsstätte verwandeln konnte. Welche weiteren wundersamen Veränderungen mochte er wohl noch erleben?

A̲b̲d̲u̲l̲ klopfte lange vor Morgengrauen. Allerdings lag Mortenson bereits seit Stunden wach, denn er hatte vor lauter Angst, dass etwas schiefgehen könnte, kaum ein Auge zugetan. Er stand auf, öffnete die Tür und verstand erst nicht, warum der Hotelwächter ihm ein Paar blank geputzter Schuhe hinstreckte. Es waren seine Turnschuhe. Offenbar hatte Abdul Stunden damit verbracht, die abgerissenen und ausgeblichenen Treter zu flicken, zu schrubben und zu polieren, damit sie wie etwas aussahen, das ein Mann, der auf eine lange und beschwerliche Reise aufbrach, mit Stolz anziehen würde. Auch sich selbst hatte Abdul zur Feier des Tages herausgeputzt. Sein eigentlich silbergrauer Bart war mit Henna leuchtend orange gefärbt.

Nach dem Tee wusch sich Mortenson. Seine Habe füllte die alte Reisetasche nur zur Hälfte. Er ließ zu, dass Abdul sie schulterte, denn ihm war klar, dass er sich nur eine Schimpftirade einhandeln würde, falls er versuchen sollte, sie selbst zu tragen. Da er wusste, wie viel Abdul am äußeren Schein gelegen war, erklärte er sich einverstanden, die Fahrt zum Radschah-Basar mit dem Taxi zu machen.

Obwohl es auf dem Marktplatz mit den geschlossenen Läden noch ziemlich dunkel war, entdeckten sie ihren Lastwagen auf Anhieb. Wie bei den meisten Bedfords in diesem Land war von dem ursprünglichen Armeetransporter aus den Vierzigerjahren, als Pakistan noch zu Britisch-Indien gehört hatte, nicht viel übrig geblieben. Die meisten Teile waren unzählige Male ausgetauscht worden. Außerdem hatte man jeden Zentimeter freier Fläche in einer der vielen Bedford-Werkstätten von Rawalpindi großzügig mit bunter „Disco-Farbe" verziert. Die meisten schrillen Ornamente bestanden aus Schlangenlinien und Arabesken, da der Islam gegenständliche Darstellungen verbietet. Allerdings wurde die Kricketlegende Imran Khan, dessen lebensgroßes Porträt an der Heckklappe prangte, derart als Nationalheld verehrt, dass nicht einmal der frommste Pakistaner Einwände gegen die Abbildung mit dem wie ein Zepter emporgereckten Schläger erhoben hätte.

Nachdem Abdul das Taxi bezahlt hatte, machte er sich auf die Suche nach der Besatzung des Lasters. Ein sonores Grollen führte ihn zur Ladefläche, unter der drei Gestalten in Hängematten lagen und schliefen.

Der Muezzin, der auf einem Minarett auf der anderen Seite des Platzes seinen Ruf ausstieß, weckte sie, bevor Mortenson die Gelegenheit dazu hatte. Während sich die Männer stöhnend aus den Hängematten hievten und die erste von vielen Zigaretten an diesem Tag anzündeten, kniete sich Mortenson mit Abdul zum Gebet hin. Da kein Wasser verfügbar war, krempelte Abdul Hosenbeine und Ärmel hoch und führte die Waschungen symbolisch durch, indem er die Unreinheiten abwischte. Mortenson folgte seinem Beispiel und verschränkte dann die Arme zum Morgengebet. Abdul beobachtete ihn kritisch und nickte schließlich beifällig.

„Sehe ich jetzt aus wie ein Pakistaner?", fragte Mortenson.

Abdul wischte ihm den Schmutz von der Stirn, wo diese den kühlen Boden berührt hatte. „Wie ein Pakistaner nicht. Aber als Bosnier könnten Sie durchgehen."

Schließlich erschien, wieder in einen makellos sauberen Salwar gekleidet, Ali und öffnete die Tür seines Ladens. Nachdem Mortenson ihn begrüßt hatte, holte er ein kleines schwarzes, auf dem Basar gekauftes Notizbuch heraus und stellte einige Berechnungen an. Wenn der Bedford mit den Einkäufen beladen war, wären mehr als zwei Drittel seiner zwölftausend Dollar ausgegeben. Dann hatte er nur noch dreitausend, um Arbeitskräfte zu bezahlen und die Bau-

Ein Beitrag zur Verkehrssicherheit: die Vorliebe pakistanischer Fernfahrer für bunte Farben lässt sich einfach nicht übersehen.

materialien mit Jeeps auf schmalen Straßen nach Korphe zu schaffen. Außerdem musste er bis zum Abschluss der Bauarbeiten auch von etwas leben.

Einige Angehörige Abduls verstauten unter Anleitung des Fahrers und seiner Männer zuerst das Holz auf dem Wagen. Als die Sonne aufging, stiegen die Temperaturen auf knapp vierzig Grad. Bald erhob sich ein sinfonisches Geklapper, als die Ladenbesitzer ihre Rollläden hochzogen oder die Eisentore ihrer Geschäfte öffneten. Inzwischen trafen weitere Baumaterialien auf den Köpfen von Trägern, mit Rikschas und auf Eselskarren ein und wurden durch die Menge zum Bedford transportiert. Ein weiterer Lkw brachte die hundert Zementsäcke.

Obwohl es auf der Ladefläche schrecklich heiß war, beaufsichtigte Abdul die Arbeiter und rief Mortenson den Namen jedes Gegenstandes zu, der verladen wurde, damit der Amerikaner ihn auf seiner Liste abhaken konnte. Zufrieden sah Mortenson zu, wie die 42 verschiedenen Posten, die Abdul und er nach harten Verhandlungen gekauft hatten, ordentlich in den Laster gestapelt wurden.

Am Nachmittag wogte eine Menschenmenge um den Bedford, denn inzwischen hatte sich herumgesprochen, dass ein hünenhafter Ungläubiger in einem braunen Salwar einen Lastwagen mit Spenden für muslimische Schulkinder bepackte. Die Träger mussten sich durch fünf Reihen Schaulustiger drängen, um ihre Last loszuwerden. Währenddessen stellte das Publikum lautstark Mutmaßungen über die Nationalität von Mortenson an. Bosnier oder Tschetschene schienen am wahrscheinlichsten. Als Mortenson, dessen Urdu immer fließender wurde, die Spekulationen unterbrach und verkündete, er sei Amerikaner, betrachteten die Leute seinen verschwitzten und schmutzigen Salwar und den Dreck auf seiner Haut, und einige Männer erwiderten, dass sie ihm nicht glaubten.

Am Abend war der Warenberg auf eine Höhe von sieben Metern angewachsen. Die Männer hatten ihre liebe Not, die Ladung zu sichern, indem sie Sackleinen darüberspannten und das Ganze dann fest mit dicken Seilen vertäuten.

Schließlich stieg Mortenson vom Laster, um sich von Abdul zu verabschieden. Die Zuschauer drängten sich nach vorn, um ihm Zigaretten und zerschlissene Rupienscheine für seine Schule zu schenken. Ungeduldig ließ der Fahrer den Motor aufheulen. Ungerührt von Lärm und Getümmel, stand Abdul mitten in der Menge und sprach ein Bittgebet für eine gute Reise. Er schloss die Augen und schlug die Hände vors Gesicht, um Allahs Geist ganz in sich aufzunehmen. Sein leidenschaftliches Flehen für Mortensons Wohlergehen wurde vom lauten Hupen des Bedfords übertönt.

Abdul öffnete die Augen und umfasste Mortensons große schmutzige Pranke mit beiden Händen. Als er seinen amerikanischen Freund musterte, stellte er fest, dass die erst am Vorabend von ihm geputzten Schuhe schon wieder voller Staub waren. Dasselbe galt für den nagelneuen Salwar. „Jetzt sehen Sie nicht mehr aus wie ein Bosnier, Greg Sahib, sondern genau wie ein Pakistaner."

Nachdem Mortenson auf die Ladefläche gestiegen war und Abdul noch einmal zugenickt hatte, legte der Fahrer den Gang ein. „Allah ist groß!", jubelte die Menge, als Mortenson siegreich die Arme reckte und winkte, bis der wie eine kleine Flamme leuchtende hennarote Bart seines Freundes im Menschengewühl verschwunden war.

Mit Mortenson auf der Ladefläche röhrte der Bedford in Richtung Westen. Obwohl Mohammed, der Fahrer, ihn gedrängt hatte, doch in dem verqualmten Führerhaus Platz zu nehmen, hatte Mortenson beschlossen, die Fahrt im Freien zu genießen. Die Mechaniker in der Bedford-Werkstatt in Rawalpindi hatten eine Verlängerung an die Ladefläche angeschweißt, die wie ein Hut über das klappernde Führerhaus ragte. Auf der Krempe dieses Hutes richtete sich Mortenson ein gemütliches Nest aus Sackleinen und Heuballen ein, sodass er die Straße aus der Vogelperspektive betrachten konnte. Gesellschaft leisteten ihm einige Käfige voll schneeweißer Hühner, die Mohammed mitgenommen hatte, um sie in den Bergen zu verkaufen. Aus den offenen Fenstern des Bedfords hallte Popmusik aus dem Panjab.

Als sie Rawalpindi hinter sich ließen, öffnete sich die trockene braune Landschaft und wurde immer grüner. Durch die in der Nachmittagshitze flirrende Luft winkten ihnen die Hügelausläufer des Himalajas zu. Kleinere Fahrzeuge machten dem riesigen Lastwagen Platz, und die Fahrer jubelten, wenn sie das Porträt von Imran Khan sahen.

Dreißig Kilometer westlich von Rawalpindi bog Mohammed in Taxila in nördlicher Richtung von der pakistanischen Hauptverkehrsader ab. Hier traf die Ebene aufs Gebirge, und der steile Teil der alten Seidenstraße begann.

Der Karakorum-Highway (KKH), die Straße, die der Bedford nun hinaufrumpelte, bedeutete im Vergleich zu früher eine große, aber auch kostspielige Verbesserung der Reisebedingungen. Der Bau des KKH war 1958 vom gerade erst unabhängig gewordenen Pakistan begonnen worden, da man sich dringend eine Straßenverbindung nach China, dem Verbündeten gegen Indien, gewünscht hatte. Seitdem eine Dauerbaustelle, ist der KKH eine der größten technischen Herausforderungen, der sich die Menschheit je gestellt hat. Da man den Weg buchstäblich in den Fels der schroffen Indus-Schlucht schlagen musste, kostete der KKH für jeden seiner vierhundert Straßenkilometer einen Bauarbeiter das Leben.

Je höher sie kamen, desto kühler wurde die Luft, in der bereits ein erster Hauch von Winter mitschwang. Mortenson wickelte sich eine Wolldecke um Kopf und Schultern. Zum ersten Mal fragte er sich, ob er die Schule wohl vor dem endgültigen Wintereinbruch fertigstellen könnte. Doch er schob diesen Gedanken beiseite und ließ sich von dem langsamen Schaukeln des Lastwagens einlullen, bis er schließlich einschlief.

Bei Morgengrauen wurde er von einem Hahn in dem Käfig dicht neben seinem Kopf geweckt. Er fühlte sich steif und durchgefroren und musste dringend zur Toilette. Als er sich über den Rand des Lasters beugte, um Mohammed zum Anhalten aufzufordern, sah er, wie der bullige Beifahrer den geschorenen Kopf weit aus dem Fenster streckte. Neben der Straße gähnte ein fünfhundert Meter tiefer felsiger Abgrund, in dem ein reißender kaffeebrauner Strom dahinschoss. Mortenson blickte auf und stellte fest, dass sie sich zwischen dreitausend Meter hohen Granitwänden vorwärtsbewegten, die zu beiden Seiten des Flusses emporragten. Der Bedford keuchte eine steile Steigung hinauf und geriet kurz vor der Kuppe ins Rutschen, während Mohammed sich mit dem ersten Gang abmühte. Mortenson lehnte sich über die Beifahrerseite und bemerkte, dass die Hinterreifen nur etwa dreißig Zentimeter von der Felskante entfernt dahinrollten, sodass sich ein Regen aus Kieselsteinen in die Schlucht ergoss. Wenn die Räder zu dicht an den Rand gerieten, stieß der Beifahrer einen scharfen Pfiff aus und der Laster schwenkte nach links. Da Mortenson Mohammed nicht ablenken wollte, beschloss er, sein Anliegen nicht zu äußern.

Nach einer Weile wurde die Schlucht ein wenig breiter. Ein kleines Dorf schmiegte sich an den Felsabbruch, und sie machten Rast, um zu frühstücken. Danach bestand Mohammed darauf, dass Mortenson sich ebenfalls ins Führerhaus setzte. Widerstrebend nahm dieser zwischen Mohammed und den zwei Beifahrern Platz.

An den steilsten Stellen sprangen die beiden Beifahrer aus dem Wagen und rollten große Steine unter die Hinterräder. Wenn der Bedford sich ein paar Meter vorwärts gequält hatte, sammelten sie die Steine ein und wiederholten das Ganze. So ging es immer weiter, bis die Straße endlich ebener wurde. Ab und zu begegneten sie einem Jeep. Manchmal kam ihnen auch ein Bus entgegen, dessen weibliche Passagiere sich gegen den Straßenstaub und neugierige männliche Blicke von Kopf bis Fuß verhüllt hatten. Doch meistens waren sie allein auf der Straße.

Die Sonne verschwand früh hinter den hohen Felswänden, sodass es am Grund der Schlucht schon am späten Nachmittag dunkel war. Als Mohammed um eine schwer einzusehende Kurve bog, musste er ruckartig auf die Bremse treten, um nicht mit dem Heck eines Reisebusses zusammenzustoßen. Auf der Straße vor ihnen stauten sich Hunderte von Fahrzeugen vor der Zufahrt zu einer Betonbrücke. Mortenson und Mohammed stiegen aus, um sich die Sache anzusehen.

Als sie sich der Brücke näherten, stellten sie fest, dass die Verzögerung nicht an einem der Steinschläge lag, für die der KKH berüchtigt war. Zwei Dutzend bärtige Männer mit schwarzen Turbanen blockierten die Straße. Ihre Raketenwerfer und Kalaschnikows waren lässig auf eine Abteilung pakistanischer Soldaten in schmucken Uniformen gerichtet, die ihre Waffen klugerweise hatten stecken lassen. „Nicht gut", murmelte Mohammed, zwei der wenigen englischen Wörter, die er beherrschte.

Hinter dem Heck des Wagens zündeten sie ein kleines Feuer an, kochten Tee und richteten sich darauf ein, die Nacht hier zu verbringen. Währenddessen versuchte Mohammed etwas von den Gerüchten aufzuschnappen, die unter den vielen gestrandeten Autofahrern kursierten. Den ganzen Tag blockierten die Bärtigen nun schon die Brücke, sodass man eine Abteilung Soldaten aus dem 35 Kilometer entfernten Militärstützpunkt in Pattan herbeigerufen hatte, um die Straße zu räumen. Mortenson war sich nicht sicher, ob er alle Einzelheiten richtig mitbekam. Aber er verstand, dass der Ort auf der anderen Seite der Brücke Dasu hieß und sie sich in der Provinz Kohistan befanden, die berüchtigt für Bandenkriminalität war und kaum unter der Kontrolle Islamabads stand. Die Bewaffneten an der Brücke lebten in einem nahen Tal und behaupteten, ein von der Regierung beauftragter Bauunternehmer aus der fernen Hauptstadt sei mit Millionen Rupien eingetroffen, die zum Ausbau der Talpfade in Forststraßen bestimmt gewesen seien. Das hätte es ihnen ermöglicht, ihr Holz zu verkaufen. Doch der Unternehmer habe das Geld unterschlagen und sei verschwunden, ohne die Wege auszubauen. Nun blockierten sie die Straße, bis man ihnen den Mann übergebe, damit sie ihn an der Brücke hängen könnten.

Nachdem Mortenson und die drei anderen den Tee getrunken und die von ihm herumgereichten Cracker verspeist hatten, beschlossen sie, sich schlafen zu legen.

Am nächsten Morgen erwachte Mortenson, der nun wieder auf der

Ladefläche Platz genommen hatte, von Gewehrschüssen. Dann spürte er, wie der Lkw angelassen wurde. Er beugte sich zum Fenster auf der Fahrerseite hinab. „Gut!" Mohammed lächelte zu ihm herauf. „Sie schießen, weil sich freuen, *inschallah!*"

Als sie in einer langen, staubigen und im Schneckentempo dahinkriechenden Wagenkolonne die Dasu-Brücke passierten, sah Mortenson, wie die Bärtigen die Fäuste in die Luft reckten und aus ihren automatischen Waffen wild in die Luft feuerten. Da er nirgendwo einen Bauunternehmer aus dem Tiefland von der Brücke baumeln sah, nahm er an, dass die Kohistani sich mit den Soldaten auf eine Entschädigungszahlung geeinigt hatten.

Immer steiler ging es nun bergauf. Bald schon ragten die Wände der Schlucht so hoch empor, dass man nur noch einen kleinen Streifen in der Hitze weißlich flirrenden Himmel sehen konnte. Sie fuhren die Westflanke des Nanga Parbat entlang, der mit seinen 8126 Metern der neunthöchste Berg der Welt ist und sich am westlichen Rand des Himalajas befindet.

Kurz vor Gilgit, der bevölkerungsreichsten Stadt in Pakistans Norden, verließen sie den KKH und folgten dem Indus nach Osten in Richtung Skardu. Obwohl die Temperaturen fielen, wurde es Mortenson beim Anblick der vertrauten Landschaft ganz warm ums Herz: Dieses korridorartige Flusstal, das sich seinen Weg zwischen unzähligen Siebentausendern hindurchgebahnt hatte, war der Eingang zu „seinem" Baltistan. Auch wenn die felsige Mondlandschaft des westlichen Karakorum vermutlich eine der unwirtlichsten der Erde ist, fühlte sich Mortenson, als wäre er endlich zu Hause angekommen.

Als sie sich am späten Nachmittag langsam eine steile Straße hinunterquälten, wurde die Luft klarer. Die engen Felswände wichen zurück und mündeten in der Ferne in einem Ring aus schneebedeckten Gipfeln, die das Skardu-Tal umgaben. In der Ebene am Fuß des Passes angekommen, trat Mohammed aufs Gas. Endlich hatte der Indus sie freigegeben und strömte nun schlammig und fast so breit wie ein See dahin. Auf dem Talboden glühten bräunliche Sanddünen in der heißen Nachmittagssonne.

Die Aprikosen- und Walnusshaine am Stadtrand von Skardu verkündeten, dass die Odyssee den Indus entlang vorbei war. Hoch oben auf den Baumaterialien seiner Schule thronend, fuhr Mortenson in Skardu ein. Als er den Männern zuwinkte, die bei der Obsternte waren, erwiderten sie den Gruß. Kinder rannten neben dem Bedford her und brachten durch Rufe ihre Sympathie gegenüber Imran Khan und dem

Ausländer zum Ausdruck. Nun hatte Mortenson seinen Triumphzug, den er sich sehnsüchtig erträumt hatte, seit er sich darangemacht hatte, den ersten der 580 Briefe zu schreiben. Und er war sicher, dass das glückliche Ende seines Abenteuers gleich hinter der nächsten Straßenecke auf ihn wartete.

Scheitern am Braldu

Der Bedford wurde langsamer, damit eine Schafherde den Basar von Skardu überqueren konnte. Nach dem dröhnenden Schweigen in der Indus-Schlucht wirkte die belebte Straße mit ihren kleinen Buden, die Fußbälle, billige Pullover aus chinesischer Herstellung und zu ordentlichen Pyramiden aufgeschichtete ausländische Erzeugnisse wie Ovomaltine und das Fruchtsaftpulver Tang anboten, fast überwältigend geschäftig.

Wo es keine Sandverwehungen gab, war das weite Tal fruchtbar. Früher einmal war es ein Rastplatz für die Karawanen gewesen, die auf der Handelsstraße von Kargil, das heute im indischen Teil Kaschmirs liegt, nach Zentralasien gereist waren. Doch die Teilung und die Schließung der Grenzen hatten Skardu eine Randlage in einem unwirtlichen Teil Pakistans beschert. Erst durch die Rolle als Ausrüstungs- und Versorgungsstandort der vielen Expeditionen, die die eisigen Riesen des Karakorum stürmten, hatte die Stadt in jüngerer Zeit wieder an Bedeutung gewonnen.

Mohammed stoppte am Straßenrand, beugte sich aus dem Fenster und fragte Mortenson nach dem Weg. Dieser kletterte von seinem fahrenden Thron, um sich ins Führerhaus zu zwängen.

Wie sollte es nun weitergehen? Korphe befand sich acht Jeepstunden entfernt. Außerdem gab es keine Möglichkeit, dort anzurufen und zu melden, dass er zurückgekommen war, um sein Versprechen einzulösen. Vielleicht könnte Changazi, ein Veranstalter von Trekking- und Klettertouren, der auch die Expedition zum K2 organisiert hatte, ihm ja helfen, Leute zu finden, die die Baumaterialien das Braldu-Tal hinauftransportierten. Also fuhren sie zu Changazis in ordentlichem Weiß gestrichenen Haus, und Mortenson klopfte an die grüne Holztür.

Mohammed Ali Changazi öffnete persönlich. Für einen Balti war er ziemlich groß, und mit seinem akkurat gestutzten Bart, der Adlernase und den eindringlichen braunen Augen gab er ein sehr beeindruckendes

Bild ab. Auf Balti bedeutet *changazi* so viel wie „Abkömmling von Dschingis Khan". Umgangssprachlich bezeichnet das Wort auch einen grausamen und skrupellosen Menschen. „Changazi ist mit allen Wassern gewaschen", resümiert Mortenson. „Natürlich wusste ich das damals noch nicht."

„Dr. Greg, was machen Sie denn hier?", begrüßte ihn der Balti. „Die Trekking-Saison ist vorbei."

„Ich habe die Schule mitgebracht", erwiderte Mortenson mit einem triumphierenden Grinsen und rechnete eigentlich mit einem Lob. Nach der Besteigung des K2 hatte er mit Changazi über sein Vorhaben gesprochen, und dieser hatte ihm sogar bei einer groben Berechnung der Materialkosten geholfen. Nun jedoch schien er keine Ahnung mehr zu haben, wovon die Rede war.

„Jetzt ist es zu spät, um irgendwas zu bauen", antwortete er. „Und warum haben Sie das Material nicht hier gekauft?" Mortenson hatte gar nicht gewusst, dass das möglich war. Ihre Unterhaltung wurde vom lauten Hupen des Bedfords unterbrochen. Mohammed wollte abladen und so schnell wie möglich nach Rawalpindi zurückkehren. Als die Besatzung des Lasters die Abdeckung entfernte, musterte Changazi bewundernd den hohen Berg wertvoller Güter.

„Das können Sie alles auf dem Hof hinter meinem Büro lagern", schlug er mit plötzlicher Begeisterung vor. „Dann trinken wir Tee und überlegen uns, wie wir mit Ihrer Schule weitermachen."

Plötzlich argwöhnisch geworden, wollte Mortenson zuerst eine Bestandsaufnahme des Materials vornehmen. Doch Changazi beharrte darauf, das auf später zu verschieben. Während der Muezzin zum Gebet rief, führte der Balti Mortenson in sein Büro, wo Diener einen teuren Schlafsack auf einem Charpoy ausgebreitet hatten, der zwischen dem Schreibtisch und einer nicht mehr aktuellen Weltkarte stand. „Ruhen Sie sich aus", sagte Changazi. „Wir sehen uns nach dem Abendgebet."

Mortenson wurde von lauten Stimmen aus dem Nachbarzimmer geweckt. Er hatte die ganze Nacht durchgeschlafen. Nebenan saß ein kleiner, muskulöser Balti mit finsterer Miene im Schneidersitz vor einer unberührten Tasse Tee auf dem Boden. Mortenson erkannte Akhmalu, den Koch, der die K2-Expedition begleitet hatte. Dieser stand nun auf und tat, als wollte er Changazi vor die Füße spucken, bei den Balti die schwerste aller Beleidigungen. Im nächsten Moment bemerkte er den auf der Türschwelle stehenden Mortenson.

„Dr. Girek!", rief er aus, lief ihm strahlend entgegen und umarmte ihn fest. Während sie sich an Tee und getoastetem Weißbrot gütlich taten, wurde Mortenson klar, dass ein Machtkampf ausgebrochen war. Das Eintreffen der Baumaterialien hatte sich bereits in Skardu herumgesprochen. Als derjenige, der Mortenson monatelang Chapati gebacken hatte, war Akhmalu nun hier, um seine Ansprüche geltend zu machen.

„Dr. Girek, Sie haben mir versprochen, in mein Dorf zu kommen und *salaam* zu sagen", begann er. Und er hatte Recht, denn das hatte Mortenson wirklich getan. „Wir fahren sofort los."

„Vielleicht morgen oder übermorgen." Mortenson ließ den Blick über Changazis Hof schweifen. Von der am Vorabend angekommenen Lastwagenladung Baumaterial im Wert von über siebentausend Dollar war nicht einmal mehr ein Hammer zu sehen.

„Aber mein ganzes Dorf erwartet Sie", protestierte Akhmalu. „Wir haben schon ein Festmahl vorbereitet." Beim Gedanken, Lebensmittel zu vergeuden, die ein Balti-Dorf sich kaum leisten konnte, bekam Mortenson ein schlechtes Gewissen. Changazi begleitete ihn hinaus zu Akhmalus gemietetem Jeep und nahm auf dem Rücksitz Platz, ohne zu fragen, ob er ebenfalls eingeladen sei.

„Wie weit ist es nach Khane?", erkundigte sich Mortenson, während der Land Cruiser auf einem schmalen, kurvenreichen Weg zu einem Felssims über dem Indus hinaufholperte.

„Sehr weit", erwiderte Changazi mit finsterer Miene.

„Ganz nah", widersprach Akhmalu. „Nur drei bis sieben Stunden."

Lachend machte Mortenson es sich auf dem Ehrenplatz neben dem Fahrer gemütlich. Er hätte sich denken können, dass die Frage nach der Dauer einer Reise in Baltistan zwecklos war. Hinter ihm auf dem Rücksitz war die Spannung zwischen den beiden Männern mit Händen zu greifen.

Stundenlang folgten sie auf der unebenen Straße einem Seitenarm des Indus, bis dieser sich nach Süden wandte. Danach ging es weiter das Hushe-Tal hinauf, wo sie sich an den Shyok-Fluss mit seinem eiskalten blauen Gletscherschmelzwasser hielten.

Am späten Nachmittag kam Nebel auf, als das Tal sich zu einem Pass verengte, aber Mortenson wusste, dass einer der gewaltigsten Gipfel der Welt, der 7821 Meter hohe Masherbrum, nun direkt vor ihnen lag. Mortenson starrte in den weißen Dunst und wünschte sich, das Haupt des Riesen möge die Wolken durchbrechen. Doch der Berg zog seine Decke fest um sich.

Der Jeep stoppte an einem über den Shyok schwingenden Zamba. Mortenson stieg aus. Er hatte schon immer ein mulmiges Gefühl gehabt, diese Brücken aus Yakhaar zu überqueren, denn schließlich waren sie für Balti gedacht, die nur halb so viel wogen wie er. Als Akhmalu und Changazi hinter ihn traten, packte er die beiden Stränge, die als Geländer dienten, und setzte seine Füße, Schuhgröße 47, wie ein Seiltänzer auf den einen geflochtenen Strick, der ihn von den Stromschnellen 15 Meter unter ihm trennte. Der Zamba war glitschig von Gischt, und Mortenson musste sich so auf seine Füße konzentrieren, dass er die Menschenmenge am anderen Ufer erst bemerkte, als er fast dort angekommen war.

Ein zierlicher bärtiger Balti in einer schwarzen Bergsteigerhose und einem orangefarbenen T-Shirt half ihm, den festen Boden zu erreichen, auf dem das Dorf Khane stand. Der Mann hieß Janjungpa und war zur selben Zeit, die Mortenson auf dem Berg verbracht hatte, für eine holländische K2-Expedition als Träger tätig gewesen. Mortenson hatte ihn im Basislager kennen gelernt. Nun führten die beiden eine Prozession von zwei Dutzend Männern durch die engen Gassen von Khane an. Vor einem ordentlichen weiß gestrichenen Haus angekommen, stiegen sie eine Holzleiter hinauf.

Mortenson nahm auf einigen Kissen Platz. Währenddessen drängten sich die Männer von Khane in den kleinen Raum und ließen sich im Kreis auf dem ausgeblichenen geblümten Teppich nieder. Janjungpas Söhne breiteten in der Mitte der Runde eine rosafarbene Plastiktischdecke aus und stellten Mortenson Platten mit Brathuhn, Rübensalat und einen Eintopf aus Schafsleber vor die Füße. „Ich möchte Mr Girek dafür danken, dass er sich die Ehre gibt, hierherzukommen und eine Schule in Khane zu bauen", verkündete Janjungpa.

„Eine Schule in Khane?", stieß Mortenson entsetzt hervor.

„Ja, wie Sie es versprochen haben. Eine Kletterschule."

Hastig ließ Mortenson seine Monate am K2 Revue passieren. Er und Janjungpa hatten erörtert, wie man den Balti-Trägern die für das Bergsteigen nötigen Kenntnisse vermitteln könne, da sie häufig nicht einmal die grundlegendsten Bergrettungsmanöver kannten. Ausführlich hatte Janjungpa über die hohe Verletzungsrate und die mageren Löhne der Träger gesprochen. Mortenson wusste auch noch genau, dass Janjungpa Khane beschrieben und ihn dorthin eingeladen hatte. Aber er war sicher, dass eine Schule niemals erwähnt worden war. Und ein Versprechen hatte es ebenfalls nie gegeben.

„Girek Sahib, hör nicht auf Janjungpa. Er ist verrückt", intervenierte Akhmalu. Mortenson fiel ein Stein vom Herzen. „Eine Kletterschule!" Akhmalu schüttelte heftig den Kopf. „Khane braucht eine richtige Schule für die Kinder, nicht eine, damit Janjungpa noch reicher wird. Das müssen Sie tun." Mortensons Erleichterung legte sich schlagartig.

Er bemerkte, dass Changazi, der links von ihm saß und elegant mit den Fingernägeln das Fleisch von einer Hühnerkeule löste, ein Lächeln um die Lippen spielte. In der Hoffnung, dass er Partei für ihn ergriffe und diesem Wahnsinn ein Ende bereitete, versuchte Mortenson, Blickkontakt mit ihm aufzunehmen. Doch bald brach eine hitzige Debatte auf Balti los. Rasch bildeten sich zwei Fraktionen, an deren Spitzen Akhmalu und Janjungpa standen.

„Ich habe nie etwas versprochen", probierte Mortenson es erst auf Englisch und, als niemand zuhörte, auf Balti. Doch es war, als wäre der körperlich größte Mensch im Raum plötzlich unsichtbar geworden. Immer wieder hörte er, wie Akhmalu Janjungpa als habgierig beschimpfte. Aber dieser wies jeglichen Vorwurf zurück und beharrte starrsinnig darauf, Mortenson habe es ihm versprochen.

Plötzlich stand Akhmalu auf und packte den Amerikaner am Arm. Offenbar wollte er das Ergebnis nach seinen Wünschen beeinflussen, indem er ihn zu sich nach Hause schleppte. Und so führte er die immer noch durcheinanderschimpfende Prozession von Männern die Leiter hinunter und über einen schlammigen Bewässerungsgraben sowie eine andere Leiter in sein Haus. Nachdem sich alle wieder im Wohnzimmer auf Kissen niedergelassen hatten, baute Akhmalus Sohn verschiedene Gerichte zu Mortensons Füßen auf. Die Speisenfolge war fast identisch mit der bei Janjungpa.

Die Männer griffen herzhaft zu und debattierten weiter, als hätte der Streit niemals stattgefunden. Nachdem die Diskussion bereits vier Stunden andauerte, brannten Mortenson vom dichten Zigarettenqualm im Raum die Augen. Er kletterte auf Akhmalus Dach und lehnte sich gegen eine frisch geerntete Buchweizengarbe. Der Wind hatte die Wolken vom Gipfel des Masherbrum vertrieben. Mortenson blickte zu der messerscharfen Bergspitze hinüber, die im Mondlicht unheimlich leuchtete. Wie einfach war es doch, als Bergsteiger nach Baltistan zu kommen, dachte er.

Durch eine große Öffnung im Dach zogen der Zigarettenqualm und der Rauch des mit Yakdung geschürten Feuers zu ihm hinauf. Die streitlustigen Stimmen der Männer verdarben ihm die Stimmung. Er nahm eine dünne Jacke aus seinem kleinen Rucksack, legte sich auf den Buchweizen und breitete sie wie eine Decke über sich. Der Mond erhob sich über die schroffen Felsen im Osten und schien auf der Kante zu balancieren wie ein großer weißer Felsen, der Khane jeden Moment zermalmen würde. Los, fall schon runter!, dachte Mortenson. Dann schlief er ein.

Am Morgen war der Masherbrum wieder in Wolken gehüllt. Als Mortenson steifbeinig nach unten kam, saß Changazi da und trank Tee. Mortenson bestand darauf, dass er sie zurück nach Skardu brachte, bevor die Mahlzeiten und Diskussionen von Neuem beginnen konnten. Janjungpa und Akhmalu gesellten sich wieder zu ihnen in den Jeep. Sie waren nicht gewillt, ihre Chancen auf einen Sieg in dieser Auseinandersetzung einfach sausen zu lassen, indem sie Mortenson gestatteten, ihnen zu entkommen.

Auf der Fahrt zeigte Changazi wieder sein schmallippiges Lächeln. Mortenson hätte sich ohrfeigen können, weil er so viel Zeit vergeudet hatte. Bei ihrer Ankunft war es in Skardu winterlich kalt.

Nachdem der Jeep vor Changazis Haus gehalten hatte, baute sich Mortenson neben dem Fahrzeug auf. „Wo sind die Baumaterialien für meine Schule, Changazi? Ich kann sie nirgendwo sehen."

„Ich habe sie zu meinem anderen Büro bringen lassen."

„Sie haben sie weggebracht?"

„Ja, an einen sicheren Ort."

„Ich will sofort meine Sachen sehen." Mortenson richtete sich zu voller Größe auf. Changazi flocht die Finger ineinander und schloss die Augen. Als er sie wieder aufschlug, wirkte es, als hoffte er, Mortenson möge sich in Luft aufgelöst haben. „Es ist schon spät, und mein Gehilfe ist mit dem Schlüssel nach Hause gegangen", erwiderte der Balti. „Außerdem muss ich mich für das Abendgebet waschen. Aber ich verspreche Ihnen, dass ich Ihren Wunsch morgen zu Ihrer hundertprozentigen Zufriedenheit erfüllen werde. Gemeinsam werden wir diese streitenden Dorfbewohner loswerden und Ihre Schule bauen."

Bei Morgengrauen wachte Mortenson auf. Changazis Schlafsack wie einen Umhang über die Schultern gelegt, trat er auf die feuchte Straße hinaus. Mit dem vermüllten, von verrammelten Lädchen gesäumten Basar und den gedrungenen Gebäuden aus Lehmziegeln oder Betonsteinen erschien ihm Skardu inzwischen schrecklich hässlich. Zu Hause in Kalifornien hatte er es als die goldene Hauptstadt eines mythischen Bergkönigreiches geschildert. Und die Balti hatte er für gute, anständige Menschen gehalten. Doch als er jetzt im Nieselregen stand, fragte er sich, ob es sich bei diesem Baltistan nicht nur um ein Produkt seiner Fantasie handelte.

Er schüttelte den Kopf, um seine Zweifel zu verscheuchen. Obwohl Korphe nur 112 Kilometer nördlich von hier lag, schien es eine andere Welt zu sein. Mortenson beschloss, sich unverzüglich auf den Weg dorthin zu machen, sobald er sein Baumaterial gefunden hatte.

Beim Frühstück verhielt sich Changazi ungewöhnlich fürsorglich. Ständig füllte er eigenhändig Mortensons Teetasse nach und versicherte ihm, sie würden aufbrechen, sobald der Jeep da sei. Als der grüne Land Cruiser vorfuhr, trafen auch Janjungpa und Akhmalu ein, die in einer billigen Herberge für Fernfahrer übernachtet hatten und von dort aus zu Fuß zu Changazis Haus gegangen waren. Schweigend brachen die Männer auf.

Der Weg führte durch Sanddünen nach Westen. Etwa anderthalb Stunden von Skardu entfernt, bogen sie von der Hauptstraße ab und quälten sich eine Holperpiste hinauf, bis sie zu einer Gruppe großer Häuser aus Lehm und Stein kamen, die im Schatten einiger kümmerlicher Weiden standen. Das war Kuardu, Changazis Heimatdorf. Der Marsch durch einen Pferch, in dem Changazi die Schafe mit dem Fuß beiseiteschob, verlief in angespannter Stimmung. Dann stiegen sie in die zweite Etage des größten Hauses im Dorf hinauf.

Im Wohnzimmer ließen sie sich nicht auf den üblichen staubigen geblümten Kissen, sondern auf selbst aufblasenden Campingmatten nieder. An den Wänden hingen gerahmte Fotos, auf denen Changazi neben Mitgliedern internationaler Expeditionen posierte. Mortenson sah auch sich selbst, unterwegs zum K2 und den Arm lässig um Changazis Schultern gelegt.

Fünf alte bärtige Männer kamen herein und schüttelten Mortenson begeistert die Hand, bevor sie auf den Matten Platz nahmen. Schließlich drängten sich mehr als fünfzig männliche Einwohner von Kuardu um eine Plastiktischdecke. Changazi rief eine Karawane von Dienstboten herein, die so viele Platten mit Speisen servierten, dass Mortenson die Füße unterschlagen musste, um Platz zu machen. „Was soll das hier werden, Changazi? Wo sind meine Sachen?"

Der Balti schaufelte Yakfleisch auf einen großzügigen Haufen scharf gewürzten Reis und stellte den Teller vor Mortenson hin, bevor er antwortete. „Das sind die Ältesten meines Dorfes." Er wies auf die fünf alten Männer. „Ich verspreche, dass es hier in Kuardu keinen Streit geben wird. Sie haben bereits zugesagt, dafür zu sorgen, dass deine Schule noch vor dem Winter in unserem Dorf gebaut wird."

Wortlos stand Mortenson auf und machte einen großen Schritt über die gedeckte Tafel hinweg. Er wusste, wie unhöflich es war, die angebotene Gastfreundschaft zurückzuweisen und die Ältesten einfach sitzen zu lassen, doch er hielt es keine Minute länger hier aus. Er rannte und rannte, bis er Kuardu hinter sich hatte, und stürmte dann wütend einen steilen Schafspfad hinauf. Auf einer Lichtung oberhalb des Dorfes ließ er sich keuchend auf den Boden fallen und begann hemmungslos zu weinen.

Als er schließlich aufblickte, stellte er fest, dass einige Kinder hinter einem Maulbeerbaum Position bezogen hatten und ihn anstarrten. Sie hatten eine Herde weidender Ziegen bei sich. Mortenson stand auf, klopfte sich den Staub von der Kleidung und ging auf die Kinder zu.

„*Min takpo Greg. Nga America in.* Ich heiße Greg und komme aus Amerika. *Kiri min takpo in?* Wie heißt ihr?"

Erfreut, den Angrezi verstehen zu können, klatschten sie in die Hände.

Als Changazi eine halbe Stunde später erschien, kniete Mortenson bei den Kindern auf dem Boden und kratzte mit einem Maulbeerzweig Multiplikationstabellen in die Erde.

„Dr. Greg, kommen Sie wieder mit hinein und trinken Sie einen Tee. Wir haben viel zu besprechen", flehte Changazi.

„Wir haben überhaupt nichts zu besprechen, wenn Sie mich nicht nach Korphe bringen", entgegnete Mortenson.

„Korphe ist sehr weit weg und sehr schmutzig. Und Sie mögen diese Kinder. Warum bauen Sie Ihre Schule nicht hier?"

„Nein."

„Greg Sahib, bitte!"

„Nach Korphe. Bis dahin sage ich kein Wort mehr."

DER FLUSS verlief rechts von ihnen und strömte über Felsen, die so groß waren wie Häuser. Der Land Cruiser bockte und schlingerte, als müsste er sich durch diese kaffeebraunen Wasser quälen, nicht über die miserable Straße, die am Nordufer des Braldu entlangführte.

Inzwischen hatten Akhmalu und Janjungpa das Handtuch geworfen und sich nach einem hastigen und mürrischen Abschied von einem Jeep zurück nach Skardu bringen lassen, anstatt Mortenson weiter zu verfolgen. Die Fahrt nach Korphe dauerte acht Stunden. Während der ganzen Zeit lehnte Changazi auf dem Rücksitz an einem Sack Basmatireis. Er hatte sein weißes Topi aus Wolle über die Augen gezogen und schlief trotz des Geholpers tief und fest. Jedenfalls schien es so.

Als sie die Korphe gegenüberliegende Felskante erreichten, war es schon seit einigen Stunden dunkel. Mortenson sprang aus dem Jeep und blickte zum anderen Rand der Schlucht hinüber, konnte aber nicht feststellen, ob jemand da war. Auf Changazis Anweisung drückte der Fahrer auf die Hupe und ließ die Scheinwerfer aufleuchten. Mortenson stellte sich in den Lichtstrahl und winkte in die Dunkelheit hinein, bis er von der anderen Seite ein Rufen hörte. Der Fahrer rangierte den Jeep so, dass die Scheinwerfer über das Wasser strahlten. Sie erkannten nun einen zierlichen Mann, der in der wackligen Gondel saß und sich zu ihnen herüberzog.

Mortenson erkannte Hadschi Alis Sohn Twaha erst, kurz bevor dieser aus der Gondel sprang und die Arme um die Taille des Besuchers schlang. Lachend sah er den Amerikaner an. „Mein Vater sagen, Allah dich eines Tages zu uns zurückschicken. Hadschi Ali wissen alles."

Nachdem Twaha Mortenson geholfen hatte, sich in die Gondel zu zwängen, zog dieser sich langsam das hundert Meter lange Stahlseil entlang. Er spürte Gischt in der Luft und konnte hören, allerdings nicht sehen, wie in der Tiefe der Braldu mit ungebremster Kraft dahinschoss. Im Lichtkegel der Scheinwerfer erkannte er auf einem Felsvorsprung über dem Ufer die Umrisse Hunderter Menschen, die herbeigeströmt waren, um ihn zu begrüßen. Und ganz rechts, an der höchsten Stelle, bemerkte er eine unverwechselbare Gestalt. Hadschi Ali wirkte wie in Granit gemeißelt, als er, die Beine breit in den Boden gestemmt, Mortenson entgegenblickte.

Dschahan, die Enkelin des Dorfvorstehers, erinnert sich noch gut an diesen Abend. „Viele Bergsteiger versprechen den Anwohnern des Braldu das Blaue vom Himmel und vergessen es, sobald sie zu Hause sind. Aber mein Großvater hat immer beteuert, Dr. Greg sei anders und werde zurückkommen. Dennoch waren wir überrascht, ihn schon so bald wiederzusehen."

Beobachtet von Dschahan und den übrigen Einwohnern Korphes, bedankte sich Hadschi Ali laut bei Allah dafür, dass er den Gast wohlbehalten zurückgebracht hatte, und umarmte den Amerikaner.

Am knisternden Feuer im Haus des Nurmadhar fühlte sich Mortenson sofort wieder heimisch. Sakina förderte ein uraltes Päckchen Butterkekse zutage und servierte sie ihm zu Paiyu Cha auf einem angeschlagenen Teller. Er zerbrach die Kekse in winzige Stücke, um sie mit den anderen zu teilen.

Hadschi Ali wartete, bis Mortenson den Buttertee getrunken hatte, und versetzte ihm dann einen Klaps aufs Knie. „*Cheezaley!*", rief er wie bei der ersten Begegnung lachend aus. „Was zum Teufel willst du hier?" Aber diesmal hatte Mortenson sich nicht zufällig nach Korphe verirrt, sondern sich ein Jahr lang abgemüht, um die Voraussetzungen für seine Rückkehr zu schaffen.

„Ich habe alles dabei, was wir brauchen, um eine Schule zu bauen", antwortete er auf Balti, wie er es eingeübt hatte. „Holz, Zement und

Werkzeuge. Momentan liegen die Sachen noch in Skardu." Er warf einen Blick auf Changazi, der gerade einen Keks in seinen Tee tunkte, und empfand kurz sogar ein wenig Zuneigung für ihn, denn schließlich hatte er ihn – wenn auch mit einigen Umwegen – hierhergebracht. „Ich bin gekommen, um mein Versprechen einzulösen", fuhr Mortenson fort und sah Hadschi Ali an. „Hoffentlich können wir bald mit dem Bau beginnen, *inschallah*."

„Dr. Greg", erwiderte der Dorfvorsteher, „der allergnädigste Allah hat dich wieder nach Korphe geführt. Ich habe immer daran geglaubt und es so oft gesagt, wie der Wind durch das Braldu-Tal weht. Deshalb haben wir eingehend über die Schule gesprochen, während du in Amerika warst. Wir wünschen uns sehr eine Schule für Korphe. Aber wir haben entschieden, dass wir zuerst eine Brücke bauen müssen, bevor wir eine Schule bauen können. Das ist jetzt wichtiger für Korphe."

„Zamba?", hakte Mortenson nach, in der Hoffnung, dass es sich um ein Missverständnis handelte. „Eine Brücke?", wiederholte er zur Sicherheit auf Englisch.

„Ja, große Brücke aus Stein", bestätigte Twaha. „So wir können Schule nach Korphe bringen."

Langsam nahm Mortenson einen Schluck Tee. Seine Gedanken überschlugen sich. Er trank noch einen Schluck.

AM FLUGHAFEN von San Francisco herrschte unter den abgehetzten Fluggästen so kurz vor Weihnachten eine gereizte Stimmung. Mortenson ging zum Gepäckband, um auf seine abgewetzte Reisetasche zu warten.

Nach den in einem Motel verbrachten Feiertagen – er hatte nur noch 83 Dollar auf dem Konto – rief er im UCSF Medical Center an, weil er hoffte, eine Schicht arbeiten zu können, bevor sich seine Finanzkrise zuspitzte. „Sie haben versprochen, zu Thanksgiving zurück zu sein", bekam er zu hören. „Und jetzt haben Sie auch noch Weihnachten verpasst. Sie sind zwar einer unserer besten Mitarbeiter, doch jemanden, der nicht verfügbar ist, können wir nicht gebrauchen. Sie sind gefeuert."

Mortenson telefonierte verschiedene Bekannte ab, bis er eine billige Unterkunft gefunden hatte, wo er unterkommen konnte, bis klar war, wie es weitergehen sollte. Allerdings bleibt ein qualifizierter Krankenpfleger in den USA nicht lange arbeitslos, und so ergatterte er schon nach wenigen Tagen Nachtschichten im San Francisco General Trauma Center und einer Spezialklinik für Brandverletzte in Berkeley. Nun konnte er sich ein Zimmer im dritten Stock eines Hauses ohne Aufzug in einer heruntergekommenen Straße in Berkeley leisten – als Untermieter bei einem polnischen Handwerker namens Dudzinski, der Kettenraucher war und pausenlos Wodka in sich hineinschüttete.

In manchen Nächten gab es so viel zu tun, dass es Mortenson gelang, seine Frustration zu vergessen. Außerdem empfand er es als befriedigend, dass er die Schmerzen der Patienten in einem gut ausgerüsteten westlichen Krankenhaus lindern konnte, wo Medikamente, Gerätschaften und Verbandmaterial nicht erst nach einer achtstündigen Fahrt über oft unpassierbare Straßen verfügbar waren.

Nachdem Hadschi Ali ihm die niederschmetternde Neuigkeit über die Brücke enthüllt hatte, hatte in seinem Innern zunächst wilder Aufruhr geherrscht, doch dann war er überraschend ruhig geworden. Er hatte sich bewusst gemacht, dass er sein Ziel erreicht hatte – Korphe, den letzten Ort, bevor die Region des ewigen Eises begann. Einfach vor den Schwierigkeiten davonzurennen, wie er es davor in Kuardu getan hatte, hätte nichts zur Lösung beigetragen. Er hatte sich nirgendwo anders hinwenden können.

Trotz seiner Enttäuschung konnte er den Menschen von Korphe nicht böse sein. Natürlich brauchten sie eine Brücke. Wie sonst hätten sie die Schule auch bauen sollen? Etwa indem sie jedes Brett und jede Wellblechplatte einzeln in einer gefährlich schwankenden Gondel über den Braldu transportierten? Deshalb war er eher wütend auf sich selbst, weil er sein Vorhaben nicht besser geplant hatte. Und aus diesem Grund entschied er, so lange in Korphe zu bleiben, bis er genau wusste, was zu tun war, um sein Schulprojekt zu verwirklichen. Schließlich hatte seine Ankunft in diesem Dorf auch über mehrere Umwege geführt. Also war es kein Weltuntergang, noch ein wenig zu warten.

„Erklär mir genau, was das für eine Brücke werden soll", bat er Hadschi Ali und brach damit das erwartungsvolle Schweigen in dem Raum, in dem sich alle erwachsenen Männer Korphes drängten. „Was brauchen wir? Wie fangen wir an?" Er hoffte zu diesem Zeitpunkt noch, dass der Bau einer Brücke rasch und kostengünstig zu bewerkstelligen sei.

„Wir viel Dynamit für Sprengen brauchen und müssen wegschlagen viele Steine", erwiderte Twaha. Außerdem werde man Stahlseile und Holzbretter kaufen und von Skardu oder Gilgit heranschaffen müssen. Und erfahrene Arbeiter müssten bezahlt werden. Das Ganze würde Tausende Dollar verschlingen – eine Summe, die Mortenson nicht mehr besaß.

Er antwortete, er habe den Großteil seines Geldes bereits in Baumaterial für die Schule investiert und müsse deshalb nach Amerika zurückkehren, um noch mehr für die Brücke aufzutreiben. Er rechnete damit, dass die Männer von Korphe so enttäuscht waren wie er. Doch offenbar waren sie das Warten ebenso gewohnt wie die dünne Luft auf dreitausend Meter Höhe. Seit Jahrzehnten versprach die pakistanische Regierung in der weit entfernten Hauptstadt den Menschen am Braldu nun schon Schulen, ohne dass je etwas geschehen wäre. Und so war Geduld die größte Stärke der Dorfbewohner.

„Viel, viel Danke!", stieß Hadschi Ali mühsam auf Englisch hervor, um Mortenson eine Freude zu machen. Diese Dankbarkeit dafür, dass er das Projekt eigentlich gründlich vermasselt hatte, konnte der Amerikaner kaum ertragen. Er zog den alten Mann, der nach Holzrauch und feuchter Wolle roch, an seine Brust.

Danach bat er Changazi, ohne ihn nach Skardu zurückzukehren, und registrierte mit einer gewissen Befriedigung das schockierte Gesicht des Balti. Dieser hatte wohl schon angenommen, er habe das Tauziehen um die Schule gewonnen.

Mit Hadschi Ali fuhr Mortenson dann im Jeep flussabwärts, um die Brücken des unteren Braldu-Tals zu besichtigen und zu skizzieren. Wieder in Korphe, fertigte er zudem in seinem Notizbuch eine Zeichnung der Brücke an, die die Dorfbewohner sich wünschten. Des Weiteren setzte er sich mit den Ältesten von Korphe zusammen, um über den Bauplatz zu beraten, wo die Schule nach seiner Rückkehr aus Amerika entstehen sollte.

Als der Wind, der den Baltoro hinunterwehte, die ersten Schneekristalle mit sich trug – ein Vorbote der langen Monate, die nur in geschlossenen Räumen verbracht werden konnten –, verabschiedete sich Mortenson. Inzwischen war es Mitte Dezember.

Seit Changazi ihn hergebracht hatte, waren mehr als zwei Monate vergangen, und er konnte die Abreise nicht noch länger hinausschieben. Am Steuer eines überladenen Jeeps brachte er die holprige Fahrt entlang dem Südufer des Braldu hinter sich. Mit ihm unterwegs waren die elf Männer, die darauf bestanden hatten, ihn bis nach Skardu zu begleiten.

Als er nun nach seiner Schicht im Krankenhaus in sein kahles Zimmer in Dudzinskis nach Zigarettenrauch stinkender Wohnung zurückkehrte, fühlte er sich erschöpft und einsam. Die Kameradschaft und Verbundenheit des Dorflebens in Korphe erschienen ihm unendlich weit weg. Und er wagte nicht, Jean Hoerni anzurufen, den einzigen

Menschen, der vielleicht in der Lage gewesen wäre, ihm die Rückkehr zu finanzieren.

Als es Frühling wurde, wuchs seine Niedergeschlagenheit noch mehr. Er erinnerte sich an die hoffnungsfrohen Mienen der Männer von Korphe, als sie ihn in den Bus nach Islamabad gesetzt hatten. Sie waren so sicher gewesen, dass er bald mit dem Geld wiederkommen würde. Wie konnten sie derart viel Vertrauen in ihn setzen, während ihm der Glaube an sich selbst fehlte?

An einem späten Nachmittag im Mai, Mortenson lag gerade in seinem Schlafsack, läutete das Telefon. Am Apparat war Dr. Louis Reichardt, der 1978 zusammen mit einem Partner der erste Amerikaner auf dem Gipfel des K2 gewesen war. Vor seinem eigenen Aufbruch in den Karakorum hatte Mortenson ihn angerufen und um Rat gefragt. Seitdem hatten sie zwar selten, dann jedoch ausführlich miteinander telefoniert. „Jean meinte, du willst eine Schule bauen. Wie läuft's denn so?", erkundigte sich Reichardt.

Mortenson erzählte ihm die ganze Geschichte, angefangen bei den 580 Briefen bis dahin, dass das Projekt wegen der fehlenden Brücke zum Stillstand gekommen war. Außerdem schilderte er seine Niedergeschlagenheit, weil ihm gekündigt worden war und er befürchtete, von seinem geplanten Weg abzukommen.

„Nimm dich zusammen, Greg. Dass einem ab und zu Knüppel zwischen die Beine geworfen werden, ist ganz normal", erwiderte Reichardt. „Schließlich ist dein Plan um einiges anspruchsvoller, als nur den K2 zu besteigen."

„Dass Lou so etwas sagte, bedeutete mir sehr viel", erinnert sich Mortenson. „Immerhin war er einer meiner Helden." Die Strapazen, denen Reichardt und sein Partner beim Aufstieg zum K2 hatten trotzen müssen, waren in Bergsteigerkreisen Legende. Und so konnte Reichardts Einschätzung, er habe sich für einen sehr schweren Weg entschieden, Mortenson davon überzeugen, dass er doch kein Versager war. Er musste bis zum Gipfel eben noch einige Meter hinter sich bringen.

„Ruf Jean an und erzähle ihm deine Geschichte", riet Reichardt. „Bitte ihn, den Bau der Brücke zu finanzieren. Glaub mir, er kann es sich leisten."

Zum ersten Mal seit seiner Rückkehr hatte Mortenson das Gefühl, dass seine alten Kräfte wieder erwachten. Nachdem er aufgelegt hatte, suchte er aus seinen Adresszetteln das karierte Stück Papier mit Hoernis Namen und Telefonnummer hervor.

Brücken bauen

Die Stimme des Mannes am Telefon klang verzerrt, als befände sich der Sprecher am anderen Ende des Globus. Allerdings trennten ihn von Mortenson höchstens zweihundert Kilometer. „Wiederholen Sie das", bat die Stimme.

„Ich möchte fünf Rollen mit je hundertzwanzig Meter Stahlseil kaufen", versuchte Mortenson das Knistern zu übertönen. „Dreifach geflochten. Haben Sie das auf Lager?"

„Gewiss." Der Empfang wurde plötzlich besser. „Wären Sie mit anderthalb *lakh* Rupien pro Rolle einverstanden?"

„Bleibt mir denn was anderes übrig?"

„Nein", erwiderte der Besitzer der Baustoffhandlung lachend. „Außer mir kann niemand im Norden solche Mengen Stahlseil anbieten. Dürfte ich Ihren werten Namen wissen?"

„Greg Mortenson."

„Und von wo aus rufen Sie an, Mr Greg?"

„Aus Skardu."

„Und dürfte ich erfahren, was Sie mit so viel Stahlseil wollen?"

„Im Dorf meiner Freunde im oberen Braldu-Tal gibt es keine Brücke. Und deshalb werde ich ihnen helfen, eine zu bauen."

„Sie sind Amerikaner, richtig? Ich habe von Ihrer Brücke gehört. Sind die Wege zu Ihrem Dorf mit dem Jeep befahrbar?"

„Wenn es nicht zu regnen anfängt, schon. Können Sie die Drahtseile liefern?"

„Inschallah."

„Mit Allahs Hilfe" – nicht „nein". Es war eine Antwort, die in Mortensons Ohren nach einem Dutzend vergeblicher Telefonate wie Musik klang. Es war erst Anfang Juni 1995. Wenn es nicht zu unvorhergesehenen Zwischenfällen kam, wäre die Brücke vor dem Winter fertig, sodass man im folgenden Frühling mit dem Bau der Schule beginnen konnte.

Jean Hoerni hatte sich erstaunlich großzügig gezeigt und einen weiteren Scheck, diesmal über zehntausend Dollar, ausgeschrieben. „Einige meiner Exfrauen geben an einem einzigen Wochenende mehr aus", hatte er geknurrt. Aber er hatte Mortenson auch ein Versprechen abgenommen. „Bauen Sie die Schule, so schnell Sie können. Und wenn Sie fertig sind, bringen Sie mir ein Foto. Ich werde nämlich nicht jünger." Mortenson hatte ihm das liebend gern zugesichert.

„Der Bursche führt diese Stahlseile tatsächlich?", fragte Changazi nun. „Und wie viel verlangt er?"

„Achthundert Dollar pro Rolle, wie Sie gesagt haben."

„Und er liefert sie auf den Berg?"

„Inschallah." Mortenson hängte den Hörer des Telefons in Changazis Büro ein. Da er nun Hoernis Geld in der Tasche und wieder ein festes Ziel vor Augen hatte, freute er sich über Changazis Gesellschaft. Dass für diesen bei jeder Transaktion ein paar Rupien abfielen, war ein angemessener Preis dafür, dass er über eine breite Palette von Kontakten verfügte. Außerdem hatte er Mortenson für all die gelagerten Baumaterialien eine Quittung ausgestellt. Also gab es keinen Grund, warum der Amerikaner Changazis Verbindungen nicht nutzen sollte.

Eine Woche übernachtete Mortenson bereits auf dem Charpoy in Changazis Büro. Das Wetter war bisher erstaunlich gut gewesen, und die Geschäfte florierten. Changazi hatte einige Expeditionen ausrüsten können.

Da die Stahlseile nun bestellt und unterwegs waren, reservierte Mortenson sich einen Platz in einem Jeep nach Askole. Die Straße durch das Shigar-Tal wurde von Bäumen gesäumt, an denen Äpfel und Aprikosen reiften. Die Luft war so klar, dass die schroffen rostroten und ockergelben Wände der sechstausend Meter hohen Ausläufer des Karakorum zum Greifen nah schienen. Doch als sie in das Braldu-Tal einbogen, erschienen von Süden her tief hängende Wolken und holten den Jeep rasch ein. Sicher war das der Monsun, der von Indien heranzog. Bei ihrer Ankunft in Askole waren alle Insassen des fensterlosen Jeeps klatschnass und mit grauem Schlamm bespritzt.

Als Mortenson aus dem Wagen stieg, prasselte der Regen auf ihn herunter. Zu Fuß waren es nach Korphe noch Stunden. Und da sich der Fahrer nicht dazu überreden ließ, den Weg bei Dunkelheit fortzusetzen, musste Mortenson die Nacht zähneknirschend auf einigen Reissäcken in einem Laden verbringen.

Am nächsten Morgen regnete es immer noch. Weil der Jeep bereits eine Fuhre zurück nach Skardu vereinbart hatte, machte Mortenson sich zu Fuß auf den Weg. In Askole fühlte er sich nach wie vor nicht wohl. Da alle Expeditionen zum Baltoro von hier aus aufbrechen mussten, waren die Einheimischen vom übermäßigen Kontakt mit Besuchern aus dem Westen verdorben. Schließlich waren die Bergsteiger darauf angewiesen, in letzter Minute vergessene Lebensmittel zu kaufen oder Träger einzustellen. Und so hatten sich immer mehr Menschen hier darauf verlegt, diese Notlage auszunutzen.

Als Mortenson durch die glitschige Schlucht nach Korphe marschierte, machte er sich Sorgen, dass seine Brücke sich womöglich negativ auf das jetzt noch schwer zu erreichende Dorf auswirken könnte. „Die Einwohner von Korphe führten ein zwar hartes, aber auch sehr ursprüngliches Leben", erläutert er. „Obwohl die Brücke es ihnen ermöglichen würde, innerhalb von Stunden statt Tagen ein Krankenhaus zu erreichen, oder es ihnen leichter machte, ihre Ernte zu verkaufen, befürchtete ich, dass Korphe Schaden nehmen würde, wenn die Außenwelt über die Brücke Zutritt zum Dorf bekam."

Die Männer von Korphe erwarteten ihn am Ufer und holten ihn in der Gondel nach drüben. Auf beiden Seiten des Flusses lagen, wo die Pfeiler der Brücke entstehen sollten, Hunderte grob behauener Granitblöcke zum Bau bereit. Hadschi Ali hatte Mortenson davon überzeugt, aus den jeweils nur wenige Hundert Meter entfernten Felswänden geschlagene Steine zu verwenden, anstatt sie mühsam über den Fluss oder auf häufig nicht passierbaren Straßen hierherzuschleppen. Denn so arm Korphe auch sein mochte, Steine waren im Überfluss vorhanden.

Die Menschen folgten Mortenson durch das verregnete Dorf zu Hadschi Alis Haus, um den Bau der Brücke zu besprechen. Als Sakina zur Begrüßung Mortensons Hand nahm, wurde ihm bewusst, dass er zum ersten Mal von einer Balti-Frau berührt wurde. Wie um seine Reaktion abzuschätzen, lächelte sie ihm kühn ins Gesicht. Anstelle einer Antwort überschritt auch er eine kulturelle Schwelle, indem er ihre Küche betrat, die nur aus einer von Steinen eingefassten Feuerstelle, einigen Regalen und einem verzogenen Schneidebrett aus Holz bestand, das auf dem gestampften Lehmboden lag. Er nahm eine Handvoll Reisig und begrüßte Sakinas Enkelin Dschahan, die schüchtern lächelte.

Kichernd versuchte Sakina, ihn aus der Küche zu scheuchen. Doch er holte ein wenig *tamburok*, einen nach Kräutern schmeckenden grünen Bergtee, aus einem Messinggefäß und füllte den geschwärzten Teekessel aus einem 40-Liter-Benzinkanister aus Plastik, der Wasser vom Fluss enthielt. Nachdem Mortenson das qualmende Feuer mit ein wenig Reisig angeschürt hatte, setzte er den Kessel auf. Schließlich schenkte er Korphes Ältestenrat und sich selbst Tee ein und ließ sich dann auf einem Kissen nieder.

„Meine Großmutter war schockiert, als Dr. Greg in ihre Küche ging", erzählt Dschahan. „Aber da er für sie wie ihr eigener Sohn war, ließ sie ihn gewähren. Nach einer Weile änderte sich ihre Haltung, und sie fing an, meinen Großvater aufzuziehen, er solle sich seinen amerikanischen Sohn zum Beispiel nehmen und mehr im Haushalt helfen."

Hadschi Ali fühlte sich den Interessen von Korphe verpflichtet und ließ in seiner Wachsamkeit nur selten nach. „Mich wunderte es immer, wie er ohne Telefon, Strom oder Radio über alles auf dem Laufenden war, was im Braldu-Tal und darüber hinaus geschah", erinnert sich Mortenson. Zwei mit dem Stahlseil für die Brücke beladene Jeeps seien knapp dreißig Kilometer von Korphe entfernt durch einen Steinschlag, der die Straße blockiere, aufgehalten worden, teilte Hadschi Ali den Anwesenden mit. Da es Wochen dauern würde, das Geröll wegzuschaffen, schlug er vor, das Stahlseil zu Fuß ins Dorf zu bringen. Wenn alle kräftigen Männer mithülfen, könne man sofort mit dem Bau der Brücke beginnen.

Also machten sich am nächsten Tag 35 Balti, vom Halbwüchsigen bis hin zu Hadschi Ali und seinen weißbärtigen Altersgenossen, im Regen auf den Weg. Der Transport des Stahlseils nach Korphe dauerte zwölf Stunden. Jede Rolle wog vierhundert Kilo, sodass zehn Männer nötig waren, um sie an den dicken Holzstangen zu tragen, die durch die Mitte der Spule verliefen.

Mortenson, der über dreißig Zentimeter größer war als die Balti, wollte sich ebenfalls beteiligen. Allerdings geriet die Last dadurch in eine solche Schieflage, dass er es aufgeben musste und den anderen nur bei der Arbeit zusehen konnte. Doch niemand nahm Anstoß daran. Die meisten Männer hatten für westliche Expeditionen als Träger gearbeitet und schweres Gepäck den Baltoro hinaufgeschleppt. Für sie sei es ein Vergnügen, sich für ihr eigenes Dorf abzuplagen, anstatt für das in ihren Augen unverständliche Treiben ausländischer Bergsteiger, erklärte der sich Seite an Seite mit seinem Vater abmühende Twaha Mortenson grinsend.

IN DER Regionalhauptstadt Gilgit hatte Mortenson seine Zeichnungen der Brücken über den unteren Braldu einem Ingenieur der pakistanischen Armee vorgelegt. Dieser hatte sich die Skizzen angesehen, einige Vorschläge zur Stabilisierung der Konstruktion gemacht und einen detaillierten Plan gezeichnet, der auch die genaue Lage der Stahlseile bestimmte. Er sah zwei gut zwanzig Meter hohe Pfeilerpaare vor, die von Bögen aus gegossenem Beton gekrönt werden sollten, und zwar in einem Abstand, der breit genug für ein Yakgespann war. Die knapp hundert Meter lange Aufhängung sollte zwanzig Meter über der Hochwasserlinie verlaufen.

In Skardu heuerte Mortenson erfahrene Maurer an, die den Bau der Pfeiler überwachen sollten. Von jeweils vier Männern aus Korphe gehoben, wurden die Steinblöcke passend auf das von den Maurern gelegte Zementfundament gesetzt. Stein um Stein wuchsen so die insgesamt vier dreischichtigen, sich nach oben hin verjüngenden Pfeiler zu beiden Seiten des Flusses empor.

Dank dem milden, herbstähnlichen Wetter waren die langen Arbeitstage nicht besonders anstrengend. Jeden Abend konnte Mortenson die Früchte ihrer gemeinsamen Bemühungen bewundern, wenn er nachzählte, wie viele Blöcke heute wieder verbaut worden waren. Während die Männer den Großteil des Juli mit dem Brückenbau verbrachten, kümmerten sich die Frauen um die Felder.

Bevor sich der bedrückende Winter über das Dorf legte, spielte sich das Leben dort hauptsächlich im Freien ab. Die meisten Familien nahmen die beiden Mahlzeiten des Tages auf dem Dach ein. Mortenson hatte große Freude daran, mit Hadschi Ali und dessen Familie die letzten Strahlen der Abendsonne zu genießen und von Dach zu Dach mit den Nachbarn zu plaudern, die es ebenso machten.

Nachts nutzten Junggesellen wie Twaha und Mortenson das milde Wetter, um unter den Sternen zu schlafen. Inzwischen sprach Mortenson

Für den Entwurf der Brücke von Korphe orientierte
sich Mortenson an Hängebrücken wie dieser:
je ein Querbogen verbindet die steinernen Tragepfeiler.

fließend Balti, sodass Twaha und er sich bis tief in die Nacht unterhielten, während das restliche Korphe längst schlief. Häufig drehte sich das Gespräch um Frauen. Mortenson stand kurz vor seinem vierzigsten Geburtstag, Twaha würde bald 35 werden.

Er erzählte Mortenson, dass er seine Frau sehr vermisse. Inzwischen war es neun Jahre her, dass er sie bei der Geburt von Dschahan verloren hatte. „Sie war sehr schön", meinte er, als sie dalagen und zur Milchstraße hinaufblickten. „Ihr Gesicht war schmal wie das von Dschahan, und sie lachte und sang den ganzen Tag fröhlich wie ein Murmeltier."

„Wirst du wieder heiraten?"

„Ach, das wäre für mich nicht weiter schwer. Eines Tages werde ich Nurmadhar sein, und ich besitze bereits viel Land. Allerdings habe ich mich bis jetzt in keine andere Frau verlieben können."

Als er sich nach Mortensons Liebesleben erkundigte, schilderte ihm dieser seine gescheiterten Beziehungen der letzten zehn Jahre.

„Du solltest dir besser rasch eine Frau suchen", riet Twaha ihm. „Bevor du alt und fett wirst."

AM TAG, als sie das erste Seil zwischen den Pfeilern spannten, meldeten einige Träger, die vom Baltoro kamen, eine Gruppe von Amerikanern sei auf dem Weg hierher. Den Plan des Ingenieurs auf den Knien, saß Mortenson auf einem Felsen am Nordufer des Braldu und sah zu, wie zwei Gruppen mithilfe von Yakgespannen die Trageseile spannten und sie – so gut es ohne Elektrowerkzeuge möglich war – an den Pfeilern vertäuten. Anschließend balancierten die Geschicktesten wie Seiltänzer hin und her, fädelten die senkrechten Halteseile an den vom Ingenieur eingezeichneten Stellen ein und befestigten sie mit Schellen.

Unten am Nordufer näherte sich derweil ein imposant aussehender Amerikaner, der sich schwer auf seinen Wanderstock stützte. Neben ihm ging beschützend der muskulöse Einheimische, den er als Führer beschäftigte. Mortenson rutschte von seinem Felsen und hielt dem Mann die Hand hin. „Sind Sie George McCown?", fragte er. Der andere ergriff seine Hand und nickte ungläubig. „Dann wünsche ich Ihnen alles Gute zum Geburtstag", erwiderte Mortenson grinsend und überreichte ihm einen verschlossenen Umschlag.

George McCown saß im Vorstand der American Himalayan Foundation und war an seinem sechzigsten Geburtstag zum K2 unterwegs gewesen, um das Basislager einer von ihm finanziell unterstützten Expedition zu besuchen. Die Geburtstagskarte des AHF-Vorstands war nach Askole geschickt und dort von den verdatterten örtlichen Behörden an

Mortenson übergeben worden. Offenbar dachte man, ein Amerikaner werde seinen Landsmann schon finden. McCown war Vorstandsvorsitzender eines Unternehmens gewesen und hatte in den Achtzigern eine eigene Firma in Kalifornien gegründet. Er hatte eine Knieoperation hinter sich und fragte sich gerade, ob ihn sein Knie nach dem wochenlangen Marsch über den Gletscher wohl in die Zivilisation zurücktrüge. Das Zusammentreffen mit Mortenson munterte ihn beträchtlich auf.

Auch dieser freute sich über die Zufallsbegegnung. „Greg ist jemand, den man auf Anhieb sympathisch und vertrauenswürdig findet", urteilt McCown. „Er verfolgt nie Hintergedanken und ist ein sanfter Riese. Als ich all den Leuten zusah, die ihm beim Brückenbau halfen, war klar, dass sie ihn sehr gern hatten. Er arbeitete mit, als wäre er einer von ihnen. Mir war rätselhaft, wie er das als Amerikaner geschafft hatte."

Als Mortenson McCowns Begleiter auf Balti ansprach, antwortete dieser auf Urdu. Es stellte sich heraus, dass er kein Balti, sondern ein Wakhi aus dem abgelegenen Charpurson-Tal an der afghanischen Grenze war und Faisal Baig hieß.

Nach einer Weile setzte McCown seinen Weg fort. Allerdings entstand an dem Tag, an dem die Seile zwischen den Pfeilern gespannt wurden, mehr als nur eine Verbindung zwischen dem nördlichen und dem südlichen Ufer des Braldu. Als das Leben für Ausländer in Pakistan immer gefährlicher wurde, erklärte Faisal Baig sich bereit, als Mortensons Leibwächter zu fungieren. Und der in die USA zurückgekehrte McCown sollte sich zu einem von Mortensons einflussreichsten Fürsprechern entwickeln.

ENDE August, zehn Wochen nachdem der damals noch morastige Boden aufgegraben worden war, stand Mortenson in der Mitte der fast hundert Meter langen schwankenden Brücke und bewunderte die ordentlichen Betonbögen auf beiden Seiten, die stabilen Steinfundamente und das Gewebe aus Stahlseilen, das alles zusammenhielt. Hadschi Ali reichte ihm die letzte Bohle und forderte ihn auf, sie an ihren Platz zu legen. Doch Mortenson bestand darauf, dass der Dorfvorsteher die Brücke vollenden müsse. Hadschi Ali hob das Brett über den Kopf, dankte Allah dafür, dass er in seiner Güte den Ausländer in ihr Dorf geführt hatte, kniete sich dann hin und verschloss die letzte Lücke über dem schäumenden Braldu. Die Frauen und Kinder, die alles von ihrem Platz hoch über dem Südufer aus beobachteten, jubelten begeistert.

Wieder abgebrannt, aber fest entschlossen, das restliche für die Schule bestimmte Geld nicht anzutasten, schickte Mortenson sich an, nach

Berkeley zurückzukehren, um dort im Winter und Frühjahr genug Geld für seine Rückkehr zu verdienen. An seinem letzten Abend in Korphe saß er mit Twaha, Hussein – dem gebildetsten Mann im Dorf – und Hadschi Ali auf dem Dach und erörterte das für den Sommer geplante Ausheben der Schulfundamente. Hussein hatte sich erboten, für das Gebäude ein ebenes Feld zu stiften. Von dort aus hatte man einen unverstellten Blick auf den Bakhor Das, einen 6600 Meter hohen Gipfel im Osten, den man auch den K2 von Korphe nennt, da seine klaren Formen an seinen großen Bruder oben am Baltoro erinnern. Genau diese Aussicht würde nach Mortensons Auffassung die Schüler dazu ermutigen, nach Höherem zu streben. Also nahm er das Angebot an, allerdings unter der Bedingung, dass Hussein der erste Lehrer der Schule werden würde.

280 Meter weiter unten flackerten Laternen in der Mitte des Braldu, als die Einwohner von Korphe neugierig immer wieder die Grenze überquerten, die sie bis jetzt von der Außenwelt abgeschnitten hatte – einer Welt, in die Mortenson nur widerstrebend zurückkehrte.

AUF DER Station für Brandverletzte blinkten rote und grüne Anzeigen auf unzähligen Monitoren. Obwohl es vier Uhr morgens war, empfand Mortenson, der sich im Schwesternzimmer auf einem Plastikstuhl zusammenkauerte, etwas, auf das er lange hatte verzichten müssen – ein Glücksgefühl.

Vor ein paar Stunden hatte er die Hände eines Zwölfjährigen mit Antibiotikasalbe behandelt und die Verbände gewechselt. Ansonsten war es eine ruhige Nacht gewesen. Mortenson überlegte, dass er gar nicht ans andere Ende der Welt zu reisen brauchte, um Gutes zu tun. Schließlich half er auch hier Menschen. Aus Sparsamkeit wohnte er wieder zur Untermiete bei Dudzinski. Jede Schicht und jeder Dollar, der sich auf seinem Bankkonto sammelte, ließen den Tag näher rücken, an dem er den Bau der Schule in Korphe fortsetzen konnte.

Da sich nun eine Brücke über den oberen Braldu spannte und die Baumaterialien, für die Changazi ihm eine Quittung ausgestellt hatte, bald zu einer Schule werden würden, sehnte Mortenson sich danach, mit jemandem zu sprechen, der einen Bezug zum Karakorum hatte.

Also rief er Jean Hoerni an, der ihm ein Ticket für einen Flug nach Seattle schickte und ihn bat, Fotos von der Brücke mitzubringen. In Hoernis Penthousewohnung lernte Mortenson endlich den Mann kennen, den er am Telefon als so einschüchternd empfunden hatte. Der Wissenschaftler war zierlich gebaut und hatte einen weißen Schnurrbart und dunkle Augen, mit denen er Mortenson durch riesige Brillengläser musterte. Selbst mit siebzig merkte man Hoerni an, dass er sein Leben lang Bergsteiger gewesen war. „Anfangs hatte ich Angst vor Jean", räumt Mortenson ein. „Schließlich galt er als eiskalter Schweinehund. Aber zu mir hätte er nicht netter sein können."

Bald beugten er und Hoerni sich über einen Couchtisch und studierten die Fotos, architektonische Zeichnungen und Karten, die zum Teil bis auf den cremefarbenen Teppich herabhingen. Hoerni sprach über die vielen anderen Dörfer, die wie Korphe nicht auf den Karten verzeichnet waren. Dann griff er zu einem dicken schwarzen Filzstift, um freudig die neue Errungenschaft einzuzeichnen – die Brücke über den oberen Braldu.

„Jean hatte sofort Hochachtung vor Greg", erinnert sich Hoernis Witwe Jennifer Wilson. „Ihm gefiel, dass er so naiv und ganz und gar kein Geschäftsmann war. Außerdem mochte er es, dass Greg unabhängig agierte. Jean war Unternehmer und wusste Menschen zu schätzen, die für etwas Schwieriges die Ärmel hochkrempeln. Nachdem Greg gegangen war, sagte Jean zu mir: ‚Die Chancen, dass dieser junge Bursche es schafft, stehen fünfzig-fünfzig. Und wenn er's schafft, bekommt er mehr Macht.'"

Zurück im Großraum San Francisco rief Mortenson George McCown an, und die beiden plauderten über ihr schicksalhaftes Zusammentreffen am anderen Ende der Welt. McCown lud ihn zu einer Veranstaltung der American Himalayan Association ein, die Mitte September stattfinden sollte. Sir Edmund Hillary würde einen Vortrag halten.

Am Mittwoch, dem 13. September, versammelte sich im „Fairmont Hotel" eine Menschenmenge zum jährlichen AHF-Sponsorendinner. Finanziers und Fondsmanager in Anzügen saßen neben Bergsteigern, die sich in den ungewohnten Sakkos und Krawatten sichtlich unwohl fühlten. In schwarze Samtkleider gehüllte Damen der besseren Gesellschaft lachten über die Scherze buddhistischer Mönche aus Tibet, die zimtfarbene Gewänder trugen.

Am Eingang nahm Mortenson den weißen Gebetsschal aus Seide in Empfang, der jedem Gast zur Begrüßung überreicht wurde. Da sich alle im Saal zu kennen schienen, fühlte er sich wie ein Außenseiter. Dann jedoch winkte ihn George McCown zu sich an die Bar, wo er gerade mit einem zierlichen Mann plauderte. Mortenson erkannte Jean Hoerni und ging auf die beiden zu, um sie zu begrüßen.

„Ich habe George gerade gesagt, dass er Ihnen etwas spenden muss", verkündete Hoerni.

„Tja, eigentlich reicht das Geld inzwischen für die Schule, wenn ich die Kosten gering halte", erwiderte Mortenson.

„Nicht für die Schule", entgegnete Hoerni. „Für Sie selbst. Wovon wollen Sie denn leben, bis das Gebäude fertig ist?"

„Was halten Sie von zwanzigtausend?", fügte McCown hinzu.

Mortenson spürte, wie er feuerrot anlief.

„Besorgen Sie ihm einen Cocktail", spöttelte Hoerni grinsend. „Sonst fällt er uns noch in Ohnmacht."

Nach dem Essen trat der 75-jährige Sir Edmund Hillary auf die Bühne. Er sah eher aus wie der Imker, der er einmal gewesen war, als wie ein Prominenter, den die britische Königin zum Ritter geschlagen hatte. Doch für die versammelten Himalaja-Freunde war er eine lebende Legende. Zu Anfang seines Vortrags führte er Dias von seiner Erstbesteigung des Mount Everest im Jahr 1953 vor. Die Aufnahmen hatten die hellen, unnatürlichen Farben der frühen Kodachrome-Filme und zeigten einen jugendlichen, sonnengebräunten Hillary, der in die Sonne blinzelte. Er sprach bescheiden über seine Leistung. „Ich war nur ein begeisterter, durchschnittlich begabter Bergsteiger, der bereit war, sich anzustrengen, und die nötige Fantasie und Entschlossenheit besaß", sagte er den ehrfürchtig lauschenden Zuhörern.

Anschließend präsentierte er Bilder aus den Sechziger- und Siebzigerjahren. Sie zeigten kräftige Männer aus dem Westen und schmächtige Sherpas beim Bau von Schulen und Kliniken in Nepal. In den vier Jahrzehnten nach Bezwingung des Dachs der Welt war Hillary häufig in die Everest-Region zurückgekehrt und hatte mit seinem jüngeren Bruder 27 Schulen, zwölf Kliniken und zwei Flugplätze errichtet, um die Versorgung des Khumbu-Gebiets zu erleichtern.

Vor lauter Aufregung hielt es Mortenson nicht mehr auf seinem Stuhl, weshalb er sich entschuldigte und in den hinteren Teil des Saals ging, wo er während Hillarys Vortrag auf und ab lief. Begierig sog er jedes Wort in sich auf, konnte es gleichzeitig aber kaum erwarten, in das nächste Flugzeug zu steigen, das ihn wieder nach Korphe brächte. Er brannte darauf, sich an die Arbeit zu machen.

„Es hat mich sehr befriedigt, den Everest bestiegen zu haben", hörte er Hillary sagen. „Doch als meine größte Leistung betrachte ich den Bau der Schulen und Kliniken. Das bedeutet mir mehr als mein Fußabdruck auf einem Berg."

Als jemand Mortenson auf die Schulter klopfte, drehte er sich um. Eine hübsche Frau in einem schwarzen Kleid lächelte ihn an. Sie hatte kurzes rotes Haar.

HÖR AUF DEN WIND

Der Abend, an dem Mortenson seine zukünftige Frau kennen lernte: mit Everest-Legende Edmund Hillary (Mitte) und Förderer Jean Hoerni beim Sponsorendinner der „American Himalayan Foundation"

„Ich wusste, wer Greg war", erinnert sich Tara Bishop. „Ich hatte schon von seinem Vorhaben gehört. Außerdem gefiel mir sein Lächeln, und so machte ich mich an ihn heran." Die beiden begannen eine Unterhaltung.

Taras Vater Barry, ein Fotograf beim *National Geographic*, hatte den Gipfel des Mount Everest am 22. Mai 1963 als Mitglied der ersten amerikanischen Expedition erreicht und den mörderischen Aufstieg für das Magazin dokumentiert. Beim Abstieg wäre er beinahe abgestürzt, dann ging ihm auch noch der Sauerstoff aus. Außerdem fiel er in eine Gletscherspalte und erlitt so schwere Erfrierungen, dass er mit dem Helikopter nach Kathmandu ins Krankenhaus gebracht werden musste. Er verlor die Spitzen seiner kleinen Finger und sämtliche Zehen. „Wenn die Schlacht zu Ende ist", schrieb er, „bleibt der Berg unbesiegt. Es gibt keine wahren Gewinner, nur Überlebende."

Bishop überlebte und lud Frau, Sohn und Tochter 1968 in ein Wohnmobil und fuhr mit ihnen von Amsterdam nach Kathmandu. Nachdem sie zwei Jahre im westlichen Nepal gelebt hatten, kehrten sie nach Washington zurück. 1994 zog Bishop mit seiner Frau nach Bozeman in Montana, wo er in seinem Keller eine der weltweit bestsortierten Privatbibliotheken zum Thema Himalaja aufbaute.

Dann jedoch wurde ihm eine Autofahrt zum Verhängnis. Als er sich im selben Jahr mit seiner Frau auf den Weg nach San Francisco machte, um bei ebenjenem Sponsorendinner zu sprechen, kam sein Wagen von der Straße ab. Da seine Frau im Gegensatz zu ihm angeschnallt war, überlebte sie leicht verletzt. Bishop hingegen wurde aus dem Auto geschleudert und erlag seinen Kopfverletzungen.

Nun erzählte Tara einem unbekannten Mann, der neben ihr in einem abgedunkelten Ballsaal stand, diese ganze Geschichte. „Das Merkwürdige daran war, dass ich es gar nicht als seltsam empfand", betont sie. „Mich Greg anzuvertrauen erschien mir sinnvoller als alles, was ich in dem Jahr seit dem Tod meines Vaters getan hatte."

Mortenson spürte, wie sich sein Herz dieser wildfremden Frau öffnete. „Anfangs trug Tara hochhackige Schuhe, wofür ich noch nie etwas übrig hatte", erzählt er. „Doch irgendwann taten ihr die Füße so weh, dass sie stattdessen Kampfstiefel anzog. Keine Ahnung, warum mich das so anrührte, aber so war es eben. Als ich sie in ihrem kurzen schwarzen Kleid und den schweren Stiefeln dastehen sah, wusste ich, dass sie die richtige Frau für mich ist."

Gemeinsam machten sie Sir Hillary ihre Aufwartung, der Tara sein Beileid zum Tod ihres Vaters ausdrückte. „Es war unglaublich", wundert sich Mortenson. „Die Begegnung mit Tara begeisterte mich mehr als die Gelegenheit, endlich mit dem Mann zu sprechen, den ich schon seit Jahren verehrte."

Nachdem er sie Hoerni und McCown vorgestellt hatte, schlossen sie sich den Menschen an, die aus dem Saal strömten. „Inzwischen wusste Tara, dass ich kein Auto hatte, und erbot sich, mich nach Hause zu bringen." Bei seiner Ankunft im Fairmont Hotel war Mortenson – wie immer – pleite und einsam gewesen. Doch als er nun aufbrach, hatte er die Zusage für ein Jahresgehalt in der Tasche und seine zukünftige Frau am Arm.

Während sie in Taras altem Volvo durch das Bankenviertel von San Francisco fuhren, erzählte er ihr alles über sich. Er schilderte seine Kindheit in Tansania und sprach auch über den Tod Christas und seines Vaters. Und so baute er wieder eine Brücke – eine, die sein und Taras Leben miteinander verband.

Sie stoppten vor dem Haus, in dem Dudzinskis Wohnung lag. „Ich würde dich ja gern reinbitten", meinte Mortenson. „Aber es ist ziemlich ungemütlich da drin." Also blieben sie noch zwei Stunden im Auto sitzen und redeten über Baltistan, die Schwierigkeiten beim Bau der Schule in Korphe und Taras Bruder Brent, der eine Expedition zum Mount Everest plante. „Als ich im Wagen neben ihm saß, schoss mir plötzlich ein Gedanke durch den Kopf", erinnert sich Tara. „Mit diesem Menschen werde ich den Rest meines Lebens verbringen. Es war ein ganz entspanntes und angenehmes Gefühl."

„Hättest du etwas dagegen, wenn ich dich entführe?", fragte sie.

In ihrer Einzimmerwohnung, einer umgebauten Garage in Oakland, schenkte sie zwei Gläser Wein ein und gab Mortenson dann den ersten zärtlichen Kuss. „Willkommen in meinem Leben." Sie wich zurück, um ihm in die Augen zu sehen.

„Willkommen in meinem Herzen", erwiderte er und schloss sie in die Arme.

Am nächsten Morgen, einem Donnerstag, fuhren sie zum Internationalen Flughafen San Francisco, denn Mortenson hatte für den Sonntag einen Flug nach Pakistan gebucht. Sie erzählten der Mitarbeiterin am Ticketschalter ihre Geschichte und überredeten sie, den Flug auf den übernächsten Sonntag umzubuchen und auf die Gebühr zu verzichten.

Tara promovierte gerade in Psychologie. Da sie alle Seminare bereits abgeschlossen hatte, konnte sie sich ihre Zeit selbst einteilen. Und da Mortenson sich nicht mehr für weitere Schichten im Krankenhaus eingetragen hatte, verbrachten sie Tag und Nacht zusammen und konnten ihr Glück kaum fassen.

An dem Sonntag, an dem Mortensons ursprünglich gebuchter Flug nach Pakistan ohne ihn startete, waren sie im Umland von San Francisco unterwegs. „Wann heiraten wir?", fragte Tara und sah den Mann an, den sie erst seit vier Tagen kannte.

„Was hältst du von Dienstag?", gab er zurück.

Am Dienstag, dem 19. September, schritt Mortenson in Kakihose, einem elfenbeinfarbenen Hemd aus Rohseide und einer bestickten tibetischen Weste Hand in Hand mit Tara die Stufen des Rathauses von Oakland hinauf. Die Braut trug einen Leinenblazer, einen geblümten Minirock und – um ihrem zukünftigen Mann eine Freude zu machen – Sandalen mit flachen Absätzen.

„Wenn die Leute hören, wie unsere Hochzeit ablief, reagieren sie meistens schockiert", erzählt Mortenson. „Aber ich finde es gar nicht seltsam, dass ich sie nach sechs Tagen geheiratet habe. Bei meinen Eltern war es schließlich ganz ähnlich, und es klappte. Mich wundert vielmehr, dass ich Tara überhaupt begegnet bin. Ich habe den einzigen Menschen auf der ganzen Welt getroffen, der für mich bestimmt war."

Er verschob seinen Flug noch zweimal. Inzwischen kannten alle am Ticketschalter die Geschichte der beiden Turteltäubchen und schöpften immer wieder ihren Handlungsspielraum aus, um ihnen Zeit zu geben, einander besser kennen zu lernen. „Es waren wundervolle zwei Wochen – und außerdem eine ganz private Zeit", fährt Mortenson fort. „Niemand wusste, dass ich noch in der Stadt war. Wir verbarrikadierten uns in Taras Wohnung und holten all die Jahre nach, in denen wir noch nichts voneinander geahnt hatten."

„Schließlich kehrte ich in die Wirklichkeit zurück und rief meine Mutter an", ergänzt Tara. „‚Ich habe gerade den wunderbarsten Mann der Welt geheiratet', teilte ich ihr mit. Ich merkte ihr ihre Skepsis an, aber sie gab sich Mühe, sich für mich zu freuen. ‚Du bist schon einunddreißig', meinte sie, ‚und hast eine Menge Frösche geküsst. Wenn du glaubst, dass er dein Prinz ist, stimmt das sicher auch.'"

Eines Tages fuhr der Volvo zum vierten Mal vor dem Ticketschalter vor. Mortenson verabschiedete sich mit einem Kuss von der Frau, die er schon sein ganzes Leben zu kennen glaubte, und schleppte seine Reisetasche zur Theke.

„Sind Sie sicher, dass Sie heute mitfliegen wollen?", neckte ihn die Mitarbeiterin.

„Ja", erwiderte er. „So sicher war ich noch nie im Leben."

Hadschi Alis Lektion

Als Mortenson vor Changazis Haus in Skardu eintraf, stellte sich ihm dessen selbst für einen Balti eher zierlich gebauter Gehilfe Yakub in den Weg.

Aus dem Rucksack förderte Mortenson den Beutel zutage, in dem er alle wichtigen Papiere aufbewahrte, und zeigte Yakub die Aufstellung der Baumaterialien, die Changazi bei seinem letzten Besuch angefertigt hatte. „Ich muss diese Sachen abholen."

„Changazi Sahib ist in Rawalpindi", erwiderte Yakub.

„Wann kehrt er denn nach Skardu zurück?"

„In ein oder zwei Monaten." Yakub wollte ihm die Tür vor der Nase zuschlagen. „Dann können Sie ja wiederkommen."

Mortenson hielt die Tür fest. „Dann rufen wir ihn am besten an."

„Geht nicht. Die Leitung nach Rawalpindi ist gestört."

Während der verärgerte Mortenson noch überlegte, ob er sich gewaltsam Zutritt verschaffen oder besser mit einem Polizisten zurückkehren sollte, erschien hinter Yakub ein würdig aussehender älterer Herr. Er trug ein aus ungewöhnlich feiner Wolle gewebtes braunes Topi und einen ordentlich gestutzten Schnurrbart. Es war Ghulam Parvi, ein Steuerberater, den Changazi damit beauftragt hatte, seine Bücher in Ordnung zu bringen. Parvi hatte an der Universität von Karachi Wirtschaft studiert und war überall in Skardu als frommer schiitischer Gelehrter bekannt. Yakub machte ihm respektvoll Platz. „Kann ich Ihnen vielleicht helfen, Sir?", erkundigte sich Parvi in dem gepflegtesten Englisch, das Mortenson je in Skardu gehört hatte.

Er stellte sich vor und erläuterte sein Anliegen. Dann reichte er Parvi seine Liste, damit dieser sich selbst ein Bild machen konnte. „Sie möchten also eine Schule für Balti-Kinder bauen", meinte Parvi schließlich. „Changazi hat das mit keinem Wort erwähnt, obwohl er hätte wissen müssen, dass ich mich für dieses Projekt interessieren würde." Er schüttelte den Kopf. „Wie merkwürdig."

Parvi war eine Zeit lang Leiter des Wohlfahrtsverbands Baltistan gewesen, der unter seiner Führung zwei Grundschulen am Stadtrand von Skardu erbaut hatte. Dann jedoch waren die versprochenen Fördermittel der Regierung ausgeblieben, sodass er nun von Aufträgen als Steuerberater leben musste. Er schlang sich einen hellbraunen Schal um den Hals. „Wollen wir nachsehen, was aus Ihrem Material geworden ist?"

Yakub, der es nicht wagte, Parvi zu widersprechen, fuhr sie zu einer heruntergekommenen, ungefähr anderthalb Kilometer südwestlich der Stadt gelegenen Baustelle. Es handelte sich um den Rohbau eines Hotels, den Changazi begonnen hatte, bevor ihm das Geld ausgegangen war. Das niedrige Gebäude aus Lehmziegeln hatte kein Dach und war von einem drei Meter hohen, von Bandstacheldraht gekrönten Zaun umgeben. Durch die scheibenlosen Fenster waren mit blauen Planen abgedeckte Stapel Baumaterial zu sehen. Nachdem Mortenson an dem dicken Vorhängeschloss und dem Zaun gerüttelt hatte, wandte er sich an Yakub. „Nur Changazi Sahib hat den Schlüssel", stammelte dieser und wich Mortensons Blick aus.

Am folgenden Nachmittag kehrte der Amerikaner mit Parvi zurück. Dieser nahm einen Bolzenschneider aus dem Kofferraum und näherte sich mit dem Werkzeug dem Zaun. Da rappelte sich ein Wachmann von dem Stein hoch, auf dem er gedöst hatte, und drohte mit einem rostigen Jagdgewehr. Offenbar war es doch möglich, in Rawalpindi anzurufen, dachte Mortenson. „Sie dürfen da nicht rein", verkündete der Wachmann auf Balti.

„Auch wenn Changazi gern weiße Gewänder trägt, hat er eindeutig eine schwarze Seele", meinte Parvi zu Mortenson. Dann wandte er sich an den Wachmann, der auf der anderen Seite des Zaunes stand, und seine Worte prasselten auf ihn ein wie Hammerschläge auf eine Felswand. Schließlich legte der Mann das Gewehr weg, zog einen Schlüssel aus der Tasche und öffnete das Tor.

Als Mortenson in den feuchten Räumen des aufgegebenen Hotels die blauen Planen anhob, entdeckte er etwa zwei Drittel seines Zements,

Holzes und Dachwellblechs. Obwohl der Rest der Ladung, die sie den Karakorum-Highway hinaufgekarrt hatten, nie wieder zum Vorschein kommen sollte, genügte das Material wenigstens, um mit dem Bau zu beginnen. Mit Parvis Hilfe veranlasste Mortenson, dass alles mit dem Jeep nach Korphe gebracht wurde.

„Ohne Ghulam Parvi hätte ich in Pakistan nichts erreicht", ist er überzeugt.

DIE STEINE wirkten eher wie eine antike Ruine und ganz und gar nicht wie das Baumaterial für eine neue Schule. Trotz des wunderschönen Herbstwetters, das die Pyramide des Korphe-K2 zum Leuchten brachte, fühlte sich Mortenson entmutigt, als er mit Hadschi Ali auf einem Hochplateau über dem Braldu stand und die Szene betrachtete.

Vor seinem Aufbruch aus Korphe im letzten Winter hatte er Zeltheringe in den gefrorenen Boden gehämmert und rote und blaue Nylonkordeln drangebunden, um den Grundriss der Schule zu markieren. Außerdem hatte er Hadschi Ali genug Geld hinterlassen, um in den Dörfern flussabwärts Arbeiter anzuwerben, die beim Hauen und Tragen der Steine helfen sollten. Deshalb hatte er eigentlich damit gerechnet, bei seiner Ankunft zumindest ausgehobene Fundamente vorzufinden. Stattdessen sah er nur zwei Steinhaufen auf einem Stück Brachland.

Er hatte Mühe, seine Enttäuschung zu verbergen. Da er den Flug viermal verschoben und die Probleme mit den Baumaterialien gehabt hatte, war er erst Mitte Oktober hier eingetroffen, also einen knappen Monat nach dem mit Hadschi Ali vereinbarten Zeitpunkt. Man hätte in dieser Woche schon mit dem Hochziehen der Wände beginnen müssen, dachte er. Allerdings richtete er seine Wut gegen sich selbst und machte sich Vorwürfe. Schließlich konnte er nicht für den Rest seines Lebens zwischen den USA und Pakistan hin- und herpendeln. Immerhin war er nun verheiratet und musste endlich einen Beruf ergreifen, der ihn auch ernährte. Und damit er sich eine feste Stelle suchen konnte, war es nötig, dass die Schule so schnell wie möglich fertig wurde. Nun aber sah es ganz danach aus, als verzögerte sich der Bau wegen des Winters wieder. Zornig trat Mortenson nach einem Stein.

„Was ist los?", erkundigte sich Hadschi Ali. „Du siehst aus wie ein junger Widder zur Brunftzeit."

Mortenson holte tief Luft. „Warum habt ihr noch nicht angefangen?"

„Dr. Greg, nachdem du in dein Dorf zurückgekehrt warst, haben wir lange über deinen Plan gesprochen. Und wir sind zu dem Schluss gekommen, dass es Dummheit wäre, dein Geld an die Faulpelze aus Askole zu verschwenden. Sie wissen, dass die Schule von einem reichen Ausländer gebaut wird, also werden sie nur herumtrödeln und streiten. Deshalb haben wir die Steine selbst gehauen. Das hat den ganzen Sommer gedauert, weil viele Männer fortmussten, um als Träger bei Expeditionen zu arbeiten. Aber keine Sorge. Dein Geld ist bei mir zu Hause sicher unter Verschluss."

„Ich mache mir keine Sorgen um das Geld. Viel wichtiger ist, dass die Schule vor dem Winter ein Dach bekommt, damit die Kinder einen Platz zum Lernen haben."

Hadschi Ali tätschelte seinem ungeduldigen Freund väterlich die Schulter. „Ich danke dem gnädigen Allah für alles, was du getan hast. Doch die Menschen in Korphe leben schon seit sechshundert Jahren ohne Schule. Was macht da ein Winter mehr oder weniger?"

Als Mortenson in dieser Nacht auf Hadschi Alis Dach neben Twaha unter den Sternen lag, erinnerte er sich, wie einsam er bei seinem letzten Aufenthalt gewesen war. Nun dachte er an Tara, und das Glücksgefühl, das in ihm aufstieg, war so gewaltig, dass er es nicht für sich behalten konnte. „Twaha, schläfst du schon?", fragte er.

„Nein."

„Ich muss dir etwas erzählen. Ich habe geheiratet."

Mortenson hörte ein Klicken und blinzelte in den Lichtstrahl der Taschenlampe, die er seinem Freund von Amerika mitgebracht hatte. Twaha hatte sich aufgerichtet und musterte ihn, um sicherzugehen, dass er ihn nicht auf den Arm nahm. Dann fiel die Taschenlampe zu Boden, und Mortenson spürte, wie sein Freund ihm kräftig auf Schultern und Rücken klopfte, um ihm zu gratulieren. „Hadschi Ali hat gesagt, dass Dr. Greg diesmal ganz anders aussieht", meinte Twaha lachend. „Er weiß wirklich alles. Darf ich dich nach ihrem werten Namen fragen?"

„Tara."

„Ta-ra", wiederholte Twaha und ließ sich das Wort, das auf Urdu „Stern" bedeutet, auf der Zunge zergehen. „Ist sie hübsch, deine Tara?"

„Sehr hübsch." Mortenson spürte, wie er errötete.

„Wie viele Ziegen und Widder musstest du ihrem Vater geben?"

„Ihr Vater ist tot, so wie meiner. Außerdem haben wir in Amerika keinen Brautpreis."

„Weinte sie, als sie ihre Mutter verlassen musste?"

„Sie hat es ihr erst nach der Hochzeit erzählt."

Schweigend dachte Twaha über die eigenartigen Hochzeitsbräuche der Amerikaner nach.

Seit seinem ersten Besuch in Pakistan war Mortenson auf Dutzenden Hochzeiten eingeladen gewesen. Obwohl sich die Einzelheiten der Zeremonie von Dorf zu Dorf unterschieden, blieb eines immer gleich – die Trauer der Braut, die sich für immer von ihrer Familie verabschieden musste. „Wenn eine Frau ein abgelegenes Dorf wie Korphe verlässt, weiß sie, dass sie ihre Familie vielleicht nie wiedersieht", erklärt Mortenson.

Am nächsten Morgen fand er auf seinem Teller neben dem üblichen Frühstück aus Chapati und Lassi ein kostbares gekochtes Ei vor. Sakina lächelte ihm stolz von der Küchentür aus zu. Während Hadschi Ali das Ei schälte, meinte er: „Damit du stark genug bist, um viele Kinder zu zeugen." Kichernd hielt Sakina den Schleier vors Gesicht.

Geduldig wartete Hadschi Ali, bis Mortenson die zweite Tasse Tee geleert hatte. „Jetzt gehen wir die Schule bauen", sagte er dann.

Er kletterte aufs Dach und forderte alle Männer von Korphe auf, sich vor der Moschee zu versammeln. Ausgerüstet mit fünf Schaufeln, die er aus Changazis Hotelrohbau gerettet hatte, folgte Mortenson dem Dorfvorsteher, während aus allen Häusern die Männer herbeiströmten.

Die Moschee von Korphe hatte sich im Laufe der Jahrhunderte an ein verändertes Umfeld anpassen müssen. Da die Balti über keine Schriftsprache verfügten, wurde die Geschichte sorgfältig mündlich weitergegeben. Jeder Balti konnte seinen Stammbaum zehn bis zwanzig Generationen zurückverfolgen, und alle Einwohner Korphes wussten über die Vergangenheit des schiefen, von einer Lehmmauer umgebenen Holzbaus Bescheid. Er stand nun schon seit fast fünfhundert Jahren und hatte einst als buddhistischer Tempel gedient, bevor der Islam in Baltistan Fuß gefasst hatte.

Zum ersten Mal überhaupt trat Mortenson durch das Tor in diese Moschee. Während seiner früheren Besuche hatte er einen respektvollen Bogen um das Gotteshaus und Sher Takhi, den Mullah von Korphe, gemacht, da er nicht wusste, was dieser von einem Ungläubigen hielt, der die Mädchen des Dorfes zur Schule schicken wollte. Doch Sher Takhi, ein magerer Mann mit grau meliertem Bart, lächelte Mortenson zu und führte ihn zu einem Gebetsteppich hinten im Raum.

Der Mullah besaß eine Stimme, die den ganzen Raum füllte. Er ließ die Männer Allah in einem Gebet um den Segen für den Bau der Schule bitten. Mortenson betete, wie der Schneider es ihm beigebracht hatte, indem er die Arme verschränkte und sich aus der Taille verbeugte. Allerdings hielten die Männer von Korphe die Arme steif an der Seite und pressten sich fest auf den Boden. Da wurde Mortenson klar, dass der

Schneider ihn die sunnitische Gebetsweise gelehrt hatte – und er nun mitten im Herzen des schiitischen Pakistan betete wie ein Sunnit. Wie er wusste, waren die verschiedenen Glaubensrichtungen des Islam zerstritten und Männer schon aus geringerem Anlass getötet worden. „Ich war hin- und hergerissen, ob ich nicht rasch versuchen sollte zu lernen, wie ein Schiit zu beten, oder ob es nicht besser war, die alten buddhistischen Schnitzereien an den Wänden zu betrachten", erinnert er sich. Doch wenn die Balti den Buddhismus so sehr respektierten, dass sie ihre eher schmucklose Religion inmitten von prunkvollen buddhistischen Hakenkreuzen und Lebensrädern ausüben konnten, waren sie vermutlich auch tolerant genug, einen Ungläubigen zu dulden, der so betete, wie ein sunnitischer Schneider es ihn gelehrt hatte.

DIESMAL stellte Hadschi Ali die Schnur zur Verfügung, allerdings eine vor Ort geflochtene, keine blau-rote Nylonkordel. Unterstützt von Mortenson, maß er die richtige Länge der einzelnen Stücke ab und tauchte sie in eine Mischung aus Kalk und Lauge, um auf die im Dorf altbewährte Methode die Baustelle abzustecken. Hadschi Ali und Twaha zogen das Seil stramm und ließen es dann auf den Boden schnellen, sodass auf der harten Erde eine weiße Linie zurückblieb, die markierte, wo die Wände der Schule stehen sollten. Nachdem Mortenson die fünf Schaufeln verteilt hatte, wechselten er und die fünfzig Männer sich den ganzen Nachmittag beim Graben ab, bis rings um die Grundfläche der Schule eine einen Meter breite und einen Meter tiefe Rinne entstanden war.

Anschließend wies Hadschi Ali mit dem Kopf auf zwei große Steine, die man eigens zu diesem Zweck geschlagen hatte. Sechs Männer hoben sie mühevoll an und schleppten sie zu der Ecke des Fundaments, die auf den Korphe-K2 zeigte. Dann rief Hadschi Ali nach dem *chogo rabak*.

Mit ernster Miene ging Twaha los und kehrte mit einem gewaltigen aschgrauen Widder zurück, der beeindruckende gebogene Hörner hatte. Über dem Eckstein ließ Twaha den Rabak innehalten und packte ihn bei den Hörnern. Dann drehte er den Kopf des Tieres sanft gen Mekka, während Sher Takhi erzählte, wie Allah Abraham aufgefordert habe, seinen Sohn zu opfern. Erst nach dem Beweis seiner Treue habe er stattdessen einen Widder nehmen dürfen. Im Koran lautet die Geschichte ganz ähnlich wie die von Abraham und Isaak in Thora und Bibel. „Als ich diese Szene beobachtete", erinnert sich Mortenson, „wurden mir die vielen Gemeinsamkeiten dieser Religionen bewusst, deren

Traditionen sich zum Großteil zu gemeinsamen Wurzeln zurückverfolgen lassen."

Hussain, ein erfahrener Träger mit dem Körperbau eines Sumo-Ringers, hatte auch das Amt des Schächters inne. Er zog ein langes Messer und berührte mit der Klinge leicht das schimmernde Fell an der Kehle des Widders. Nachdem Sher Takhi die Hände über den Kopf des Rabak gehalten und Allah um Erlaubnis gebeten hatte, dem Tier das Leben zu nehmen, nickte er dem Mann mit dem blitzenden Messer zu.

Hussain stemmte die Füße in den Boden und zog das Messer geschickt durch die Luftröhre und die Halsschlagader des Widders. Blut spritzte auf die Ecksteine. Danach durchtrennte Hussain die Wirbelsäule des Tieres. Unterdessen hielt Twaha dessen Kopf an den Hörnern fest.

Die Frauen bereiteten Reis und Linsenbrei vor, während die Männer den Widder häuteten und zerlegten. „An diesem Tag wurde nicht mehr weitergearbeitet", erzählt Mortenson. „Genau genommen geschah den ganzen Herbst lang kaum noch etwas. Hadschi Ali hatte es zwar eilig damit, die Schule weihen zu lassen, doch mit dem Bau ließ er sich Zeit. Es fand ein gewaltiges Festmahl statt. Für Menschen, die nur ein paarmal im Jahr Fleisch zu essen bekommen, war es viel wichtiger als eine Schule."

Nachdem die letzten Knochen aufgebrochen und das letzte bisschen Mark herausgesogen war, setzte sich Mortenson zu einer Gruppe von Männern, die dort, wo hoffentlich bald der Schulhof entstünde, ein Feuer entzündet hatten. Während der Mond über dem Korphe-K2 aufging, tanzten sie um das Feuer, brachten Mortenson Verse aus dem großen Himalaja-Epos „Gezar" bei und lehrten ihn auch einige der unzähligen Balti-Volksweisen. Die Frauen von Korphe, die sich inzwischen an den Ungläubigen in ihrer Mitte gewöhnt hatten, standen ein wenig abseits des Feuers und stimmten klatschend und mit strahlenden Gesichtern in die Lieder ihrer Männer ein.

Mortenson wurde klar, dass die Balti auf eine lange Geschichte zurückblickten und eine reiche Tradition besaßen. Dass nichts davon schriftlich festgehalten war, machte ihre Sitten und Gebräuche nicht weniger bedeutsam. Die Menschen, die das Feuer umringten, brauchten eher Hilfe als Unterweisung, und die Schule würde ihnen eine Möglichkeit eröffnen, ihre Interessen selbst zu vertreten. Mortenson blickte zu dem Baugrund. Während die Dorfbewohner weitertanzten, stand ihm die Schule so deutlich vor Augen wie der vom fahlen Mondschein beleuchtete Gipfel des Korphe-K2.

Da Taras Vermieter es ablehnte, ihn mit in die Garagenwohnung einziehen zu lassen, schaffte Mortenson einen Teil der Habe seiner Frau in das Zimmer bei Dudzinski. Der Rest wurde in seinem Lagerraum untergebracht. Tara kaufte einen breiten Futon, der einen Großteil des kleinen Zimmers vereinnahmte. Zum ersten Mal seit seiner Ankunft in Kalifornien war Mortenson Besitzer eines Bettes. Und zum ersten Mal hatte er jemanden, mit dem er über den weiten Weg sprechen konnte, der hinter ihm lag, seit er zufällig auf Korphe gestoßen war.

„Je mehr Greg von seiner Arbeit erzählte, desto klarer wurde mir, welches Glück ich gehabt hatte", erinnert sich Tara. „Pakistan bedeutete ihm so viel, und diese Begeisterung übertrug sich auf alles, was er sonst tat."

Auch Jean Hoerni war beeindruckt davon, wie Mortenson sich für die Menschen des Karakorum einsetzte, und lud ihn und Tara über Thanksgiving zu sich nach Seattle ein. Als er sich neugierig nach den Einzelheiten erkundigte, brachte Mortenson ihn auf den neuesten Stand. Er beschrieb das Ausheben der Schulfundamente, die Schächtung des Widders und die Feier, die bis in die Nacht gedauert hatte.

„Hören Sie", meinte Hoerni, als sie am offenen Kaminfeuer saßen, „Sie haben große Freude an Ihrem Engagement im Himalaja und scheinen Ihre Sache auch gut zu machen. Was also spräche dagegen, dass Sie solche Projekte hauptberuflich betreuen? Schließlich brauchen die Kinder in den Dörfern, deren Bewohner Sie zu bestechen versucht haben, ebenfalls Schulen. In Bergsteigerkreisen wird niemand auch nur einen Finger für Muslime krumm machen, da man sich mit den Sherpas, den Tibetern und den Buddhisten identifiziert. Was würden Sie sagen, wenn ich eine Stiftung gründen und Sie zum Vorsitzenden ernennen würde? Dann könnten Sie jedes Jahr eine Schule bauen. Wie finden Sie das?"

Mortenson griff nach der Hand seiner Frau. Der Vorschlag begeisterte ihn so sehr, dass es ihm die Sprache verschlug.

Im Winter wurde Tara schwanger – und Dudzinskis verqualmte Wohnung kam aus diesem Grund nicht länger infrage. Taras Mutter erbot sich, dem jungen Paar genug Geld zu leihen, um die Anzahlung für ein kleines Haus in Bozeman zu leisten, wo auch sie wohnte.

Zu Anfang des Frühlings machte Mortenson zum letzten Mal die Tür des Lagerraums hinter sich zu und fuhr mit seiner Frau in einem gemieteten Transporter nach Montana, wo sie zwei Straßen von Taras Mutter entfernt einen hübschen Bungalow bezogen. Das Haus verfügte über einen großen Garten, der sich wunderbar als Kinderspielplatz eignete.

Als Mortenson im Mai 1996 am Flughafen von Islamabad die Einreiseformulare ausfüllte, schwebte sein Stift unschlüssig über der Spalte

„Beruf". Jahrelang hatte er dort stets *Bergsteiger* eingetragen. Doch nun schrieb er *Leiter des Central Asia Institute*. Hoerni hatte diesen Namen vorgeschlagen. Dem Wissenschaftler schwebte eine Organisation vor, die ebenso schnell wuchs wie eine seiner Halbleiterfirmen und bald überall in Pakistan und darüber hinaus Schulen bauen und weitere Hilfsprojekte umsetzen sollte. Mortenson hingegen hatte da seine Zweifel. Es war schon schwierig genug, eine einzige Schule aus dem Boden zu stampfen, weshalb er noch gar nicht wagte, in diesen großen Dimensionen zu denken. Allerdings bezog er nun ein Jahresgehalt von 21 789 Dollar und hatte den Auftrag, langfristige Pläne zu entwickeln.

Aus Skardu schickte er eine Nachricht an Mouzafer und bot dem erfahrenen Träger einen festen Lohn an, wenn er nach Korphe kommen und beim Bau der Schule helfen würde. Bevor er sich auf den Weg in die Berge machte, stattete er außerdem Ghulam Parvi einen Besuch ab. Beim Tee in dessen Garten erklärte Mortenson, er plane nach der Fertigstellung der Schule in Korphe im nächsten Jahr noch eine weitere irgendwo in Baltistan zu bauen, und fragte Parvi, ob er sich an dem Vorhaben beteiligen wolle. „Ich merkte Greg sofort an, dass er ein großes Herz hat", erinnert sich Parvi. „Wir beiden wollen nur das Beste für die Kinder von Baltistan. Wie hätte ich einem solchen Mann seinen Wunsch abschlagen können?"

In Begleitung von Makhmal, einem gelernten Maurer, mit dem Parvi ihn bekanntgemacht hatte, traf Mortenson an einem Freitagnachmittag in Korphe ein. Als er zu Fuß die neue Brücke überquerte, begegnete er zu seiner Überraschung einigen Frauen, die in ihren besten Umschlagtüchern und Schuhen auf ihn zugeschlendert kamen. Nachdem sie ihn mit einer Verbeugung begrüßt hatten, eilten sie weiter, um mit ihren Verwandten in den Nachbardörfern den religiösen Feiertag Dschumua zu begehen, den Tag der Gemeinschaft der Gläubigen. „Da es nun möglich war, noch am gleichen Nachmittag zurückzukehren, hatten es sich die Frauen von Korphe angewöhnt, freitags ihre Angehörigen zu besuchen", erläutert Mortenson. „Durch die Brücke wurden die Verbindungen zur Verwandtschaft mütterlicherseits gestärkt, sodass die Frauen viel zufriedener waren und sich nicht mehr so isoliert fühlten. Wer hätte gedacht, dass man Frauen mit so etwas Einfachem wie einer Brücke mehr Freiheit schenken konnte?"

Am anderen Ufer des Braldu stand Hadschi Ali auf dem höchsten Punkt über dem Abgrund – wie immer in einer an eine Statue erinnernde Pose. Begleitet von Twaha und Dschahan, hieß er seinen amerikanischen Sohn willkommen.

Zu seiner Freude sah Mortenson Mouzafer schüchtern hinter Hadschi Ali stehen. Allerdings schien er seit ihrer letzten Begegnung stark gealtert zu sein und sich gesundheitlich nicht wohlzufühlen. *„Yong chiina yot?"*, begrüßte Mortenson ihn mit der traditionellen Formel der Balti. „Wie geht es dir?"

„An jenem Tag gut, gedankt sei Allah", erinnert sich Mouzafer zehn Jahre später. „Nur ein wenig müde." Er hatte 18 äußerst beschwerliche Tage hinter sich. Wieder einmal hatte ein Erdrutsch den einzigen Weg von Skardu nach Korphe blockiert. Mouzafer, der gerade von einer über zweihundert Kilometer langen Rundwanderung mit einer japanischen Expedition auf dem Baltoro zurückgekehrt war, hatte eine kleine Gruppe von Trägern, die mit jeweils mit vierzig Kilo schweren Zementsäcken beladen waren, dreißig Kilometer flussaufwärts geführt. Der schmächtige Mann Ende fünfzig hatte den Weg mehr als zwanzigmal mit seiner schweren Last zurückgelegt. Er hatte Mahlzeiten ausfallen lassen und war Tag und Nacht marschiert, damit der Zement pünktlich zu Mortensons Eintreffen an der Baustelle war.

„Als ich Mr Greg auf dem Baltoro kennen lernte, erlebte ich ihn als sehr freundlichen und aufgeschlossenen jungen Mann", erzählt Mouzafer. „Er hatte immer einen Scherz auf den Lippen und unterhielt sich frei von der Leber weg mit armen Leuten wie uns Trägern. Als ich ihn auf dem Gletscher verlor und befürchten musste, dass er im Eis sterben könnte, lag ich die ganze Nacht wach und betete zu Allah, er möge mir Gelegenheit geben, ihn zu retten. Und als ich ihn wiederfand, schwor ich, ihn für immer und mit all meiner Kraft zu schützen. Seitdem hat er den Balti viel gegeben. Da ich arm bin, kann ich ihm nur meine Gebete und meinen starken Rücken schenken. Und das habe ich gern getan, damit er seine Schule bauen konnte."

Am nächsten Morgen ging Mortenson vor Tagesanbruch auf Hadschi Alis Dach auf und ab. Er war nun Leiter einer Organisation, und das Vertrauen, das Hoerni in ihn gesetzt hatte, lastete schwer auf seinen breiten Schultern. Er musste sich ins Zeug legen, damit die Schule so schnell wie möglich fertig wurde.

Als sich die Dorfbewohner an der Baustelle versammelten, wurden sie von Mortenson, der Senkblei, Wasserwaage und Kassenbuch in der Hand hielt, bereits erwartet. „Der Beginn der Bauarbeiten war, als hätte man ein Orchester dirigieren müssen", erklärt er. „Zuerst zertrümmerten wir die großen Felsen mit Dynamitladungen, dann schleppten Dutzende Helfer die so gewonnenen Steine zu den Maurern, wo Makhmal sie mit einigen geschickten Hammerschlägen in erstaunlich gleichmäßig geformte Bausteine verwandelte. Währenddessen holten die Frauen Wasser vom Fluss und mischten den Zement in großen Löchern an, die wir in den Boden gegraben hatten. Die Maurer trugen den Zement auf die Steine auf und fügten sie zu langsam wachsenden Mauern zusammen. Zu guter Letzt liefen zahlreiche Kinder herbei und schoben Gesteinssplitter in die Ritzen zwischen den Steinen."

„Wir wollten alle unbedingt helfen", betont Tahira, die Tochter von Lehrer Hussein, die damals zehn Jahre alt war. „Mein Vater erzählte mir, die Schule würde etwas ganz Besonderes werden. Aber da ich keine Ahnung hatte, was eine Schule überhaupt war, lief ich hin, um nachzusehen, warum so ein Trubel herrschte. Außerdem wollte ich etwas beitragen. Meine ganze Familie packte mit an."

Über den Juni wurden die Mauern höher und höher. Doch da jeden Tag die Hälfte der Belegschaft fehlte, weil die Menschen sich um ihre Felder und ihr Vieh kümmern mussten, gingen die Arbeiten für Mortensons Geschmack viel zu langsam voran. „Ich gab mir Mühe, ein strenger, aber gerechter Arbeitgeber zu sein. Weil ich Hoerni nicht enttäuschen wollte, machte ich den Leuten mächtig Dampf."

Eines sonnigen Nachmittags Anfang August kam Hadschi Ali zu ihm auf die Baustelle, klopfte ihm auf die Schulter und forderte ihn auf, mit ihm einen Spaziergang zu unternehmen. Am Ziel angekommen, bat er ihn, sich umzuschauen. Jenseits des Korphe-K2 erhoben sich die eisigen Gipfel des inneren Karakorum in den makellos blauen Himmel. Aus dreihundert Meter Höhe wirkte Korphe mit seinen grünen Feldern, auf denen die Gerste reifte, wie ein Puppendorf.

„Diese Berge sind schon sehr lange hier", begann Hadschi Ali. „Und wir ebenfalls. Man kann den Bergen nicht sagen, was sie tun sollen. Du musst lernen, auf sie zu hören. Und deshalb pass auf, was ich dir zu sagen habe. Durch die Gnade des allmächtigen Allah hast du viel für mein Dorf getan, und wir wissen das auch zu schätzen. Aber nun möchte ich dich um einen Gefallen bitten."

„Sehr gerne", erwiderte Mortenson.

„Setz dich hin und sei still. Du machst alle hier verrückt."

„Mit diesen Worten nahm er mir Senkblei, Wasserwaage und Kassenbuch weg und ging zurück nach Korphe", berichtet Mortenson. „Besorgt, was er nun vorhaben könnte, folgte ich ihm den ganzen Weg zu seinem Haus, wo er einen mit ausgeblichenen buddhistischen Schnitzereien verzierten Schrank öffnete und meine Sachen dort einschloss. Dann wies er Sakina an, uns Tee zu bringen."

Als sie Porzellanschalen mit dampfend heißem Buttertee in der Hand hielten, ergriff Hadschi Ali wieder das Wort. „Wenn du in Baltistan Erfolg haben willst, musst du unsere Lebensweise respektieren. Bei der ersten Tasse Tee mit einem Balti bist du ein Fremder. Bei der zweiten ein Ehrengast. Und bei der dritten gehörst du zur Familie – und für unsere Familie opfern wir alles, sogar unser Leben." Freundschaftlich griff er nach Mortensons Hand. „Du musst dir die Zeit nehmen, diese drei Tassen Tee mit uns zu trinken. Wir mögen ungebildet sein, aber wir sind nicht dumm, und wir haben viele lange Jahre hier überlebt."

„An diesem Tag lernte ich von Hadschi Ali die wichtigste Lektion meines Lebens", bekennt Mortenson. „Wir Amerikaner glauben, alles schnell erledigen zu müssen. Doch Hadschi Ali brachte mir bei, mein Tempo zurückzufahren und den Aufbau einer zwischenmenschlichen Beziehung genauso wichtig zu nehmen wie die Umsetzung eines Projekts. Durch ihn verstand ich, dass die Menschen, mit denen ich zusammenarbeitete, mir mehr zu vermitteln hatten als umgekehrt."

Drei Wochen später – Mortenson hatte sich inzwischen in seiner neuen Rolle als Zuschauer eingerichtet – reichten die Mauern der Schule ihm bereits über den Kopf, sodass nun nur noch das Dach fehlte. Da die von Changazi unterschlagenen Dachbalken nie wieder aufgetaucht waren, kehrte Mortenson nach Skardu zurück. Dort kauften er und Parvi Balken, die stark genug waren, um die Schneemassen zu tragen, die Korphe den ganzen Winter lang einhüllten.

Wie nicht anders zu erwarten, wurden die Jeeps, die das Bauholz nach Korphe bringen sollten, dreißig Kilometer vor dem Ziel von einem Erdrutsch aufgehalten. „Als Parvi und ich am nächsten Morgen erörterten, was wir tun sollten, sahen wir eine riesige Staubwolke das Tal herunter auf uns zukommen", erzählt Mortenson. „Auf unerklärlichem Wege hatte Hadschi Ali von unserer misslichen Lage erfahren. Die Männer von Korphe waren die ganze Nacht unterwegs gewesen und trafen klatschend und singend bei uns ein. Sher Takhi war auch dabei und bestand darauf, die erste Last tragen zu dürfen. Eigentlich geziemt es sich für die heiligen Männer in den Dörfern nicht, sich zu körperlicher Arbeit herabzulassen. Dennoch führte er unsere Karawane von fünfunddreißig Männern an, die die Holzbalken zu Fuß den ganzen Weg bis nach Korphe trugen. Da er in jungen Jahren an Kinderlähmung erkrankt war und seitdem hinkte, muss der Weg unbeschreiblich beschwerlich für ihn gewesen sein. Trotzdem hatte er immer ein Lächeln auf den Lippen. So wollte uns dieser eigentlich altmodisch eingestellte Mullah zeigen, dass er unseren Plan, den Kindern von Korphe – auch den Mädchen – eine Schulbildung zu ermöglichen, voll und ganz unterstützte."

Allerdings teilten nicht alle Einwohner des Tals diese Auffassung. Als Mortenson eine Woche später mit Twaha bewundernd Makhmals Truppe beim Anbringen der Dachbalken zusah, stießen die Jungen, die sich auf den Hausdächern aufhielten, plötzlich einen Schrei aus. Eine Gruppe von Fremden überquere gerade die Brücke, riefen sie.

Mortenson folgte Hadschi Ali auf den Felsen hoch über der Brücke und sah, dass sich fünf Männer dem Dorf näherten. Der an der Spitze schien der Anführer zu sein. Seine vier bulligen Begleiter hatten Knüppel bei sich, die sie im Takt der Schritte gegen ihre Handflächen schlugen. Der Anführer, ein abgemagerter älterer Mann, war so unhöflich, fünfzig Meter vor Hadschi Ali stehen zu bleiben, sodass der Dorfvorsteher von Korphe ihm zur Begrüßung entgegengehen musste.

„Das ist Hadschi Mehdi. Ein böser Mensch", raunte Twaha Mortenson zu.

Dieser hatte bereits Bekanntschaft mit dem Nurmadhar von Askole gemacht. „Er gebärdete sich gern als frommer Moslem", erklärt er, „steuerte die Wirtschaft im ganzen Braldu-Tal aber wie ein Mafiaboss. Wenn jemand auch nur ein Ei an eine Expedition verkaufte, ohne einen Anteil vom Erlös an ihn abzuführen, schickte er seine Gorillas los, die demjenigen eine Abreibung verpassten."

Nachdem Hadschi Ali Hadschi Mehdi umarmt hatte, lehnte der Dorfvorsteher von Askole die Einladung zum Tee ab. „Ich will hier draußen sprechen, damit mich alle hören können!", rief er den Menschen zu, die sich auf dem Felsen versammelt hatten. „Mir ist nämlich zu Ohren gekommen, dass ein Ungläubiger hier ist, der muslimische Kinder, Jungen ebenso wie Mädchen, mit seinen Lehren vergiften will! Allah erlaubt es nicht, Mädchen zu unterrichten. Und deshalb untersage ich den Bau dieser Schule."

„Wir werden die Schule fertig bauen", entgegnete Hadschi Ali ruhig. „Da kannst du verbieten, so viel du willst."

In der Hoffnung, die angespannte Stimmung auflockern zu können, machte Mortenson einen Schritt vorwärts. „Warum unterhalten wir uns nicht bei einer Tasse Tee?"

„Ich weiß, wer du bist, *kafir*", zischte Hadschi Mehdi, wobei er das schlimmste Schimpfwort für einen Ungläubigen benutzte, das ihm zur Verfügung stand. Es bedeutete „Bedecker der Wahrheit" oder auch „Verweigerer des Glaubens". „Ich habe dir nichts zu sagen. Und du? Bist du etwa kein Moslem?", fügte er, an Hadschi Ali gewandt, feindselig hinzu. „Verehrst du Allah oder diesen Kafir?"

Hadschi Ali legte Mortenson die Hand auf die Schulter. „Bis jetzt ist

Die ersten Steine für die Schule sind gesetzt: Bauarbeiten in Korphe.

Nachdem die einzige Straße das Braldu-Tal hinauf durch einen Erdrutsch versperrt war, trugen die Männer von Korphe das Bauholz für die Schule dreißig Kilometer weit auf ihrem Rücken ins Dorf.

Besonders ihr Wohl lag ihm am Herzen: Mortenson inmitten der Kinder von Korphe.

noch niemand gekommen, um meinem Dorf zu helfen. Obwohl ich dir jedes Jahr Geld gegeben habe, hast du keinen Finger für uns krumm gemacht."

„Wenn du darauf bestehst, diese Kafir-Schule zu bekommen, wird dich das etwas kosten. Ich fordere zwölf deiner größten Widder."

„Wie du möchtest." Hadschi Ali kehrte Hadschi Mehdi den Rücken zu, um ihm zu zeigen, wie sehr er sich mit dieser Erpressung selbst entwürdigt hatte. „Holt die Tiere!", befahl er.

„Dazu muss man verstehen, dass ein Widder in diesen Dörfern so viel Bedeutung hat wie das erstgeborene Kind, eine preisgekrönte Kuh und ein Haustier zusammengenommen", erläutert Mortenson. „Die wichtigste Pflicht des ältesten Sohnes einer Familie ist die Versorgung dieser Widder. Die Jungen waren dementsprechend am Boden zerstört."

Hadschi Ali kehrte den Besuchern den Rücken zu, bis zwölf Jungen erschienen, die die Tiere mit den dicken Hörnern und schweren Hufen hinter sich herzogen. Er ließ sich von ihnen die Stricke reichen und band die Widder zusammen. Alle Kinder hatten Tränen in den Augen, als sie dem Nurmadhar ihren wertvollsten Besitz übergeben mussten. Hadschi Ali führte die Widder zu Hadschi Mehdi hinüber und warf ihm wortlos die Leitleine zu. Dann machte er auf dem Absatz kehrt und ging, von den anderen Dorfbewohnern gefolgt, zur Baustelle.

„Es war das Ehrfurchtgebietendste, was ich je gesehen habe", staunt Mortenson auch heute noch. „Obwohl Hadschi Ali diesem Gauner gerade das halbe Vermögen des Dorfes übergeben hatte, lächelte er, als hätte er im Lotto gewonnen."

Vor dem Gebäude, in das jeder im Dorf so viel Arbeit gesteckt hatte, blieb Hadschi Ali stehen. Die Schule mit ihren soliden verputzten und gelb gestrichenen Steinmauern und den wetterabweisenden dicken Holztüren ragte stolz vor dem Korphe-K2 auf. Niemals wieder müssten die Kinder auf dem gefrorenen Boden kniend ihre Lektionen lernen. „Seid nicht traurig", tröstete Hadschi Ali die bedrückten Dorfbewohner. „Lange nachdem die Widder tot und aufgegessen sind, wird diese Schule immer noch stehen. Hadschi Mehdi hat heute Fleisch auf dem Tisch. Unsere Kinder werden für immer Bildung haben."

Als es dunkel wurde, forderte er Mortenson auf, sich zu ihm an das in seinem Haus lodernde Feuer zu setzen. Er griff nach seinem eselsohrigen, mit Fettflecken bedeckten Koran und hielt ihn ins Licht. „Siehst du, wie schön dieser Koran ist? Ich kann ihn nicht lesen. Ich kann überhaupt nicht lesen, und das ist es, was mich in diesem Leben am meisten traurig macht. Deshalb werde ich alles tun, damit die Kinder in meinem Dorf dieses Gefühl niemals kennen lernen. Ich bin bereit, jeden Preis zu bezahlen, damit sie die Bildung bekommen, die sie verdienen."

„Wie ich so neben ihm saß", erinnert sich Mortenson, „wurde mir klar, dass alle Schwierigkeiten, die ich überwunden hatte – angefangen bei meinem Versprechen, die Schule zu bauen, über die Probleme im Vorfeld bis hin zu den Komplikationen bei der Fertigstellung –, nichts waren, verglichen mit den Opfern, die er für seine Leute bringen wollte. Dieser Mann, der weder lesen noch schreiben konnte und kaum aus seinem kleinen Dorf im Karakorum herausgekommen war, war der weiseste Mensch, dem ich je begegnet war."

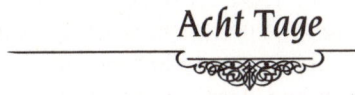

Acht Tage

Peschawar ist die Hauptstadt des „Wilden Westens" von Pakistan. Da die Schule in Korphe nun vollendet war, war Mortenson in seiner neuen Rolle als Leiter des Central Asia Institute in diese Grenzstadt gekommen. Das sagte er sich wenigstens.

Peschawar ist außerdem das Tor zum Khyber-Pass, einer Verbindung zwischen Pakistan und Afghanistan, auf der sich zu dieser Zeit Historisches ereignete: Schüler der *madaris*, der Koranschulen, von Peschawar hatten ihre Bücher mit Kalaschnikows und Patronengurten vertauscht und marschierten über den Pass, um sich einer Bewegung anzuschließen, die sich den Sturz der verhassten afghanischen Führung auf die Fahnen geschrieben hatte. Im August 1996 startete diese hauptsächlich aus Jugendlichen bestehende Armee, die sich *taliban*, Schüler des Islam, nannte, eine Überraschungsoffensive und nahm Jalalabad, eine Großstadt auf der afghanischen Seite des Khyber-Passes, ein.

Die erschöpften Flüchtlinge, die sich vor den Kämpfen in Sicherheit brachten, strömten nach Osten, wo die im Morast stehenden Lager am Stadtrand von Peschawar bald aus allen Nähten platzten. Mortenson hatte geplant, zwei Tage früher aufzubrechen, um Bauplätze für mögliche neue Schulen zu besichtigen. Allerdings hielt ihn die angespannte Lage in Peschawar fest. In den Teestuben wurde angeregt über die Blitzsiege der Taliban debattiert, und Gerüchte verbreiteten sich wie ein Lauffeuer: In den Vororten von Kabul sammelten sich Bataillone der Taliban, aber vielleicht sei die Stadt auch schon erobert. Und Präsident Najibullah, der erste Mann des korrupten postsowjetischen Regimes in

Afghanistan, sei entweder nach Frankreich geflohen oder in einem Fußballstadion hingerichtet worden.

Mit von Hundertdollarscheinen überquellenden Aktenkoffern war der 17. Sohn einer wohlhabenden saudischen Familie in einer privaten Chartermaschine mitten in diesen Sturm hineingeflogen. Dem Vernehmen nach soll der von einem Gefolge erfahrener Kämpfer begleitete Osama Bin Laden bei seiner Landung auf einem stillgelegten Luftwaffenstützpunkt am Stadtrand von Jalalabad schlechter Laune gewesen sein. Schließlich hatte man ihn auf Druck der USA und Ägyptens aus dem Sudan ausgewiesen, wo er ein bequemes Leben geführt hatte. Inzwischen auf der Flucht und seiner saudischen Staatsbürgerschaft verlustig gegangen, hatte er sich für Afghanistan entschieden, wo die chaotische Lage ihm glänzend ins Konzept passte. Aber der Mangel an Komfort tat es nicht. Die volle Wucht seines Zorns richtete sich nun gegen jene, die er für sein Exil verantwortlich machte: die Amerikaner.

Während Mortenson im nahen Peschawar auf die Weiterreise wartete, startete Bin Laden seinen ersten Aufruf zum bewaffneten Kampf gegen die USA. In seiner „Erklärung des offenen Dschihad gegen die Amerikaner, die das Land der zwei Heiligtümer besetzen" – gemeint war Saudi-Arabien, wo damals fünftausend US-Truppen stationiert waren – forderte er seine Anhänger auf, alle Amerikaner anzugreifen, die ihnen begegneten, und ihnen „so viel Schaden wie möglich zuzufügen".

Wie die meisten US-Bürger hatte Mortenson noch nie von Bin Laden gehört. Doch da er glaubte, einen Platz im Cockpit der Geschichte ergattert zu haben, zögerte er, die Stadt zu verlassen. Außerdem fehlten ihm geeignete Begleiter. Vor seiner Abreise aus Korphe hatte er seine Pläne mit Hadschi Ali erörtert. „Versprich mir eines", hatte der Nurmadhar ihn gedrängt. „Fahr nirgendwo allein hin. Suche dir einen Gastgeber, dem du vertraust, am besten einen Dorfvorsteher, und warte, bis er dich zum Tee zu sich nach Hause einlädt. Erst dann droht dir keine Gefahr mehr."

Allerdings war es leichter gesagt als getan, in Peschawar eine Vertrauensperson zu finden. Da die Stadt als Umschlagplatz der pakistanischen Schattenwirtschaft diente, wimmelte es hier von verdächtigen Gestalten. Opium, Waffen und Teppiche hatten Peschawar zu Wohlstand verholfen, und die Männer, denen Mortenson seit seiner Ankunft begegnet war, machten auf ihn einen ebenso zwielichtigen Eindruck wie die Absteige, in der er die letzten fünf Nächte verbracht hatte.

Als es an der Tür seines Hotelzimmers klopfte, machte er auf. Eine Zigarette im Mundwinkel, ein Bündel unter dem Arm und ein Teetablett in der Hand, schlüpfte Badam Gul an ihm vorbei. Mortenson hatte den Mann, ebenfalls ein Hotelgast, am Vorabend vor dem Radio in der Lobby kennen gelernt und sich zusammen mit ihm einen BBC-Bericht über einen Raketenangriff der Taliban auf Kabul angehört.

Gul erzählte, er stamme aus Wasiristan und verdiene gutes Geld damit, überall im Mittleren Osten seltene Schmetterlinge zu fangen und sie an europäische Museen zu verkaufen. Allerdings hatte Mortenson die Vermutung, dass Gul auf seinen Wegen durch diese Region nicht nur Schmetterlinge im Gepäck hatte, auch wenn er lieber nicht nachfragte. Als Gul erfuhr, dass Mortenson das von seinem Stamm bewohnte Gebiet südlich von Peschawar besuchen wollte, bot er seine Dienste als Führer nach Ladha, seinem Heimatdorf, an. Hadschi Ali wäre wahrscheinlich nicht einverstanden gewesen, doch Tara sollte in einem Monat niederkommen. Außerdem machte der glatt rasierte Gul einen halbwegs seriösen Eindruck. Mortenson hatte nicht die Zeit, um wählerisch zu sein.

Nachdem Gul Tee eingeschenkt hatte, öffnete er sein Bündel. Mortenson hielt sich den mit kunstvoller Silberstickerei geschmückten weißen Salwar vor die Brust und die schiefergraue Weste hoch. „So kleidet sich ein Wasir-Mann." Gul zündete sich am Stummel seiner Zigarette die nächste an. „Ich habe den größten auf dem ganzen Basar besorgt. Kann ich das Geld sofort haben?"

Er zählte die Rupien sorgfältig nach und steckte sie ein. Sie verabredeten, bei Morgengrauen aufzubrechen. Dann meldete Mortenson bei der Telefonvermittlung des Hotels ein dreiminütiges Gespräch an und teilte Tara mit, er werde sich in den nächsten Tagen in einem Gebiet aufhalten, wo es keine Telefone gebe. Er versprach, rechtzeitig zurück zu sein, um ihr erstes Kind in der Welt willkommen zu heißen.

Als er am nächsten Morgen hinunterkam, wurde er von einem grauen Toyota erwartet. Mit einem beruhigenden Lächeln erklärte ihm Gul, er müsse überraschend geschäftlich nach Afghanistan reisen. Allerdings sei der Fahrer, ein gewisser Mr Khan, im Nachbardorf von Ladha beheimatet und werde ihn hinbringen.

Hundert Kilometer südlich der Stadt begann Wasiristan, die ungezähmteste der nordwestlichen pakistanischen Grenzprovinzen – wilde Stammesgebiete, die eine Pufferzone zu Afghanistan bildeten. Das Volk der Wasir war eine Randgruppe, was Mortensons Interesse geweckt hatte. „Die Balti zogen mich vermutlich teilweise deshalb an, weil sie so eindeutig benachteiligt waren", analysiert er. „Die pakistanische Regierung beutete ihre Talente und Fähigkeiten aus, ohne ihnen etwas dafür zurückzugeben. Sie hatten nicht einmal das Wahlrecht."

Auch die Wasir wurden seiner Auffassung nach unterdrückt. Während des in den USA verbrachten Winters hatte er alles über den Mittleren Osten gelesen, was er in die Finger hatte bekommen können, wenn er Tara nicht gerade zur Hebamme begleitet hatte. Bald war ihm klar geworden, wie es in diesem Gebiet tatsächlich aussah – die von einzelnen Stämmen besiedelte Region war von europäischen Mächten willkürlich in Staaten aufgeteilt worden. Allerdings beschäftigte ihn kein Stamm so wie die Wasir. Sie fühlten sich weder Pakistan noch Afghanistan zugehörig und waren Paschtunen. Seit der Zeit Alexanders des Großen waren sämtliche fremden Streitkräfte in dieser Gegend auf starken Widerstand gestoßen. Seit 1947 gehörte Wasiristan zwar offiziell zu Pakistan, doch der geringe Einfluss, den Islamabad dort genoss, verdankte es hauptsächlich Bestechungsgeldern an örtliche Anführer und seinen befestigten Armeestützpunkten. Doch deren Macht reichte nicht weiter, als man durch ihre Schießscharten sehen konnte.

Auf der Fahrt nach Wasiristan musste der Toyota einige Straßensperren des Militärs passieren. Bei jedem Kontrollposten wurde der hochgewachsene, schwitzende Ausländer in der schlecht sitzenden Kleidung argwöhnisch begutachtet, während Khan Geldscheine abzählte, um dem Wagen die Weiterfahrt in den Süden zu ermöglichen.

Bewunderung dafür, dass es Menschen gelungen war, in einer so unwirtlichen Gegend zu überleben, war Mortensons erster Eindruck über Wasiristan. Eine Schotterpiste führte sie durch ein kahles Tal, dessen Boden aus kleinen schwarzen Steinen bestand. Diese speicherten die Hitze der Wüstensonne, bis die Luft flirrte, sodass die Landschaft wirkte wie einem Fiebertraum entstiegen.

Auf der beschwerlichen Fahrt über die Piste fühlte sich Mortenson, als wäre er in eine mittelalterliche Welt verfeindeter Stadtstaaten geraten. Ehemals britische, jetzt von pakistanischen Soldaten besetzte Forts waren fest verrammelt. Zu beiden Seiten der Piste ragten die befestigten Ansiedlungen der Wasir-Stämme aus der felsigen Hochebene. Sie waren alles andere als unauffällig, jede war von einer sieben Meter hohen Lehmmauer umgeben und mit einem Wachturm versehen. Mortenson stellte fest, dass viele davon mit einem Bewaffneten besetzt waren, der ihre Fahrt durch das Zielfernrohr seines Gewehrs verfolgte.

In Bannu, der größten Siedlung Wasiristans, machten sie Rast, um zu Mittag zu essen. In einer Teestube versuchte Mortenson, ein Gespräch mit den Männern am Nebentisch anzuknüpfen. Es waren Älteste, an die sich zu wenden Hadschi Ali ihm geraten hatte. Allerdings sorgte sein Urdu nur für gleichgültige Mienen, worauf er sich vornahm, sich eingehend mit der Sprache der Paschtunen zu befassen, wenn er wieder in Bozeman war.

Den ganzen Nachmittag fuhren sie immer tiefer nach Wasiristan hinein. Mortenson nutzte die Zeit, sich vom Fahrer einige paschtunische Begrüßungsformeln beibringen zu lassen. Als die Sonne unterging, erreichten sie Khans Heimatdorf südlich von Ladha. Es bestand eigentlich nur aus zwei links und rechts einer Moschee aus Sandstein stehenden Gemischtwarenläden und erinnerte an eine Geisterstadt am Ende der Welt. Khan rief den Männern im Lagerhaus hinter dem größeren der beiden Läden einen Gruß zu, und sie forderten ihn auf, den Wagen hineinzufahren, damit ihm über Nacht nichts geschehen konnte.

Der Anblick, der sich Mortenson im Lagerhaus bot, löste in ihm ziemlich mulmige Gefühle aus. Sechs Wasir-Männer mit Patronengurten über der Brust saßen auf Packkisten und rauchten Haschisch aus einer Wasserpfeife mit mehreren Mundstücken. An den Wänden stapelten sich Bazooka-Panzerabwehrwaffen, raketenangetriebene Granatwerfer und kistenweise nagelneue, ölglänzende AK-47-Sturmgewehre. Mortenson wurde klar, dass er mitten in ein großes, florierendes Waffenschieberunternehmen geraten war.

„Ich machte mir meine in Baltistan erworbenen Kenntnisse zunutze und begrüßte jeden der Männer so respektvoll wie möglich", erinnert er sich. „Mit den wenigen paschtunischen Floskeln, die Khan mir unterwegs beigebracht hatte, erkundigte ich mich nach ihren Familien und ihrer Gesundheit." Viele Wasir hatten in den paschtunischen Gebieten Afghanistans Seite an Seite mit US-Spezialkräften gegen die sowjetische Besatzung gekämpft. Und Mitte der Neunziger, als es noch fünf Jahre dauern sollte, bis amerikanische B-52 diese Hügel mit Bombenteppichen belegten, grüßten die Wasir den einen oder anderen Amerikaner durchaus freundlich.

Khan und der Chef der Bande, ein hochgewachsener Mann mit Fliegerbrille und dickem schwarzem Schnurrbart, debattierten heftig auf Paschtunisch darüber, was sie heute Abend nur mit diesem Fremden anfangen sollten. Schließlich wandte sich der Fahrer an Mortenson. „Hadschi Mirza lädt dich in sein Haus ein", verkündete er. Dem Amerikaner fiel ein Stein vom Herzen, denn jetzt war er ein Gast.

Eine halbe Stunde lang marschierten sie in der Dunkelheit bergauf. Eine blutrote Linie am Horizont zeigte, wo das letzte Tageslicht über Afghanistan endgültig verglomm. Als sie oben auf dem Hügel eine Befestigung erreichten, rief Hadschi Mirza etwas, worauf sich die schweren, in eine hohe Lehmmauer eingelassenen Tore langsam von innen öffneten. Ein Wachmann musterte Mortenson aus weit aufgerissenen Augen.

„Nur eine Tagesfahrt von der modernen Welt entfernt, geriet ich ins tiefste Mittelalter", beschreibt Mortenson die Szenerie. Das Gebäude besaß dicke Wände, und in den höhlenartigen Räumen verbreiteten flackernde Laternen ein dämmriges Licht. Über den Hof erhob sich ein 15 Meter hoher Wachturm, der es Scharfschützen ermöglichte, ungebetene Gäste schon aus einiger Entfernung zu erledigen. Mortenson und sein Fahrer wurden in einen mit Teppichen ausgestatteten Raum geführt. Da Hadschi Mirza hinausging, um die Zubereitung des Abendessens zu beaufsichtigen, und Khan ein Nickerchen einlegte, musste Mortenson zwei Stunden lang in beklommenem Schweigen dasitzen und mit vier finsteren Gesellen Tee trinken.

Endlich rief Hadschi Mirza zu Tisch. Ein Diener stellte eine dampfende Platte *Kabuli pilau* – Reis mit Karotten, Nelken und Rosinen – auf den Boden. Dazu gab es gebratenes Lamm. Darauf hatten es die Männer hauptsächlich abgesehen. Mit ihren langen Dolchen machten sie sich über das zarte Fleisch her und schoben es sich mit den Klingen in den Mund. Nach zehnminütigem Schmatzen und Grunzen waren von dem Lamm nur noch Knochen übrig.

Um Mitternacht fielen Mortenson allmählich die Augen zu, und einer der Männer rollte eine Schlafmatte für ihn aus. Offenbar habe ich meine Sache gar nicht so schlecht gemacht, dachte er. Zumindest hatte er einen Stammesältesten kennen gelernt. Morgen würde er ihn bitten, ihm weitere Kontakte zu vermitteln, und versuchen herauszufinden, was man hier von einer Schule hielt.

Lautes Geschrei riss Mortenson jäh aus seinen Träumen. Als er hochfuhr, bot sich ihm ein Anblick, der für ihn zunächst keinen Sinn ergab. Vor seinem Gesicht baumelte eine Gaslaterne. Dahinter erkannte er den auf seine Brust gerichteten Lauf einer AK-47. Der wilde Mann, der die Waffe hielt, hatte einen verfilzten Bart und einen grauen Turban auf dem Kopf und brüllte etwas in einer Sprache, die Mortenson nicht verstand. Es war zwei Uhr morgens, und er hatte erst zwei Stunden geschlafen.

Insgesamt acht fremde Männer bedrohten ihn mit Waffen und zerrten ihn an den Armen hoch. Nachdem sie ihn unsanft auf die Füße gezogen hatten, stießen sie ihn zur Tür. Er sah sich in dem dämmrigen Raum nach Khan oder Hadschi Mirzas Leuten um, aber er war mit den Fremden allein. Durch die offenen Tore führten sie ihn hinaus vor die Mauer. Dann warf ihm jemand von hinten einen abgewickelten Turban über den Kopf und verband ihm damit die Augen. Die Männer trieben ihn zur Eile an, als sie ihn einen Pfad hinunterschubsten und ihn zwangen, auf die Ladefläche eines Pick-ups zu steigen.

Sie fuhren etwa eine Dreiviertelstunde lang. Mortenson zitterte, weil er fror und außerdem eine Heidenangst hatte. Die Männer debattierten lautstark auf Paschtunisch. Vermutlich erörterten sie, was sie mit ihm anfangen sollten. Aber warum hatten sie ihn überhaupt entführt? Und wo hatten Hadschi Mirzas bewaffnete Wachen gesteckt? Im nächsten Moment fiel es Mortenson wie Schuppen von den Augen: Offenbar arbeiteten diese Leute mit seinem Gastgeber zusammen.

Der Pick-up holperte nun eine Buckelpiste hinauf und stoppte nach einer scharfen Kurve ruckartig. Kräftige Hände zerrten Mortenson vom Wagen. Er hörte, wie sich jemand an einem Schloss zu schaffen machte. Dann schwang eine große metallene Tür auf. Mortenson taumelte über die Schwelle und wurde weitergeführt. Wahrscheinlich einen Flur entlang, denn die Schritte hallten wider. Nachdem die schwere Eingangstür mit einem Knall zugefallen war, nahm man ihm die Augenbinde ab.

Er befand sich in einem kahlen, hohen Raum, der etwa drei Meter breit und sieben Meter lang war. Auf dem Fensterbrett des einzigen, von außen mit Läden verrammelten Fensters brannte eine Kerosinlampe. Als Mortenson sich nach den Männern umblickte, die ihn hergebracht hatten, sah er nur noch, wie die Tür hinter ihm zufiel. Durch das dicke Holz hörte er erschrocken das Einrasten eines Vorhängeschlosses.

In einer dunklen Ecke am anderen Ende des Raums bemerkte er eine Decke und eine dünne Matte auf dem Lehmboden. Instinktiv wurde ihm klar, dass es besser war zu schlafen, als sorgenvoll auf und ab zu wandern. Also legte er sich hin, breitete die muffige Wolldecke über sich und fiel in einen traumlosen Schlaf.

Als er die Augen wieder aufschlug, stellte er fest, dass zwei seiner Entführer neben ihm auf den Fersen kauerten. Durch die Lamellen der Fensterläden fiel Tageslicht herein. „*Chai*", verkündete der eine Mann und schenkte ihm eine Tasse lauwarmen grünen Tee ein. Mortenson nahm einen Schluck und lächelte den beiden Männern zu. Sie hatten die faltigen, wettergegerbten Gesichter von Menschen, die den Großteil ihres Lebens im Freien und in bitterer Armut verbracht hatten. Mortenson schätzte sie auf weit über fünfzig. Er war sicher, dass es sich um ehemalige Mudschaheddin handelte, Veteranen der afghanischen Guerrilla, die gegen die Sowjets gekämpft hatte. Aber wie waren sie heute einzuschätzen? Und was hatten sie mit ihm vor?

Mit einer Geste gab er ihnen zu verstehen, er müsse auf die Toilette.

Sie hängten sich ihre Kalaschnikows über die Schulter und führten ihn auf einen Hof hinaus, in dem sich ebenfalls ein Ausguck erhob. Die Wachen brachten Mortenson zu einem Stall, wo er über einem Wassereimer und unter den beständigen Blicken der beiden Männer sein Geschäft verrichten musste.

Zurück in dem Raum, nahm er im Schneidersitz auf seiner Schlafmatte Platz und versuchte ein Gespräch mit seinen Bewachern anzuknüpfen, doch die zwei zogen nur an ihren Haschischpfeifen und antworteten nicht.

In der folgenden Nacht lag Mortenson wach und spielte in Gedanken die verschiedensten Strategien durch, nur um sie wieder zu verwerfen. Verdächtigten sie ihn etwa der Spionage gegen die Taliban? Wegen seiner begrenzten Sprachkenntnisse hatte er keine Möglichkeit zu erklären, dass er nur pakistanischen Kindern helfen wollte. Oder hatten sie ihn als Geisel genommen, um Lösegeld zu erpressen? Wieder fehlte ihm der Wortschatz, um sie davon zu überzeugen, dass er arm war wie eine Kirchenmaus. Oder aber hatte man ihn entführt, weil er sich als Ungläubiger in einem von Fundamentalisten beherrschten Gebiet herumtrieb? Diese Erklärung hielt er für die wahrscheinlichste. Vielleicht schaffte er es ja, dem Schneider sei Dank, die Entführer zu beeinflussen, ohne ihre Sprache zu beherrschen.

Als die Wachen ihn am zweiten Morgen mit einer Tasse Tee weckten, war er bereit. „*El Koran?*", fragte er und ahmte dabei einen frommen Mann nach, der in dem heiligen Buch blätterte. Die Wachen verstanden sofort und einer sagte etwas auf Paschtunisch, dem Mortenson leider nicht folgen konnte.

Doch erst am Nachmittag des dritten Tages brachte ihm ein älterer Mann, den Mortenson für den Dorfmullah hielt, einen staubigen Koran. Mortenson versuchte sein Glück und bedankte sich auf Urdu, doch die Augen des Mannes unter den schweren Lidern blieben ausdruckslos. Mortenson legte das Buch auf seine Matte und führte die Form der rituellen Waschung durch, die ausgeübt wird, wenn kein Wasser vorhanden ist. Dann schlug er das heilige Buch ehrfürchtig auf und tat, als läse er. Dabei murmelte er die Koranverse vor sich hin, die er in Rawalpindi gelernt hatte. Der graubärtige Mullah schien zufrieden, denn er nickte kurz und ließ ihn mit seinen Wächtern allein.

Mortenson betete fünfmal täglich, wenn er den Ruf von einer nahen Moschee hörte, und zwar nach sunnitischer Sitte, weil er sich ja in einem sunnitischen Gebiet befand. Ansonsten brütete er über dem Koran. Allerdings änderte sich nichts am Verhalten seiner Bewacher. Der vierte und der fünfte Tag schleppten sich dahin. Nachts waren draußen vor der Befestigung kurze Maschinengewehrsalven zu hören, die durch ratternde Schüsse vom Wachturm beantwortet wurden.

Irgendwann, es musste mitten in der fünften Nacht sein, wurde Mortenson von einer Verzweiflung ergriffen, die ihn zu überwältigen drohte. Er vermisste Tara unbeschreiblich. Außerdem hatte er ihr versprochen, er werde in ein bis zwei Tagen zurück sein.

Am Morgen des sechsten Tages seiner Gefangenschaft spürte er, dass jemand vor seiner Matte stand. Als er aufsah, blickte er in die Augen eines kräftig gebauten Mannes. Dieser trug einen ordentlich gestutzten grauen Bart und begrüßte Mortenson lächelnd auf Paschtunisch. „Sie sind also der Amerikaner", fügte er auf Englisch hinzu. Nachdem Mortenson aufgestanden war, um ihm die Hand zu schütteln, rief der Mann, man solle das Frühstück servieren.

Während er sein Chapati verspeiste, holte Mortenson die sechs Tage nach, die er ohne ein Gespräch hatte verbringen müssen. Als er sich nach dem Namen des Mannes erkundigte, machte dieser eine vielsagende Pause. „Nennen Sie mich einfach Khan", erwiderte er schließlich, ein Name, der in Wasiristan etwa so häufig vorkommt wie in Deutschland Müller.

„Khan" war zwar Wasir, hatte aber in Peschawar eine britische Schule besucht. Offenbar lautete sein Auftrag, sich ein Bild von dem Amerikaner zu machen. Mortenson erzählte ihm von seinem Projekt in Baltistan und erklärte, er plane noch viele weitere Schulen für die benachteiligten Kinder Pakistans zu bauen. Er sei nach Wasiristan gekommen, um zu fragen, ob seine Dienste hier gebraucht würden.

Angespannt wartete er auf Khans Antwort, voller Hoffnung, seine Gefangennahme werde sich als Missverständnis entpuppen. Doch weit gefehlt. Khan schwieg sich aus.

„Meine Frau wird bald unser erstes Kind, einen Sohn, zur Welt bringen", sprach Mortenson weiter. „Ich möchte bei der Geburt zu Hause sein." Bei Taras Ultraschalluntersuchung vor einigen Monaten hatte er das verschwommene Bild seiner Tochter gesehen. „Aber ich wusste, dass die Geburt eines Sohnes für einen Moslem ein großes Ereignis ist", erläutert er. „Obwohl ich ein schlechtes Gewissen hatte, dachte ich, dass sie mich wegen der Geburt eines Sohnes vielleicht eher freilassen würden."

„Ich habe meiner Frau versprochen, dass ich rechtzeitig zurück bin", betonte er gegenüber Khan. „Sicher wird sie sich Sorgen machen. Darf ich sie anrufen, um ihr zu sagen, dass es mir gut geht?"

„Hier gibt es keine Telefone."

„Wäre es möglich, dass Sie mich zu einem pakistanischen Armeestützpunkt bringen, damit ich dort telefonieren kann?"

Khan seufzte auf. „Ich fürchte, das geht nicht." Er blickte Mortenson in die Augen. „Machen Sie sich keine Sorgen." Er sammelte das Frühstücksgeschirr ein und schickte sich zum Gehen an. „Alles wird gut."

Am Nachmittag des achten Tages stattete Khan Mortenson einen weiteren Besuch ab. „Sind Sie Fußballfan?", wollte er wissen.

„Klar. Ich habe an der Universität selbst gespielt." Im nächsten Moment fiel Mortenson ein, dass Khan wohl europäischen Fußball, nicht amerikanischen Football meinte.

„Dann werden wir uns jetzt ein Spiel ansehen." Der Wasir winkte ihn zur Tür. „Kommen Sie!"

Als Mortenson ihm durch das offene Eingangstor folgte, versuchte er rasch, sich ein Bild von seiner Umgebung zu machen. Am Ende eines steilen Kiespfads erkannte er neben den Minaretten einer baufälligen Moschee eine Schnellstraße, die das Tal teilte. Und auf der anderen Seite, keine anderthalb Kilometer entfernt, ragten die Wehrtürme eines pakistanischen Armeestützpunkts in den Himmel. Er ging hinter Khan her zu einem großen steinigen Feld, wo sich zwei Dutzend bärtige junge Männer ein erstaunlich spannendes Spiel lieferten. Als Tore dienten aufgestapelte leere Munitionskisten.

Khan brachte ihn zu einem weißen Plastikstuhl, den man ihm zu Ehren am Spielfeldrand aufgestellt hatte. Nachdem Mortenson eine Weile dem Spiel zugeschaut hatte, ertönte vom Wachturm plötzlich ein Ruf, denn der Posten hatte bemerkt, dass sich in dem Armeestützpunkt etwas tat. „Ich bedaure." Khan scheuchte Mortenson zurück hinter die hohen Mauern der Anlage.

In jener Nacht versuchte der Amerikaner vergeblich einzuschlafen. Nach seinem Auftreten und dem ihm entgegengebrachten Respekt zu urteilen, war Khan vermutlich ein aufstrebender Kommandant der Taliban. Aber welche Konsequenzen hätte das für ihn selbst? War das Fußballspiel ein Anzeichen dafür, dass man ihn bald freiließe? Oder eher die Entsprechung einer letzten Zigarette?

Er erhielt die Antwort, als die Männer um vier Uhr morgens kamen, um ihn zu holen. Khan verband ihm persönlich die Augen, legte ihm eine Decke über die Schultern, nahm ihn sanft am Arm und führte ihn hinaus zur Ladefläche des Pick-ups, auf der bereits einige Männer saßen. „Damals, vor dem 11. September, war das Köpfen von Ausländern noch nicht in Mode", meint Mortenson. „Und erschossen zu werden hielt ich für keine so unangenehme Todesart. Nur der Gedanke, dass Tara unser Kind würde allein aufziehen müssen, ohne zu wissen, was aus mir geworden war, trieb mich in den Wahnsinn." Während der halbstündigen Autofahrt zitterte er trotz der Decke am ganzen Leib.

Begleitet von AK-47-Salven, stoppte der Pick-up. Mortenson brach der kalte Schweiß aus. Khan nahm ihm die Augenbinde ab und umarmte ihn. „Sehen Sie, ich habe Ihnen doch gesagt, dass alles gut wird." Hinter Khan sah Mortenson Hunderte bärtige Wasir, die um Lagerfeuer tanzten und dabei in die Luft schossen. Obwohl es kurz vor Morgengrauen war, brodelten überall Kochtöpfe, und Ziegen wurden über dem offenen Feuer gebraten.

„Was ist hier los?", rief Mortenson, während er Khan in das Gewühl folgte. Er traute dem Frieden noch nicht. „Warum bin ich hier?"

„Es ist besser, wenn Sie nicht zu viel wissen!", überbrüllte Khan die Gewehrschüsse. „Sagen wir mal ... wir haben andere Möglichkeiten erwogen. Es gab einen Disput, der zu einer schweren Krise hätte führen können. Doch nun wurde alles geklärt, und das müssen wir feiern. Nach dem Fest bringen wir Sie zurück nach Peschawar."

Mortensons Argwohn hatte sich noch immer nicht ganz gelegt. Aber die erste Handvoll Rupien überzeugte ihn davon, dass die Tortur endlich ausgestanden war. Einer seiner Bewacher kam auf ihn zugelaufen und schwenkte ein Bündel rosafarbener Hundertrupienscheine, das er Mortenson in die Brusttasche von dessen Salwar stopfte. Verdattert fragte der Amerikaner Khan, was das alles zu bedeuten habe. „Für Ihre Schulen!", rief dieser. „Damit Sie, *inschallah*, noch viele weitere bauen!"

Dutzende anderer Wasir hielten mit der Schießerei lange genug inne, um Mortenson zu umarmen, ihm dampfende Scheiben Ziegenfleisch zu bringen und ihm ebenfalls eine Spende zu überreichen. Als die Sonne aufging, spürte Mortenson, dessen Magen und Brusttasche inzwischen gut gefüllt waren, wie die Angst, die ihm acht Tage lang das Herz zugeschnürt hatte, endlich nachließ.

Euphorisch feierte er mit, ließ sich das Bratenfett in den in seiner Gefangenschaft gewachsenen Bart rinnen, vollführte die längst vergessen geglaubten Tanzschritte aus Tansania, und ließ sich, angefeuert von den Wasir, von einem wilden Glücksgefühl treiben, wie es nur die Freiheit auszulösen vermag.

Gleichgewicht

Jedes Mal wenn Mortenson sein gemütliches Heim betrat, wunderte er sich aufs Neue, dass dieses idyllische alte Haus tatsächlich ihm gehörte. Nachdem er die Einkaufstüten mit Dingen, auf die Tara Heißhunger verspürte, auf den Küchentisch gestellt hatte, machte er sich auf die Suche nach seiner Frau.

Er traf sie oben in ihrem kleinen Schlafzimmer in Gesellschaft einer kräftig gebauten Frau an. „Roberta ist hier, Liebling." Tara lag auf dem Bett. Mortenson, der nach dem dreimonatigen Aufenthalt in Pakistan erst seit einer Woche wieder in Bozeman war, musste sich erst daran gewöhnen, dass seine zierliche Frau inzwischen wie eine überreife Melone aussah. Er nickte der Hebamme zu, die am Fußende des Bettes saß. „Hallo."

„Guten Tag", erwiderte Roberta. „Wir haben gerade darüber gesprochen, wo die Geburt stattfinden soll. Tara hat mir gesagt, sie würde ihr kleines Mädchen am liebsten hier im Bett zur Welt bringen. Ich bin einverstanden. In diesem Raum herrscht eine friedliche Energie."

„Ich habe nichts dagegen." Mortenson nahm Taras Hand. Er freute sich schon darauf.

Die restliche Woche verhielt er sich so überfürsorglich, dass es Tara allmählich zu viel wurde. Er solle doch einen Spaziergang unternehmen, damit sie ein Nickerchen machen könne, schlug sie vor. Nach dem steinigen Wasiristan empfand er die bunten Herbstwälder von Bozeman als paradiesisch.

Nachdem er, die Taschen voll rosafarbener Hundertrupienscheine im Wert von fast vierhundert Dollar, wohlbehalten in seinem Hotel in Peschawar eingetroffen war, hatte er sich mit einem Foto von Tara auf den Weg zum Fernmeldeamt gemacht. Während er mit seiner Frau im fernen Amerika telefoniert hatte, wo es gerade Sonntagnacht gewesen war, hatte er ihr Bild betrachtet. Tara war noch wach gewesen.

„Hallo Liebling, mir geht es gut", hatte er gerufen, um das Knistern in der Leitung zu übertönen.

„Wo warst du? Was ist passiert?"

„Ich wurde gefangen genommen."

„Gefangen genommen? Von der Regierung?" Er hatte ihr die Angst angehört.

„Das ist schwer zu erklären", hatte er geantwortet, um sie nicht noch mehr zu erschrecken. „Aber ich komme nach Hause. Wir sehen uns in ein paar Tagen." Auf den drei langen Flügen hatte er immer wieder ihr Bild aus der Brieftasche genommen, um es sehnsüchtig zu betrachten.

Am 13. September 1996, genau ein Jahr nach der folgenschweren Begegnung im Fairmont Hotel, spürte Tara um sieben Uhr morgens die erste Wehe. Und um 19.12 Uhr erblickte Amira Eliana Mortenson das Licht der Welt. Amira bedeutet auf Persisch „Führerin", während Eliana auf Chagga, der Stammessprache im Gebiet des Kilimandscharo, „Geschenk Gottes" heißt. Auch Mortensons Schwester Christa hatte mit zweitem Namen Eliana geheißen.

JEAN HOERNI rief an und wollte wissen, wann er ein Foto von der fertigen Schule in Korphe zu sehen bekäme. Mortenson erzählte ihm von der Entführung und seinem Vorhaben, nach Pakistan zurückzukehren, nachdem er ein paar Wochen Zeit gehabt habe, seine kleine Tochter kennen zu lernen.

Hoernis Reaktion fiel so ungeduldig und aufgebracht aus, dass Mortenson sich erkundigte, ob er Sorgen habe. Nach einigem Herumdrucksen gestand Hoerni, bei ihm sei Leukämie im Endstadium festgestellt worden. Sein Arzt gebe ihm nur noch wenige Monate. „Ich muss die Schule sehen, bevor ich sterbe", drängte er. „Versprechen Sie mir, dass Sie mir das Foto so schnell wie möglich bringen."

„Versprochen." Vor Trauer um diesen mürrischen alten Mann, der aus für ihn unverständlichen Gründen beschlossen hatte, seine Hoffnungen ausgerechnet in einen Menschen wie ihn, Mortenson, zu setzen, schnürte es ihm die Kehle zu.

Nach einigen Wochen riss er sich widerwillig von seiner Familie los, um sein Versprechen an Hoerni wahr zu machen. Das Herbstwetter in Korphe war zwar sonnig, aber für diese Jahreszeit viel zu kalt. Jeden Tag kletterten Mortenson und die Männer des Dorfes aufs Schuldach, um dort die letzten Balken anzubringen. Dabei blickte Mortenson die ganze Zeit besorgt zum Himmel, voller Angst, dass Schnee die Arbeiten zum Erliegen bringen könnte.

Eines Abends beichtete er Hadschi Ali verlegen von seiner Entführung.

„Du bist allein hingefahren!", rief der Nurmadhar vorwurfsvoll. „Und du hast nicht die Gastfreundschaft des Dorfvorstehers gesucht! Wenn du eine Lektion von mir lernen sollst, dann diese: *Geh in Pakistan nirgendwo allein hin*. Versprich mir das."

„Versprochen", erwiderte Mortenson in dem Bewusstsein, sich abermals einem alten Mann verpflichtet zu haben.

„Wo willst du die nächste Schule bauen?", erkundigte sich Hadschi Ali.

„Ich habe daran gedacht, ins Hushe-Tal zu fahren, um dort ein paar Dörfer zu besuchen und zu sehen, wer –"

„Darf ich dir noch einen Rat geben?", unterbrach ihn Hadschi Ali.

„Gern."

„Warum überlässt du das nicht uns? Ich rufe alle Ältesten vom Braldu zusammen und stelle fest, welches Dorf bereit ist, ein Stück Land und kostenlose Arbeitskräfte für den Bau einer Schule zur Verfügung zu stellen. Auf diese Weise brauchst du nicht wie eine Krähe durch Baltistan zu flattern und einmal hier, einmal dort zu picken." Er lachte.

„Schon wieder musste sich ein Westler von einem alten Balti, der weder lesen noch schreiben konnte, Tipps geben lassen, wie man dieses ‚zurückgebliebene' Gebiet am besten entwickelt", bekennt Mortenson. „Seitdem habe ich mich immer an Hadschi Alis Rat gehalten und mich langsam von Dorf zu Dorf und von Tal zu Tal vorgearbeitet. Ich knüpfte an bereits vorhandene Verbindungen an, anstatt ziellos zwischen Orten hin und her zu reisen, wo ich wie in Wasiristan niemanden kannte."

Anfang Dezember waren alle Fenster der Schule eingesetzt, und in jedem der vier Klassenzimmer hing eine Tafel. Nun musste nur noch das Wellblech aufs Dach genagelt werden. Da die Aluminiumplatten scharfkantig waren, konnte es gefährlich werden, wenn der Wind die Schlucht hinabfegte und sie hin und her peitschten wie Sägeblätter. Mortenson hatte seinen Verbandskasten stets griffbereit.

Eines Tages rief Ibrahim, einer der Bauarbeiter, ihn vom Dach, weil er dringend ärztliche Hilfe brauchte. Als Mortenson den jungen Mann auf Verletzungen untersuchen wollte, packte dieser ihn am Handgelenk. „Es geht um meine Frau, Doktor Sahib", stieß er hervor. „Mit der Geburt stimmt was nicht!"

In einem Zimmer in seinem Haus betrieb Ibrahim Korphes einzigen Laden, wo die Dorfbewohner Tee, Seife, Zigaretten und andere Dinge des täglichen Gebrauchs kaufen konnten. Im Stall im Erdgeschoss unter den Wohnräumen lag seine Frau Rhokia, umringt von Schafen und verzweifelten Verwandten. Vor zwei Tagen hatte sie ein Mädchen zur Welt gebracht und sich seitdem nicht von der Geburt erholt. Es stank unerträglich nach Verwesung. Im Licht einer Öllampe untersuchte Mortenson die auf einem Bett aus blutigem Heu liegende Mutter. Mit Ibrahims Erlaubnis fühlte er ihr den erschreckend hohen Puls. „Sie war aschfahl und bewusstlos", berichtet Mortenson. „Sie hatte die Nachgeburt nicht abgestoßen und drohte an einem septischen Schock zu sterben."

Rhokias verzweifelte Schwester hielt das Baby im Arm, das kaum bei Bewusstsein war. Auch das Kind war dem Tode nah. Da die Familie davon ausging, dass Rhokia vergiftet worden war, hatten sie ihr das Kind nicht zum Stillen gegeben. „Aber es stimuliert die Gebärmutter, sodass die Plazenta ausgetrieben wird", erklärt Mortenson. „Also bestand ich darauf, dass sie Rhokia das Baby zum Stillen anlegten, und verabreichte ihr ein Antibiotikum gegen die Sepsis. Doch während das Kind im Laufe des Tages immer kräftiger wurde, lag Rhokia nur da und begann vor Schmerz zu stöhnen, wenn sie einmal kurz das Bewusstsein erlangte. Ich wusste, was zu tun war, befürchtete aber, dass Ibrahim etwas dagegen haben würde."

Dieser gehörte zwar zu den aufgeschlosseneren unter Korphes Männern, war aber dennoch ein Balti. Also erklärte Mortenson ihm ruhig, er müsse in seine Frau hineinfassen, um zu entfernen, was sie krank mache. Freundschaftlich legte ihm Ibrahim die Hände auf die Schultern und erwiderte, er habe volles Vertrauen zu ihm. Während der junge Vater die Kerosinlampe hochhielt, wusch Mortenson sich die Hände mit heißem Wasser, griff dann in Rhokias Uterus und zog die verwesende Plazenta heraus.

Als er am nächsten Tag wieder auf dem Schuldach arbeitete, sah er Rhokia im Dorf umhergehen und ihr gesundes kleines Mädchen liebkosen, das in einem Tragetuch lag. „Für einen Balti ist es ein gewaltiger Vertrauensbeweis, einen Ausländer und Ungläubigen so nah an die eigene Frau heranzulassen. Es beschämte mich, welch hohes Ansehen ich inzwischen bei diesen Menschen genoss", meint Mortenson.

Am Nachmittag des 10. Dezember 1996 kauerte er gerade mit Twaha, dem künftigen Schulmeister Hussein sowie einigen weiteren gut gelaunten Bauarbeitern auf dem Dach und schlug den letzten Nagel ein, als die ersten Schneeflocken vom Himmel fielen. Unten im Hof stieß Hadschi Ali einen Jubelruf aus. „Ich habe Allah den Allmächtigen gebetet, mit dem Schnee zu warten, bis du fertig bist. Und in seiner unendlichen Weisheit hat er mir den Gefallen getan."

An jenem Abend öffnete der Dorfvorsteher seinen Schrank und gab Mortenson Wasserwaage, Senkblei und Kassenbuch zurück. Dann reichte er ihm ein weiteres Buch. Als Mortenson es durchblätterte, sah er zu seinem Erstaunen, dass alle Seiten von ordentlichen Zahlenkolonnen bedeckt waren, die er, ohne zu zögern, Jean Hoerni vorlegen konnte. „Das Dorf hatte über jede für die Schule ausgegebene Rupie Rechenschaft abgelegt, und zwar auf die Buchhaltungsmethode, die früher in den britischen Kolonien verwendet wurde", erinnert er sich. „So gut hätte ich das niemals hingekriegt."

SCHNEEVERWEHUNGEN und ein Wind mit einer Geschwindigkeit von achtzig Stundenkilometern raubten Mortenson die Sicht. Mit seinen beiden großen Händen umklammerte er das Lenkrad, damit der Wagen nicht von der Straße abkam. Eigentlich hätte die Fahrt von Bozeman nach Hailey in Idaho, wo Hoerni an seinem Zweitwohnsitz im Krankenhaus lag, höchstens sieben Stunden dauern dürfen. Doch die Mortensons waren nun schon seit zwölf Stunden unterwegs. Morgens waren nur ein paar Flöckchen vom Himmel gerieselt. Aber nun, um zehn Uhr abends, tobte ein ausgewachsener Blizzard, und immer noch trennten sie über hundert Kilometer von ihrem Ziel.

Nachdem Mortenson seine schläfrige Frau und seine Tochter endlich bei Hoernis Haus in Hailey abgesetzt hatte, machte er sich auf den Weg zum Hospital. Auf Zehenspitzen schlich er an der Nachtschwester vorbei, die schlafend hinter der Empfangstheke saß, und ging auf das letzte Zimmer rechts am Flur zu, wo unter dem Türspalt Licht zu sehen war.

Obwohl es zwei Uhr morgens war, saß Hoerni wach im Bett. „Sie kommen spät", meckerte er.

Es erschreckte Mortenson, wie schnell Hoernis Erkrankung vorangeschritten war. „Wie fühlen Sie sich, Jean?" Er legte ihm die Hand auf die Schulter.

„Haben Sie das verdammte Foto mitgebracht?"

Mortenson legte einen braunen Umschlag in die knotigen Hände des Schweizers. Der nahm den Abzug heraus und musterte eingehend das Foto der Schule, das Mortenson am Morgen seiner Abreise gemacht hatte. „*Magnifique!*", rief Hoerni aus und nickte beim Anblick des gedrungenen buttergelben Gebäudes mit den scharlachrot abgesetzten Kanten. Dann fuhr er mit dem Finger die Reihe der siebzig zerlumpten lächelnden Schüler entlang, die in diesem Gebäude endlich eine richtige Schulbildung erhalten würden.

Hoerni hatte beschlossen, in Seattle zu sterben. Um die Weihnachtszeit wurde er in ein dortiges Hospital verlegt. Zum letzten Mal in seinem Leben betätigte Mortenson sich nun als Krankenpfleger. Während seine Familie in Montana auf ihn wartete, betreute er Hoerni rund um die Uhr und war froh, dass er die nötigen Fachkenntnisse besaß, um ihm die letzten Tage so angenehm wie möglich zu gestalten.

Mortenson hatte ein großformatiges Foto der Schule rahmen lassen und hängte es über das Krankenbett. Dann schloss er die Videokamera, die Hoerni ihm vor seiner letzten Pakistanreise geschenkt hatte, an den Krankenhausfernseher an und zeigte dem Schweizer Aufnahmen vom Dorfleben in Korphe. „Jeans Tod war nicht friedlich. Er war wütend, weil er sterben musste", erinnert sich Mortenson. Doch als Hoerni im Bett lag, Mortensons Hand hielt und sich ansah, wie die Kinder von Korphe in gebrochenem Englisch und mit engelsgleichen Stimmen „Mary Had A Little Lamb" sangen, war sein Zorn wie weggeblasen.

„Jean war für seine Leistungen als Wissenschaftler bekannt", sagt seine Witwe Jennifer Wilson. „Aber ich glaube, die kleine Schule in Korphe war ihm genauso wichtig. Er hatte das Gefühl, der Nachwelt etwas hinterlassen zu haben."

Da Hoerni sichergehen wollte, dass das Central Asia Institute auf einem ebenso soliden Fundament stand wie die Schule von Korphe, hatte er der Organisation vor seiner Einlieferung ins Krankenhaus eine Million Dollar gespendet.

Am 12. Januar 1997 endete das Leben von Jean Hoerni.

UM DREI UHR morgens erfuhr Mortenson im „Büro" des Central Asia Institute – einem umgebauten Wäscheraum im Keller seines Hauses in Bozeman –, dass der *sher* von Chakpo, einem Dorf im Braldu-Tal, eine *fatwa* gegen ihn ausgesprochen hatte. In Skardu, wo Ghulam Parvi in den Hörer des ihm von Mortenson spendierten Telefons schrie, war es später Nachmittag. „Der Islam ist diesem Mullah völlig egal!", schimpfte Parvi. „Er ist ein Betrüger, der nur auf Geld aus ist, und hat überhaupt kein Recht, eine Fatwa zu verhängen."

„Können Sie nicht versuchen, mit ihm zu reden?"

„Sie müssen herkommen. Wenn ich keinen Koffer voll Geld mitbringe, wird er sich weigern, mich zu empfangen. Soll ich das tun?"

„Wir bezahlen keine Bestechungsgelder", erwiderte Mortenson. „Am besten wenden wir uns an einen Mullah, der mehr Macht hat als er. Kennen Sie vielleicht jemanden?"

„Kann sein. Also bis morgen um dieselbe Zeit?"

„Ja, um dieselbe Zeit. *Khuda hafiz.*"

„Allah sei auch mit Ihnen, Sir." Parvi legte auf.

Mortenson hatte sich einen Tagesablauf angewöhnt, der in den nächsten zehn Jahren sein Leben bestimmen sollte und von dem 13-stündigen Zeitunterschied zwischen Bozeman und Baltistan bestimmt war. Um neun Uhr abends, nach seinen „morgendlichen" Anrufen in Pakistan, ging er zu Bett und stand zwischen zwei und drei Uhr morgens auf, bevor in Pakistan die Büros schlossen.

Nachdem er sich in der Küche einen Kaffee gemacht hatte, setzte er sich an den Computer, um seine erste E-Mail des Tages zu schreiben.

An: alle Vorstandsmitglieder des CAI
Betreff: Fatwa gegen Greg Mortenson
Viele Grüße aus Bozeman! Gerade habe ich mit dem neuen Projektmanager des CAI, Ghulam Parvi, telefoniert, der mir berichtete, ein örtlicher Geistlicher, der etwas gegen Schulbildung für Mädchen hat, habe eine Fatwa gegen mich verhängt. Er will verhindern, dass das CAI weitere Schulen in Pakistan baut. Zu Ihrer Information: Eine Fatwa ist ein religiöser Urteilsspruch. In Pakistan gibt es zwar ein bürgerliches Gesetzbuch, aber es gilt – so ähnlich wie im Iran – auch die Scharia, ein islamisches Gesetzessystem.

In den kleinen Bergdörfern, in denen wir tätig sind, hat das Wort eines Mullahs, selbst wenn er ein Gauner ist, mehr Einfluss als das der pakistanischen Regierung. Parvi wollte wissen, ob er den Mann bestechen solle (das habe ich strikt abgelehnt). Jedenfalls könnte dieser Bursche uns eine Menge Ärger machen. Ich habe Parvi gebeten, einen mächtigeren Mullah zu suchen, der den Kerl aufhalten kann, und werde Sie über die Ergebnisse informieren. Vermutlich werde ich bald hinfliegen müssen, um das Problem zu klären, *inschallah*.

Friedvolle Grüße, Greg

Jean Hoerni hatte Mortenson die Leitung einer Wohltätigkeitsorganisation mit einem Vermögen von fast einer Million Dollar übertragen. In den neu gegründeten Vorstand hatte Mortenson Hoernis Witwe Jennifer Wilson, seinen alten Freund Tom Vaughan, den Lungenfacharzt aus Berkeley, und Dr. Andrew Marcus, den Leiter der Umweltschutzbehörde von Montana, berufen. Doch der überraschendste Zugang war Jennifers Cousine Julia Bergman.

Im Oktober 1996 war sie mit einigen Freunden in Pakistan unterwegs gewesen. In der Hoffnung, einen Blick auf den K2 werfen zu können, mieteten sie in Skardu einen Hubschrauber. Auf dem Rückweg fragte der Pilot seine Passagiere, ob sie nicht Lust hätten, ein landestypisches Dorf zu besuchen. Zufällig handelte es sich dabei um Korphe, und als die Dorfjungen erfuhren, dass Julia Amerikanerin war, nahmen sie sie an der Hand, um ihr eine sehr interessante Sehenswürdigkeit zu zeigen: ein gedrungenes gelbes Schulhaus, das von einem ihrer Landsleute gebaut worden war.

„Als ich das an der Schule angebrachte Schild las, stellte ich fest, dass sie von Jean Hoerni gestiftet worden war, dem Ehemann meiner Cousine Jennifer", erinnert sich Julia. „Sie hatte mir erzählt, dass Jean irgendwo im Himalaja eine Schule bauen wollte. Aber dass wir genau dort gelandet waren, war mehr als nur ein Zufall."

Einige Monate später stellte sie sich Mortenson bei Hoernis Beerdigung vor. „Ich habe Ihre Schule gesehen", verkündete sie.

„Dann waren Sie also die blonde Frau im Hubschrauber!" Verblüfft schüttelte er den Kopf. „Ich habe gehört, dass eine Ausländerin im Dorf war, aber ich konnte es zuerst nicht glauben."

„Ich würde gerne helfen. Kann ich etwas tun?"

„Nun, ich möchte Bücher sammeln und in der Schule eine Bibliothek einrichten."

Wie schon bei ihrem Besuch in Korphe hatte Julia das Gefühl, dass alles vom Schicksal vorherbestimmt war. „Ich bin Bibliothekarin", erwiderte sie.

Nachdem Mortenson die E-Mail an sie und die übrigen Vorstandsmitglieder abgeschickt hatte, schrieb er an einen hilfsbereiten Minister, dem er bei seinem letzten Besuch vorgestellt worden war, sowie an den Bildungsbeauftragten von Skardu und fragte sie, wie er am besten mit dem Sher von Chakpo fertig werden könne.

Tara saß oben am Küchentisch und stillte Amira. Als er hinaufkam, küsste Mortenson seine Frau und erzählte ihr, was geschehen war. „Ich muss früher zurück als geplant", teilte er ihr mit.

AN EINEM eiskalten Märzmorgen traf sich Mortenson mit seinen Fürsprechern und Helfern in der Halle des „Indus Hotel" in Skardu, das ihm als provisorische Kommandozentrale diente. Die saubere und preiswerte Unterkunft befand sich in der Hauptstraße zwischen Changazis Haus und einer Tankstelle. Die Männer versammelten sich an einem Tisch, bestrichen die ausgezeichneten Chapatis, die es im Hotel gab, mit chinesischer Marmelade und tranken dazu Tee mit Milch.

Aus dem Hushe-Tal hatte Mouzafer 160 Kilometer zurückgelegt, um zu diesem Treffen zu kommen. Er war in Begleitung eines Freundes, des erfahrenen Trägers und beliebten Lagerkochs Apo Razak. Neben ihnen schlangen Hadschi Ali und Twaha ihr Frühstück hinunter. Und aus dem mehr als dreihundert Kilometer entfernten unwirtlichen, an der afghanischen Grenze gelegenen Charpurson-Tal war Faisal Baig angereist.

Mortenson selbst war vor zwei Tagen eingetroffen, gemeinsam mit dem jüngsten Neuzugang seiner bunten Truppe, einem vierzigjährigen

Taxifahrer aus Rawalpindi namens Suleman Minhas. Nach der Entführung in Wasiristan war Mortenson zufällig am Flughafen von Islamabad in Sulemans Taxi gestiegen und hatte ihm auf der Fahrt zum Hotel alles über seine Gefangennahme erzählt. Suleman hatte sich sehr über diesen drastischen Verstoß gegen die landesübliche Gastfreundschaft geärgert und Mortenson von da an bemuttert wie eine Glucke. Als Erstes hatte er ihm ein preiswertes Gästehaus in Islamabad empfohlen, das in einem viel sichereren Stadtviertel stand als das Khyaban, in dessen Nachbarschaft von Sektierern gezündete Bomben inzwischen fast nach jedem Freitagsgebet an der Tagesordnung waren.

Jeden Tag war Suleman zurückgekehrt und hatte Mortenson Tüten mit Süßigkeiten und außerdem Medikamente gegen die Parasiten gebracht, die er sich in Wasiristan zugezogen hatte. Als das Taxi am Tag seiner Heimreise auf dem Weg zum Flughafen in eine Polizeisperre geraten war, hatte Suleman die Beamten so geschickt um den Finger gewickelt, um weiterfahren zu können, dass Mortenson ihm noch vor dem Abflug angeboten hatte, in Islamabad als Verhandlungsführer des CAI tätig zu werden.

Nun saß Suleman neben seinem Chef in der Halle des Indus Hotel, unterhielt den ganzen Tisch mit Anekdoten aus dem Leben eines Taxifahrers in der Großstadt und rauchte dabei die von Mortenson aus den Staaten mitgebrachten Zigaretten.

Mouzafer und die Männer aus Korphe waren ebenso Schiiten wie Parvi und der Maurer Makhmal, die in Skardu lebten. Apo Razak, ein Flüchtling aus dem zu Indien gehörenden Teil Kaschmirs, und Suleman waren Sunniten. Und der respekteinflößende Leibwächter Faisal Baig gehörte der Glaubensgemeinschaft der Ismaeliten an. „Wir saßen zusammen, lachten und tranken friedlich unseren Tee", erinnert sich Mortenson. „Ein Ungläubiger und die Vertreter dreier miteinander verfeindeter Ausrichtungen des Islam. Und da dachte ich mir, dass wir alles schaffen können, wenn wir uns so gut vertragen."

Parvi erzählte der Runde alles über die Fatwa und teilte Mortenson mit, er habe für ihn einen Termin mit Syed Abbas Risvi vereinbart, dem Führer der Schiiten im nördlichen Pakistan. „Er ist ein guter Mensch, aber er misstraut Ausländern", meinte Parvi. „Doch wenn er sieht, dass Sie den Islam und unsere Lebensweise achten, wird er Ihnen sicher helfen, *inschallah*."

Parvi fügte hinzu, Scheich Mohammed, ein Glaubensgelehrter und Gegenspieler des Sher von Chakpo, habe das CAI gebeten, eine Schule in seinem Dorf Hemasil zu bauen. Außerdem habe er an den Obersten

HÖR AUF DEN WIND

Mortenson mit seinen einheimischen Mitarbeitern und Freunden. In der oberen Reihe: Leibwächter Faisal Baig (2. v. l.), Ghulam Parvi, der örtliche Direktor des „Central Asia Institute" (3. v. l.) und Taxifahrer und Chefunterhändler Suleman Minhas (ganz rechts)

Rat der Ayatollahs in Qum geschrieben und die führenden iranischen Geistlichen, die bei den Schiiten weltweit als die höchste Autorität gelten, um eine Entscheidung gebeten, ob die Fatwa gerechtfertigt sei.

Hadschi Ali berichtete, er habe sich mit den Ältesten aller Dörfer am Braldu zusammengesetzt. Man habe beschlossen, dass die zweite Schule des CAI in Pakhora, einem besonders armen Dorf im unteren Braldu-Tal, gebaut werden solle.

Makhmal, der in Korphe so fachmännische Maurerarbeit geleistet hatte, beantragte eine Schule für Ranga, sein Heimatdorf am Stadtrand von Skardu. Er fügte hinzu, in seiner großen Familie gebe es viele gelernte Bauhandwerker, sodass das Unterfangen rasch vonstatten gehen werde.

Mortenson stellte sich vor, wie glücklich es Hoerni gemacht hätte, diesem Gespräch beizuwohnen. Er hatte noch den Rat des Schweizers in den Ohren, nicht nachtragend gegen die Dörfer zu sein, die anfangs so ein Tauziehen um die Schule veranstaltet hatten. „Die Kinder der Dorfbewohner, die versucht haben, Sie zu bestechen, brauchen ebenfalls Schulen."

Da die Ältesten sich ja schon bereiterklärt hatten, ein Stück Land zu stiften, schlug Mortenson den Bau einer Schule in Kuardu vor, Changazis Heimatdorf.

„Also, Dr. Greg", meinte Parvi schließlich, „welche Schule wollen wir in diesem Jahr bauen?"

„Alle, *inschallah*", erwiderte Mortenson.

Für 5800 Dollar kaufte er sich einen armeegrünen, zwanzig Jahre alten Land Cruiser, der allen Hindernissen gewachsen war, die ihm vermutlich auf den Straßen des Karakorum drohten. Außerdem stellte er einen zurückhaltenden, erfahrenen Chauffeur namens Hussein ein, der ständig eine Zigarette im Mundwinkel hatte. Seine erste Amtshandlung bestand darin, einen Kasten Dynamit anzuschaffen und ihn unter dem Beifahrersitz zu verstauen, damit sie sich im Fall eines Erdrutsches den Weg freisprengen konnten. Unterstützt von Parvi und Makhmal, die beim Feilschen keine Gnade kannten, kaufte Mortenson bei den Händlern von Skardu genug Baumaterial, um die Fundamente für drei Schulen zu legen, sobald der Boden aufgetaut war.

Eines warmen Aprilnachmittags sprach er an den Zapfsäulen der Tankstelle mit Syed Abbas Risvi. Parvi hatte diesen Treffpunkt unweit des Hotels vorgeschlagen, da ein öffentlicher Ort sich am besten für die Zusammenkunft eignete. Schließlich müsse man zuerst die Haltung des Mullahs zu dem Ungläubigen in Erfahrung bringen, hatte er zu bedenken gegeben.

Abbas war lang und schlaksig und trug einen schwarzen Turban fest um die hohe Stirn gewickelt. Durch eine quadratische altmodische Brille musterte er den großen Amerikaner in der pakistanischen Tracht und streckte ihm schließlich die Hand zum Gruß hin.

„*As-salaam alaikum.*" Mortenson verbeugte sich, seine Hand in einer respektvollen Geste an die Herzgegend gedrückt. „Es ist mir eine große Ehre, Sie kennen zu lernen, Syed Abbas", fuhr er auf Balti fort. „Mr Parvi hat mir schon viel von Ihrer Weisheit und Ihrem Einsatz für die Armen erzählt."

„Manche Europäer kommen mit dem festen Ziel nach Pakistan, dem Islam zu schaden", sagte Abbas. „Deshalb befürchtete ich zu Anfang, Dr. Greg könnte auch einer dieser Leute sein. Aber an jenem Tag an der Tankstelle blickte ich tief in sein Herz und sah ihn als das, was er ist – ein Ungläubiger, aber dennoch ein edler Mensch, der sein Leben der Schulbildung für Kinder geweiht hat. Also habe ich an Ort und Stelle beschlossen, ihn nach Kräften zu unterstützen."

Mortenson hatte mehr als drei von Irrtümern, Patzern und Umwegen geprägte Jahre gebraucht, bis aus einem Versprechen die Schule von Korphe entstanden war. Inzwischen jedoch hatte er aus seinen Fehlern gelernt und besaß genug Geld, um seine Visionen zu verwirklichen. Außerdem standen ihm Mitarbeiter und eine Armee von Freiwilligen zur Seite, die entschlossen waren, den Kindern Baltistans zu einem besseren Leben zu verhelfen. Und so baute das CAI in nur einem Vierteljahr drei weitere Grundschulen.

Makhmal hielt Wort: Er und seine Familie errichteten in Ranga innerhalb von zehn Wochen eine Schule, die der von Korphe glich wie ein Ei dem anderen. In Pakhora ergriff der dortige Nurmadhar die Gelegenheit, sein Dorf voranzubringen, und überredete viele Einwohner, keine Arbeit als Träger anzunehmen, bis die Schule fertig war. Nachdem der Nurmadhar genügend ungelernte Arbeiter zusammengetrommelt hatte, lehnte ein örtlicher Bauunternehmer einen Auftrag der Armee ab und errichtete stattdessen im Schatten eines Pappelhains in zwölf Wochen eine wunderschöne u-förmige Schule, wie sie die Regierung niemals gebaut hätte. Und in Changazis Dorf Kuardu war den Ältesten so viel am Erfolg der Schule gelegen, dass sie sogar ein Grundstück mitten im Ort dafür zur Verfügung stellten.

Den ganzen Frühling und Sommer wirbelte Mortenson in seinem grünen Land Cruiser wie ein Derwisch kreuz und quer durch Baltistan. Nachdem klar wurde, dass alle Projekte vor der Zeit fertig werden würden, berichtete Parvi, mehr als fünfzig Mädchen müssten in einer Einraumschule im Dorf Torghu Balle am Südufer des Indus unter beengten Bedingungen lernen. Also sorgte Mortenson dafür, dass die übrig gebliebenen Materialien der anderen Unternehmungen für einen Anbau mit zwei Zimmern verwendet wurden.

Während seiner Reisen vernahm Syed Abbas, wie Hunderte Balti Mortenson in den höchsten Tönen lobten. Daraufhin sandte er einen Boten in das Indus Hotel und lud den Amerikaner zu sich nach Hause ein. Mit gekreuzten Beinen saßen sie auf edlen iranischen Teppichen in Abbas' Empfangsraum und tranken Tee.

„Ich habe mit dem Sher von Chakpo Kontakt aufgenommen und ihn gebeten, seine Fatwa zurückzunehmen." Abbas seufzte. „Aber er weigerte sich. Dieser Mann folgt nicht dem Islam, sondern seinen eigenen Vorstellungen. Er will, dass Sie aus Pakistan verbannt werden."

„Sollten Sie der Ansicht sein, dass ich gegen den Islam handle, dann fordern Sie mich auf, das Land zu verlassen, und ich werde es tun", erwiderte Mortenson.

„Machen Sie mit Ihrer Arbeit weiter. Aber bleiben Sie Chakpo fern. Ich glaube zwar nicht, dass Sie in Gefahr sind, aber völlig sicher bin ich mir nicht." Der höchste schiitische Geistliche Pakistans überreichte Mortenson einen Umschlag. „In diesem Schreiben versichere ich Sie meiner Unterstützung. Vielleicht ist es Ihnen bei manchem der anderen Dorfmullahs von Nutzen, *inschallah*."

Indem er Chakpo umfuhr, kehrte Mortenson nach Korphe zurück, um die Schule feierlich einzuweihen. Als Hadschi Ali, Twaha und der künftige Schulmeister Hussein auf dem Dach eine Besprechung abhielten, gesellte sich Husseins Frau Hawa kühn zu den Männern und bat, etwas sagen zu dürfen. „Wir sind dir für alles dankbar, was du für unsere Kinder getan hast", begann sie. „Aber die Frauen möchten, dass ich dich um etwas bitte."

„Und das wäre?", fragte Mortenson.

„Der Winter hier ist sehr hart. In der kalten Jahreszeit sitzen wir den ganzen Tag herum wie die Tiere und haben nichts zu tun. Mit Allahs Hilfe hätten wir gern ein Frauenzentrum, wo wir miteinander plaudern und nähen können."

Als im August die Gäste zur Einweihung der Schule erwartet wurden, war Hawa bereits Leiterin des neuen Berufsbildungszentrums für Frauen in Korphe. In einem bislang ungenutzten Hinterzimmer von Hadschi Alis Haus versammelten sich die Frauen jeden Nachmittag und lernten, angeleitet von einem Schneidermeister aus Skardu, den Umgang mit den vier neuen handbetriebenen Nähmaschinen, die Mortenson angeschafft hatte. „Bei den Balti hatte das Nähen und Weben bereits große Tradition", erklärt er. „Deshalb war Hawas Vorschlag ein so ausgezeichneter Weg, Frauen zu mehr Einfluss zu verhelfen, dass ich beschloss, von diesem Tag an zu jeder Schule auch ein Berufsbildungszentrum einzurichten."

Anfang August 1997 fuhr er an der Spitze einer Jeep-Karawane triumphierend im Braldu-Tal ein. In dem grünen Land Cruiser saß Tara, die noch nicht einjährige Amira auf dem Schoß. Zum Gefolge gehörten außerdem Polizisten, hochrangige Armeeoffiziere, Lokalpolitiker und die CAI-Vorstandsmitglieder Jennifer Wilson und Julia Bergman. Letztere hatte viele Monate damit verbracht, eine Bibliothek für Korphe zusammenzustellen.

„Es war ein unglaubliches Erlebnis, die Schule, von der Greg so leidenschaftlich erzählt hatte, endlich zu Gesicht zu bekommen", berichtet Tara, „denn es vermittelte mir ganz neue Einblicke in das Leben meines Mannes. Am Einweihungstag lernten wir Hadschi Ali und seine Frau kennen. Das ganze Dorf wollte Amira im Arm halten und mit dem kleinen blonden Kind spielen. Sie war wie im siebten Himmel."

Die Schule war blitzblank geputzt. In jedem Klassenzimmer standen Dutzende neuer Holzpulte auf Teppichen, die dick genug waren, um die Füße der Schüler vor der Kälte zu schützen. Bunte Weltkarten und Porträts führender pakistanischer Politiker schmückten die Wände. Und über der auf dem Schulhof aufgebauten Bühne prangte ein Transparent mit der Aufschrift WILLKOMMEN, VEREHRTE GÄSTE.

„Es war der aufregendste Tag meines Lebens", erinnert sich Tahira, die Tochter des Schulmeisters Hussein. „Mr Parvi verteilte die neuen Bücher. Ich wagte kaum, sie aufzuschlagen, so schön waren sie. Noch nie zuvor hatte ich eigene Bücher besessen."

Jennifer Wilson hatte eine Rede verfasst, in der sie hervorhob, wie gern ihr Mann diesen Tag noch erlebt hätte. Parvi dolmetschte, während sie sich direkt an die Zuschauer wandte. Anschließend überreichte sie jedem Schüler eine nagelneue, ordentlich in Plastikfolie verpackte Schuluniform.

„Ich musste die ausländischen Damen ständig anstarren", erzählt Hadschi Alis Enkelin Dschahan, die zusammen mit Tahira die erste Frau mit Schulbildung werden sollte, die das Braldu-Tal je hervorgebracht hatte. „Sie machten einen so würdigen Eindruck. Wenn ich früher Menschen aus dem Tiefland begegnete, schämte ich mich meiner schmutzigen Kleider und lief davon. Jetzt aber besaß ich zum ersten Mal im Leben saubere Sachen. Und ich weiß noch, dass ich dachte: Vielleicht werde ich mit Allahs Hilfe ja eines Tages auch eine große Dame."

Dann hielten Hussein und die beiden neuen Lehrer, die ihm zur Seite stehen sollten, ihre Reden. Ihnen folgten die Ansprachen von Hadschi Ali und den geladenen Würdenträgern. Nur Mortenson schwieg. „Während der Reden hielt er sich im Hintergrund", berichtet Tara. „Er stand da, hatte irgendein Baby auf dem Arm und schaukelte es vergnügt. Und ich sagte mir: So ist Greg, das macht ihn aus. Vergiss diesen Moment nie."

Nachdem Mortenson Frau und Tochter in ein Flugzeug nach Hause gesetzt hatte, blieb er noch zwei Monate in Pakistan. Da das Berufsbildungszentrum in Korphe so erfolgreich war, wollten die Männer wissen, ob Mortenson nicht auch ihnen zu einer zusätzlichen Verdienstmöglichkeit verhelfen könne.

Und so gründete er, unterstützt von Taras Bruder Brent, das erste pakistanische Ausbildungszentrum für Träger. Brent, der wie sein verstorbener Vater den Mount Everest bezwungen hatte, überzeugte einen seiner Sponsoren, Geld und Ausrüstung zu spenden. „Die Träger von Baltistan arbeiteten unverdrossen in einer der schwierigsten Bergregionen der Welt", betont Mortenson. „Und zwar ohne die geringste bergsteigerische Ausbildung." In einer von Mouzafer geführten und organisierten Expedition stiegen Mortenson, Brent und achtzig Träger den Baltoro hinauf. Apo Razak, der darin erfahren war, große Gruppen unter widrigen Bedingungen zu verpflegen, war für die Mahlzeiten zuständig. Auf dem Gletscher hielten die Amerikaner Unterricht in Erster Hilfe, in der Rettung aus Gletscherspalten und im Abseilen ab.

Außerdem widmeten sie sich der Aufgabe, die in jeder Bergsaison dem Baltoro zugefügten Umweltschäden zu mildern. Für die Träger, die nach jeder Tour mit leeren Körben den Gletscher herunterkamen, entwickelten sie ein jährliches Recyclingprogramm, durch das bereits in jenem ersten Jahr mehr als eine Tonne Dosen, Glas und Plastik aus den Basislagern am K2, Broad Peak und Gasherbrum zurückgebracht wurde. Mortenson sorgte dafür, dass die Wertstoffe nach Skardu transportiert und die Träger für ihre Mühe pro halbem Kilo entlohnt wurden.

Als der Winter von den Hochtälern des Karakorum Besitz ergriff, kehrte Mortenson am Ende des arbeitsreichsten Jahres seines Lebens nach Bozeman zurück. „Wenn ich darauf zurückschaue, was wir damals trotz der Fatwa leisteten, frage ich mich, wo ich die Energie hernahm", wundert er sich noch heute.

Doch ihm war auch klar, dass immer noch immens viel zu tun war. Und so begann er, in seinem Keller die Frühjahrsoffensive gegen die Armut in Pakistan zu planen.

Die rote Samtschatulle

Mortenson malte sich aus, wie das Urteil des Obersten Rats der Ayatollahs in der Satteltasche eines Gesandten von Iran nach Afghanistan reiste. Nachdem das Bergpony die minenverseuchte Schomali-Ebene, ein ehemaliges Kampfgebiet aus den Taliban-Kriegen, hinter sich hatte, quälte es sich die steilen Pässe des Hindukusch hinauf und erreichte schließlich Pakistan. Mortenson wünschte, der Bote möge niemals eintreffen, hielt ihn in seinen Gedanken durch Erdrutsche und Lawinen auf, denn wenn er schlechte Nachrichten brachte, würde er selbst vielleicht nie wieder einen Fuß auf pakistanischen Boden setzen dürfen.

In Wahrheit jedoch wurde die rote Samtschatulle, die den Richterspruch enthielt, per Post von Qum nach Islamabad geschickt und dann mit dem Flugzeug nach Skardu gebracht, wo man sie den obersten schiitischen Geistlichen Nordpakistans zur öffentlichen Verlesung übergab.

Während der Oberste Rat über Mortensons Fall beraten hatte, hatten die Ayatollahs Kundschafter beauftragt herauszufinden, was dieser Amerikaner im Herzen des schiitischen Pakistans eigentlich so trieb. „Viele

Schulen meldeten mir den Besuch von seltsamen Männern, die Fragen zum Lehrplan stellten", erinnert sich Parvi. „Würden die Schüler zum Christentum bekehrt oder gar zu westlicher Sittenlosigkeit angeleitet?, wollten sie wissen. Zu guter Letzt erschien ein iranischer Mullah bei mir zu Hause und kam sofort auf den Punkt: ‚Haben Sie je gesehen, wie dieser Ungläubige Alkohol trank oder muslimische Frauen verführte?' Ich erwiderte wahrheitsgemäß, ich hätte Dr. Greg nie beim Trinken erlebt. Außerdem sei er ein verheirateter Mann, der seine Frau und seine Familie achte und nie ein Balti-Mädchen anfassen würde. Ich forderte den Mullah auf, sich selbst ein Bild von unseren Schulen zu machen. ‚Wir kennen Ihre Schulen bereits', antwortete er und bedankte sich höflich dafür, dass ich ihm meine Zeit geopfert hatte."

An einem Aprilmorgen 1998 erschien Parvi in aller Frühe im Hotel und verkündete, sie hätten beide eine Vorladung erhalten. Mortenson rasierte sich und zog den saubersten der fünf braunen Salwars an, die er inzwischen besaß.

Die Imam-Bara-Moschee wirkte wie fast alle Gotteshäuser im schiitischen Pakistan von außen recht unscheinbar. Ihre hohen Lehmmauern waren schmucklos, da das Gebäude die Energien nach innen richten sollte. Nur das hohe Minarett, von dem aus die Gläubigen per Lautsprecher zum Gebet gerufen wurden, war grün und blau gestrichen. Parvi und Mortenson wurden durch einen Hof zu einem Türbogen geführt. Als der Amerikaner den schweren schokoladenbraunen Samtvorhang beiseiteschob, stand er im Allerheiligsten der Moschee, einem Raum, den bis jetzt noch kein Ungläubiger betreten hatte.

Schwarze Turbane auf dem Kopf, warteten drinnen acht würdige Mitglieder des Rats der Mullahs. Aus Syed Abbas Risvis kühler Begrüßung schloss Mortenson, dass er mit dem Schlimmsten rechnen musste. Bedrückt ließ er sich auf dem wertvollen Isfahan-Teppich nieder. Syed Abbas bedeutete den anderen Ratsmitgliedern, in einem Kreis ebenfalls bei ihnen Platz zu nehmen. Dann setzte er sich selbst und stellte die kleine rote Samtschatulle vor sich auf den weichen Teppich.

Feierlich klappte er den Deckel auf und holte eine Pergamentrolle heraus. Nachdem er das darumgewickelte rote Band entfernt hatte, übersetzte er den in kunstvoller Handschrift auf Farsi verfassten Text, der Mortensons Zukunft besiegeln sollte.

„Verehrter Helfer der Armen,
unser Heiliger Koran will, dass alle Kinder Bildung erfahren sollen, auch unsere Töchter und Schwestern. Ihre edlen Werke stimmen mit

den hohen Grundsätzen des Islam überein, für die Armen und Kranken zu sorgen. Kein Gesetz im Heiligen Koran verbietet es einem Ungläubigen, unseren muslimischen Brüdern und Schwestern beizustehen. Deshalb weisen wir alle Geistlichen Pakistans an, Sie nicht in Ihren löblichen Absichten zu behindern. Sie haben unsere Erlaubnis und unseren Segen, und unsere Gebete sind mit Ihnen."

Mortenson schüttelte jedem Mitglied des Rates die Hand. „Heißt das, die Fatwa ...?", stieß er hervor.

„Vergessen Sie diesen Unsinn!", erwiderte Parvi strahlend. „Wir haben nun den Segen des höchsten Mufti im Iran. Kein Schiit wird es jetzt mehr wagen, sich in unsere Arbeit einzumischen, *inschallah*."

Syed Abbas ließ Tee bringen. „Ich wollte noch etwas mit Ihnen besprechen", meinte er, nun ein wenig lockerer, da der offizielle Teil abgehandelt war. „Ich würde Ihnen nämlich gern eine Zusammenarbeit vorschlagen."

Da sein Einflussgebiet auch Dutzende wilde Bergtäler umfasste, wusste er genau, was in den einzelnen Dörfern gebraucht wurde. Er erklärte Mortenson, auch seiner Ansicht nach sei Bildung die einzige Strategie, die langfristig etwas gegen die Armut ausrichten könne. Allerdings drohe den Kindern Baltistans eine viel unmittelbarere Gefahr, denn in Dörfern wie Chunda im unteren Shigar-Tal erlebe mehr als jedes dritte Kind seinen ersten Geburtstag nicht. Verantwortlich dafür seien erbärmliche hygienische Bedingungen und verschmutztes Trinkwasser.

Begeistert griff Mortenson diese neue Anregung auf. Begleitet von Syed Abbas, besuchte er den Nurmadhar von Chunda und überredete ihn, ihm die Männer des Dorfes als Arbeitskräfte zur Verfügung zu stellen, woraufhin die Bewohner von vier Nachbardörfern darum baten, sich an dem Projekt beteiligen zu dürfen. Da nun Hunderte Männer zehn Stunden täglich Gräben aushoben, waren die Arbeiten in einer Woche abgeschlossen. Mortenson stellte viertausend Meter Rohrleitung zur Verfügung, um die öffentlichen Zapfstellen in den fünf Dörfern mit frischem Quellwasser zu versorgen. „Ich lernte, Syed Abbas' Weitsicht zu respektieren und mich darauf zu verlassen", sagt er. „Vor religiösen Führern wie ihm habe ich wirklich Hochachtung. Syed Abbas ist ein Mann, der die Ärmel hochkrempelt, um die Welt zu verbessern. Dank seines Einsatzes mussten die Frauen von Chunda jetzt nicht mehr kilometerweit gehen, um frisches Wasser zu holen. Über Nacht sank die Kindersterblichkeit in einer Gemeinde mit zweitausend Einwohnern um die Hälfte."

Das bedingungslose Engagement der Einheimischen war eine der Grundvoraussetzungen dafür, dass wie hier in Hushe allmählich überall in der Region Schulen eröffnet werden konnten.

Vor allem die Förderung der Mädchen soll den abgelegenen Bergtälern eine bessere Zukunft bringen.

Mullah Syed Abbas Risvi, das geistliche Oberhaupt der nordpakistanischen Schiiten, unterstützte Mortenson ohne Vorbehalt.

In einer Sitzung vor Mortensons Abreise nach Pakistan hatte der CAI-Vorstand den Bau dreier weiterer Schulen im Frühling und Sommer 1998 genehmigt. Die Schule für Mouzafers Dorf Halde lag Mortenson besonders am Herzen. Bei seinen letzten Besuchen hatte Mouzafer verändert auf ihn gewirkt. Der Mann, der ihn vom Baltoro hinuntergeführt hatte, schien seine Bärenkräfte verloren zu haben. Außerdem ließ sein Gehör nach.

Halde war in Mortensons Augen ein für pakistanische Verhältnisse idyllisches Fleckchen Erde. Bewässerungsgräben verliefen durch ordentlich unterteilte Felder, die sich bis hinunter zum Flussufer erstreckten. Die Wege im Dorf wurden von schattenspendenden Aprikosen- und Maulbeerbäumen gesäumt. Mouzafer, der den Trägerberuf inzwischen an den Nagel gehängt hatte, wollte seinen Lebensabend hier bei seinen Bäumen und im Kreis seiner Kinder verbringen.

Auf die mittlerweile bewährte Methode sicherte sich Mortenson mit Parvis und Makhmals Hilfe ein Stück Land und baute, unterstützt von den Dorfbewohnern, in drei Monaten eine solide Schule mit vier Klassenzimmern. Mouzafers Großvater war ein in ganz Baltistan bekannter Dichter gewesen, während sein Enkel, ein einfacher Mann, sein Leben lang als Träger gearbeitet und in Halde nicht viel Einfluss genossen hatte. Dass es durch ihn zum Bau der Schule gekommen war, verhalf diesem gütigen Menschen, der nun eigenhändig Steine zur Baustelle schleppte und Stützbalken aufrichtete, jedoch zu bislang nie da gewesenem Respekt.

„Meine besten Zeiten sind vorbei, Greg Sahib", meinte er, als die beiden vor der fertigen Schule standen. „Ich würde gerne noch viele Jahre mit dir zusammenarbeiten, doch Allah hat mir in seiner Weisheit viel von meiner Kraft genommen."

Mortenson umarmte den Mann, der ihm so oft geholfen hatte, den rechten Weg zu finden. „Was wirst du tun?"

„Meine Bäume gießen", erwiderte Mouzafer.

NACHDEM Mortenson eine Konferenz von Entwicklungsexperten in Bangladesch besucht hatte, beschloss er, dass die Schulen des CAI nur Schüler bis zur fünften Klasse unterrichten und sich auf die Ausbildung von Mädchen konzentrieren sollten. „Wenn man den Jungen zur Schulbildung verhilft, verlassen sie meist die Dörfer, um in den Städten Arbeit zu suchen", erläutert er. „Doch die Mädchen bleiben zu Hause, übernehmen führende Positionen in der Gemeinde und geben das Gelernte weiter. Wenn man eine Kultur verändern, den Frauen Einfluss schenken, die hygienischen Verhältnisse verbessern, eine medizinische Versorgung sicherstellen und die Kindersterblichkeit verringern will, muss man die Mädchen ausbilden." Der Vorstand stimmte dieser Philosophie zu.

Da nun zwölf Schulen in Betrieb waren, veranstaltete Julia Bergman mit Unterstützung von zwei College-Dozenten einen Kurs für Lehrer, der jeden Sommer in Skardu stattfinden sollte. Außerdem stellte sie eine Bibliothek zusammen, auf die alle CAI-Lehrer zurückgreifen konnten. In jenem Sommer setzte sich Mortenson in Skardu mit Parvi, den amerikanischen Lehrern, die Julia aus den USA mitgebracht hatte, und allen beim CAI beschäftigten pakistanischen Lehrkräften zusammen, um einen pädagogischen Ansatz zu erarbeiten.

Die Schulen des CAI sollten nicht von dem Lehrplan abweichen, nach dem auch die guten staatlichen Lehranstalten in Pakistan vorgingen. Doch auch wenn die Lerninhalte nichts umfassen durften, was von konservativen Kräften als unislamisch hätte gedeutet werden können, hatte der eifernde Fundamentalismus, den man in vielen Madaris des Landes antraf, in diesen Schulen nichts zu suchen.

„Pakistanische Kinder sollen nicht lernen, wie Amerikaner zu denken", stellt Mortenson klar. „Ich will nur, dass sie eine ausgewogene, extremismusfreie Erziehung bekommen. Das ist die Grundlage unseres Konzepts."

FATIMA BATUL erinnert sich noch genau an das erste Krachen der indischen Artilleriebatterie, die nur zwölf Kilometer entfernt auf der anderen Seite der Bergkette stationiert war. Pfeifend sauste die erste Granate aus dem blauen Himmel herab, während sie und ihre Schwester Aamina einander erschrocken ansahen. Sie waren gerade dabei, Buchweizen auszusäen.

Ihr Dorf Brolmo lag im Gultori-Tal, einem Gebiet, das auf den Karten der indischen Soldaten, die jenseits der Grenze lagen, unter dem Namen PAKISTANISCH BESETZTES KASCHMIR verzeichnet war.

An das, was nach dem Hagel umherfliegender Metallsplitter aus dem 155-Millimeter-Geschoss folgte, will sich die damals zehnjährige Fatima lieber nicht mehr erinnern, da es ihr bis heute Angst macht.

Aamina packte Fatimas Hand und schloss sich mit ihr den panisch fliehenden Dorfbewohnern an, die versuchten, sich in Höhlen in Sicherheit zu bringen. Fatima weiß nicht mehr – oder will nicht mehr wissen –, warum Aamina plötzlich nach draußen vor die Höhle lief, als genau am Eingang mit einem lauten Knall eine Granate explodierte.

Jedenfalls wurde die Seele ihrer Schwester damals unwiederbringlich zerstört, und das Leben der beiden Mädchen änderte sich für immer.

Ende Mai 1999 saß Mortenson nachts in seinem Kellerbüro in Montana und suchte im Internet nach Informationen über die Kämpfe, die auf einmal in Kaschmir aufgeflammt waren. Noch nie hatte er etwas dergleichen gehört.

Seit der Teilung des kolonialen Britisch-Indien in die beiden unabhängigen Staaten Indien und Pakistan im Jahr 1947 war Kaschmir ein Pulverfass. Während Indien dank seiner militärischen Überlegenheit einen Großteil des früheren Fürstentums an sich reißen konnte, wurde Kaschmir für die Bevölkerung Pakistans zum Symbol der Unterdrückung, welche die Muslime ihrer Ansicht nach beim Zerfall der britischen Kolonie hatten erdulden müssen. Für die Inder hingegen bedeutete Kaschmir eine feste Grenze, die über die Gipfel der Sechstausender verlief, ein Juwel, das man sich auf gar keinen Fall rauben lassen durfte.

Nach jahrzehntelangen Scharmützeln einigten sich beide Länder 1971 auf eine Demarkationslinie (*Line of Control*, LOC) durch ein felsiges und unwirtliches Gebiet, das allein schon aufgrund der äußeren Bedingungen ein Eindringen feindlicher Truppen verhinderte. „Ich erschrak über die hohen Verluste", erinnert sich Mortenson. „Denn während meiner ersten sechs Jahre in Pakistan hatten die Kämpfe an der LOC eher Scheingefechten geähnelt."

Nachdem Pakistan die Welt ein Jahr zuvor mit fünf erfolgreichen Atomwaffentests überrascht hatte, beschloss Premierminister Nawaz Sharif im April 1999, Indiens Kampfeswillen auf die Probe zu stellen. Etwa achthundert bis an die Zähne bewaffnete islamische Krieger überquerten die LOC und bezogen auf Bergkämmen im indischen Teil Kaschmirs Position. Laut Aussage der indischen Seite hatten Angehörige der *Northern Light Infantry Brigade* – der mit dem Schutz des nördlichen Pakistans betrauten Eliteeinheit – die Invasion in Zivilkleidung und unterstützt von Mudschaheddin durchgeführt. Fast einen Monat lang blieben sie unentdeckt, bis Kundschafter der indischen Armee bemerkten, dass die Bergkuppen rings um die Stadt Kargil von Pakistanern und deren Verbündeten besetzt waren.

Der indische Premierminister Atal Bihari Vajpayee warf Sharif die Invasion Indiens vor, doch sein pakistanischer Amtskollege erwiderte, die Eindringlinge seien „Freiheitskämpfer", die unabhängig vom Militär seines Landes operierten und spontan beschlossen hätten, die Muslime in Kaschmir von ihren hinduistischen Unterdrückern zu befreien. Die Inder behaupteten später allerdings, bei Gefallenen Erkennungsmarken der Northern Light Infantry Brigade gefunden zu haben, was die Geschichte in ein etwas anderes Licht rückt.

Am 26. Mai 1999 mobilisierte Vajpayee zum ersten Mal seit über zwanzig Jahren seine Luftwaffe gegen Pakistan und sie nahm die pakistanischen Stellungen unter Beschuss. Daraufhin holten die Kämpfer auf den Hügeln ein Flugzeug und einen Hubschrauber vom Himmel – mit Boden-Luft-Raketen, die den afghanischen Mudschaheddin damals von den Amerikanern für den Kampf gegen die Sowjets geliefert worden waren. Es war der Auftakt des später so genannten Kargil-Konflikts.

Allerdings ist „Konflikt" noch milde ausgedrückt für die heftigen Feuergefechte, die sich pakistanische und indische Streitkräfte lieferten. Die Pakistaner töteten Hunderte von indischen Soldaten, erlitten selbst aber noch höhere Verluste. Laut Aussage der indischen Seite gerieten auch unzählige Zivilisten in die Schusslinie. Im Frühjahr und Sommer 1999 regneten mehr als eine Viertelmillion indischer Granaten, Bomben und Raketen auf Pakistan herab – eine Angriffsdichte durch die überlegene indische Feuerkraft, wie es sie auf der Welt seit dem Zweiten Weltkrieg nicht mehr gegeben hatte.

Scharenweise überquerten Flüchtlinge zu Fuß die Pässe und schleppten sich erschöpft und verletzt nach Skardu. Sie brauchten Hilfe, die ihnen jedoch niemand in Baltistan geben konnte.

Mortenson buchte einen Flug.

Mitte Juni ist die Deosai-Hochebene eines der weltweit idyllischsten Fleckchen Erde. Das fand wenigstens Mortenson, als er im Land Cruiser bergauf in Richtung Baltistan fuhr. Die violetten Lupinen, die auf den Hochwiesen zwischen den Gipfeln wuchsen, sahen aus, als hätte sie jemand mit dem Pinsel hingetupft.

Hussein, Apo und Faisal waren nach Islamabad gekommen, um Mortenson abzuholen. Apo hatte ihn davon überzeugt, die 36 Stunden lange Fahrt über die häufig schlechten Straßen der Deosai-Hochebene nach Skardu auf sich zu nehmen, da der Karakorum-Highway von Militärkonvois verstopft sei.

Eigentlich hatte Mortenson nicht damit gerechnet, hier oben irgendjemandem zu begegnen, denn die Pässe dieses in über viertausend Meter Höhe gelegenen, an Indien grenzenden Plateaus waren noch mit Schnee bedeckt. Allerdings waren in beide Richtungen Kolonnen von Pick-ups unterwegs – die Kriegsfahrzeuge der Taliban, in denen sich Kämpfer mit schwarzen Turbanen drängten.

„Apo!", übertönte Mortenson das Motorgeräusch, nachdem der Land

Cruiser zum vierten Mal von einem laut hupenden Konvoi von der Straße gedrängt worden war. „Hast du je so viele Taliban gesehen?"

„Die *Kabulis* treiben sich immer hier herum." Apo benutzte den ortsüblichen Begriff für die verhassten Fremden, die nur Gewalt nach Baltistan brachten. „Aber solche Horden waren es noch nie. Sie müssen es sehr eilig haben, Märtyrer zu werden."

Bei ihrer Ankunft war in Skardu das Kriegsfieber ausgebrochen. Von der Front trafen Bedfords ein, beladen mit Särgen, über die man feierlich die pakistanische Flagge gebreitet hatte. Unzählige Hubschrauber ratterten über Mortensons Kopf hinweg. Dennoch spürte er, als er um neun Uhr abends in der Halle des Indus Hotels saß, wie ihm die Augen zufielen. Auf der beschwerlichen Fahrt über die Hochebene hatte er viel zu wenig Schlaf abbekommen.

Am nächsten Morgen stattete ihm Syed Abbas einen Besuch ab. Noch nie hatte Mortenson den Mullah so aufgebracht erlebt. Der Krieg sei für die Zivilbevölkerung des Gultori eine Katastrophe, klagte Abbas. Niemand wisse, wie viele Dorfbewohner bereits von den indischen Bomben und Granaten getötet oder verletzt worden seien. Inzwischen seien etwa zweitausend Flüchtlinge in Skardu eingetroffen. Tausende weiterer hätten sich in Höhlen verkrochen, um das Ende der Kämpfe abzuwarten. Sowohl die Verwaltung der nördlichen Provinzen als auch das Flüchtlingshilfswerk der Vereinten Nationen hätten seine Bitte um Hilfe zurückgewiesen. Die örtlichen Behörden behaupteten, man habe nicht die Mittel, um die Krise zu bewältigen. Und die UN habe geantwortet, man könne den Flüchtlingen nicht helfen, denn sie seien innerhalb des Landes unterwegs und nicht über internationale Grenzen geflohen.

„Was brauchen diese Menschen?", erkundigte sich Mortenson.

„Alles. Aber insbesondere Wasser."

Der Mullah fuhr Mortenson, Apo und Parvi zu der neuen Zeltstadt aus sonnengebleichten Plastikplanen, die in den Sanddünen am Flugplatz westlich von Skardu entstanden war. Die Männer zogen die Schuhe aus, verließen die Straße und stapften über ein Dutzend Dünen zum Flüchtlingslager, während pakistanische Kampfflugzeuge dröhnend über sie hinwegrasten. Rings um den Flugplatz hatten Soldaten mit Flugabwehrgeschützen hinter Sandsäcken Posten bezogen.

Man hatte die Flüchtlinge auf das einzige Stück Land abgeschoben, für das sich in Skardu niemand interessierte. Ihr Lager mitten in den Dünen verfügte über keine natürliche Wasserquelle, und bis zum Indus war es eine Stunde Fußmarsch. Als Mortenson sich das gewaltige Ausmaß seiner Aufgabe bewusst machte, schwirrte ihm der Kopf. „Wie sollen wir Wasser hierherbringen? Schließlich sind wir nicht nur weit weg vom Fluss, sondern auch noch auf höher gelegenem Gelände."

„Ich habe von einer Methode in Iran gehört", erwiderte Syed Abbas. „Man nennt sie Wasserhebesysteme. Dazu muss man ein sehr tiefes Loch bis zum Grundwasser graben und eine Pumpe hineinsetzen. Mit Allahs Hilfe müsste es möglich sein." Umweht von seinem bauschigen schwarzen Gewand, lief er über den hellen Sand und wies auf die Stellen, wo man am besten bohren sollte.

„Ich wünschte, dass die Menschen im Westen, die Vorurteile gegen Muslime haben, Abbas an diesem Tag hätten erleben können", hebt Mortenson hervor. „Dann wäre ihnen klar geworden, dass die meisten gläubigen Muslime, selbst konservative Mullahs wie Abbas, an Frieden und Gerechtigkeit glauben, nicht an den Terror. Ebenso wie in Thora und Bibel steht, man solle den Bedrängten beistehen, steht auch im Koran, dass man für Witwen, Waisen und Flüchtlinge sorgen muss."

Auf den ersten Blick wirkte die Zeltstadt verlassen, weil ihre Bewohner unter den Planen Schutz vor der sengenden Sonne suchten. Apo – selbst ein Flüchtling, der eigentlich aus Dras, einem an das Gultori angrenzenden Gebiet auf der indischen Seite, stammte – ging von Zelt zu Zelt und ließ sich berichten, was dringend gebraucht wurde.

Währenddessen standen Mortenson, Parvi und Syed Abbas auf einem freien Platz zwischen den Zelten und überlegten, wie sie das Wasserhebesystem am besten einrichten sollten. Parvi war sicher, seinen Nachbarn, den Leiter der Stadtwerke von Skardu, überreden zu können, ihnen schweres Gerät für die Erdarbeiten zu leihen, wenn das CAI die Rohre und Wasserpumpen finanzierte.

„Wie viele Menschen leben hier?", erkundigte sich Mortenson.

„Mittlerweile knapp über fünfzehnhundert", antwortete Syed Abbas. „Hauptsächlich Männer. Sie sind hergekommen, um Arbeit und eine Unterkunft zu suchen, bevor sie ihre Frauen und Kinder nachholen. In ein paar Monaten könnten wir es mit vier- oder fünftausend Flüchtlingen zu tun haben."

Apo trat zu ihnen, nahm Mortensons Hand und zog ihn zu den Zelten. „Wie willst du wissen, was die Leute brauchen, wenn du nicht mit ihnen sprichst?"

Mullah Gulzar saß unter einer blauen Plane. Er trug eine schwarze Kappe auf dem Kopf und erhob sich mühsam, um Mortenson zu begrüßen. Nachdem der alte Geistliche aus dem Dorf Brolmo ihm die Hand geschüttelt hatte, entschuldigte er sich, weil er nicht die Möglichkeit habe, seinen Gästen Tee anzubieten. Die Männer ließen sich auf einer

Plastiktischdecke nieder, die im warmen Sand lag. Dann forderte Apo den Mullah auf, seine Geschichte zu erzählen.

Das Licht, das durch die Plane hereinströmte, spiegelte sich in der riesigen Brille des alten Mannes, sodass seine Augen beim Sprechen nicht zu sehen waren. Mortenson hatte das unbehagliche Gefühl, einem Blinden mit undurchsichtiger blauer Brille zuzuhören.

„Wir wollten nicht herkommen", begann Gulzar und strich sich über den langen, dünnen Bart. „In Brolmo ist es schön. Wenigstens war es das. Wir sind so lange geblieben, wie wir konnten, haben uns tagsüber in den Höhlen versteckt und nachts unsere Felder bestellt. Am Tag war das nicht möglich, da wir dann den Granaten zum Opfer gefallen wären. Schließlich waren alle Bewässerungskanäle zerstört. Die Felder waren verdorben, die Häuser zerbombt. Da wir wussten, dass unsere Frauen und Kinder sterben würden, wenn wir nichts unternahmen, machten wir uns zu Fuß auf den Weg über die Berge nach Skardu. Als wir dort ankamen, wies uns die Armee an, uns hier niederzulassen. Wenn es ginge, würden wir sofort nach Hause zurückkehren, denn das hier ist kein Leben. Bald werden unsere Frauen und Kinder in dieser Einöde eintreffen. Was soll ich ihnen sagen?"

Mortenson umfasste die Hände des alten Mullahs. „Wir werden euch helfen, Wasser für eure Familien hierherzubringen", versprach er.

„Dafür danke ich Allah dem Allmächtigen. Aber Wasser ist nur der Anfang. Wir brauchen Essen, Medizin und Bildung für unsere Kinder. Dies ist nun unser Zuhause. Ich schäme mich, um so vieles zu bitten, aber sonst ist niemand gekommen."

Der Geistliche wandte das Gesicht zum Himmel, der durch die blaue Plastikplane zu sehen war. Da der Spiegeleffekt dadurch aufgehoben wurde, konnte Mortenson erkennen, dass der Mullah Tränen in den Augen hatte. „Wir haben nichts. Ich kann Ihnen für Ihre Güte, die unsere Gebete erfüllt, nichts anbieten", sagte Gulzar. „Nicht einmal einen Tee."

Es dauerte acht Wochen, die erste Wasserhebeanlage in der Geschichte des nördlichen Pakistans fertigzustellen. Parvi hielt Wort und überredete seinen Nachbarn, ihnen kostenlos Baumaschinen zu leihen. Der Leiter der Stadtwerke spendete außerdem alle für das Projekt benötigten Rohrleitungen, und die Armee schickte zwölf Traktoren, um die Steine wegzuschaffen. Das CAI bewilligte Mortenson sechstausend Dollar für dieses Vorhaben.

In Gilgit bestellte er starke Pumpen und Generatoren. Alle Männer aus Brolmo schufteten rund um die Uhr, um einen riesigen Betontank zu bauen, in dem man einen Wasservorrat für eine Siedlung von fünftausend Menschen speichern konnte. Nachdem sie vierzig Meter tief gebohrt hatten, stießen sie auf Grundwasser, um den Tank zu füllen. Nun hatten die Männer die Möglichkeit, Häuser aus Lehmziegeln zu errichten und die kahle Wüste in ein grünes Dorf für ihre Familien zu verwandeln. Allerdings mussten die Frauen und Kinder erst den Fußmarsch nach Skardu überstehen.

WÄHREND der Zeit in der Höhle konnte Fatima nicht zu weinen aufhören. Die äußeren Wunden ihrer Schwester waren nicht schwerwiegend, die in ihrem Innern aber umso schlimmer. Seit dem Tag, an dem die Granate neben Aamina am Höhleneingang eingeschlagen war, hatte das Mädchen kein einziges Wort mehr gesprochen. Nur manchmal, wenn die Geschosse besonders regelmäßig einschlugen, brachte sie ein flehendes Gewimmer hervor, das eher an ein Tier erinnerte als an ein menschliches Wesen.

„Das Leben in den Höhlen war ziemlich hart", erinnert sich Fatima. „Unser Dorf war sehr schön. Wir hatten Aprikosen- und sogar Kirschbäume und lebten an einem Hang über dem Indus. Und nun mussten wir tatenlos zusehen, wie alles zerstört wurde."

Die wenigen in Brolmo zurückgebliebenen Männer hielten eine Versammlung ab und teilten im Anschluss allen Kindern mit, nun sei die Zeit gekommen, um tapfer zu sein, denn sie müssten sich jetzt hinaus ins Freie wagen und eine lange Zeit zu Fuß gehen. Dabei werde es wenig zu essen geben.

Drei Wochen lang marschierten sie nach Nordwesten. „Oft benutzten wir Tierpfade, die eigentlich gar nicht für Menschen gedacht waren", berichtet Fatima. „Wir ernährten uns von Wildpflanzen und kleinen Beeren, um am Leben zu bleiben, obwohl wir davon Magenschmerzen bekamen." Schließlich trafen sie erschöpft und ausgehungert in den Dünen am Flugplatz von Skardu ein. „Als wir unser neues Dorf erreichten, legte Aamina sich hin und wollte nicht mehr aufstehen", fährt Fatima fort. „Niemand konnte sie dazu bewegen, und nicht einmal das Wiedersehen mit unserem Vater und den Onkeln munterte sie auf. Nach einigen Tagen starb sie."

Die heute 15-jährige Fatima sitzt an ihrem Pult in der im Sommer 1999 während des Kargil-Konflikts vom CAI am Flugplatz erbauten Gultori-Flüchtlingsschule für Mädchen. Wie Fatima hinken auch die anderen Fünftklässlerinnen ihren Altersgenossinnen wissensmäßig hinterher, da sie erst nach der Flucht mit dem Schulbesuch begonnen haben. Ihre Brüder müssen eine Stunde zu Fuß zu den staatlichen

Knabenschulen in den umliegenden Dörfern gehen. Doch für die 129 Gultori-Mädchen, die sonst vielleicht nie eine Schule von innen gesehen hätten, bedeutet dieses Gebäude so etwas wie das Licht am Ende eines langen Tunnels.

„Ich habe Leute auf die Amerikaner schimpfen hören", meint Fatima leise. „Aber wir lieben die Amerikaner. Sie sind sehr gut zu uns gewesen und haben sich als Einzige für uns eingesetzt."

Überlastet

Zweihundert Stühle aufzustellen dauerte länger, als Mortenson erwartet hatte. Denn auf den Wohltätigkeitsbasaren und Wochenmärkten sowie in den Kirchen und Colleges, wo er sonst seine Diavorträge hielt, hatte ihm bis jetzt stets jemand dabei geholfen. Allerdings waren heute in dem Sportgeschäft in Minnesota sämtliche Mitarbeiter mit der Vorbereitung des Winterschlussverkaufs beschäftigt.

Es war bereits Viertel vor sieben, nur noch fünfzehn Minuten bis zum Beginn seines Vortrags. Aber Mortenson hatte erst gut hundert der braunen Klappstühle aus Metall aufgebaut. Er trieb sich zur Eile an.

Nachdem der letzte Stuhl um zwei Minuten nach sieben stand, hastete er atemlos durch die Reihen, um einen Infobrief des Central Asia Institute auf alle Plätze zu legen. An die Rückseite jedes der fotokopierten Blätter hatte er einen Umschlag für eine Geldspende geheftet.

Da der Kontostand des CAI bedenklich gegen null tendierte, hielt er inzwischen jede Woche, die er nicht in Pakistan war, einen Vortrag. Obwohl er nichts so sehr hasste, wie vor großen Gruppen über sich selbst zu reden, wusste er, dass selbst an schlechten Abenden einige Hundert Dollar hereinkamen – ein wichtiger Beitrag für die Kinder in Pakistan. Und so zwang er sich immer wieder, seine Reisetasche zum Flughafen von Bozeman zu schleppen.

Er untersuchte den alten Diaprojektor, den er vor Kurzem mit Isolierband geflickt hatte, und drehte sich zu seinem Publikum um.

Doch vor ihm standen nur zweihundert unbesetzte Stühle.

Da er Plakate an den örtlichen Colleges aufgehängt, die Redakteure der Lokalzeitungen um einige Zeilen angefleht und sogar ein kurzes Radiointerview in einer Frühstückssendung gegeben hatte, hatte er eigentlich mit einem vollen Haus gerechnet.

Zwei Verkäufer in grünen Westen setzten sich in die letzte Reihe.

„Was soll ich tun?", fragte Mortenson. „Soll ich trotzdem meinen Vortrag halten?"

„Es geht doch um die Besteigung des K2, richtig?", erkundigte sich der eine, ein junger bärtiger Mann.

„In gewisser Weise schon."

„Gut, Kumpel, dann schießen Sie mal los!"

Nachdem Mortenson die erwarteten Aufnahmen vom K2 vorgeführt hatte, erzählte er von den inzwischen 18 CAI-Schulen und zeigte hierzu Fotos. Da bemerkte er einen Kunden, einen gebildet wirkenden Mann mittleren Alters, der um eine Ecke spähte, weil er sich für einen Schaukasten mit digitalen Multifunktionsuhren interessierte, zugleich aber nicht stören wollte. Als Mortenson innehielt und ihm zulächelte, nahm der Mann Platz und blickte auf die Leinwand.

Ermutigt von der Tatsache, dass sein Publikum um fünfzig Prozent gewachsen war, schilderte Mortenson noch dreißig Minuten lang in glühenden Farben sein Projekt. Er schloss mit einem seiner Lieblingszitate von Mutter Teresa: „Was wir zu tun versuchen, mag nur ein Tropfen im Ozean sein, aber ohne diesen Tropfen würde dem Ozean etwas fehlen."

Er war für den Applaus dankbar, auch wenn der von nur sechs Händen kam. Als er den Projektor ausschaltete, trat der bärtige junge Mann zu ihm und reichte ihm einen Zehndollarschein. „Eigentlich wollte ich nach der Arbeit was trinken gehen, aber ... na, Sie wissen schon ..."

Ehrlich erfreut schüttelte Mortenson ihm die Hand, bevor er den Schein in den für Spenden mitgebrachten Umschlag steckte. Dann sammelte er die Infoblätter ein und verstaute sie in seiner Reisetasche.

Auf dem letzten Stuhl in der letzten Reihe, neben dem Schaukasten mit den Digitaluhren, entdeckte er einen von einem der Blätter abgerissenen Umschlag. Darin befand sich ein Scheck über zwanzigtausend Dollar.

Allerdings stand Mortenson nicht jede Woche vor leeren Stühlen. Insbesondere an der Pazifikküste im Nordwesten der USA hatten die Berg- und Wanderfreunde ihn ins Herz geschlossen. In Portland und San Francisco, wo er in jenem Winter seinen Vortrag hielt, mussten die Organisatoren Hunderte Interessierter wegen Überfüllung abweisen.

Zur Jahrtausendwende hatten Mortenson und das CAI die Unterstützung vieler führender amerikanischer Bergsteiger gewonnen. Doch während der Kreis von Mortensons Fürsprechern immer mehr wuchs, hatten seine Mitstreiter in den USA oft unter seinen Eigenheiten zu leiden. Wenn er nicht gerade in Pakistan oder dem eigenen Land unterwegs war, wachte er eifersüchtig über die mit seiner Familie in Bozeman verbrachte Zeit und vergrub sich in der Stille seines heimischen Kellers.

„Selbst wenn er zu Hause war, hörten wir häufig wochenlang nichts von ihm", erinnert sich der ehemalige CAI-Vorsitzende Tom Vaughan. „Außerdem reagierte er nicht auf Anrufe oder E-Mails. Der Vorstand diskutierte, ob er uns Rechenschaft darüber ablegen sollte, wie er seine Zeit verbrachte, aber wir erkannten, dass es nie funktioniert hätte. Greg tut einfach, was ihm gefällt."

„Eigentlich hätten wir ein paar ‚Aushilfs-Gregs' ausbilden müssen", meint Hoernis Witwe Jennifer Wilson. „Leute, an die er Projekte hätte delegieren können. Aber er fand, dass unser Geld nicht reichte, um ein Büro zu mieten oder Mitarbeiter zu beschäftigen. Wenn er sich dann in die Einzelheiten eines Projekts vertiefte, vernachlässigte er währenddessen ein anderes. Er hat viel geschafft. Aber ich war der Ansicht, dass wir noch mehr hätten bewirken können, wenn Greg damit einverstanden gewesen wäre, das CAI straffer durchzuorganisieren."

„Seien wir ehrlich", gesteht Tom Vaughan ein. „Greg ist das CAI. Ohne ihn ist es am Ende. Ich verstehe die Risiken, die er in jener Ecke der Welt eingeht – das gehört zum Job. Aber ich wurde wütend, weil er so furchtbar mit sich selbst umging. Er hörte auf zu klettern und zu trainieren. Er hörte auf zu schlafen. Er nahm so viel zu, dass er nicht mal mehr wie ein Bergsteiger aussah. Ich habe Verständnis für seine Entscheidung, sich völlig seiner Aufgabe hinzugeben. Aber wem nützt es, wenn er aufgrund eines Herzinfarkts tot umfällt?"

Widerstrebend stimmte Mortenson schließlich zu, jemanden einzustellen, der einige Stunden täglich in seinem Kellerbüro für Ordnung sorgte. Zu mehr war er nicht bereit. „Die meisten unserer Mitarbeiter in Pakistan waren aus dem Häuschen, wenn sie vier- oder fünfhundert Dollar im Jahr verdienten", erläutert er. „Es fiel mir schwer, mich mit der Vorstellung anzufreunden, jemandem ein Gehalt nach amerikanischen Maßstäben zu zahlen, wenn das Geld dort drüben viel besser eingesetzt werden konnte."

Im Jahr 2000 verdiente er 28000 Dollar jährlich. Inzwischen hatte Tara eine Teilzeitstelle als Psychologin angetreten, sodass sie zusammen mit ihrem Gehalt einigermaßen über die Runden kamen. Doch da das CAI knapp bei Kasse war, hätte Mortensons Gewissen eine Gehaltserhöhung nicht zugelassen – selbst wenn der Vorstand ihm eine angeboten hätte.

Im Frühling 2000 hatte Tara es allmählich satt, dass ihr Mann ständig kreuz und quer im Land umherreiste, wenn er nicht gerade in Pakistan war. Außerdem erwartete sie ihr zweites Kind und war im siebten Monat schwanger. Also berief sie eine Krisensitzung ein.

„Ich sagte Greg, dass ich seinen leidenschaftlichen Einsatz für seine Projekte sehr bewunderte", erinnert sie sich. „Allerdings müsse er auch an seine Familie denken und oft genug zu Hause sein, um ein gemeinsames Leben mit uns zu führen." Bis dahin war Mortenson stets für drei oder vier Monate nach Pakistan gereist. „Wir einigten uns auf eine Obergrenze von zwei Monaten", setzt Tara hinzu.

Nach seiner Rückkehr von einer Informationsreise über ländliche Entwicklungsprogramme auf den Philippinen, in Bangladesch und in Indien fühlte sich Mortenson im Winter 2000 völlig erschöpft. Darüber hinaus konnte er sich einfach nicht daran gewöhnen, dass er in den USA immer mehr zu einer Person des öffentlichen Lebens wurde. Und so flüchtete er sich vor dem endlosen Strom von Bergsteigern, Journalisten, Filmemachern, Physikern, Glaziologen, Seismologen, Ethnologen und Biologen, die ihn alle nur mit Forderungen und Fragen traktierten, in seinen Keller, wo er das ständig läutende Telefon und die sich zu Hunderten aufstauenden E-Mails einfach ignorierte.

Außerdem machten ihm in dieser Zeit Berichte über eine humanitäre Katastrophe im nördlichen Afghanistan zu schaffen: Mehr als zehntausend Afghanen, hauptsächlich Frauen und Kinder, waren vor den vorrückenden Truppen der Taliban in den Norden geflohen, bis ihnen die Grenze nach Tadschikistan den Weg versperrt hatte. Auf Inseln im Fluss Amu Darya bauten sie sich Lehmhütten und ernährten sich aus lauter Verzweiflung von dem Gras, das am Flussufer wuchs, denn sie verhungerten langsam. Während sie so dahinsiechten, machten sich die Taliban einen Sport daraus, sie als menschliche Zielscheiben zu benutzen. Als sie versuchten, auf Baumstämmen den Fluss zu überqueren und nach Tadschikistan zu fliehen, eröffneten russische Grenzsoldaten das Feuer auf sie, um ein Übergreifen des afghanischen Konflikts auf ihr Gebiet zu verhindern.

Mortenson bombardierte Zeitungsredakteure und Kongressmitglieder mit Briefen, um die Öffentlichkeit zu mobilisieren. „Doch es interessierte niemanden", klagt er an. „Das Weiße Haus, der Kongress, die UNO, alle schweigen. Ich überlegte mir schon, ob ich mir eine AK-47 besorgen und Faisal Baig bitten sollte, ein paar Männer zusammenzutrommeln. Ich wollte selbst nach Afghanistan gehen, um die Flüchtlinge herauszupauken. Allmählich verlor ich den Verstand. Ein Wunder, wie Tara mich in diesem Winter ausgehalten hat." Er hält kurz inne. „Oft behaupten politische Führer im Krieg – seien sie nun Christen, Juden oder Muslime –, Gott stehe auf ihrer Seite. Aber das stimmt nicht. Im Krieg steht Gott auf der Seite der Flüchtlinge, Witwen und Waisen."

Erst am 24. Juli 2000 erhielt Mortenson wieder einen positiven Anstoß, als er, die Hände auf Taras Schultern gelegt, seiner Frau während der Wehen beizustehen versuchte.

Sie nannten ihren Sohn Khyber Bishop. Drei Jahre zuvor, im Vorfeld der Schuleinweihung in Korphe, hatten sie mit ihrer damals einjährigen Tochter den Khyber-Pass besucht. In jenem Jahr hatte ihre Weihnachtskarte ein Foto von ihnen in traditioneller Tracht an der afghanischen Grenze gezeigt. Sie hielten Amira und zwei AK-47 im Arm, die zwei Grenzsoldaten ihnen zum Scherz gegeben hatten. FRIEDE AUF ERDEN lautete der Weihnachtswunsch unter dem Bild.

Nach der Geburt seines Sohnes war Mortenson zum ersten Mal seit Monaten wieder glücklich. Allein das Köpfchen des Kleinen zu berühren sorgte dafür, dass er von einem Gefühl tiefster Zufriedenheit durchströmt wurde. Er wickelte das Neugeborene in eine flauschige Decke und nahm es mit in die Vorschule seiner Tochter, damit Amira ihre Spielkameraden beim Stuhlkreis beeindrucken konnte.

Das Mädchen, dem das Sprechen vor größeren Gruppen bereits leichter fiel als seinem Vater, zeigte den anderen Kindern die winzigen Finger und Zehen seines Bruders, während Mortenson ihn mit seinen riesigen Pranken hochhielt wie einen Football.

„Friede auf Erden": Die Weihnachtskarte der Mortensons im Jahr 1997 zeigt Greg, Tara und die einjährige Amira in traditioneller Tracht mit zwei AK-47 am Khyber-Pass.

„Er ist so klein und runzlig", meinte eine blonde Vierjährige. „Wird so ein Baby auch mal so groß wie wir?"

„*Inschallah*", antwortete Mortenson. „Ich hoffe es, meine Kleine. Das hoffe ich wirklich."

Ein Dorf namens New York

„Was soll denn das bitte sein?", wunderte sich Mortenson. Er bat Hussein, den Land Cruiser anzuhalten, damit er das Gebäude betrachten konnte. Das zweihundert Meter lange, hinter sieben Meter hohen Mauern verborgene Anwesen in der Kleinstadt Gulapor dominierte den westlichen Teil des Shigar-Tals.

„Das ist die neue wahhabitische Koranschule", erwiderte Apo.

„Und wozu brauchen die dort so viel Platz?"

„Eine wahhabitische Madrassa ist wie ein Bienenstock. In ihr verbergen sich viele Schüler."

Achtzig Kilometer östlich von Skardu bemerkte Mortenson zwei nagelneue weiße Minarette, die am Rand eines bettelarmen Dorfes aus den Bäumen ragten. „Woher haben die Leute dort das Geld für eine solche Moschee?", fragte er.

„Auch von den Wahhabiten", erklärte Apo. „Die Scheichs kommen mit Koffern voller Rupien aus Kuwait und Saudi-Arabien."

„Ich wusste, dass die saudischen Wahhabiten schon seit Jahren Moscheen an der afghanischen Grenze bauten", erläutert Mortenson. „Doch im Frühling 2001 sah ich zu meinem Erstaunen, dass die Neubauten mitten im schiitischen Baltistan wie Pilze aus dem Boden schossen. Zum ersten Mal wurde mir die Tragweite der wahhabitischen Aktivitäten klar, und ich fand es ziemlich beängstigend."

Der Wahhabismus ist eine fundamentalistische Ausprägung des sunnitischen Islam und offizielle Staatsreligion des saudischen Herrscherhauses. Der Begriff ist vom arabischen Wort *al-wahhab* abgeleitet, das „großzügiger Geber" bedeutet, einer der vielen Namen Allahs. Diese Großzügigkeit – die scheinbar unerschöpflichen Geldmengen, die wahhabitische Vertreter ins Land schmuggeln – prägt auch die Einstellung der pakistanischen Bevölkerung zu dieser Glaubensrichtung. Der Großteil der Ölmillionen, die vom Golf ins Land strömen, ist für die gefährlichsten Brutstätten des religiösen Extremismus bestimmt: wahhabitische Koranschulen.

Ihre genaue Anzahl ist unmöglich festzustellen, doch im Dezember 2000 berichtete die üblicherweise stark zensierte saudische Presse, die International Islamic Relief Organization (IIRO) habe 3800 Moscheen gebaut, 45 Millionen Dollar für „islamische Bildung" ausgegeben und sechstausend Lehrer eingestellt, viele davon in Pakistan. Die Untersuchungskommission zum 11. September sollte der IIRO, einer der vier großen wahhabitischen Wohlfahrtsorganisationen, später vorwerfen, sie unterstütze die Taliban und El Kaida.

Zielgruppe dieser Madaris waren Schüler aus armen Verhältnissen, die im staatlichen Schulsystem durch die Maschen gefallen waren. Dass sie diesen jungen Männern kostenlos und auch in entlegenen Gebieten Unterkunft und Verpflegung zur Verfügung stellten, war für Millionen pakistanischer Eltern die einzige Möglichkeit, ihren männlichen Kindern Schulbildung zukommen zu lassen. „Ich möchte nicht den Eindruck vermitteln, dass alle Wahhabiten schlechte Menschen sind", betont Mortenson. „Viele ihrer Schulen und Moscheen bewirken viel für die Armen in Pakistan. Doch einige von ihnen tun nichts weiter, als den Dschihad zu predigen."

Im Jahr 2001 schätzte ein Bericht der Weltbank, in mindestens zwanzigtausend Madaris werde etwa zwei Millionen pakistanischen Schülern ein vom Islam bestimmter Lehrstoff vermittelt. Der pakistanische Journalist Ahmed Raschid, ein Experte über den Zusammenhang zwischen den Koranschulen und dem Erstarken des extremistischen Islamismus, nimmt an, dass mehr als achtzigtausend dieser jungen Männer Talibankämpfer wurden.

Bis zu zwanzig Prozent der Schüler soll in den Madaris nicht nur – statt Mathematik oder Literatur – der Heilige Krieg und der Hass auf den Westen gelehrt, sondern auch eine militärische Ausbildung vermittelt worden sein.

Die Koranschüler waren die „Entwurzelten, Unzufriedenen, Arbeitslosen, die wirtschaftlich Benachteiligten und die Unreflektierten", schreibt Raschid. „Sie liebten den Krieg, weil es sich um die einzige Beschäftigung handelte, die für sie erlernbar war. Der schlichte Glaube an einen messianischen und puritanischen Islam, der ihnen von ungebildeten Dorfmullahs eingebläut worden war, war das Einzige, woran sie sich festhalten konnten und was ihrem Leben einen Sinn gab."

„Beim Gedanken an die Strategie der Wahhabiten wurde mir ganz schwindlig", gesteht Mortenson. „Apos Vergleich einer Madrassa mit einem Bienenstock stimmte haargenau. Diese Schulen bringen Absolventen hervor, die einer Gehirnwäsche unterzogen wurden, und denken zwanzig, vierzig, ja sechzig Jahre in eine Zukunft, in der ihre extremistischen Armeen zahlreich genug sein werden, um Pakistan und den Rest der islamischen Welt zu überrennen."

AM 9. SEPTEMBER 2001 hatte Mortenson es sich auf der Rückbank des Land Cruiser bequem gemacht, während George McCown vorn neben dem Fahrer saß und das majestätische Hunza-Tal bewunderte.

Ihr Ziel war Zuudkhan im an der äußersten Spitze des nördlichen Pakistan gelegenen Charpurson-Tal, um in der Heimat von Mortensons Leibwächter Faisal Baig drei vom CAI finanzierte und vor Kurzem fertiggestellte Projekte einzuweihen: einen Brunnen, ein kleines Wasserkraftwerk und ein Dorfkrankenhaus. Seit der Expedition mit dem lädierten Knie, auf der ihn Faisal sicher vom Baltoro geführt hatte, war McCown mit dem Pakistaner in Kontakt geblieben. Nun begleitete er Mortenson, da er selbst achttausend Dollar gespendet hatte und sehen wollte, was sein Geld hatte bewirken können.

Zum Übernachten hielten sie in Sost, einer ehemaligen Karawanserei an der Seidenstraße, die inzwischen als Raststätte für Fernfahrer in Richtung China diente. Mortenson griff zu dem nagelneuen Satellitentelefon, das er sich eigens für diese Reise angeschafft hatte, und rief seinen Freund Brigadegeneral Bashir in Islamabad an, um sicherzustellen, dass man sie auch wirklich in zwei Tagen mit einem Hubschrauber in Zuudkhan abholen würde.

Pakistan hatte sich verändert. Infolge eines Aufstands pakistanischer Truppen während des Kargil-Konflikts war der demokratisch gewählte Premierminister Sharif aus dem Amt gejagt worden. Der unblutige Putsch hatte General Pervez Musharraf an die Macht gebracht, und nun galt in Pakistan das Kriegsrecht. Bei seinem Amtsantritt hatte Musharraf beteuert, die islamistischen Extremisten bekämpfen zu wollen, denen er die Schuld an der derzeitigen Krise des Landes gab.

Zu Mortensons Erleichterung unterstützte die neue Regierung das CAI. „Musharraf verschaffte sich sofort Respekt, indem er streng gegen die Korruption vorging", erklärt er. „Zum ersten Mal seit meiner Ankunft in Pakistan begegnete ich in entlegenen Bergdörfern Kontrolleuren der Armee, die nachprüfen wollten, ob die staatlich finanzierten Schulen und Kliniken tatsächlich existierten. Außerdem berichteten mir die Dorfbewohner im Braldu-Tal, es sei endlich ein wenig Geld aus Islamabad geflossen."

General Bashir, ein enger Vertrauter Musharrafs, hatte dafür gesorgt, dass Soldaten und Material von Helikoptern zu den Gefechtsposten auf dem Siachen-Gletscher, dem höchstgelegenen Kriegsgebiet der Welt, abgeseilt worden waren. Nachdem er maßgeblich an der Zurückdrängung der indischen Truppen beteiligt gewesen war, hatte er seinen Abschied beim Militär genommen und eine kleine private, von der Armee finanziell unterstützte Charter-Fluggesellschaft gegründet. Wenn er genug Zeit und einen freien Hubschrauber hatte, flogen er und seine Männer Mortenson in die abgelegeneren Gebiete Pakistans.

Der Amerikaner wählte und richtete das Satellitentelefon nach Süden aus, bis er trotz der Störgeräusche in der Leitung Bashirs kultivierte Stimme erkannte. Was er zu hören bekam, verschlug ihm jedoch den Atem. „Sagen Sie das noch mal!", rief er. „Massud ist tot?"

Bashir hatte gerade den unbestätigten Bericht erhalten, Attentäter von El Kaida hätten Ahmed Schah Massud ermordet. Der Helikopter werde dennoch pünktlich eintreffen, fügte der General hinzu.

Wenn das stimmt, wird Afghanistan explodieren, dachte Mortenson. Tatsächlich erwiesen sich die Informationen als korrekt. Massud, der charismatische Anführer der Nordallianz, einer zusammengewürfelten Truppe aus ehemaligen Mudschaheddin, deren militärisches Können einen Einmarsch der Taliban im äußersten Norden Afghanistans verhindert hatte, war an diesem 9. September von zwei Algeriern getötet worden. Sie hatten ihre Ausbildung bei El Kaida erhalten und sich als Dokumentarfilmer ausgegeben.

Massud wurde auch „Löwe von Pandschir" genannt, denn er hatte sein Land mit vollem Einsatz gegen die sowjetischen Eindringlinge verteidigt. Trotz der Überlegenheit der Gegner war es ihm dank seiner brillanten Guerillataktiken neunmal gelungen, sie aus seiner Heimat, dem Pandschir-Tal, zu vertreiben. Von seinen Anhängern bejubelt und von den Überlebenden seiner gnadenlosen Belagerung Kabuls gehasst, galt er als der Che Guevara seines Landes.

Für Osama Bin Laden bedeutete sein Tod das Ende eines Mannes, dem es vermutlich gelungen wäre, die afghanischen Kriegsherren zu vereinen und zu einer Zusammenarbeit mit den in Kürze erwarteten US-Militärberatern zu bewegen. Und so hatte er ihn ebenso gestürzt, wie er es mit den beiden Türmen vorhatte, die bald am anderen Ende der Welt fallen sollten.

Am nächsten Morgen quälte sich Mortensons Konvoi das Charpurson-Tal hinauf. In der dünnen Höhenluft waren die scharfen Umrisse der rostroten Hänge des afghanischen Hindukusch gut zu erkennen.

Zuudkhan, die letzte Ansiedlung in Pakistan, kam am Ende des Tals in Sicht. Mortenson erkannte Faisal Baig, der stolz zwischen seinen

Landsleuten stand, die ihren Gast auf dem Polofeld des Ortes erwarteten. Faisal trug die traditionelle Stammestracht der Wakhi, zu der eine derbe Wollweste, ein flatternder *skiihd* aus weißer Wolle auf dem Kopf und kniehohe Reitstiefel gehörten.

Begleitet von einer Musikkapelle, die in Hörner blies und Trommeln schlug, marschierten die Besucher die lange, gewundene Reihe entlang, zu der sich die dreihundert Einwohner von Zuudkhan aufgestellt hatten. Da es sich um Mortensons sechsten Besuch handelte, wurde er wie ein Familienmitglied empfangen.

Von Faisal angeführt, besichtigten er und McCown die neu verlegten Rohre, die Wasser von einem Gebirgsbach einen steilen Hang hinab in den Norden des Tals brachten. Feierlich schalteten sie den kleinen wasserbetriebenen Generator an, sodass die trübe Dunkelheit in den wenigen Dutzend Häusern, in denen die frisch installierten Lampen schon an den Decken hingen, jeden Abend zumindest für ein paar Stunden unterbrochen wurde.

Anschließend besuchte Mortenson das neue Krankenhaus und die erste Krankenschwester des Dorfes, die soeben eine sechsmonatige, vom CAI finanzierte Ausbildung in der hundertfünfzig Kilometer talwärts gelegenen Klinik von Gulmit absolviert hatte. Da das nächste Hospital zwei Tagesreisen mit dem Auto entfernt und nur über oft unpassierbare Jeep-Pisten zu erreichen war, konnte sich eine Erkrankung in Zuudkhan rasch zu einer lebensbedrohlichen Krise auswachsen. Im Jahr bevor sich die 28-jährige Aziza Hussain der medizinischen Versorgung der Bevölkerung angenommen hatte, hatten drei Frauen im Dorf die Geburt ihres Kindes nicht überlebt. „Viele starben auch an Durchfall", berichtet Aziza. „Doch als ich meine Ausbildung hatte und Dr. Greg uns Medikamente zur Verfügung stellte, bekamen wir die Sache in den Griff."

Am nächsten Tag, dem 11. September 2001, versammelte sich das ganze Dorf vor einer am Rand des Polofelds aufgebauten Bühne. Die beiden Amerikaner saßen unter einem Transparent mit der Aufschrift WIR BEGRÜSSEN UNSERE VEREHRTEN GÄSTE, während einige schnurrbärtige Dorfälteste in langen weißen Wollgewändern den wirbelnden Willkommenstanz der Wakhi aufführten. Als Mortenson sich ihnen anschloss, johlten die Einheimischen vor Begeisterung.

Die Feierlichkeiten wurden mit einem Polospiel fortgesetzt. Die Dorfbewohner jubelten aus voller Kehle, wenn die Spieler vorbeipreschten. Erst als das letzte Licht hinter den Bergen verlöscht war, stiegen die Reiter ab und die Menge zerstreute sich.

Vor dem Zubettgehen erörterten die Dorfältesten den Mord an Massud und die Folgen für ihr Volk. Wenn nun auch das restliche Afghanistan, das nur dreißig Kilometer entfernt auf der anderen Seite des Irshad-Passes lag, an die Taliban fiel, würde sich das Leben hier grundlegend verändern. Man würde die Grenze schließen, die traditionellen Handelsrouten blockieren und die Menschen von ihren übrigen Stammesbrüdern abschneiden, die ungehindert über die Pässe und durch die Täler beider Länder zogen.

Als Mortenson Zuudkhan im letzten Herbst besucht hatte, um die Wasserrohre zu liefern, hatte er schon einen Eindruck von der unmittelbaren Nähe Afghanistans bekommen. Mit Faisal hatte er auf einer Wiese hoch über Zuudkhan gestanden, als am Irshad-Pass plötzlich eine Staubwolke erschien. Die Reiter entdeckten Mortenson und preschten wie eine Horde Banditen auf ihn zu. Es waren etwa zwölf Männer mit Patronengurten über der Brust, die rasch näher kamen.

„Sie sprangen von den Pferden und rannten zu mir herüber", erinnert sich Mortenson. „So wilde Gesellen hatte ich noch nie gesehen. Sofort musste ich an meine Entführung in Wasiristan denken. Mist, dachte ich mir, jetzt geht das schon wieder los!"

Der Anführer, ein grimmig dreinblickender Mann mit einem Gewehr über der Schulter, marschierte auf Mortenson zu. Todesmutig stellte Faisal sich ihm in den Weg, doch kurz darauf umarmten sich die beiden. „Er ist mein Freund", erklärte der Leibwächter. „Er sucht dich schon seit einiger Zeit."

Mortenson erfuhr, dass die Reiter kirgisische Nomaden aus dem Wakhan waren, dem schmalen Ausläufer im äußersten Nordosten Afghanistans, der brüderlich den Arm um das pakistanische Charpurson-Tal legt, in dem ebenfalls viele kirgisische Nomaden umherziehen. Eingeklemmt in diesem unwirtlichen Korridor zwischen Pakistan und Tadschikistan und von den Taliban in einen abgelegenen Winkel ihres Landes zurückgedrängt, erhielten sie weder ausländische Hilfe noch Unterstützung von der eigenen Regierung. Als die Männer erfahren hatten, dass Mortenson im Charpurson-Tal erwartet wurde, waren sie sechs Tage lang geritten, um ihn zu sehen.

Der Dorfvorsteher wandte sich an ihn. „Es macht mir nichts aus, ein hartes Leben zu führen", ließ er Faisal übersetzen. „Aber für unsere Kinder ist das nichts. Wir haben kaum zu essen, keine Unterkünfte und keine Schule. Jetzt haben wir gehört, dass Dr. Greg Schulen in Pakistan baut, und wir fragen uns, ob er auch eine für uns bauen kann. Wir werden ihm Land, Steine, Arbeitskräfte und auch sonst alles Nötige geben."

Könnte er nicht den Winter bei uns verbringen, damit wir Zeit haben, den Bau der Schule ausführlich zu besprechen?"

Auch wenn das kriegsgebeutelte Afghanistan wohl kaum der richtige Ort für den Start eines neuen Projekts war, schwor sich Mortenson, einen Weg zu finden, um diesen Menschen zu helfen. Von Faisal übersetzt, erklärte er, seine Frau erwarte ihn in wenigen Tagen. Außerdem müsse der Vorstand des CAI alle neuen Vorhaben genehmigen. Dann legte er dem Mann die Hand auf die Schulter. „Richte ihm aus, dass ich jetzt nach Hause muss und dass es sehr schwer für mich ist, in Afghanistan zu arbeiten", bat er Faisal. „Aber ich verspreche ihm, ihn und seine Familie zu besuchen, sobald ich kann. Dann werden wir darüber reden, ob es möglich ist, eine Schule zu bauen."

Der Kirgise lauschte aufmerksam und mit konzentriert gerunzelter Stirn. Schließlich malte sich ein breites Lächeln auf seinem wettergegerbten Gesicht ab. Als Zeichen, dass das Versprechen angekommen war, klopfte er Mortenson kräftig auf die Schulter, bevor er wieder auf sein Pferd stieg und sich mit seinen Männern auf den langen Heimweg machte.

Nun, ein Jahr später, legte sich Mortenson in Faisals Haus auf den bequemen Charpoy, den sein Gastgeber für ihn hergerichtet hatte, und dachte schläfrig an seine Abmachung mit den kirgisischen Reitern. Vielleicht könnte er sie wegen des Mordes an Massud nicht einhalten.

Um halb fünf Uhr morgens wurde er wach gerüttelt. Faisal hielt ihm ein russisches Kurzwellenradio hin. Im grünen Licht der Anzeige bemerkte Mortenson, dass sich im Gesicht seines Leibwächters ein Ausdruck zeigte, den er bei ihm noch nie zuvor gesehen hatte – Angst.

„Dr. Sahib! Dr. Sahib! Es gibt große Schwierigkeiten!", rief Faisal. „Aufstehen! Aufstehen! Es tut mir leid!"

„Was gibt es?", wunderte sich Mortenson, der jetzt auch bemerkte, dass sein Leibwächter eine AK-47 in der Hand hatte.

„Ein Dorf namens New York ist bombardiert worden!"

Mortenson zog sich eine Decke aus Yakwolle über die Schultern, schlüpfte in seine Sandalen und trat vor die Tür. Im eiskalten Morgengrauen stellte er fest, dass Faisal Wachen aufgestellt hatte, um seine amerikanischen Gäste zu schützen. Sein Bruder hatte mit einer Kalaschnikow Posten vor dem einzigen Fenster des Hauses bezogen. Der Dorfmullah spähte in die Dunkelheit gen Afghanistan. Und Sarfraz, ein ehemaliger Armeeoffizier, hielt an der Straße Ausschau nach herannahenden Fahrzeugen.

Mortenson erfuhr, dass Sarfraz auf einem chinesischen Sender die

Meldung gehört hatte, zwei große Türme seien gefallen. Er hatte zwar nicht genau verstanden, was geschehen war, wusste aber, dass Terroristen viele Amerikaner getötet hatten.

Mortenson griff zum Satellitentelefon und erfuhr durch Tara von dem Terroranschlag. „Ich weiß, dass du bei deiner zweiten Familie bist und dass sie dich beschützen werden!", rief sie unter Tränen durch das statische Rauschen. „Erledige, was du noch tun musst, und dann komm zu mir nach Hause, mein Schatz!"

Faisal hingegen brauchte keine weiteren Informationen. Er hatte es schon seit Jahren kommen sehen. Monatelange Ermittlungen und viele Millionen Dollar für den amerikanischen Geheimdienst würden nötig sein, um das Geheimnis zu entwirren, das dieser Mann, ein Analphabet, der im letzten Dorf am Ende einer Straße aus Staub wohnte und weder Internetanschluss noch ein Telefon besaß, instinktiv erahnte.

„Euer Problem im Dorf New York hat da drüben angefangen", meinte er mit Blick auf die Grenze. „Dieser *shetan* von El Kaida ist an allem schuld." Er spuckte auf den Boden. „Osama."

Um Punkt acht Uhr traf ein riesiger Helikopter vom russischen Typ MI-17 ein, wie Bashir es versprochen hatte. Ein Hauptmann sprang heraus, noch während der Rotor lief, und salutierte vor den Amerikanern. Faisal erhob die Hände und sprach ein Dankgebet, weil Allah die Armee zum Schutz seiner Freunde geschickt hatte. Ohne Gepäck und ohne das Ziel der Reise zu kennen, stieg er mit McCown und Mortenson in den Hubschrauber, um weiter persönlich für ihre Sicherheit zu sorgen.

Der MI-17 landete vor dem „Shangri-La", einem teuren Anglerhotel am Ufer eines eine Stunde westlich von Skardu gelegenen Sees, das als Ferienort bei pakistanischen Generälen sehr beliebt war. Im Haus des Besitzers, wo eine Satellitenschüssel verschwommene Bilder von CNN lieferte, beobachtete McCown starr vor Entsetzen den ganzen Nachmittag und Abend, wie silbrig schimmernde Flugzeuge sich wie tödliche Geschosse in die Türme an der Spitze von Manhattan bohrten.

Für Mortenson bedeutete der Anschlag mehr denn je einen Grund, sich für die Bildung der Menschen einzusetzen. McCown hingegen hatte es eilig, Pakistan zu verlassen, egal auf welchem Weg. Er hatte zu diesem Zeitpunkt bereits eine bildliche Vorstellung dessen, was käme.

„Ich kenne Rumsfeld, Powell und Condoleezza Rice persönlich", erläutert er, „daher wusste ich, dass wir in den Krieg ziehen und Afghanistan bombardieren würden. Aber ich hatte keine Ahnung, wie sich Musharraf in diesem Fall verhalten würde. Selbst wenn er es mit den USA hielt, konnte es immer noch sein, dass das pakistanische Militär nicht mitmachte, denn sie hatten ja die Taliban unterstützt. Ich hatte Angst, dass wir als Geiseln enden könnten, und wollte nichts wie raus aus diesem Land."

Aber sämtliche Grenzposten waren geschlossen, alle internationalen Flüge abgesagt. Mortenson erinnert sich: „‚Im Moment sind Sie nirgendwo so sicher wie hier‘, meinte ich zu George. ‚Diese Leute werden Sie mit ihrem Leben schützen. Da wir nicht wegkönnen, ist es wohl das Beste, wenn wir nach unserem ursprünglichen Plan vorgehen, bis wir Sie in ein Flugzeug setzen können.‘"

Am nächsten Tag organisierte Bashir für die Amerikaner einen Vorbeiflug am K2, um ihnen die Zeit zu vertreiben, während er nach einer Möglichkeit suchte, McCown auf den Nachhauseweg zu bringen. Das Gesicht gegen die Scheibe gepresst, sah Mortenson tief unter sich die Schule von Korphe vorbeigleiten, ein gelbes Gebäude, das aus den grünen Feldern hervorleuchtete wie ein vager Hoffnungsstrahl. Er hatte es sich zur Gewohnheit gemacht, jeden Herbst vor seiner Rückkehr nach Amerika Tee mit Hadschi Ali zu trinken, und schwor sich, Korphe zu besuchen, sobald er seinen Gast sicher außer Landes wusste.

Am Freitag, dem 14. September, fuhren Mortenson und McCown im Land Cruiser eine Stunde in Richtung Westen nach Kuardu. Sie bildeten die Spitze einer Kolonne, die länger war als üblich, denn die schlimmen Nachrichten aus der Ferne waren inzwischen auch in Baltistan vernommen worden. „Offenbar wollte jeder Politiker, Polizist, Offizier und Religionsführer des nördlichen Pakistans dabei sein, wenn wir die Schule in Kuardu einweihten", erzählt Mortenson und fügt hinzu, sie sei zu diesem Zeitpunkt schon seit Jahren genutzt worden, doch Changazi habe die offizielle Eröffnungsfeier so lange verzögert, bis ein den nötigen Pomp garantierendes Ereignis gewährleistet gewesen sei.

So viele Menschen drängten sich auf dem Schulhof, dass man das Gebäude selbst kaum sehen konnte. Syed Abbas war der Hauptredner. Und da die islamische Welt von der Krise schwer erschüttert war, hingen die Bewohner Baltistans an den Lippen ihres obersten religiösen Führers.

„Im Namen Allahs des Allmächtigen, Gütigen und Gnädigen", begann er. „Friede sei mit euch. Allah der Allmächtige hat uns durch das Schicksal in dieser Stunde zusammengeführt. Heute ist der Tag, an den eure Kinder sich für immer erinnern und von dem sie ihren Kindern und Enkeln berichten werden. Denn ab dem heutigen Tag wird die Bildung Licht in das Dunkel des Analphabetentums bringen. Wir teilen das Leid der Menschen in Amerika, die in dieser Stunde trauern und weinen. Die Leute, die eine solche Gräueltat gegen unschuldige Menschen, Frauen und Kinder verübt und Tausende Witwen und Waisen geschaffen haben, handeln nicht im Namen des Islam. Möge Allah der Allmächtige in seiner Größe dafür sorgen, dass sie dafür büßen müssen. In aller Bescheidenheit bitte ich Mr George und Dr. Greg Sahib um Verzeihung für diese Tragödie. Ihr alle, meine Brüder, sollt die beiden amerikanischen Brüder in unserer Mitte umarmen und beschützen. Es soll ihnen kein Leid geschehen. Teilt alles mit ihnen, was ihr habt, damit ihre Mission von Erfolg gekrönt sein wird. Väter und Eltern, ich flehe euch an, alles daranzusetzen, dass alle eure Kinder Schulbildung erhalten. Ansonsten werden sie sein wie die grasenden Schafe auf der Weide: ausgeliefert den Mächten der Natur und den beängstigenden Veränderungen, die sich rings um uns in der Welt vollziehen." Syded Abbas hielt inne. „Ich fordere Amerika auf, in unsere Herzen zu blicken", fuhr er dann mit vor Bewegung bebender Stimme fort, „und zu erkennen, dass die meisten von uns keine Terroristen, sondern einfache und rechtschaffene Leute sind. Unser Land leidet unter Armut, weil wir keine Bildung besitzen. Doch heute wurde eine weitere Kerze des Wissens angezündet. Im Namen Allahs des Allmächtigen soll sie uns den Weg aus der Dunkelheit leuchten, in der wir uns noch befinden."

„Es war eine ergreifende Rede", erinnert sich Mortenson. „Als Syed Abbas fertig war, hatten alle Zuhörer Tränen in den Augen. Ich wünschte, die Amerikaner, nach deren Ansicht ‚Moslem' nur ein anderes Wort für ‚Terrorist' ist, hätten an diesem Tag dabei sein können. Die wahren Grundsätze des muslimischen Glaubens lauten Gerechtigkeit, Toleranz und Wohltätigkeit, und Syed Abbas war ein wortgewaltiger Vertreter des gemäßigten Islam."

Nach der Feier drückten die vielen Witwen Kuardus Mortenson und McCown ihr Beileid aus. Sie überreichten ihnen Eier und baten sie, diese Trauergeschenke ihren Schwestern in der Ferne – den Witwen in New York – zu übergeben, die sie so gern selbst getröstet hätten.

Vorsichtig hielt Mortenson die Eier in seinen großen Händen, als er zum Land Cruiser ging. Dabei dachte er an die Kinder, die sich in den Flugzeugen befunden hatten, und an seine eigenen Kinder zu Hause. Während er sich einen Weg durch die Menge bahnte, die ihnen alles Gute wünschte, sagte er sich, dass alles in der Welt doch sehr zerbrechlich sei.

Am nächsten Tag brachte der MI-17 die Amerikaner nach Islamabad, wo sie wegen der besseren Sicherheitsvorkehrungen auf Präsident Musharrafs persönlichem Hubschauberlandeplatz aufsetzten und dann in einem schwer bewachten Wartezimmer Platz nahmen.

HÖR AUF DEN WIND

Kurz darauf traf Bashir in einem Alouette-Helikopter aus der Zeit des Vietnamkriegs ein. Der General, ein kräftiger glatzköpfiger Mann im Fliegeroverall, sprang aufs Rollfeld und winkte seine Passagiere zu sich.

Schnell und in geringer Höhe flog er über die felsigen Hügel hinweg und landete bald mitten auf einer Rollbahn des internationalen Flughafens von Lahore. Nur fünfzig Meter entfernt stand eine 747 der Singapore Airlines, um McCown aus einer Region fortzubringen, die kurz davor stand, ein Kriegsgebiet zu werden.

In einer Transportmaschine der Luftwaffe kehrte Mortenson nach Skardu zurück. Von dort brach er mit Hussein und Faisal im Land Cruiser auf, doch den Großteil des Weges das Braldu-Tal hinauf verschlief er auf der Rückbank.

Etwas stimmte nicht mit der Menschenmenge, die auf einem Felsen am anderen Ufer des Braldu wartete. Mortenson hielt den Atem an, als er die schwankende Brücke überquerte und dabei mit Blicken den rechten Rand des Felssimses abtastete. Die Anhöhe, wo Hadschi Ali stets so zuverlässig wie ein Fels in der Brandung gestanden hatte, war leer. Twaha erwartete Mortenson am Flussufer und berichtete ihm vom Tod seines Vaters.

Twaha und Mortenson am Grab von Hadschi Ali

Als Mortenson Hadschi Ali im vergangenen Herbst besucht und mit ihm Tee getrunken hatte, war der Nurmadhar sehr niedergeschlagen gewesen. Im Sommer hatte sich Sakina mit starken Magenschmerzen ins Bett gelegt und war gestorben, nachdem sie sich geweigert hatte, die weite Fahrt aus dem Tal hinaus in ein Krankenhaus auf sich zu nehmen.

Mortenson begleitete Hadschi Ali zum Friedhof, wo der alte Mann mühsam niederkniete. Er berührte den schlichten Stein, der die Stelle markierte, an der Sakina mit dem Gesicht nach Mekka beerdigt worden war. Als er aufstand, hatte er Tränen in den Augen. „Ohne sie bin ich nichts", sagte er zu seinem amerikanischen Sohn. „Gar nichts."

„Von einem konservativen Schiiten war das eine unerhörte Aussage", hebt Mortenson hervor. „Auch wenn viele Männer ebenso für ihre Frauen empfanden, hätten sie nie gewagt, es laut auszusprechen."

Dann legte Hadschi Ali ihm den Arm um die Schulter. Da der Körper des alten Mannes bebte, nahm Mortenson an, dass er noch weinte. Doch im nächsten Moment hörte er Hadschi Alis unverkennbares heiseres Lachen. „Eines Tages, und zwar sehr bald, wirst du mich besuchen wollen und mich ebenfalls unter der Erde vorfinden." Der Nurmadhar kicherte.

Mortenson fand diese Vorstellung nicht sonderlich amüsant. „Was soll ich tun, wenn jener Tag kommt – in sehr ferner Zukunft?"

Hadschi Ali blickte zum Gipfel des Korphe-K2 und überlegte. „Hör auf den Wind", meinte er dann.

Nun kniete Mortenson neben Twaha am frischen Grab, um Korphes verstorbenem Dorfvorsteher die letzte Ehre zu erweisen. Nach Twahas Schätzung war sein Vater über achtzig Jahre alt gewesen, als sein Herz aufgehört hatte zu schlagen.

Mortenson stand auf und fragte sich, was Hadschi Ali wohl in einem solchen Moment gesagt hätte, einer solch schwarzen Epoche in der Geschichte, in der alles, was einem lieb und teuer war, so zerbrechlich erschien wie eine Eierschale. Da fielen ihm die Worte des Nurmadhar wieder ein.

„Hör auf den Wind."

Und Mortenson gehorchte. Er hörte, wie der Wind die Schlucht des Braldu entlangpfiff und den Schnee und das Ende der warmen Jahreszeit mit sich brachte. Allerdings trug die Brise, die über diese karge Landschaft strich, in der sich Menschen behaupteten, auch jubelnde Kinderstimmen vom Schulhof heran. Das war sein letzter weiser Rat, dachte Mortenson und wischte sich die Tränen fort. Du darfst ihn nie vergessen.

„WIR WOLLEN uns den Zirkus ansehen", schlug Suleman vor.

Mortenson saß auf der Rückbank des weißen Toyota, den er für den zu seinem Chefunterhändler gewordenen Taxifahrer gemietet hatte. Faisal hatte vorn Platz genommen. Nach ihrer Ankunft aus Skardu hatte Suleman sie vom Flughafen abgeholt. Ende September war der kommerzielle Flugverkehr in Pakistan wieder aufgenommen worden.

„Den was?", wunderte sich Mortenson.

„Du wirst schon sehen", erwiderte Suleman grinsend.

Er zeigte seine Papiere an einem Kontrollposten vor dem Blauen Bezirk, der modernen Diplomatensiedlung, in der Regierungsgebäude, Botschaften und Hotels für Geschäftsleute standen. Als Mortenson sich aus dem Fenster beugte, damit die Polizisten sahen, dass er Ausländer war, winkten sie den Wagen durch.

Islamabad war in den Sechziger- und Siebzigerjahren am Reißbrett entstanden und als eigene Welt für die Reichen und Mächtigen Pakistans geplant worden. Das lebendige Herzstück der Metropole war das „Marriott Hotel", mit seinen fünf Sternen eine luxuriöse Festung, die von Betonmauern und einem 150 Mann starken Sicherheitsdienst in hellblauen Uniformen und mit umgehängten Waffen geschützt wurde.

„Wenn ich etwas erledigen will, gehe ich ins Marriott", erklärt Mortenson. „Denn dort gibt es ein funktionierendes Fax und einen schnellen Internetzugang." Nun jedoch blieb ihm vor Schreck der Mund offen stehen. In der Vorhalle, die so groß wie ein Ballsaal war, hielten sich normalerweise außer dem Pianisten höchstens ein paar Grüppchen ausländischer Geschäftsleute auf. Heute jedoch drängten sich dort Hunderte vom Redaktionsschluss getriebene Menschen: die Vertreter der internationalen Presse waren eingetroffen.

„Der Zirkus", verkündete Suleman und grinste Mortenson wieder an. Wohin das Auge reichte, sah man nichts als Kameras und die Embleme verschiedener Sender: CNN, BBC, NBC, ABC, Al Dschasira. Mortenson kämpfte sich zum Eingang des „Nadia Coffee Shop" durch, den eine duftende Hecke aus Topfpflanzen von der restlichen Hotelhalle trennte. Alle Tische waren besetzt.

„Anscheinend stößt unsere kleine Ecke der Welt plötzlich auf öffentliches Interesse." Als Mortenson sich umdrehte, erkannte er die kanadische Journalistin Kathy Gannon, die langjährige Büroleiterin der Nachrichtenagentur AP in Islamabad. Auch sie wartete auf einen Tisch. Mortenson umarmte sie zur Begrüßung. „Wie lange geht das schon so?", fragte er.

„Seit ein paar Tagen. Aber warte nur, bis die Bomben fallen. Dann werden sie vermutlich tausend Dollar pro Zimmer kassieren. So gut haben die hier noch nie verdient. Sämtliche Sender drehen Livemoderationen auf dem Dach. Das Hotel verlangt von jedem Filmteam fünfhundert Dollar pro Tag, nur damit sie dort oben Aufnahmen machen dürfen."

Mortenson schüttelte den Kopf. Noch nie hatte er im Marriott übernachtet. Denn da es um die Finanzen des CAI schlecht bestellt war, musste er sparsam sein – und das bedeutete ein Zimmer im ihm damals von Suleman empfohlenen „Home Sweet Home Guest House", wo ein Zimmer mit zweifelhaften Wasseranschlüssen und einem schmuddligen rosafarbenen Teppich nur zwölf Dollar die Nacht kostete.

„Dr. Greg, Madame Kathy, kommen Sie", raunte ihnen ein Kellner im Frack zu, der sie beide kannte. „Ein Tisch ist frei, und ich befürchte, diese ..." – er suchte nach dem richtigen Wort – „Ausländer werden ihn sich einfach schnappen."

Nachdem sie sich an den Tisch neben dem Büfett gesetzt hatten, schilderte Kathy Gannon Mortenson die derzeitige Lage. „Es ist ein Jammer. Unerfahrene Reporter, die sich überhaupt nicht in dieser Region auskennen, stehen in kugelsicheren Westen auf dem Dach und tun so, als wären die Margalaberge hinter ihnen eine Art Kriegsgebiet und kein Ausflugsziel, wo man am Wochenende mit seinen Kindern hinfährt. Die meisten machen einen großen Bogen um die Grenze und bringen Berichte, ohne sie vorher zu recherchieren. Und wer sich die Sache doch aus der Nähe ansehen möchte, hat Pech gehabt. Die Taliban haben Afghanistan nämlich für ausländische Journalisten gesperrt."

„Willst du es versuchen?", erkundigte sich Mortenson.

„Ich komme gerade aus Kabul. Als das zweite Flugzeug in den Turm einschlug, habe ich mit meinem Chefredakteur in New York telefoniert. Ich konnte noch ein paar Meldungen loswerden, bevor ich ‚gebeten' wurde abzureisen."

„Was haben die Taliban jetzt vor?"

„Schwer zu sagen. Zuletzt habe ich gehört, sie hätten beschlossen, Osama auszuliefern. Doch in letzter Minute hat Mullah Omar sie überstimmt und geschworen, ihn mit seinem Leben zu schützen. Du weißt ja, was das bedeutet. Viele von ihnen scheinen Angst zu haben. Doch die wahren Fanatiker wollen kämpfen."

„Willst du wieder zurück?"

„Nur wenn es offiziell möglich ist. Ich werde mich nicht wie einer dieser Glücksritter mit einer Burka vermummen und mich womöglich noch verhaften lassen."

Während der nächsten Woche übernachtete Mortenson zwar im Home Sweet Home, verbrachte aber jede freie Minute im Marriott. Im Herbst 2001 gehörte er zu den Ausländern, die sich wohl am besten in Pakistan, insbesondere den abgelegenen Grenzregionen auskannten. Deshalb wurde er ständig von Reportern bedrängt, ihnen doch bei der Einreise nach Afghanistan behilflich zu sein, und man bot ihm sogar Bestechungsgelder an.

Anstatt darauf einzugehen, gab er unzählige Interviews und sprach mit Reportern, die ihr Material fast ausschließlich aus dem Marriott sowie der Botschaft der Taliban bezogen und dringend ein wenig Lokalkolorit brauchten. „Ich versuchte, über die wahren Gründe des Konflikts zu sprechen, nämlich den Mangel an Bildung in Pakistan und der Zunahme der wahhabitischen Madaris, die zu Problemen wie dem Terrorismus beitragen", erinnert er sich. „Doch diese Äußerungen wurden nur selten gedruckt."

Jeden Abend marschierte pünktlich um dieselbe Uhrzeit eine Gruppe hochrangiger, in Islamabad lebender Taliban mit Turbanen und wehenden Gewändern in die Halle des Marriott und wartete auf einen freien Tisch im Nadia Coffee Shop, um sich den Zirkus ebenfalls anzusehen. Pakistan war zu diesem Zeitpunkt der einzige Ort, an dem sie Öffentlichkeit für ihre Sache schaffen konnten. Jeden Tag hielten sie lange Pressekonferenzen auf dem Rasen vor ihrer heruntergekommenen, zwei Kilometer vom Hotel entfernten Botschaft ab.

„Sie saßen den ganzen Abend im Nadia und tranken grünen Tee", erzählt Mortenson. „Offenbar konnten sie sich von ihrem Taliban-Gehalt die zwanzig Dollar für das Büfett nicht leisten. Ich war sicher, dass ein Reporter viel von ihnen erfahren hätte, wenn er bereit gewesen wäre, sie zum Abendessen einzuladen. Doch ich habe nie etwas dergleichen beobachtet."

Schließlich setzte er sich zu ihnen. Adem Mustafa, der im Auftrag einer pakistanischen Zeitung über sämtliche Expeditionen in den Karakorum berichtete, hatte sich häufig in Skardu mit Mortenson in Verbindung gesetzt, um das Neueste aus Bergsteigerkreisen zu hören. Mustafa wiederum war mit dem Talibanbotschafter Mullah Abdul Salaam Zaeef bekannt und stellte ihm Mortenson eines Abends im Nadia vor.

Über dem Tisch, an den sich der Amerikaner mit dem Taliban setzte, hing ein Transparent mit der Aufschrift OLÉ! OLÉ! OLÉ! Der Abwechslung halber veranstaltete das Nadia Themenabende, und heute war mexikanische Nacht. Ein pakistanischer Kellner, dem sein riesiger

Sombrero sichtlich peinlich war, fragte, ob sie etwas vom Büfett bestellen wollten.

„Nur Tee", erwiderte Mullah Zaeef.

„Er gehörte zu den wenigen Talibanführern, die Schulbildung genossen hatten und ein wenig über den Westen Bescheid wussten", erläutert Mortenson. „Da seine Kinder etwa so alt waren wie meine, unterhielten wir uns eine Weile über sie. Ich war neugierig, was ein Talibanführer zum Thema Schulen, insbesondere für Mädchen, zu sagen hätte. Doch als ich ihn fragte, bekam ich nur Politikerphrasen über die allgemeine Bedeutung von Bildung zu hören."

Mullah Zaeef befand sich in einer Zwickmühle, wie Mortenson klar wurde, als man auf den Krieg zu sprechen kam. Da der Botschafter im Blauen Bezirk von Islamabad wohnte, hatte er genug Kontakte zu internationalen Kreisen und konnte sich denken, was bald geschehen würde. Im Gegensatz dazu war die Führungsebene der Taliban in Kabul und Kandahar weniger weltgewandt. Mullah Omar, der oberste Führer der Taliban, hatte nur eine Madrassa besucht.

„Vielleicht sollten wir Bin Laden ausliefern, um Afghanistan zu retten." Zaeef winkte nach der Rechnung, die er unbedingt übernehmen wollte. „Mullah Omar glaubt, wir hätten noch genug Zeit, uns aus einem Krieg herauszureden." Dann richtete er sich auf, als befürchtete er, zu viel gesagt zu haben. „Aber geben Sie sich keinen Illusionen hin. Wenn man uns angreift, werden wir kämpfen bis zum Ende."

Mullah Omar hing seinem Irrglauben an, bis amerikanische Cruise Missiles sein Privathaus zerstörten. Da der Talibanführer nicht über eine Direktleitung zum Weißen Haus verfügte, rief er Berichten zufolge im Oktober 2001 zweimal die Nummer der dortigen öffentlichen Informationsstelle an und schlug vor, sich zu einer *jirga* – üblicherweise eine Versammlung der Stammesältesten – zusammenzusetzen. Wie nicht anders zu erwarten, reagierte Präsident Bush nie auf seine Anrufe.

Im Home Sweet Home stapelten sich inzwischen die Telefonnotizen von der US-Botschaft, die Mortenson warnten, in Pakistan sei es inzwischen für Amerikaner zu gefährlich. Allerdings musste er noch die vom CAI finanzierten Schulen in den Flüchtlingslagern am Stadtrand von Peschawar besuchen, um festzustellen, ob die dortigen Mittel für die Versorgung der zusätzlichen Flüchtlinge reichten, die wegen der Kämpfe sicher bald einträfen. Und so machte er sich mit Faisal und Suleman auf die kurze Autofahrt nach Peschawar. Nach dem Besuch des Shamshatoo-Flüchtlingslagers und den fast hundert vom CAI unterstützten Lehrern, die unter schlimmen Bedingungen versuchten, ihrer

Aufgabe nachzukommen, fuhr er weiter zur afghanischen Grenze, um zu sehen, was geschähe.

Am Kontrollposten blätterte ein halbwüchsiger Taliban argwöhnisch Mortensons Pass durch, während seine Kollegen ihre Kalaschnikows schwenkten. Als der Grenzer auf die Seite stieß, die mehrere handgeschriebene, von der Afghanischen Botschaft in London ausgestellte Visa enthielt, brummte er etwas. Die Londoner Botschaft unterstand Wali Massud, dem Bruder des ermordeten Führers der Nordallianz, dem es ein Herzensanliegen war, die Taliban zu stürzen. Mortenson hatte ihn oft besucht, wenn er auf dem Weg nach Islamabad einen Zwischenstopp in London eingelegt hatte, und mit ihm die Möglichkeit des Baus von Mädchenschulen erörtert, sofern die Lage in Afghanistan jemals stabil genug für solch ein Unterfangen werden würde.

„Das Zweitvisum", verkündete der Wachposten und riss die Seite aus dem Pass, womit er das gesamte Dokument wertlos machte. „Du gehen Islamabad, holen Erstvisum, Talibanvisum."

Allerdings weigerte sich die Amerikanische Botschaft in Islamabad, Mortenson einen neuen Pass auszustellen, da der alte „auf verdächtige Weise beschädigt" worden sei. Man teilte ihm mit, er werde hier nur vorläufige Reisepapiere mit einer Gültigkeitsdauer von zehn Tagen erhalten. Damit könne er in die Staaten zurückkehren, um dort einen neuen Pass zu beantragen. Doch Mortenson brauchte noch einen Monat, um alles für das CAI zu erledigen. Also flog er nach Kathmandu in Nepal, wo das Amerikanische Konsulat als zugänglicher galt.

Dort musterte ein Beamter die zahlreichen Visumsstempel der Islamischen Republik Pakistan und die handgeschriebenen, von der Nordallianz ausgestellten afghanischen Visa und ging dann los, um sich mit seinem Vorgesetzten zu beraten. Als er zurückkam, wusste Mortenson schon, was er sagen würde. „Sie müssen morgen wiederkommen, um mit jemand anders zu sprechen", verkündete der Mann verlegen. „Bis dahin werde ich Ihren Pass einbehalten."

Am nächsten Morgen wurde Mortenson von einigen Marineinfanteristen über den Rasen geführt, der das Konsularsbüro vom Hauptgebäude der Botschaft trennte. Sie brachten ihn in einen leeren Raum, in dem ein großer Konferenztisch stand, und schlossen ihn dort ein.

Er wartete eine Dreiviertelstunde lang. „Ich wusste, was sie vorhatten", erzählt er. „Ich sehe zwar nicht viel fern, doch selbst mir war klar, dass dieses Theater an eine Szene aus einem schlechten Fernsehkrimi erinnerte. Sicher wurde ich von jemandem beobachtet, der feststellen sollte, ob ich mich verdächtig verhielt. Also lächelte ich nur und blieb ruhig sitzen." Schließlich traten drei gepflegte Männer in Anzug und Krawatte ein und nahmen ihm gegenüber auf Drehstühlen Platz. „Sie hatten alle typisch amerikanische Namen wie Bob, Bill und Pete und lächelten viel. Allerdings handelte es sich ganz klar um ein Verhör. Die Männer arbeiteten eindeutig für den Geheimdienst."

„Sicher haben wir es nur mit einem Missverständnis zu tun", begann der Agent, der offenbar das Wort führte, und schenkte Mortenson ein wohl entwaffnend gemeintes Lächeln, während er einen Stift aus der Tasche holte und sein Notizbuch zurechtlegte. „Warum wollen Sie nach Pakistan?", begann er. „Dort ist es derzeit sehr gefährlich, und wir haben allen Amerikanern zur Abreise geraten."

„Ich weiß", erwiderte Mortenson. „Aber ich arbeite dort. Ich habe Islamabad vor drei Tagen verlassen."

Alle drei Männer schrieben eifrig mit. „Was genau machen Sie denn dort?", wollte BobBillPete wissen.

„Ich bin schon seit acht Jahren in Pakistan tätig. Und ich brauche noch einen Monat, bis ich fertig bin."

„Und was arbeiten Sie?"

„Ich baue Grundschulen, hauptsächlich für Mädchen, im nördlichen Pakistan."

„Wie viele Schulen betreiben Sie momentan?"

„Ich bin nicht ganz sicher."

„Warum?"

„Weil sich die Anzahl ständig ändert. Wenn wir in diesem Herbst die Bauarbeiten beenden können, stehen die Schulen Nummer 22 und 23. Allerdings nehmen wir auch Anbauten an bereits existierenden staatlichen Schulen vor, wenn sich dort zu viele Kinder in einem Klassenzimmer drängen. Außerdem stoßen wir immer wieder auf vom Staat oder ausländischen Nichtregierungsorganisationen betriebene Schulen, deren Lehrer schon seit Monaten kein Gehalt mehr bekommen haben. Also nehmen wir sie unter unsere Fittiche, bis sich die Lage geklärt hat. Darüber hinaus bezahlen wir Lehrer, die in den afghanischen Flüchtlingslagern, wo es keine Schulen gibt, Unterricht abhalten. Und deshalb ändern sich die Zahlen von Woche zu Woche."

„Wie viele Schüler haben Sie aktuell?"

„Das ist schwer zu sagen."

„Warum?"

„Momentan ist Erntezeit. In den meisten Familien wird die Mithilfe der Kinder gebraucht, deshalb nehmen die Eltern sie für eine Weile aus der Schule. Und wenn es im Winter sehr kalt ist, werden manche Schulen für ein paar Monate geschlossen, weil sich niemand leisten kann, sie zu heizen. Und im Frühling –"

„Nur eine geschätzte Zahl", fiel der Agent ihm ins Wort.

„So zwischen zehn- und fünfzehntausend Schüler."

Drei Stifte kratzten unisono über das Papier.

„Und diese Gegend in der Nähe von Kaschmir heißt wie?"

„Baltistan."

„Und die Menschen dort sind … ?"

„Schiiten wie im Iran", erwiderte Mortenson und sah zu, wie sich drei Stifte hastig in Bewegung setzten.

„Und diese Gebiete unweit von Afghanistan, wo Sie die Schulen bauen, sind der Nordwesten von was?"

„Es handelt sich um die nordwestlichen Grenzprovinzen."

„Und sie sind Teil von Pakistan?"

„Das hängt von der Sichtweise ab."

„Aber die sunnitischen Moslems dort gehören im Grunde genommen zum selben Volksstamm wie die Paschtunen in Afghanistan?"

„Tja, im Tiefland leben hauptsächlich Paschtunen. Doch es gibt dort auch viele Ismaeliten und auch ein paar Schiiten. In den Bergen finden sich viele Stämme mit ihren eigenen Sitten, wie zum Beispiel die Khowar, die Kohistani, die Shina, die Torwali und die Kalami."

Der oberste Geheimdienstmann seufzte auf. „Ich brauche eine Liste mit allen Namen und Telefonnummern Ihrer Kontaktleute in Pakistan."

„Dann möchte ich meinen Anwalt anrufen", gab Mortenson zurück.

„Ich wollte keine Schwierigkeiten machen", betont er heute. „Diese Männer hatten keinen leichten Beruf, insbesondere nicht nach dem 11. September. Allerdings war mir klar, was mit unschuldigen Menschen geschieht, die auf einer derartigen Liste landen. Und wenn diese Burschen wirklich die waren, für die ich sie hielt, durfte keiner in Pakistan glauben, dass ich mit ihnen zusammenarbeite. Sonst wäre ich bei meinem nächsten Besuch dort ein toter Mann gewesen."

„Dann tun Sie das", erwiderte BobBillPete und öffnete die Tür. „Aber morgen früh sind Sie um Punkt neun wieder hier."

Am folgenden Morgen nahm ein überaus pünktlicher Mortenson wieder am Konferenztisch Platz. Diesmal war er mit dem obersten Geheimdienstmann allein. „Lassen Sie mich zuerst einige Dinge klarstellen", begann dieser. „Sie wissen, was wir mit Ihnen machen, wenn Sie uns nicht die Wahrheit sagen?"

„Das weiß ich."

„Also gut. Sind einige der Eltern Ihrer Schüler Terroristen?"

„Ich habe keine Möglichkeit, das herauszufinden. Es sind Tausende von Schülern."

„Wo ist Osama?"

„Verzeihung?"

„Sie haben mich sehr wohl verstanden. Wissen Sie, wo Osama ist?"

Es kostete Mortenson Mühe, nicht laut loszulachen. „Ich hoffe, dass ich niemals über ein derartiges Wissen verfügen werde", antwortete er ernst und offenbar ausreichend glaubwürdig, denn das Verhör war damit zu Ende.

Mit einem vorläufigen, ein Jahr gültigen Ausweis, den das Konsulat in Kathmandu ihm widerwillig ausgestellt hatte, kehrte Mortenson nach Islamabad zurück. Als er ins Home Sweet Home kam, reichte ihm der Besitzer einen Stapel immer hysterischer werdender Nachrichten von der US-Botschaft. Die zuletzt übermittelte forderte alle amerikanischen Zivilisten auf, sofort das Land zu verlassen, „diesen für US-Bürger gefährlichsten Ort auf der ganzen Welt".

Mortenson bat Suleman, ihm einen Platz in der nächsten Maschine nach Skardu zu besorgen.

Während im nächsten Monat amerikanische Bomben und Marschflugkörper das Land westlich von ihm unter Beschuss nahmen, fuhr Mortenson mit Faisal in seinem Land Cruiser kreuz und quer durch das nördliche Pakistan, um sicherzugehen, dass alle Projekte des CAI vor dem Wintereinbruch fertig wurden. Manchmal hörten sie, wenn sie nachts unterwegs waren, wie Militärmaschinen durch den pakistanischen Luftraum über sie hinwegflogen, obwohl das der US-Luftwaffe eigentlich nicht gestattet war. Und bald darauf sahen sie den ganzen westlichen Horizont rötlich aufflammen.

Am 29. Oktober begleitete Faisal Mortenson zum internationalen Flughafen von Peschawar. Nur Passagiere durften die Wachsoldaten an der Sicherheitsschleuse passieren. Als Mortenson seinem Leibwächter die Tasche abnahm, sah er, dass Faisal Tränen in den Augen hatte. Schließlich hatte er geschworen, Mortenson zu beschützen.

„Was ist, Faisal?"

„Nun steht dein Land im Krieg. Was kann ich tun? Wie soll ich dort auf dich achten?"

NACHDEM Mortenson eine Stunde lang am Zoll kontrolliert worden war – ein Umstand, den er seinem vorläufigen Pass und dem pakistanischen Visum zu verdanken hatte –, trat er endlich in die Ankunftshalle des internationalen Flughafens von Denver.

Noch aufgewühlt von der Reise, stand er irgendwann spätnachts leise auf, ohne Tara zu wecken, und schlich in den Keller, um sich mit den Poststapeln zu beschäftigen, die sich während seiner Abwesenheit angehäuft hatten. Schließlich waren die Interviews, die er im Marriott gegeben und in denen er um Verständnis für die unschuldigen, zwischen die Fronten geratenen Muslime geworben hatte, in einigen amerikanischen Zeitungen erwähnt worden. Seine wiederholten Aufrufe, nicht alle Muslime in einen Topf zu werfen, und seine Argumente, warum es besser sei, muslimische Kinder zur Schule zu schicken, anstatt Bomben auf sie abzuwerfen, hatten bei einer sich seit Kurzem im Krieg befindlichen Nation einen Nerv getroffen: Die meisten Umschläge, die er öffnete, enthielten Hasstiraden.

In einem in Denver abgestempelten Brief ohne Absender hieß es:

> Ich wünschte, einige unserer Bomben hätten Sie getroffen, da Sie unsere militärischen Anstrengungen unterlaufen.

Ein anderer anonymer, diesmal in Minnesota abgeschickter Brief griff ihn ebenfalls an.

> Gott der Herr wird Dich dafür bestrafen, dass Du ein Verräter bist. Bald wirst Du von viel schlimmeren Schmerzen gequält werden als unsere tapferen Soldaten.

„In jener Nacht dachte ich zum ersten Mal seit dem Beginn meiner Arbeit in Pakistan ans Aufgeben", gesteht Mortenson. „Solche Ausfälle hätte ich vielleicht von einem ungebildeten Dorfmullah erwartet. Von meinen amerikanischen Mitbürgern derartige Briefe zu erhalten löste in mir die Frage aus, ob ich nicht alles hinwerfen sollte."

Während seine Familie oben schlief, begann er sich Sorgen um ihre Sicherheit zu machen. „Mit den Risiken in Pakistan konnte ich umgehen. Doch Tara, Amira und Khyber hier zu Hause in Gefahr zu bringen, kam überhaupt nicht infrage." Er kochte Kaffee und las weiter. Viele der Briefe lobten ihn jedoch auch für seine Bemühungen, was ihm wieder Mut machte.

Am folgenden Nachmittag, es war der 1. November 2001, verabschiedete er sich von seiner Familie, obwohl er kaum Zeit gehabt hatte, sie richtig zu begrüßen. Er stieg in eine Pendlermaschine nach Seattle, um bei einer Veranstaltung des CAI dabei zu sein. Der Eintrittspreis von 25 Dollar pro Person sollte wieder Geld in die Kassen spülen. Die Halle war bis auf den letzten Platz ausverkauft.

Rumsfelds Schuhe

Die Piloten spielten Reise nach Jerusalem auf zwölftausend Metern: Alle fünf Minuten trat einer von ihnen das Cockpit der abgenutzten 727 an einen Kollegen ab. Da sieben Boeings der staatlichen afghanischen Fluggesellschaft von Bomben und Granaten außer Gefecht gesetzt worden waren, nutzten die Piloten den zwei drei Viertel Stunden langen Flug von Dubai nach Kabul, um auf der einzigen flugtauglichen Passagiermaschine ihres Landes ein paar wertvolle Flugminuten anzusammeln.

Als sie sich von Süden her Kabul näherten, verkündete der momentane Pilot, man habe jetzt Sicht auf Kandahar. Mortenson spähte aus dem Fenster, um einen Blick auf die ehemalige Festung der Taliban zu werfen. Doch aus zehntausend Metern war nur eine Straße zu erkennen, die durch eine weite Ebene verlief, sowie ein paar Schatten, die vielleicht einmal Gebäude gewesen waren.

Anfangs hatte Mortenson den Krieg in Afghanistan befürwortet. Aber als er immer öfter über zivile Opfer las und Berichte von seinen Mitarbeitern in afghanischen Flüchtlingslagern erhielt, dass ständig Kinder zu Tode kämen, weil sie versehentlich die hellgelben Hülsen nicht detonierter Streubomben aufhoben – die den Lebensmittelpaketen ähnelten, die amerikanische Flugzeuge als humanitäre Geste ebenfalls abwarfen –, änderte sich seine Einstellung. In einem Leserbrief, der am 8. Dezember 2001 in der *Washington Post* erschien, schrieb er:

> Warum nennen uns Vertreter des Pentagon die Anzahl der bei Bombenangriffen getöteten Kämpfer von El Kaida und der Taliban – doch wenn wir sie nach zivilen Opfern fragen, zucken sie nur die Achseln? Noch beängstigender ist es, dass die Medien offenbar zögern, Verteidigungsminister Rumsfeld in einer seiner Pressekonferenzen darauf anzusprechen.

Von seinen Kontaktleuten beim Militär erfuhr er, dass Talibanbotschafter Mullah Zaeef, mit dem er im Marriott Tee getrunken hatte, gefangen genommen und, mit einer Kapuze über dem Kopf und in Handschellen, ins Gefangenenlager Guantanamo auf Kuba gebracht worden war, wo die üblichen Strafgesetze keine Gültigkeit besaßen.

„In jenem Winter war es wie russisches Roulette, meine Post aufzumachen", sagt Mortenson. „Manchmal enthielten die Umschläge aufmunternde Briefe und Spenden. Dann wieder las ich Drohungen, weil ich Muslimen half." Er tat alles Nötige, um seine Familie zu schützen, und beantragte eine Geheimnummer. Nachdem seine Briefträgerin von den Morddrohungen erfuhr, sortierte sie die Kuverts ohne Absenderadresse aus und gab sie direkt ans FBI weiter, denn schließlich war die Angst vor Anschlägen mit Anthraxerregern noch sehr aktuell.

Eines der positivsten Schreiben stammte von einer sozial engagierten älteren Dame aus Seattle.

> Ich bin schon so alt, dass ich mich an den Unsinn im Zweiten Weltkrieg erinnere, als wir alle Japaner festnahmen und sie grundlos in Internierungslager steckten. Sie sollten diese schrecklichen Hassbriefe als Aufforderung verstehen, an die Öffentlichkeit zu gehen und den Amerikanern zu erzählen, was Sie über Muslime wissen. Also stehen Sie auf, haben Sie keine Angst und verbreiten Sie Ihre Friedensbotschaft. Sie haben allen Grund, stolz zu sein.

Mortenson nahm ihren Rat an und organisierte eine groß angelegte Vortragsreise. Im Dezember und Januar sprach er in Seattle, Minneapolis und Manhattan vor einem vielköpfigen Publikum.

Allerdings stießen nicht alle dieser Vorträge auf großes Interesse. Im exklusiven „Yellowstone Club" im Skigebiet Big Sky südlich von Bozeman waren nur sechs der Polstersessel besetzt. Aber Mortenson erinnerte sich an seinen Vortrag vor fast zweihundert leeren Stühlen in Minnesota, der schließlich doch ein gutes Ende gefunden hatte, und sprach leidenschaftlich über die Fehler, die Amerika seiner Ansicht nach in diesem Krieg beging.

Eine attraktive Frau Mitte dreißig fiel ihm auf, die aufmerksam lauschte. Anschließend stellte sie sich ihm vor. „Ich bin die republikanische Kongressabgeordnete Mary Bono. Offen gestanden habe ich in der letzten Stunde mehr gelernt als in den vielen Sitzungen, die seit dem 11. September im Kapitol stattgefunden haben. Sie müssen unbedingt nach Washington kommen." Sie überreichte ihm ihre Karte und bat ihn, sie anzurufen, wenn die Sitzungsphase des Kongresses wieder beginne.

INZWISCHEN hatte der nächste Pilot das Steuer übernommen, und die 727 begann ihren steilen Landeanflug auf Kabul. Die Stadt lag in einem staubigen, von schroffen Bergen umgebenen Kessel. Es war Mitte Februar 2002. Am 13. November des vorangegangenen Jahres waren die Taliban aus Kabul geflohen, nachdem die von US-Kampfflugzeugen unterstützte Nordallianz nach Süden vorgestoßen war. Aus den Weißen Bergen in der Ferne, wo die amerikanischen Truppen versuchten, die Widerstandsnester der dort verschanzten Taliban auszuheben, war allerdings noch anhaltendes Geschützfeuer zu hören. Doch Mortenson vermutete, dass ihm während seines Aufenthalts keine Gefahr drohte, denn schließlich war die Stadt in der Hand der Nordallianz und ihrer amerikanischen Verbündeten.

Wie der Großteil Kabuls hatte auch Abdullah Rahman den Krieg nicht unbeschadet überstanden. Er hatte keine Augenlider mehr, und seine rechte Gesichtshälfte war von glänzendem Narbengewebe bedeckt – die Folge einer Landmine, die am Straßenrand explodiert war, als er gerade mit seinem Taxi vorbeigefahren war. Seine Hände waren so schwer verbrannt, dass er sie nicht um das Lenkrad schließen konnte. Dennoch lenkte er den Wagen geschickt durch Kabuls chaotischen Verkehr. Er fuhr Mortenson zu dem Gebäude, das für die nächste Woche dessen Zuhause sein sollte: das von Kugeln durchsiebte „Kabul Peace Guest House".

Vor seiner Ankunft hatte Mortenson mit dem Gedanken gespielt, einen Wagen zu mieten und nach Norden zu fahren, um die kirgisischen Reiter zu treffen, die ihn in Zuudkhan um Hilfe gebeten hatten. Allerdings herrschten in der Hauptstadt noch derart bedrohliche Zustände, dass man schon lebensmüde sein musste, um aufs Geratewohl eine Landpartie zu unternehmen. Nachts hörte Mortenson Maschinengewehrsalven durch Kabul hallen. Außerdem feuerten die Taliban von den umliegenden Hügeln immer wieder Raketen auf die Stadt ab.

Wie fast alle anderen Gebäude in Kabul waren auch die Schulen während der Kämpfe schwer beschädigt worden. Wie Mortenson erfuhr, waren nur zwanzig Prozent der 159 Lehranstalten der Stadt zumindest so weit benutzbar, dass dort Stunden abgehalten werden konnten. Man musste die 300 000 Schüler in Schichten unterrichten.

Die Durkhani-Oberschule war ein typisches Beispiel für die Unterversorgung afghanischer Schüler. Unter ihrer hellblauen Burka hervor erklärte Rektorin Uzra Faizad Mortenson, sie wolle versuchen, 4500 Schüler in und rings um das zerschossene Gebäude unterzubringen. Ihr neunzigköpfiges Lehrerkollegium solle jeden Tag in drei Schichten unterrichten. Die Schülerschaft der Durkhani wachse mit jedem Tag, weil sich die Mädchen in der Überzeugung, dass die Taliban – die den Schulbesuch für Frauen verboten hatten – endgültig verschwunden seien, wieder aus ihren Verstecken wagten.

Eigentlich hatte Mortenson vorgehabt, das CAI in Kabul registrieren zu lassen, um möglichst schnell die nötigen Genehmigungen zum Bau von Schulen beantragen zu können. Doch in der Stadt waren nicht nur Stromversorgung und Telefonverbindungen, sondern auch die Verwaltung zusammengebrochen. „Also beschloss ich, nach Pakistan zurückzukehren, dort das nötige Material zu beschaffen und zu helfen, wo Not am Mann war."

In einer Chartermaschine des Roten Kreuzes nach Peschawar konnte er einen Platz ergattern. Verglichen mit der Lage in Afghanistan, erschienen ihm die Probleme in Pakistan lösbar. Zu diesem Schluss kam er wenigstens, als er sich im Flüchtlingslager Shamshatoo vergewisserte, dass die Lehrer ihre vom CAI bezahlten Gehälter auch bekamen.

Nachdem Suleman ihn in Peschawar abgeholt hatte, grübelte Mortenson drei schlaflose Nächte im Home Sweet Home über seine Erlebnisse in Afghanistan nach. Erschüttert von dem Leid, das er in Kabul und im Lager gesehen hatte, freute er sich schon auf einen Besuch im vertrauten Skardu – zumindest so lang, bis er Parvi anrief, um sich nach dem Stand der Dinge zu erkundigen.

Parvi berichtete ihm, vor einigen Tagen habe eine von Agha Mubarek, einem der mächtigsten Dorfmullahs im nördlichen Pakistan, angestiftete Horde Banditen mitten in der Nacht einen Überfall auf das jüngste Projekt verübt. Es handelte sich um die fast fertiggestellte gemischte Schule im Dorf Hemasil im Shigar-Tal. Mubareks Männer hatten den Rohbau dem Erdboden gleichgemacht.

Als Mortenson in Skardu eintraf, wurde er mit weiteren Hiobsbotschaften empfangen. Mubarek hatte eine Fatwa verkündet, die es Mortenson verbat, in Pakistan tätig zu werden. Noch schwerer traf es ihn, dass ein einflussreicher Lokalpolitiker, den er persönlich kannte, Mubarek öffentlich unterstützte.

„Der Mullah ist an die Ältesten von Hemasil herangetreten und forderte Geld dafür, dass er den Bau der Schule gestattet. Als die Dorfbewohner sich weigerten, ließ er die Schule zerstören und sprach die Fatwa aus", erzählte Parvi. „Wir müssen die Sache ein für alle Mal klären. Aber nicht mithilfe unserer Kontakte zum Militär, sondern vor Gericht. Und zwar dem Scharia-Gericht."

Gemeinsam mit dem Nurmadhar von Hemasil wollte Parvi den Fall vor den islamischen Gerichtshof in Skardu bringen – Moslem gegen Moslem. Er riet Mortenson, sich aus dem Rechtsstreit herauszuhalten und stattdessen seine wichtige Arbeit in Afghanistan fortzusetzen.

Also rief Mortenson von Skardu aus seinen Vorstand an, berichtete von seinen Beobachtungen in Afghanistan und bat um die Genehmigung,

Schulmaterialien kaufen und sie nach Kabul bringen zu können. Zu seiner Überraschung erbot sich Julia Bergman, nach Pakistan zu kommen und ihn auf der geplanten Fahrt von Peschawar nach Kabul zu begleiten. Er konnte es ihr nicht ausreden. Auch wenn es gefährlich war, wollte sie unbedingt etwas für die afghanischen Frauen tun, die so sehr unter den Taliban gelitten hatten.

Im April 2002 stiegen sie in den Kleinbus, den Suleman für ihre Reise nach Kabul besorgt hatte. Auf den Rückbänken und der Ladefläche stapelten sich die Schulmaterialien. Die dreihundert Kilometer lange Fahrt dauerte elf Stunden. Entlang der ganzen Strecke sahen sie ausgebrannte Panzer und andere Militärfahrzeuge, und als sie durch Jalalabad kamen, lasen sie in den Blicken der Menschen den Hass, der ihnen entgegengebracht wurde. „Ich fragte mich, wie viele unserer Bomben wohl unschuldige Leute wie den Kartoffelhändler von nebenan erwischt hatten", meint Mortenson.

Nachdem sie Kabul wohlbehalten erreicht hatten, kamen sie für fünfzig Dollar die Nacht im „unbeschädigten" Flügel des Hotels „Intercontinental" unter, wo man die zerborstenen Fenster mit Plastikplanen geflickt hatte. Einmal am Tag brachte das Personal Eimer mit warmem Wasser, damit sie sich waschen konnten.

Mit Abdullah Rahman, der trotz seiner zernarbten Hände geschickt die Bombenkrater umfuhr, klapperten sie achtzig Dörfer westlich der Hauptstadt ab. Mortenson wusste, dass der Großteil der nur zögerlich nach Kabul fließenden ausländischen Hilfsgelder die Stadt niemals wieder verlassen würde, weshalb ihm das Schicksal der verarmten Landbevölkerung besonders am Herzen lag. Den dreihundert Schülern der zerbombten Shahabuddin-Mittelschule war allerdings mit Heften und Bleistiften nur wenig gedient.

Die Lehrer unterrichteten die kleineren Jungen in rostigen Frachtcontainern. Die ältesten Schüler, die die neunte Klasse besuchten, lernten im Heck eines ausgebrannten Panzerfahrzeugs. Die Jungen zwängten sich vorsichtig in die vormalige Luke des MG-Schützen, die sie als Fenster nutzten, und zeigten Mortenson stolz ihren wertvollsten Besitz: einen Volleyball, den sie vom Mitarbeiter einer schwedischen Hilfsorganisation geschenkt bekommen hatten.

Doch am meisten schmerzte es Mortenson, dass den Mädchen überhaupt kein Gebäude zur Verfügung stand. „Achtzig Schülerinnen mussten unter freiem Himmel lernen", erinnert er sich. „Es war sehr mühsam, Unterricht zu halten, denn der Wind blies ihnen ständig Sand in die Augen oder wehte die Tafel um." Begeistert nahmen sie die neuen

Schreibutensilien in Empfang und drückten die Hefte fest an die Brust, damit sie nicht davongepustet wurden.

Am nächsten Tag machte Mortenson Julia Bergman mit der Rektorin der Durkhani-Schule bekannt und übergab dieser die Arbeitsmaterialien für ihre 4500 Schüler. Erfreut, Mortenson wiederzusehen, lud Uzra Faizad die beiden Amerikaner zum Tee zu sich nach Hause ein.

Sie war Witwe. Ihr Mann, ein Mudschaheddin und Angehöriger von Massuds Truppen, war im Kampf gegen die Sowjets gefallen. Während der Talibanherrschaft war sie in den Norden nach Taloqan geflohen und hatte Mädchen nach dem Fall der Stadt insgeheim Privatunterricht erteilt. Wieder in ihrer Heimat zurück, engagierte sie sich nun jedoch offen für weibliche Bildung. Sie lebte auf dem Schulgelände in einem Schuppen, der nur aus einem Raum bestand. Sie streifte ihre Burka ab und hängte sie an einen Haken. Dann kauerte sie sich vor einen kleinen Propangasherd, um Tee zu kochen.

„Die Taliban sind doch weg. Wieso tragen Sie immer noch die Burka?", erkundigte sich Julia.

Uzra lächelte breit. „Ich bin eine konservative Frau – sie entspricht mir. Außerdem fühle ich mich darunter sicher. Ich bestehe sogar darauf, dass alle meine Lehrerinnen die Burka tragen, wenn sie auf den Basar gehen. Wir wollen niemandem einen Anlass geben, gegen unsere Arbeit für die Mädchen an dieser Schule vorzugehen. Wir afghanischen Frauen sehen das Licht durch Bildung, nicht durch dieses oder jenes Loch in einem Stück Stoff."

Als der Tee fertig war, servierte sie ihn ihren Gästen. „Ich muss Sie um einen Gefallen bitten", meinte sie, nachdem jeder einen Schluck getrunken hatte. „Wir sind den Amerikanern sehr dankbar, dass sie die Taliban verjagt haben. Aber ich habe seit fünf Monaten kein Gehalt mehr bekommen. Könnten Sie vielleicht mit jemandem in Amerika darüber sprechen und herausfinden, woran das liegt?"

Nachdem Mortenson ihr vom CAI-Geld vierzig Dollar sowie zwanzig für jeden ihrer neunzig Lehrer gegeben hatte, die ebenfalls noch auf ihr Gehalt warteten, begleitete er Julia zu einer Chartermaschine der UN, die sie nach Islamabad brachte. Anschließend versuchte er zu ermitteln, was aus den Lehrergehältern geworden war. Er traf sich mit dem stellvertretenden afghanischen Finanzminister, der nur die Hände rang, als er ihn fragte, warum Uzra und ihr Kollegium nicht bezahlt würden. „Er erklärte mir, weniger als ein Viertel der von Bush versprochenen Hilfsgelder seien tatsächlich in Afghanistan eingetroffen", entsinnt Mortenson sich der Unterredung. „Außerdem seien sechshundertachtzig

Millionen Dollar aus diesen Mitteln umgeleitet worden, um für die bald erwartete Invasion des Iraks Rollbahnen und Vorratslager in Bahrain, Kuwait und Katar zu bauen."

Als er über Dubai und London nach Washington flog, fühlte er sich wie eine wärmegesteuerte Rakete, die mit Empörung als Treibstoff auf den Sitz der eigenen Regierung zuraste. „Wenn wir nicht einmal die Kleinigkeit zustande brachten, einer heldenhaften Frau wie Uzra ihre vierzig Dollar monatlich zu bezahlen, wie sollten wir da jemals die schwierige Aufgabe schultern, den Kampf gegen den Terror zu gewinnen?", fragt er anklagend.

Allerdings richtete sich sein Zorn nicht gegen Mary Bono. „Bei meiner Ankunft in Washington war ich völlig ratlos", bekennt er. „Als wäre ich in einem abgeschiedenen afghanischen Dorf gelandet, mit dessen Sitten ich nicht vertraut war. Mary opferte mir einen ganzen Tag und erklärte mir alles." Außerdem hatte sie allen Kongressmitgliedern die Einladung zukommen lassen, „einen Amerikaner kennen zu lernen, der in Pakistan und Afghanistan gegen den Terror kämpft, indem er Mädchenschulen baut."

Mortenson baute seinen alten Diaprojektor auf und drehte sich zu den Abgeordneten und ihren leitenden Mitarbeitern um, die sich in einem Konferenzsaal des Kapitols drängten. Er führte ihnen Aufnahmen vor, die sowohl die karge Schönheit wie auch die Armut Pakistans zeigten, und sprach mit Leidenschaft über Uzras ausstehendes Gehalt und die Pflicht der Amerikaner, ihr Versprechen einzulösen und Afghanistan wiederaufzubauen. Dann berichtete er von den miserabel ausgestatteten öffentlichen Schulen in Pakistan, den wahhabitischen Madaris, die überall wie Pilze aus dem Boden schossen, und den Milliarden Dollars, die die saudischen Scheichs kofferweise in das Gebiet schleppten, um diese Brutstätten des Dschihad zu finanzieren. Als er geendet hatte, erhob sich eine Kongressmitarbeiterin. „Ich muss mich wundern", sagte sie. „Warum erfahren wir weder aus den Nachrichten noch in unseren Sitzungen von diesen Dingen? Sie sollten ein Buch schreiben."

„Dazu fehlt mir die Zeit", erwiderte Mortenson. „Ich komme ja nicht mal mehr zum Schlafen."

Einige Monate später wurde er von einem General der Marineinfanterie, der von seiner Arbeit gelesen und daraufhin tausend Dollar an das CAI gespendet hatte, ins Pentagon eingeladen. Der General führte ihn durch einen Flur mit Marmorfußboden ins Büro des Verteidigungsministers. Zu Mortensons Erstaunen forderte man ihn nicht auf, sich zu setzen – denn wenn man in Pakistan bei einem hohen Regierungsbeamten zu Gast war, wurde einem zumindest ein Platz und eine Tasse Tee angeboten. So stand er da wie bestellt und nicht abgeholt, fühlte sich in seinem Anzug ziemlich unwohl und wusste nicht, was er sagen sollte.

„Der Besuch dauerte nur etwa eine Minute, in der ich vorgestellt wurde", erinnert er sich. „Und ich wünschte, ich könnte berichten, dass ich Rumsfeld mit einer Bemerkung dazu gebracht hätte, den von der Regierung geführten Krieg gegen den Terror infrage zu stellen. Aber eigentlich starrte ich nur auf seine Schuhe. Obwohl ich mich mit solchen Dingen nicht gut auskenne, bemerkte selbst ich, dass es sehr schöne Schuhe waren. Sie sahen teuer aus und waren blitzblank geputzt. Außerdem trug Rumsfeld einen eleganten grauen Anzug und benutzte offenbar ein Herrenparfum. Obwohl ein entführtes Flugzeug ins Pentagon gerast war, schienen die Kämpfe, die Hitze und der Staub, die ich in Kabul erlebt hatte, für diese Menschen sehr weit weg zu sein."

Auf dem Weg zu dem Raum, wo Mortenson im Anschluss zu einigen hochrangigen Militärstrategen sprechen sollte, fragte er sich, ob sich die Distanz zu den Vorgängen draußen in der Welt, die er hier im Pentagon bemerkte, wohl auch auf die in diesem Gebäude getroffenen Entscheidungen auswirkte.

„Ich habe den Krieg in Afghanistan zunächst befürwortet", begann er, nachdem er sich der Runde vorgestellt hatte. „Ich hielt ihn für richtig, weil ich die Versprechen, wir würden für den Wiederaufbau des Landes sorgen, ernst genommen habe. Heute bin ich hier, weil ich weiß, dass ein militärischer Sieg nur der erste Schritt hin zum Sieg im Krieg gegen den Terror sein kann. Allerdings befürchte ich, dass wir nicht bereit sind, auch die nächsten Schritte zu unternehmen. Für die Menschen dort drüben gehören Tod und Gewalt zum Alltag. Wenn man ihnen sagt: ‚Wir bedauern den Tod Ihres Vaters, aber er ist als Märtyrer im Kampf für die Freiheit Afghanistans gestorben', und ihnen anschließend auch eine Entschädigung anbietet und ihr Opfer würdigt, werden sie uns vermutlich selbst jetzt noch unterstützen. Aber was wir derzeit tun, ist das Allerschlimmste – nämlich die Opfer zu missachten, sie als Kollateralschäden zu bezeichnen und nicht einmal den Versuch zu unternehmen, ihre Zahl festzustellen. Wer sie ignoriert, tut so, als hätte es diese Menschen nie gegeben, und das ist die größte Beleidigung, die man einem Moslem antun kann. Das wird man uns nie verzeihen."

Nachdem er seine Warnung vor den in den Madaris herangezogenen Heiligen Kriegern wiederholt hatte, kam er zum Schluss seiner Rede. „Ich bin kein Militärexperte, aber ich habe gehört, dass wir bislang hundertvierzehn Cruise Missiles auf Afghanistan abgefeuert haben. Die Kosten für eine dieser Raketen betragen weit über achthunderttausend Dollar.

Rare Unterstützung im politischen Washington: Mortenson informiert die Kongressabgeordnete Mary Bono über die neuesten Entwicklungen in Afghanistan.

„Für dieses Geld könnte man Dutzende Schulen bauen, in denen im Verlauf einer Generation Zehntausende von Schülern ohne extremistische Infiltration ausgebildet werden könnten. Raketen oder Schulen – was schenkt uns Ihrer Meinung nach größere Sicherheit?"

Als der Vortrag vorbei war, wurde er von einem Mann angesprochen, der deutlich als Offizier alter Schule zu erkennen war. „Könnten Sie uns alle wahhabitischen Koranschulen auf einer Karte einzeichnen?"

„Nicht wenn mir mein Leben lieb ist", erwiderte Mortenson.

„Wäre es nicht möglich, neben jede dieser Madaris eine Ihrer Schulen zu bauen?"

„Um den Dschihadisten durch Konkurrenz das Wasser abzugraben?"

„Ich meine es ernst. Wir könnten Ihnen das Geld besorgen. Was halten Sie von 2,2 Millionen Dollar? Wie viele Schulen könnten Sie damit bauen?"

„Etwa hundert. Aber die Menschen würden dahinterkommen, dass das Geld vom Militär stammt, und dann wäre ich weg vom Fenster."

„Kein Problem. Wir könnten es als Privatspende eines Geschäftsmanns aus Hongkong tarnen. Überlegen Sie es sich und rufen Sie mich an." Der Mann reichte ihm seine Karte.

Mortenson dachte in der Tat gründlich darüber nach. Was an Gutem von hundert Schulen ausginge, stand ihm dabei ständig vor Augen. „Aber mir wurde klar, dass meine Glaubwürdigkeit in diesem Teil der Welt davon abhing, dass ich keine Verbindungen zur amerikanischen Regierung unterhielt", erklärt er. „Insbesondere nicht zum Militär."

Obwohl die gut besuchten Diavorträge im Jahr 2002 viel Geld in die Kassen des CAI spülten, bestand die Gefahr, dass der Alltagsbetrieb der Schulen in Pakistan und die Hilfen für die Kinder in Afghanistan die Organisation überforderten, wenn Mortenson nicht sparsam mit den Mitteln umging. Als der Vorstand ihm anbot, sein Jahresgehalt zu erhöhen, lehnte er deshalb ab. Zuerst musste das CAI finanziell auf sicheren Füßen stehen.

Und als die Presse nach dem Jahreswechsel immer öfter von Massenvernichtungswaffen und dem bevorstehenden Angriff auf den Irak schrieb, war er heilfroh, das Geld der Militärs ausgeschlagen zu haben.

ALS DIE Straße endete, trat Hussein auf die Bremse. Um auszusteigen, mussten seine Passagiere über die in Plastikfolie verpackte Dynamitkiste klettern. Es war schon dunkel, als sie diese Stelle erreichten, wo die unbefestigte Straße, die sie zehn Stunden lang hinaufgerumpelt waren, in einen von Felsbrocken gesäumten Fußweg überging.

Für Mortenson, Hussein, Apo und Faisal glich die Ankunft in der letzten Ansiedlung vor dem Baltoro einem Nachhausekommen. Doch der Journalist Kevin Fedarko fühlte sich, als hätte man ihn mitten in der Wildnis ausgesetzt. „In jener Nacht war über dem Karakorum ein unglaublicher Sternhimmel zu sehen – so als leuchteten unzählige Lämpchen", ruft er sich den kalten Septemberabend ins Gedächtnis. Dann löste sich eine Sternschnuppe und schwebte hinunter, als wollte sie die Besucher von Korphe begrüßen.

„Der Dorfvorsteher und zwei seiner Freunde kamen den steilen Hang heruntergeklettert", fährt Fedarko fort. „Sie hatten chinesische Sturmlaternen bei sich und führten uns über eine Hängebrücke in die Dunkelheit. So etwas vergisst man nie. Es war, als hätte ich ein mittelalterliches Dorf betreten."

Der Journalist war nach Pakistan gekommen, um einen Artikel mit dem Titel „Der kälteste Krieg" zu schreiben. Obwohl die Kämpfe zwischen Indien und Pakistan nun schon seit 19 Jahren andauerten, hatte noch niemand direkt von den Stellungen der beiden Kriegsparteien hoch oben in den Bergen berichtet. Mit Mortensons Hilfe wäre Fedarko nun der Erste. Sein Landsmann hatte ihm die Genehmigung der pakistanischen Armee besorgt, ihn überall bekannt gemacht und Hubschrauberflüge für ihn organisiert. Als Fedarko sich in jener kalten Nacht fest in seine Schlafdecke wickelte, ahnte er noch nicht, dass er sich für Mortensons Freundlichkeit schon in naher Zukunft mehr als erkenntlich zeigen könnte.

„Als ich am Morgen die Augen aufschlug", erinnert er sich, „fühlte ich mich, als wäre ich mitten in ein Volksfest geraten."

„Vor seinem Tod hatte Hadschi Ali ein kleines Haus neben seinem bauen lassen und mich gebeten, es als mein Zuhause in Baltistan zu betrachten", erläutert Mortenson. „Twaha hatte alles mit bunten Stoffen geschmückt, Kissen und Decken auf den Böden ausgebreitet und Fotos von meinen verschiedenen Besuchen in Korphe überall an die Wände gehängt. Das Haus diente gleichzeitig als eine Art Herrenklub und inoffizielles Rathaus von Korphe."

Als Fedarko sich aufsetzte, um den angebotenen Tee entgegenzunehmen, begann gerade eine Ratssitzung. „Die Leute freuten sich so, Greg zu sehen, dass sie sich hereingeschlichen hatten, während wir schliefen", berichtet der Journalist. „Und nachdem sie uns eine Tasse Tee in die Hand gedrückt hatten, ging die Versammlung sofort mit Riesenspektakel los. Alle lachten, schrien herum und stritten sich, als wären wir schon seit Stunden wach gewesen."

„Wenn ich in Korphe oder sonst einem Dorf arbeitete, verbrachte ich normalerweise einige Tage mit den Mitgliedern des Rates", erklärt Mortenson. „Es gab meistens viel zu besprechen."

Doch an diesem Morgen geschah etwas sehr Ungewöhnliches. Eine selbstbewusste junge Frau kam hereinmarschiert und durchquerte den Kreis der dreißig Männer. Kühn nahm sie vor Mortenson Platz und unterbrach damit die angeregten Debatten der Dorfältesten. „Dr. Greg", begann sie, „du hast unserem Dorf einmal etwas versprochen und es mit dem Bau der Schule auch wahr werden lassen. Aber am Tag der Eröffnung hast du mir noch eine andere Zusage gemacht. Erinnerst du dich?"

Mortenson lächelte. Hadschi Alis Enkelin Dschahan gehörte zu den besten Schülerinnen in Korphe und hatte oft mit ihm über ihre beruflichen Zukunftspläne gesprochen.

„Ich habe dir erzählt, dass ich einmal Ärztin werden will, und du hast mir zugesichert, du würdest mir dabei helfen", fuhr sie fort, ohne sich um die anwesenden Männer zu kümmern. „Dieser Tag ist jetzt gekommen. Du musst dein Versprechen wahr machen. Ich bin so weit, meine medizinische Ausbildung beginnen zu können, aber dazu brauche ich zwanzigtausend Rupien."

Sie reichte ihm ein Blatt Papier, auf dem sie in sorgfältigem Englisch ihren Antrag formuliert und den Lehrgang in Geburtshilfe beschrieben hatte, den sie in Skardu besuchen wollte. Auch die Studiengebühren sowie die Kosten für Arbeitsmaterialien waren fein säuberlich aufgelistet.

„Sehr schön", erwiderte Mortenson beeindruckt. „Ich werde es lesen, wenn ich Zeit habe, und mit deinem Vater darüber sprechen."

„Nein!", rief Dschahan auf Englisch und wechselte dann wieder zu Balti, weil sie sich in dieser Sprache besser ausdrücken konnte. „Der Lehrgang fängt nächste Woche an. Ich brauche das Geld jetzt."

Ihr Mut brachte Mortenson zum Schmunzeln. Offenbar hatte die frischgebackene Absolventin seiner allerersten Schule die Lektion gelernt, die er letztlich allen Schülerinnen vermitteln wollte – sich gegen die Männer zu behaupten. Er bat Apo um den Beutel mit dem CAI-Geld, über das der alte Koch wachte, und zählte zwanzigtausend Rupien ab, etwa vierhundert Dollar, die er Twaha übergab, damit dieser die Studiengebühren für seine Tochter bezahlen konnte.

„So etwas Unglaubliches hatte ich noch nie erlebt", staunt Fedarko heute noch. „Ein junges Mädchen in einem vom konservativen Islam regierten Dorf platzte mir nichts, dir nichts in eine Männerrunde und räumte gewaltig mit althergebrachten Traditionen auf: Sie hatte einen Schulabschluss in der Tasche und war in einem Tal, in dem dreitausend Menschen lebten, die erste Frau, die Bildung genossen hatte. Des Weiteren ließ sie es an der vorgeschriebenen Demut fehlen, setzte sich einfach vor Greg hin und präsentierte ihm das Ergebnis der revolutionären Kenntnisse, die sie sich angeeignet hatte – einen Antrag auf Englisch, der ihr helfen sollte, es im Leben zu etwas zu bringen und ihr Dorf zu unterstützen. In diesem Moment ging mir zum ersten Mal in meinen

Weiß, was sie will: Dschahan, die selbstbewusste Enkelin Hadschi Alis.

sechzehn Jahren als Journalist die Objektivität verloren. ‚Was Sie hier tun, ist eine viel wichtigere Story als die, über die ich eigentlich berichten wollte. Ich muss einen Weg finden, diese Geschichte zu erzählen', meinte ich zu Greg."

Nach einem zweimonatigen Aufenthalt bei den pakistanischen und indischen Truppen machte Fedarko auf dem Heimweg in New York Station, wo er mit seinem alten Freund Lamar Graham, dem Herausgeber des Magazins *Parade*, zu Mittag aß. Als dieser sich nach dem geplanten Artikel erkundigte, sprudelte Fedarko alles heraus, was er während seiner Zeit mit Mortenson erlebt hatte. Verblüfft erwiderte Graham, wenn nur die Hälfte davon stimme, müsse *Parade* darüber berichten.

Am Sonntag, dem 6. April, sammelten sich amerikanische Bodentruppen am Stadtrand von Bagdad und bereiteten sich darauf vor, Saddam Husseins Hauptstadt zu stürmen. Am selben Tag lagen 34 Millionen Ausgaben des Magazins mit Mortensons Foto auf der Titelseite den überregionalen Zeitungen bei. Er bekämpft den Terror mit Büchern, lautete die Schlagzeile.

Noch nie zuvor hatte Mortenson in einer derartig wichtigen Phase so viele Menschen erreichen können. „Wenn wir versuchen, den Terrorismus ausschließlich mit militärischen Mitteln zu besiegen", erklärte er den Lesern von *Parade*, „wird es um unsere Sicherheit auch weiterhin nicht besser bestellt sein als vor dem 11. September. Nur wenn wir verstehen, dass man diesen Krieg letztlich mit Büchern, nicht mit Bomben, gewinnen muss, werden wir unseren Kindern ein friedliches Erbe hinterlassen."

Der Bericht löste so heftige Leserreaktionen aus, wie man sie bei *Parade* noch nie erlebt hatte. Und auch in Bozeman schwoll nach Erscheinen des Artikels die Lawine aus E-Mails, Briefen und Anrufen von Befürwortern wochenlang immer mehr an, bis sie das kleine Kellerbüro unter sich zu begraben drohte.

Am Dienstag nach der Veröffentlichung holte Mortenson die Post an das CAI aus dem Postfach. Achtzig Briefe waren eingetroffen. Als er am Donnerstag wiederkam, fand er einen Zettel vor, er solle sich am Schalter melden. „Sie sind also Greg Mortenson", brummte der Beamte. „Hoffentlich haben Sie eine Schubkarre dabei." Mortenson packte fünf Postsäcke in seinen Wagen und kehrte am nächsten Tag zurück, um vier weitere einzusammeln. In den nächsten drei Monaten wurden die Mitarbeiter der Post in Bozeman von den *Parade*-Lesern mächtig auf Trab gehalten.

„Ich fühlte mich, als spräche ganz Amerika zu mir", erinnert sich Mortenson. „Und am erstaunlichsten war, dass sich unter allen Schreiben nur ein einziges mit Beschimpfungen befand." Die überwältigenden positiven Reaktionen heilten die Wunden, die die Morddrohungen nach dem 11. September hinterlassen hatten.

Während die US-Truppen sich auf eine lange Präsenz im Irak einrichteten, gehörte die Finanzkrise des CAI durch die in letzter Zeit hereingekommenen Spenden endlich der Vergangenheit an. Das Bankkonto wies einen Stand von über einer Million Dollar auf.

„Am liebsten wäre ich sofort losgezogen, um alles in neue Projekte zu stecken", bekennt Mortenson. „Aber der Vorstand drängte mich, endlich die schon seit Jahren besprochenen Veränderungen vorzunehmen, und ich stimmte zu, dass der Zeitpunkt reif dafür war."

Er mietete ein kleines Büro in der Nähe der Main Street von Bozeman und stellte vier Mitarbeiter ein, die seine Vortragstermine vereinbaren, einen Infobrief herausbringen, eine Internetseite einrichten und die wachsende Spender-Datenbank verwalten sollten. Da der Vorstand darauf beharrte, nahm er auch die lange überfällige Gehaltserhöhung an, was sein Einkommen beinahe verdoppelte.

Tara freute sich, dass sein Gehalt nun endlich einen Ausgleich für den Preis darstellte, den ihre Familie im letzten Jahrzehnt im Privatleben hatte zahlen müssen. Allerdings war sie alles andere als glücklich darüber, dass ihr Mann nun wieder öfter verreisen würde, denn das Geld von *Parade* hatte neue Projekte möglich gemacht.

„Nach Gregs Entführung und dem 11. September sparte ich mir die Mühe, ihm eine Rückkehr in dieses Land ausreden zu wollen, denn ich wusste, dass er ohnehin nicht auf mich hören würde", erzählt sie. „Also eignete ich mir eine Methode an, die ich als ‚funktionales Verdrängen' bezeichne. Ich rede mir einfach ein, dass ihm schon nichts passieren wird. Außerdem vertraue ich den Leuten, mit denen er sich umgibt, sowie seiner Erfahrung mit ihrer Kultur, denn schließlich war er schon oft genug dort. Dennoch weiß ich, dass ein einziger durchgedrehter Fundamentalist genügt, um ihn umzubringen. Aber ich weigere mich, daran zu denken, während er unterwegs ist", fügt sie mit einem gezwungenen Lachen hinzu.

SULEMAN war in Pakistan der Erste, dem Mortenson von dem positiven Echo in Amerika erzählte. Da seine einheimischen Mitarbeiter sich nun schon jahrelang für ihn abplagten, ohne die Vorteile zu genießen, die sich für gewöhnlich durch den Kontakt mit Ausländern ergaben, war er fest entschlossen, ihnen auch etwas von dem Geldsegen abzugeben.

Also teilte er Suleman mit, sein Gehalt werde ab sofort von 800 auf 1600 Dollar jährlich steigen. Nun besaß Suleman mehr als genug Geld, um den Traum, für den er schon so lange sparte, endlich wahr werden zu lassen: Er wollte seine Familie aus seinem Heimatdorf nach Rawalpindi nachholen und seinen Sohn auf eine Privatschule schicken.

In den Jahren ihrer Zusammenarbeit war Sulemans Haar fast grau geworden. Dank der Gehaltserhöhung die Taschen voller Geld, marschierte er in einen Frisiersalon und ließ sich die extravaganteste Behandlung auf der Preisliste verpassen. Als er zwei Stunden später wieder herauskam, leuchtete sein dichter Haarschopf in einem grellen Orange.

Im Indus Hotel in Skardu berief Mortenson eine Jirga ein und kündigte an, dass die Gehälter von Apo, Hussein und Faisal auf tausend Dollar verdoppelt werden sollten. Parvi, der als Leiter des CAI in Pakistan bereits zweitausend Dollar Jahresgehalt bezog, bekäme nun viertausend – angesichts der Verhältnisse in Skardu fürstliche Bezüge für den Mann, der die Projekte im Land erst ermöglicht hatte.

Hussein erhielt zusätzlich fünfhundert Dollar, um den Motor des altersschwachen Land Cruiser überholen zu lassen. Da nun genügend Geld zur Verfügung stand, schlug Parvi die Anmietung eines Lagerhauses in Skardu vor, damit man Baumaterial zu Großhandelspreisen kaufen und aufbewahren konnte, bis es benötigt wurde.

Bevor Mortenson sich aufmachte, um zwei Dutzend weitere Schulen, Frauenzentren und Bewässerungsprojekte aus dem Boden zu stampfen, sprach er einen weiteren Plan an. „Schon seit einiger Zeit überlege ich mir, was aus unseren Schülern werden soll, nachdem sie ihren Abschluss in der Tasche haben. Mr Parvi, könnten Sie sich erkundigen, was es kosten würde, ein Wohnheim in Skardu zu bauen, damit unsere besten Schüler eine Unterkunft haben, wenn sie mit einem Stipendium von uns ein Studium beginnen wollen?"

„Mit Vergnügen, Dr. Sahib", erwiderte Parvi lächelnd, denn nun hatte er endlich Gelegenheit, ein Vorhaben umzusetzen, das ihm schon lange ein besonderes Anliegen war.

„Ach, da wäre noch etwas", meinte Mortenson. „Yasmine wäre eine ausgezeichnete Kandidatin für das erste CAI-Stipendium. Sind Sie so gut und sagen mir, wie hoch das Schulgeld sein wird, wenn sie im Herbst eine private Oberschule besuchen möchte?" Die 15-jährige Yasmine war Parvis Tochter und eine Einserschülerin, die offenbar die hohe Intelligenz und das leidenschaftliche Engagement ihres Vaters geerbt hatte. „Also?", hakte Mortenson nach.

Parvi, eigentlich der sprachgewaltigste Mann in Skardu, brachte keinen Ton mehr heraus, und vor Erstaunen stand ihm der Mund offen.

„Allah ist groß!", rief Apo lachend aus. „Wie lang habe ich auf diesen Tag gewartet!"

Im Sommer 2003 arbeitete Mortenson wie ein Besessener. Außerdem hielt er sich, so schwer es ihm auch fiel, an Parvis Rat, den Prozess am Scharia-Gericht nur aus der Ferne zu verfolgen. Als im August das Urteil gesprochen wurde, entschieden die Richter zugunsten der Kläger. Sie bezeichneten Agha Mubareks Fatwa als unberechtigt und verdonnerten ihn dazu, die achthundert Backsteine zu ersetzen, die seine Männer zertrümmert hatten.

„Es war ein sehr demütig machender Sieg", urteilt Mortenson. „Ein islamisches Gericht beschützt im konservativen schiitischen Teil Pakistans einen Amerikaner, während Amerika zur gleichen Zeit im Rahmen unseres so genannten Rechtsstaats Muslime jahrelang ohne Anklage in Guantanamo festhält."

Nachdem er sich ein Jahrzehnt abgemüht hatte, gewann er endlich den Eindruck, dass in Pakistan alle Teeblätter in seine Richtung wirbelten. Als in jenem Sommer ein neuer Minister für die Nordprovinzen ernannt wurde, gewann er einen einflussreichen Verbündeten, denn das erklärte Ziel des Politikers war der Kampf gegen die Armut im nördlichen Pakistan. Ein weiterer mächtiger Freund war General Bashir mit seiner zivilen Fluggesellschaft. Im Sommer 2003 erbot er sich häufig, Mortenson zu entlegenen Zielen zu fliegen.

Im Herbst desselben Jahres saß der hünenhafte General in Rawalpindi an seinem Schreibtisch und arrangierte Mortensons nächsten Flug nach Afghanistan. Als er kurz aufsah und zum Fernseher blickte, lief dort gerade ein Bericht aus Bagdad. Beim Anblick der trauernden irakischen Frauen, die Kinderleichen aus zerbombten Gebäuden trugen, ließ Bashir die Schultern hängen.

„Menschen wie ich sind die besten Freunde, die die Amerikaner in dieser Region haben", sagte er schließlich. „Ich bin ein gemäßigter Moslem und ein gebildeter Mann. Aber wenn ich so etwas sehe, könnte selbst ich in den Dschihad ziehen. Wie können die Amerikaner glauben, dass sie so für Sicherheit sorgen? Als Soldat weiß ich, dass man keine Chance hat, einen Kampf gegen jemanden zu gewinnen, der kurz auf einen schießt und dann davonläuft, um sich zu verstecken, während man weiter auf der Hut bleiben muss. Man muss das angreifen, woraus der Gegner seine Kraft bezieht. Und in Amerikas Fall ist das weder Osama noch Saddam, noch sonst eine Person. Die Unwissenheit ist der Feind. Und sie bekämpft man nur, indem man Beziehungen zu diesen Menschen aufbaut und sie durch Bildung und wirtschaftliche Erfolge in die Moderne holt. Sonst wird dieser Kampf ewig andauern."

Er holte tief Luft. „Verzeihung. Das war schrecklich unhöflich von mir. Natürlich wissen Sie das genauso gut wie ich. Sollen wir jetzt zu Mittag essen?" Er drückte auf die Gegensprechanlage und bat seinen Assistenten, die Behälter des Hamburgerlokals zu bringen, die er eigens für seinen amerikanischen Freund im Blauen Bezirk bestellt hatte.

Bei schlechtem Wetter kann es in Skardu sehr deprimierend sein. Doch als Mortenson im Oktober 2003 ein letztes Mal vor der geplanten CAI-Initiative in Afghanistan in die nördlichen Gebiete fuhr, war er trotz der dichten Bewölkung und der sinkenden Temperaturen guter Dinge. Vor seiner Abreise aus Rawalpindi hatte Bashir ihn um vier Lakh Rupien gebeten, etwa sechstausend Dollar, was in Pakistan eine beträchtliche Summe darstellte. Bashir wollte eine neue CAI-Schule in seinem Heimatdorf südöstlich von Peschawar bauen.

Im Frühling sollten zehn weitere Schulen eröffnen, darunter die in Hemasil, die wieder aufgebaut wurde. Während Mortenson sich auf die Abreise nach Afghanistan vorbereitete, herrschte schon in mehr als vierzig CAI-Schulen in den Hochtälern des Karakorum und des Hindukusch reger Betrieb.

Und unten im geschäftigen Skardu, in einem kleinen von Twaha gemieteten Lehmhaus, wohnte nun die Tochter des neuen Nurmadhar von Korphe zusammen mit einer ehemaligen Mitschülerin. Zwei Cousins aus dem Dorf waren als „Anstandsdamen" mitgekommen und achteten auf die beiden mutigsten jungen Frauen des Braldu-Tals, während diese ihre Träume wahr werden ließen.

Dschahan und Tahira, die ersten beiden Absolventinnen der Schule von Korphe, waren als zwei der ersten CAI-Stipendiatinnen nach Skardu gekommen. Als Mortenson den Mädchen in Begleitung von Twaha einen Besuch abstattete, servierte ihm Dschahan stolz Tee in ihrem eigenen Haus, wie ihre Großmutter Sakina es so oft getan hatte. Inzwischen hatte sie den Geburtshilfelehrgang abgeschlossen, aber entschieden, in Skardu zu bleiben und weiterzustudieren.

Dank der Unterstützung durch das CAI konnten Dschahan und Tahira als Vollzeitschülerinnen eine private Highschool für Mädchen besuchen, wo sie in englischer Grammatik, Urdu, Arabisch, Physik, Wirtschaft und Geschichte unterrichtet wurden. Tahira wollte nach ihrem Abschluss nach Korphe zurückkehren und mit ihrem Vater, Schulmeister Hussein, unterrichten. Dschahan hingegen hatte mittlerweile hochfliegendere Pläne entwickelt. „Bevor ich dich kennen lernte, Dr. Greg, hatte ich keine Ahnung, was Bildung bedeutet", sagte sie. „Doch jetzt finde ich, dass sie wie Wasser ist. Man kann ohne sie nicht leben."

„Was ist mit Ehe?", fragte Mortenson in dem Wissen, dass die Tochter eines Nurmadhar sich vor Verehrern nicht retten könnte, insbesondere wenn sie so hübsch war wie diese 17-Jährige. Allerdings hieße ein konservativer Balti den Ehrgeiz der kühnen jungen Frau sicherlich nicht gut.

„Keine Sorge, Dr. Greg", meinte Twaha lachend. „Sie hat zu viel von dir gelernt. Sie hat bereits unmissverständlich klargestellt, dass sie erst fertig studieren will, bevor an eine Ehe mit einem passenden jungen Mann auch nur zu denken ist. Und ich stimme zu. Wenn nötig, werde ich all mein Land verkaufen, damit sie ihren Abschluss machen kann. Das bin ich dem Andenken meines Vaters schuldig."

„Und was hast du vor?", erkundigte sich Mortenson bei Dschahan.

Sie holte tief Luft und legte sich ihre Worte gut zurecht. „Immer wenn ich als kleines Mädchen einen Herrn oder eine Dame in schönen, sauberen Kleidern sah, lief ich beschämt davon und versteckte mich. Doch nach meinem Schulabschluss spürte ich, dass sich in meinem Leben etwas Großes verändert hatte. Plötzlich war ich ordentlich und sauber und konnte mit jedem über alles sprechen. Und jetzt bin ich in Skardu und glaube, dass alles möglich ist. Ich möchte nicht nur Kranke pflegen, sondern mir die Fähigkeiten aneignen, um ein Krankenhaus zu gründen, es zu verwalten und allen Frauen im Braldu-Tal eine Gesundheitsvorsorge zu bieten. Ich möchte, dass die Menschen in diesem Gebiet mich kennen." Sie zwirbelte den Saum ihres rotbraunen Schleiers zwischen den Fingern. „Ich will eine ... große Dame werden", schloss sie mit einem aufmüpfigen Grinsen, das jeden Mann davor warnte, sich diesem Ziel in den Weg zu stellen.

Mortenson lächelte die mutige Enkelin von Hadschi Ali an und stellte sich den zufriedenen Blick des alten Nurmadhar vor, wenn er diesen Tag noch erlebt hätte. Wie hätte er sich darüber gefreut, dass ihre gemeinsame Saat so prächtige Früchte trug! Fünfhundertachtzig Briefe, zwölf Widder und zehn Jahre Arbeit waren ein kleiner Preis für einen solchen Moment, dachte Mortenson.

Steine zu Schulen

Die 737 setzte in einer engen Spirale zum Landeanflug auf Kabul an. Da es in der Hauptstadt inzwischen wieder um einiges gefährlicher zuging als vor einem Jahr und es hieß, die Taliban seien dabei, sich neu zu organisieren, ergriffen die Piloten diese Vorsichtsmaßnahme, um für die vielen Stinger-Raketen, die sich noch unkontrolliert im Land befanden, ein möglichst kleines Ziel abzugeben.

Der Straßenverkehr in Kabul erschien Mortenson beängstigender denn je. Obwohl Abdullah Rahman hinter dem Steuer nie die Nerven verlor, kam es auf der Fahrt zur Unterkunft zu vier Beinahekollisionen.

Mortenson wollte nach Faizabad, der größten Stadt in der Provinz Badakhshan im nordöstlichen Afghanistan. Von dort aus plante er, Erkundungsfahrten zu unternehmen, um Standorte für mögliche Schulprojekte auf dem Land zu suchen. Allerdings führte der Weg dorthin durch gefährliches Gebiet. Doch ihm blieb nichts anderes übrig. Er war fest entschlossen, auf seiner dritten Reise nach Afghanistan endlich sein Versprechen an die kirgisischen Reiter wahr zu machen. Während seiner Abwesenheit hatten sie sich gründlich im Wakhan-Korridor umgehört und waren wieder sechs Tage lang nach Zuudkhan geritten, um Faisal Baig die Ergebnisse zu überbringen: Für 5200 Kinder im Grundschulalter gebe es keine Schulen. Nun warteten die Menschen darauf, dass Mortenson anfing, welche zu bauen, *inschallah*.

Er beabsichtigte, sich am Morgen auf die lange Fahrt nach Norden zu machen und sicherheitshalber nur tagsüber zu reisen. Er hatte Abdullah damit beauftragt, ein Auto zu mieten, das den Bombentrichtern und Schlammlöchern, die unterwegs drohten, gewachsen wäre. Als der Afghane am Abend nicht zurück war, spielte Mortenson mit dem Gedanken, allein essen zu gehen. Doch dann überlegte er es sich anders und legte sich stattdessen schlafen.

Kurz vor Mitternacht wurde er von lautem Klopfen an der Tür geweckt und setzte sich verschlafen auf. Abdullah hatte gute und schlechte Nachrichten. Es war ihm gelungen, einen Jeep zu mieten, und er hatte auch einen jungen Tadschiken aufgetrieben, der Kais hieß und als Dolmetscher mitkommen wollte. Das Problem sei nur, fuhr er fort, dass man den Salang-Tunnel, den einzigen Weg, der durch die Berge nach Norden führe, um sechs Uhr morgens schließen werde.

„Und wann macht er wieder auf?"

Abdullah zuckte die Achseln. „In zwölf Stunden? In zwei Tagen?"

Also packte Mortenson rasch seine Sachen.

OBWOHL nur hundert Kilometer den Salang-Tunnel von Kabul trennten, quälte sich der Jeep aus Sowjetzeiten mit seinen wenigen Gängen so langsam den Hindukusch hinauf, dass Mortensons Müdigkeit bald über die Angst vor einem Überfall siegte.

Da es der heilige Monat Ramadan war, trat Abdullah aufs Gas, nachdem sie den Tunnel hinter sich hatten, denn er hoffte, eine Teebude zu finden, wo sie frühstücken konnten, bevor mit dem Tagesanbruch das Fasten begann. Doch als sie die erste Siedlung erreichten, waren dort beide Lokale am Straßenrand geschlossen. Also teilte Mortenson die Tüte Erdnüsse, die er für solche Fälle bei sich trug, mit seinen Begleitern. Kais und Abdullah griffen herzhaft zu, bis sich im Osten die ersten Sonnenstrahlen zeigten. Dann trieb Abdullah jemanden auf, der bereit war, ihnen Benzin zu verkaufen, und sie fuhren weiter.

Bei Abenddämmerung näherten sie sich Taloqan, wo sie die erste richtige Mahlzeit seit Tagen zu sich nehmen wollten, wenn das Fasten nach dem Abendgebet endete. Plötzlich aber zwang eine Salve aus einem etwa fünfzig Meter entfernten Maschinengewehr Abdullah dazu, ruckartig auf die Bremse zu treten. Er legte den Rückwärtsgang ein und gab Gas, um möglichst schnell Abstand von der pulsierenden roten Linie zu gewinnen, die die Leuchtspurgeschosse durch die rasch zunehmende Dunkelheit zogen. Bald jedoch waren hinter ihnen ebenfalls Schüsse zu hören. Wieder bremste Abdullah ab. „Kommt!" Er zerrte Kais und Mortenson aus dem Wagen und in einen schlammigen Straßengraben, wo er sie in die feuchte Erde drückte.

„Wir waren geradewegs in eine Schießerei zwischen rivalisierenden Opiumschmugglern hineingefahren", erinnert sich Mortenson. „Es war Erntezeit, sodass es immer wieder zu Gefechten um die Mulikarawanen kam, die die Ware transportierten. Die Drogenhändler beschossen sich über unsere Köpfe hinweg. Währenddessen lag Abdullah da und machte sich Vorwürfe, weil er mich, seinen Gast, in Gefahr gebracht hatte."

Bäuchlings presste Mortenson sich in den Morast und zermarterte sich den Kopf nach Auswegen aus dieser misslichen Lage. Aber ihm fiel nichts ein. Inzwischen hatten sich weitere Schützen hinzugesellt, und der Kugelhagel wurde immer dichter. „Bald dachte ich nicht mehr an Flucht, sondern nur noch an meine Kinder", fährt er fort. „Ich stellte mir vor, wie Tara ihnen meinen Tod erklärte, und fragte mich, ob sie wohl in der Lage wären, meine Arbeit zu verstehen. Schließlich hatte ich sie nicht verlassen, sondern nur Kindern wie ihnen helfen wollen. Ich kam zu dem Schluss, dass Tara es schaffen würde, ihnen das zu vermitteln. Und das beruhigte mich sehr."

Plötzlich wurden die Straßenböschungen, an denen die Opiumschmuggler kauerten, zu beiden Seiten von den Scheinwerfern eines herannahenden Fahrzeugs erleuchtet. Da die Banditen in Deckung gingen, hörte die Schießerei allmählich auf. Der Wagen, der erschien, fuhr in Richtung Taloqan. Abdullah sprang auf, um ihn anzuhalten. Es war ein altersschwacher Pick-up mit defekten Stoßdämpfern, der eine Ladung frischer Ziegenhäute zu einer Gerberei brachte.

Während von beiden Seiten immer noch gelegentliche Schüsse abgegeben wurden, rannte Abdullah zum Führerhaus und rief dann Kais im Graben zu, er solle dolmetschen. Mit zitternder Stimme bat der Junge den Fahrer auf Dari, den Ausländer mitzunehmen. Hastig winkte Abdullah Mortenson zur Ladefläche. Um nicht getroffen zu werden, lief der Amerikaner im Zickzackkurs auf das Fahrzeug zu und sprang hinten auf. Abdullah bedeckte ihn mit Ziegenhäuten.

„Was ist mit dir und dem Jungen?"

„Allah wird uns beschützen", erwiderte Abdullah. „Diese Shetans schießen nur aufeinander, nicht auf uns. Wir warten hier. Dann fahren wir mit dem Jeep zurück nach Kabul." Mortenson konnte nur hoffen, dass sein Freund Recht hatte. Mit seiner verkrüppelten Hand klopfte Abdullah auf die Heckklappe, und der Fahrer legte den Gang ein.

Mortenson hielt sich die Nase zu und spähte unter den faulig riechenden Ziegenhäuten hervor auf die Straße, während der schrottreife Pick-up schneller wurde. Nach etwa einem halben Kilometer sah er, dass die Schießerei wieder aufflammte. Erst als er in der darauffolgenden Woche nach Kabul zurückkehrte, erfuhr er, dass seinen Freunden nichts geschehen war.

Der Laster durchquerte Taloqan und fuhr weiter nach Faizabad, sodass Mortenson auch diesmal ohne Mahlzeit blieb. Als er ein paar Erdnüsse essen wollte, fiel ihm ein, dass seine Reisetasche ja im Jeep lag. Erschrocken setzte er sich auf und tastete seine Jacke ab, bis er erleichtert feststellte, dass er seinen Pass und ein dickes Bündel Dollars bei sich hatte. Das half ihm, sich mit seiner Situation abzufinden.

„Ich war allein und mit Schlamm und Ziegenblut verschmiert. Mein Gepäck war weg. Ich beherrschte die Landessprache nicht. Und ich hatte seit Tagen nichts gegessen. Dennoch fühlte ich mich erstaunlich gut", erinnert er sich. „Es war wie damals vor all den Jahren, als ich mit dem Baumaterial für die Schule in Korphe oben auf dem Bedford den Indus entlanggefahren war, ohne zu ahnen, was mir bevorstand. Für die nächsten Tage hatte ich nur vage Pläne. Und ich wusste auch nicht, ob es klappen würde. Aber eigentlich war das gar nicht weiter schlimm."

In Faizabad setzten ihn die Ziegenhaut-Händler vor einem Hotel ab. Da mitten in der Opiumsaison alle Zimmer belegt waren, bot der müde Chokidar Mortenson eine Pritsche mit Decke in der Hotelhalle an, wo bereits dreißig andere Männer schliefen. Allerdings gab es im Hotel kein fließendes Wasser. Da Mortenson jedoch unbedingt den Ziegengestank

Begleitete Mortenson auf Reisen durch Afghanistan und Pakistan: Mitautor David Oliver Relin (rechts).

An ihm führt im Norden Afghanistans kein Weg vorbei: Sadhar Khan, der mächtige Commandhan von Badakhshan, mit Greg Mortenson.

Bislang sichert allein der Drogenkonsum im Westen die Existenz ihrer Familien: auch Kinder helfen bei der Arbeit auf den Schlafmohnfeldern von Badakhshan.

aus der Kleidung bekommen wollte, ging er hinaus, öffnete den Hahn eines Wassertankwagens, der vor dem Hotel parkte, und reinigte sich unter dem eiskalten Strahl.

„Ich sparte mir die Mühe, mich abzutrocknen", erzählt er, „sondern wickelte mich einfach in meine Decke und legte mich in die Halle. An einem so widerwärtigen Ort hatte ich noch nie übernachtet. Doch nach meinen Erlebnissen schlief ich so gut wie in einem Fünfsternehotel."

Kurz vor vier weckte der Chokidar die schlafenden Männer mit einer Mahlzeit, da nach dem Morgengebet nichts mehr gegessen werden durfte. Hungrig folgte Mortenson dem Beispiel der anderen und stopfte einen Tagesvorrat Linsencurry und vier weiche Chapatis in sich hinein.

Im eiskalten Morgengrauen fühlte er sich von der Landschaft rings um Faizabad an Baltistan erinnert. Im Norden waren die Gipfel des großen Pamir zu sehen – er war wieder in seinen geliebten Bergen.

Da es hier sonst kaum Arbeitsplätze gab, stand der Opiumhandel im Zentrum des Wirtschaftslebens von Faizabad. Einer Studie zufolge erbrachte die Opiumernte 2003 viertausend Tonnen, nachdem sie unter den Taliban quasi nicht stattgefunden hatte. Zu diesem Zeitpunkt produzierte Afghanistan zwei Drittel des Stoffs, aus dem Heroin gewonnen wird. Die Erlöse aus dem Opiumverkauf flossen zurück an die Kriegsherren – die *commandhans*, wie man sie in Afghanistan nannte –, die mit diesem Geld gewaltige Privatmilizen anwerben und ausrüsten konnten. Und so verlor die schwache Zentralregierung zunehmend an Bedeutung, je mehr Kilometer die jeweilige Region von Kabul trennten.

In Badakhshan, der am weitesten von Kabul entfernten Ecke Afghanistans, besaß Commandhan Sadhar Khan die absolute Macht. Mortenson hatte schon viel von ihm gehört, und seine Anhänger lobten ihn in den höchsten Tönen. Wie alle Commandhans kassierte Khan Gebühren von den Opiumhändlern, deren Karawanen sein Einflussgebiet durchqueren. Doch anders als die meisten investierte er dieses Geld in das Wohl seines Volkes. Für seine ehemaligen Kämpfer hatte er einen florierenden Basar errichtet und ihnen kleine Darlehen zur Verfügung gestellt, damit sie einen Laden eröffnen und so zu Händlern werden konnten. Mortenson hatte aber auch vernommen, dass Khan zu Gegnern, die nicht sich ergeben und zu ihm überlaufen wollten, sehr grausam sein konnte.

Am Nachmittag wechselte Mortenson ein wenig Geld und mietete einen anderen Jeep, dessen Fahrer sich bereiterklärte, ihn zu Khans Hauptquartier in Baharak zu fahren.

„Obwohl es dorthin höchstens hundert Kilometer waren, dauerte die

Fahrt drei Stunden", berichtet Mortenson. „Die Landschaft erinnerte mich an die Indus-Schlucht, denn wir mussten uns über schmale Simse quälen, und darunter schlängelte sich ein Fluss durch einen felsigen Canyon." Zwanzig Minuten vor Baharak ging die Schlucht in ein grünes Vorgebirge mit sanften Hügeln über. An den Hängen war jeder verfügbare Zentimeter mit Mohn bepflanzt.

Umgeben von den schneebedeckten Gipfeln des Hindukusch, war Baharak das Tor zum Wakhan, dessen schmale Talmündung sich nur wenige Kilometer östlich der Stadt befand. Mortenson fand es schön zu wissen, dass die Menschen von Zuudkhan, die ihm so viel bedeuteten, gar nicht weit entfernt waren.

Der Fahrer steuerte den Basar an, um den Weg zu Sadhar Khans Haus zu erfragen. Als ein abgenutzter weißer russischer Jeep über den Markt auf sie zukam, hielt Mortenson ihn an, da er davon ausging, dass jemand, der sich in Baharak ein solches Auto leisten konnte, auch den Weg zu Khan kannte. Der Jeep war voll besetzt mit bedrohlich wirkenden Mudschaheddin. Doch der Fahrer, ein Mann mittleren Alters mit durchdringendem Blick und ordentlich gestutztem schwarzem Bart, stieg aus, um mit Mortenson zu sprechen.

„Ich suche Sadhar Khan", verkündete dieser in dem bruchstückhaften Dari, das er sich von Kais während der Fahrt von Kabul hatte beibringen lassen.

„Er ist hier", erwiderte der Mann auf Englisch.

„Wo?"

„Ich bin es. Ich bin Commandhan Khan."

Auf dem Dach von Khans Haus, über dem sich die braunen Hügel von Baharak erhoben, lief Mortenson aufgeregt hin und her, anstatt auf dem angebotenen Stuhl Platz zu nehmen und zu warten, bis der Commandhan vom Gebet zurückkehrte. Obwohl Khan ein einfaches Leben führte, waren die Zeichen seiner Macht überall sichtbar. Die Antenne eines leistungsstarken Funksenders ragte vom Dach wie ein Fahnenmast empor. Einige kleine Satellitenschüsseln waren nach Süden ausgerichtet. Außerdem stellte Mortenson fest, dass auf den Dächern der umliegenden Gebäude Scharfschützen postiert waren, die ihn aufmerksam durch ihre Zielfernrohre beobachteten.

Im Südosten erhoben sich die schneebedeckten Gipfel Pakistans, und Mortenson stellte sich vor, wie Faisal dort wachte, damit er sich nicht von den Scharfschützen einschüchtern ließ. Von Faisals Standort aus zog er eine imaginäre Linie von Schule zu Schule und von Dorf zu Dorf

– das Hunza-Tal hinunter, über die Indus-Schlucht bis nach Skardu –, die alle Menschen und Orte, die er kannte und liebte, mit diesem einsamen Hausdach verband. Dabei sagte er sich, dass er nicht allein war.

Kurz vor Sonnenuntergang sah er Hunderte von Männern aus der an einen Bunker erinnernden Moschee von Baharak strömen. „Sadhar Khan erschien ohne Leibwächter", erinnert er sich. „Er hatte nur einen Dolmetscher dabei. Allerdings war mir klar, dass die Scharfschützen mich sofort niederschießen würden, wenn ich ihm nur einen schiefen Blick zuwarf. Trotzdem wusste ich die Geste zu schätzen."

„Tut mir leid, dass ich Ihnen keinen Tee anbieten kann", ließ Khan durch den Dolmetscher mitteilen. „Aber in wenigen Minuten" – er wies auf die Sonne, die im Westen über einem Geröllfeld unterging – „bekommen Sie, was Sie möchten."

„Das macht nichts", erwiderte Mortenson. „Ich bin weit gereist, um mit Ihnen zu sprechen. Es ist mir bereits eine Ehre, hier zu sein."

„Und aus welchem Grund kommt ein Amerikaner eigens aus Kabul, um mit mir zu reden?"

Also erzählte Mortenson dem Commandhan seine Geschichte, angefangen bei den kirgisischen Reitern bis hin zu seiner Flucht unter den Ziegenhäuten. Plötzlich stieß der furchteinflößende Anführer der Mudschaheddin von Badakhshan einen Freudenruf aus und schloss den verdutzten Mortenson in die Arme.

„Sie sind Dr. Greg! Man hat mir von Ihnen erzählt. Das ist ja unglaublich!" Aufgeregt lief Khan hin und her. „Ich darf gar nicht daran denken, dass ich nicht einmal ein Festmahl oder eine Begrüßung durch die Dorfältesten veranlasst habe. Bitte verzeihen Sie mir."

Mortenson musste schmunzeln, und alle Anspannung, die sich während der beschwerlichen Fahrt nach Norden in ihm aufgebaut hatte, war mit einem Mal wie weggeblasen. Khan holte ein hochmodernes Satellitentelefon aus der Tasche seiner Fotografenweste und wies sein Personal an, ein Festmahl vorzubereiten. Dann erörterten er und Mortenson mögliche Standorte für die Schulen.

Khan kannte sich ausgezeichnet im Wakhan-Korridor aus, wo Mortenson unbedingt mit der Arbeit beginnen wollte. Als Erstes zählte der Commandhan die fünf Dörfer auf, die am meisten von einer Grundschule profitieren würden, und sprach dann über die immense Zahl von Mädchen, die keine Möglichkeit zum Schulbesuch hatten. In Faizabad allein, so Khan, erhielten etwa fünftausend halbwüchsige Mädchen Unterricht auf einem Feld neben einer Knabenschule. Seine Wunschliste war so lang, dass Mortenson vermutlich jahrzehntelang damit zu tun hätte.

Als die Sonne hinter den Bergen im Westen unterging, legte Khan dem Gast eine Hand auf den Rücken und machte mit der anderen eine die Landschaft einbeziehende Geste. „Hier in diesen Bergen haben wir mit den Amerikanern gegen die Russen gekämpft. Und obwohl sie uns viel versprochen haben, sind sie nie zurückgekommen, um uns zu helfen, nachdem das Sterben zu Ende war."

Er zeigte auf die Geröllfelder. Die Felsen erinnerten an eine gewaltige Armee von Toten, die in den Sonnenuntergang marschierte. „In diesen Hügeln haben zu viele Menschen ihr Leben gelassen", sagte Khan ernst. „Jeder Stein, jeder Felsen, den Sie hier vor sich sehen, steht für einen meiner Mudschaheddin. Es sind Märtyrer, die im Kampf gegen Russen und Taliban ihr Leben geopfert haben. Nun müssen wir dafür sorgen, dass dieses Opfer nicht umsonst war." Er blickte seinen Besucher an. „Wir müssen diese Steine in Schulen verwandeln."

Mortenson hatte nie daran geglaubt, dass im Moment des Todes das ganze Leben an einem Menschen vorüberzieht. Doch als er Khan nun in die dunklen Augen sah und an das Versprechen dachte, das man ihm gleich abnähme, sah er vor sich das Leben, das noch vor ihm lag.

Dieses Dach inmitten schroffer, felsiger Hügel war die Weggabelung, an der er sich für eine Richtung entscheiden musste. Wenn er diesem Mann und seinen Steinen folgte, bedeutete das die Auseinandersetzung mit einer neuen Sprache und fremden Sitten. Sicher würde er dabei einige Male ins Fettnäpfchen treten. Monatelange Trennungen von seiner Familie standen ihm bevor, ebenso Gefahren, von denen er jetzt noch nichts ahnte. Er sah die Herausforderung vor sich aufragen – so hoch wie damals in Kindertagen den Gipfel des Kilimandscharo und so strahlend wie die unvergleichliche Pyramide des K2, die ihn noch immer bis in seine Träume verfolgte.

Mortenson legte die Hände auf die Schultern von Sadhar Khan, wie er es vor einem Jahrzehnt zwischen anderen Bergen bei Hadschi Ali getan hatte. Er nahm weder die Scharfschützen wahr, die ihn weiterhin beobachteten, noch sah er die in der Abendsonne bernsteingelb schimmernden Märtyrer-Steine. Für ihn gab es nichts weiter als den inneren Berg, den zu erklimmen er sich in diesem Augenblick verpflichtet hatte.

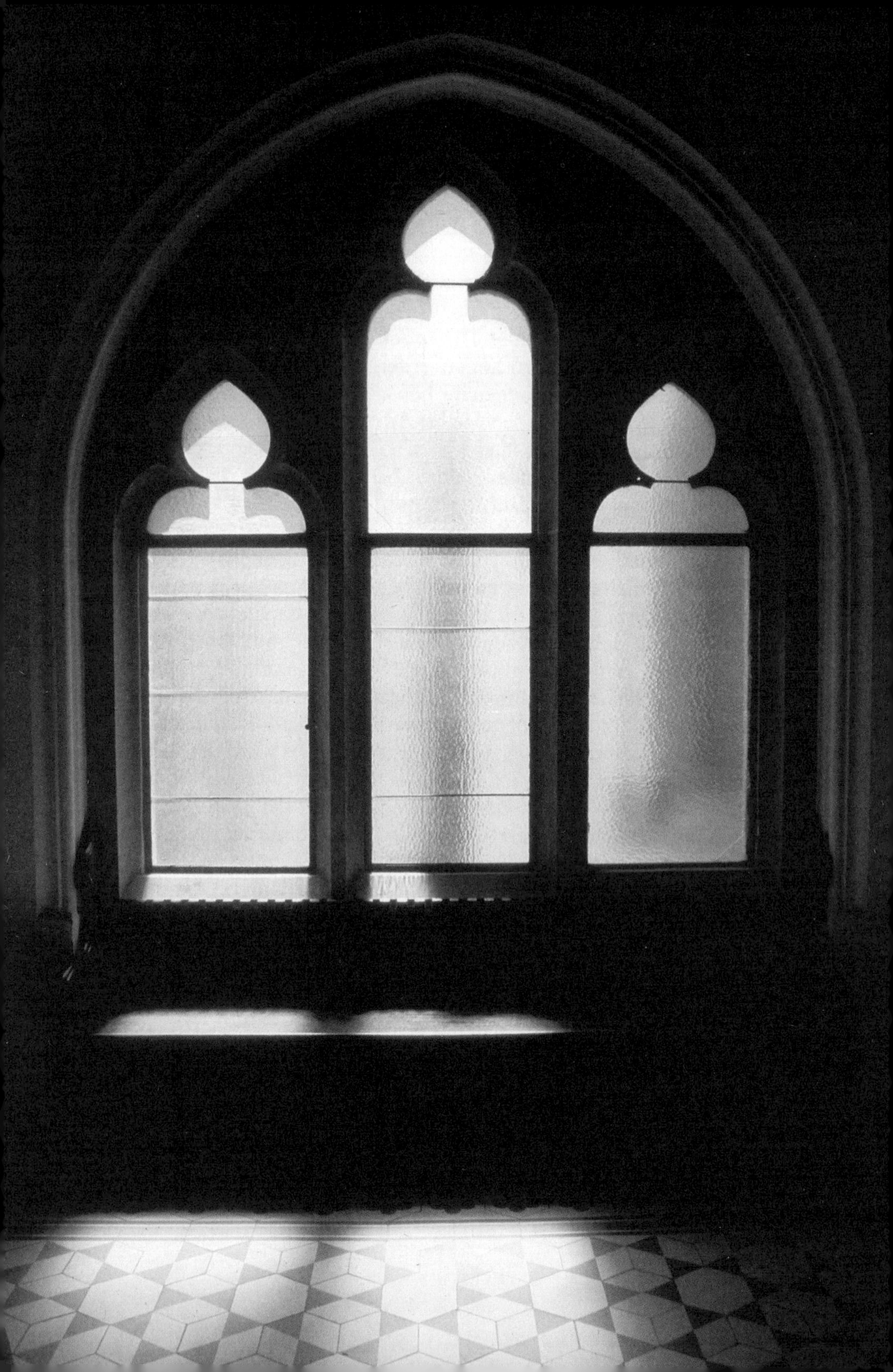

VERONIKA PETERS

Was in zwei Koffer passt

Klosterjahre

„Veronika Peters hat ein ganz besonderes Buch geschrieben über fast zwölf Jahre im Kloster und ihr Leben danach. Über Treue zum eigenen Lebensweg – und das Glück, das man ebenso wenig verpassen darf wie diese wahre Geschichte."

Brigitte

Aufbruch, Ankunft und der Weg an die Grenze

Mit Abschieden habe ich mich nie lange aufgehalten. Gerade mal 21 Jahre alt, werfe ich zwei Koffer in meinen alten Käfer und mache mich auf den Weg.

„Muss das unbedingt sein?" Meine Freundin Lina steht am Straßenrand und weint, als ginge ich in den sicheren Tod.

Auf der Fahrt denke ich, dass sie Recht hat, ich muss völlig verrückt sein, mich auf so etwas einzulassen.

Warum wirft eine wie ich, die mit 15 das von einem cholerischen Alkoholiker beherrschte Elternhaus verlässt und sich fortan allein durchschlägt, zu dem Zeitpunkt, als sie mit Job, Auto und Wohnung einen nach bürgerlichen Maßstäben geregelten Alltag zu führen beginnt, alles hin, um die merkwürdigste Art gemeinschaftlichen Lebens zu versuchen, von der sie je gehört hat?

„SOLL ich deine Sachen für dich einlagern, falls du sie wieder brauchst?", fragt mein Kollege und bester Freund Stefan an unserem letzten Abend.

„Keine Rückversicherung, keine Altlasten."

„Tu, was du nicht lassen kannst, Mädchen. Ruf an, wenn ich dich abholen soll."

Lina wird denen, die nach mir fragen, Auskunft geben.

DER VERSUCHUNG widerstehend, noch eine letzte Beruhigungszigarette zu rauchen, werfe ich das halb volle Päckchen aus dem Fenster und bin lange vor der vereinbarten Zeit an der Stelle, wo sich rechts eine schmale Straße, nicht mehr als ein asphaltierter Feldweg, in Richtung Kloster windet. Hinter hochgewachsenen Pappeln tauchen bald die roten Dächer von Gästehaus und Ostflügel auf, überragt vom schiefergedeckten Kirchendach, auf dem ein kleiner Dachreiter die Glocken beherbergt. „Zisterziensische Bautradition", erinnere ich mich im Prospekt gelesen zu haben.

Neben der Einfahrt steht in großen handgeschmiedeten Lettern BENEDICITE! – Seid gesegnet! „Wollen wir's hoffen", murmle ich vor mich hin, während ich mein Auto unter die alte Kastanie lenke, an der ein verbeultes Schild PARKEN AUF EIGENE GEFAHR angebracht ist.

Ich klingle an der Klosterpforte.

NACHDEM Schwester Placida mir erklärt hat, dass sie mich von jetzt an konsequent siezen werde, weil das innerhalb der Gemeinschaft so üblich sei, drückt sie mir einen Becher Kaffee in die Hand und sagt: „Mit dem engen Rock wirst du dich bei der Kniebeuge ganz schön auf die Nase legen, wenn du nicht aufpasst." Sie betreut das Gästehaus und kennt mich, seit ich das erste Mal für ein Wochenende herkam, um mir das Kloster anzusehen.

„Ich habe gewusst, dass du eines Tages zu uns gehören wirst."

Ich nicht, will ich gerade sagen, als sie nach dem Telefonhörer greift. „Schwester Hildegard kommt gleich; sie bringt dich in deine Zelle im Haus der Novizen."

Sie sagen tatsächlich „Zelle"; ich hätte doch noch eine rauchen sollen.

Hildegard, die ich für eine harmlose Person gehalten habe, bis sie „Von heute an bin ich als Magistra für Sie zuständig" sagt, klappert mit dem Schlüsselbund, winkt mir, ihr zu folgen, und ich bin drin.

Die Klausur, der abgeschlossene, nur für die Nonnen zugängliche Bereich, verbirgt sich hinter einer schlichten Tür aus gemustertem Glas.

„Schwester Antonia wird Ihnen am Nachmittag das Haus und den Garten zeigen. Wir holen erst einmal den Rest Ihres Gepäcks."

Sie sieht mich ungläubig an, als ich ihr zu verstehen gebe, dass es keinen Rest gibt, weil ich „nur das Notwendigste" wörtlich genommen habe. „Löblich", murmelt sie im Weitergehen.

Ich verkneife mir die Bemerkung, dass es mich beruhigt, meine Sachen in kurzer Zeit zusammenraffen und verschwinden zu können.

Meine „Zelle" stellt sich als freundliches kleines Zimmer unter dem Dach heraus: schöner alter Holzfußboden, Bett, Schrank, Schreibtisch und Blick über die Wiesen des benachbarten Reiterhofs. Jemand hat eine Vase mit bunten Sommerblumen hineingestellt.

„SIE BEGINNEN heute Ihre Probe- und Ausbildungszeit, um gemeinsam mit uns herauszufinden, ob ein Leben als Benediktinerin in dieser Abtei Ihre Berufung ist", beginnt Hildegard mit ernster Miene zu deklamieren. „Zunächst werden Sie als Postulantin in Zivilkleidung unseren

Alltag teilen, am Unterricht der Novizinnen teilnehmen, sich in unsere Lebensweise einüben. Wenn Sie und die Gemeinschaft nach einem halben Jahr der Meinung sind, dass Sie Ihren Weg bei uns fortsetzen sollten, können Sie das Gewand der Benediktinerinnen mit dem weißen Schleier der Novizin erhalten. Nach weiteren zwei Jahren wird die Gemeinschaft darüber abstimmen, ob Sie zu den einfachen Gelübden, mit denen Sie sich für drei Jahre an unsere Gemeinschaft binden, zugelassen werden. Eine vollgültige Aufnahme kann also frühestens nach fünfeinhalb Jahren erfolgen. Prüfen Sie sich gut; wir werden es auch tun. In einer halben Stunde hole ich Sie zur Mittagshore ab."

Ich frage mich, ob ich nicht doch erst um den unverbindlichen Probeaufenthalt von drei Wochen hätte bitten sollen.

DAS HELLE Läuten einer kleinen Glocke erinnert daran, zur Gebetszeit aufzubrechen, die in zehn Minuten stattfindet. Als ich die Tür öffne, steht Hildegard davor. „Ich habe gesagt, dass ich Sie abhole."

Langsam beginne ich mich darauf zu freuen, ohne Begleitung durch das Kloster zu streifen. Als wir dann durch Türen und Flure gehen, die für mich alle gleich aussehen, bin ich froh, dass mir jemand den Weg weist.

Wir durchqueren die der Kirche zugewandte Seite des Kreuzgangs, steigen eine schmale Treppe hinauf und lassen zwei ältere Nonnen, die uns freundlich zunicken, vor uns ins „Herz des Klosters" gehen, wie Priorin Germana es genannt hat.

Ich kannte das bislang nur aus der Perspektive der Gästekapelle. Der so genannte „Nonnenchor" bildet innerhalb der Kirche einen Raum für sich, der seitens der Besucher vom anderen Ende des L-förmig angelegten Baus nur mit Mühe eingesehen werden kann. Schon bei meinem ersten Besuch hatte ich plötzlich den verwirrenden Wunsch, einmal in das gesammelte Schwarz-Weiß auf der Seite jenseits des Gitters einzutauchen und darin unterzugehen. Die eigene Person mit ihren Nöten und Schwächen würde klein und unwichtig werden, stellte ich mir vor, angesichts der Größe und Erhabenheit des nur dem Geistigen dienenden Ortes und der alle Unterschiede auslöschenden Einheit des auf- und abklingenden Psalmengesangs.

Als ich jetzt die knarrende Schwelle überschreite, nehme ich mir vor, meine Unsicherheit draußen zu lassen, bis mir einfällt, dass ich nicht mehr daran gedacht habe, Placidas Rat entsprechend, einen anderen Rock anzuziehen. Hildegard nimmt mich am Arm und führt mich zu einem freien Platz am unteren Ende des mit einfachen Ornamenten verzierten Chorgestühls, das sich allmählich mit Schwestern füllt.

Das Klopfzeichen ertönt, ein heller Sopran stimmt den Ton an, alle stehen auf. „Zum Altar wenden!", zischt es neben mir, und wenige Sekunden später: „Verneigen!"
Warum habe ich mich nicht vorher einweisen lassen?

> „Du aller Dinge Kraft und Grund,
> der unbewegt stets in sich ruht ..."

Der Hymnus ist schön. Jemand drückt mir ein aufgeschlagenes Buch in die Hand. Soll ich mitsingen? Während ich noch die entsprechende Stelle suche, flüstert mir meine Hinterfrau ins Ohr: „Setzen!"
Zwanzig Minuten und zahlreiche Verneigungen später bin ich nichts als erleichtert, als ich an der Seite einer liebenswürdig lächelnden Nonne, die die Geistesgegenwart hat, mich bei der Kniebeuge mit einem beherzten Griff wieder hochzuziehen, die Kirche verlassen kann. Vielleicht stellen sich die erhabeneren Gedanken ein, wenn ich mit den Riten etwas vertraut bin.

SCHWEIGEND gehen wir den Gang entlang, vorbei an einer großen weißen Magnettafel, die mit handgeschriebenen Zetteln, Postkarten und Kopien übersät ist. Aus der Ferne erklingt Tellerklappern. Wir schwenken nach links, und ich betrete mit meiner Begleiterin als Letzte das Refektorium.
Am Ende der hufeisenförmig angeordneten Tische wird mir mein Platz zugewiesen, an dem, wie bei allen anderen, ein weißer Teller mit grünem Tonbecher auf der blanken Resopalplatte gedeckt ist. Um nicht gleich allzu neugierig zu erscheinen, vermeide ich es, in die Runde der Schwestern zu blicken, die sich, jede hinter ihrem Stuhl stehend, aufgestellt haben.
Gesang, Tischgebet, „Amen", hinsetzen.
Aus dem Lautsprecher hinter mir ertönt die Stimme von Schwester Franziska: „Die Frau mit der Lampe. Das Leben der Florence Nightingale. Haben wir das Kapitel mit dem Armenhaus schon vorgelesen?"
Einige nicken in Richtung Fenster, wo die Tischleserin an einem kleinen, mit Leselampe und Mikrofon ausgestatteten Tisch sitzt und hektisch blätternd die Stelle sucht, an der ihre Vorgängerin gestern aufgehört hat.
Es gibt Auflauf. Als die Schüssel bei mir ankommt, ist er lauwarm.
In die Schublade vor mir, die das für mich bestimmte Besteck nebst Serviette, Schneidbrett und Eierbecher enthält, hat jemand ein Schokoladenosterei gelegt. Wir haben Mitte September.

Florence Nightingale beugt sich gerade über eine dahinsiechende Witwe, als meine Nachbarin mir auf den Arm tippt und Zeichen macht. Es dauert eine ganze Weile, bis ich kapiere, dass sie den Wasserkrug haben möchte, der vor mir steht. „Entschuldigung", flüstere ich, worauf sie den Finger an den Mund legt und mir bedeutsam zunickt.

Wenig später ertönt ein Glöckchen, Stühle rücken. Die Gemeinschaft erhebt sich zum Dankgebet, verneigt sich zum Kreuz hin, verlässt schweigend, je zwei nebeneinander, das Refektorium.

Als ich auf den Flur trete, empfängt mich kollektives Lächeln: Die Schwestern haben sich rechts und links aufgereiht.

„Nachdem wir bereits miteinander gebetet und gegessen haben, möchte ich Ihnen hiermit unsere neue Postulantin vorstellen ..." Dass Schwester Germana zwar weisungsbefugtes Oberhaupt der Gemeinschaft, aber nur für drei Jahre als Priorin-Administratorin statt auf Lebenszeit zur Äbtissin gewählt ist, liegt daran, dass die Nonnen sich nicht darauf einigen konnten, einer aus ihrer Mitte das würdevolle Amt anzuvertrauen. So musste Germana, obwohl ihr das Alter bereits sichtbar zu schaffen macht, als „Platzhalterin und Zwischenlösung", wie sie selbst es nennt, einspringen. In unseren Gesprächen vor meinem Eintritt hat sie mit ihrer warmen, bayerisch eingefärbten Stimme und anscheinend unerschöpflicher Geduld meine Fragen zu Kloster und Glauben zu beantworten versucht, mich mit einschlägiger Literatur versorgt und mir mit einem liebevollen „Versuchen wir's" den Eintritt ins Kloster gewährt.

„Ich freue mich, hier zu sein. Also ... danke ... ich ..."

Germana steuert auf mich zu, hakt sich resolut bei mir unter und führt mich an der Nonnenreihe entlang. Ich schüttle Hände, bekomme ermunternde Worte zugesprochen, werde umarmt.

Ich wünsche mir nichts sehnlicher als eine Pause und nicke dennoch so erfreut wie möglich, als Schwester Hildegard mir mitteilt, dass sie und die Schwestern des Noviziats mich noch zur Rekreation, der gemeinsamen Erholungszeit, mitnehmen möchten, damit wir uns in der halben Stunde vor der Mittagsruhe bereits etwas kennen lernen.

DER GEMEINSCHAFTSRAUM für die Novizinnen weicht so sehr von meiner Erwartung ab, dass ich im ersten Moment nicht weiß, ob ich erleichtert oder besorgt sein soll: Teppichboden, Pflanzen, die sich die Wände hochranken, ein Klavier, Kerzen, Fichtenholzmöbel, ein alter Plattenschrank. Auf einem Regalbrett liegt „Asterix und Obelix" auf Lateinisch, es riecht nach Räucherstäbchen. Auf dem Tisch steht eine Schale mit Keksen. Drei junge, gut aussehende Nonnen mit weißem Schleier sitzen bereits da, als Hildegard Platz nimmt und auf den freien Stuhl neben sich klopft.

„Zur Feier des Tages", sagt die Schwester mit Nickelbrille, „gibt es Prinzenrolle." Sie stellt sich als Schwester Antonia vor, ehemals Latein- und Geschichtslehrerin in Paderborn, die im vergangenen Mai ihre ersten Gelübde abgelegt hat und nach mir die „Jüngste" ist, sodass sie sich ein wenig um mich kümmern darf, wenn Schwester Hildegard verhindert ist.

„Demnach habt ihr alle drei schon die ersten Gelübde abgelegt und seid nicht mehr Novizinnen im eigentlichen Sinn?"

Schwester Cäcilia, die „Noviziatsälteste", klingt, als lege sie Wert auf diese Position, und macht mich darauf aufmerksam, dass wir uns auch in dieser Runde siezen, weil das hilft, den nötigen inneren Abstand zu wahren. Die dritte Schwester, in der ich meine Retterin beim Auszug aus der Kirche wiedererkenne, stellt sich vor: Maria, seit vier Jahren im Kloster, gelernte Psychologin und derzeit mit der Organisation des Gästehauses betraut.

Ich soll von mir erzählen und flüchte mich zum Thema Arbeit in der Kinder- und Jugendpsychiatrie, weil das unerschöpflich ist und allzu persönliche Fragen verhindert. Cäcilia, die als Sozialpädagogin mit geistig behinderten Kindern gearbeitet hat, nutzt die Gelegenheit, von ihren eigenen Erfahrungen zu berichten.

„Für Schwester Hildegard ist dies heute auch ein Neuanfang", ergreift Maria das Wort, „sie hat mit Ihrem Eintritt das Amt von Schwester Maura übernommen und da ..."

„Höchste Zeit für die Mittagspause!", sagt Hildegard und sieht auf die Uhr. Das Gespräch endet mitten im Satz, man erhebt sich schweigend, verneigt sich, „Ehre sei dem Vater und dem Sohn und dem Heiligen Geist", und weg sind sie. Leicht desorientiert steige ich hinter Maria die Treppe hinauf und stelle fest, dass sie das Zimmer links neben meinem bewohnt, während die Magistra die Tür rechts neben meiner öffnet.

Ich bitte sie, noch einen Rundgang durchs Gelände machen zu dürfen, aber sie winkt ab. „Ruhen Sie sich aus. Schwester Antonia kommt nachher bei Ihnen vorbei."

Wahrscheinlich sollte ich dankbar sein, dass man mich nicht mir selbst überlässt.

„Herein." Drei Uhr. Ich muss fast eine Stunde lang aus dem Fenster geschaut haben, ohne zu merken, wie die Zeit vergeht. Mein zweiter Koffer ist noch immer nicht ausgepackt.

„Sie müssen schon selbst aufmachen. Hat Schwester Hildegard Ihnen nicht gesagt, dass wir die Zellen der Mitschwestern nicht betreten?", tönt es durch die geschlossene Tür.

Antonia hat die schwarze Klostertracht abgelegt, trägt einen blauen Arbeitskittel mit Kopftuch, dazu eine Strickjacke, die eindeutig aus nicht klösterlichen Zeiten stammt. Sie wirkt jedenfalls deutlich jünger als mit dem vom weißen Schleier eingerahmten Gesicht. Fast hätte ich sie nicht erkannt.

Wir überqueren den Hof und betreten die um den Kreuzgang angelegten Hauptgebäude. Der Fahrstuhl zur Küche, Baujahr 1964, ist zwei Jahre älter als ich. Antonia führt mich in den großen, mit modernsten Geräten ausgestatteten Raum, in dem es nach frischer Minze riecht. Eine kleine dicke Schwester im blauen Arbeitskittel beugt sich über einen riesigen dampfenden Topf, in den sie mit beiden Händen saftig-grüne Kräuter wirft. „Aus dem eigenen Garten, wird Ihnen schmecken", erklärt sie eifrig.

„Wird während der Arbeit im Haus nicht geschwiegen?", frage ich Antonia, als wir die Küche verlassen haben.

„Eigentlich soll man sich auf das Notwendige beschränken, aber das wird unterschiedlich ausgelegt."

Im oberen Stock angekommen, klopft Antonia an eine schwere Eichenholztür: CELLERARIAT.

Die Abtei ist ein kleiner Wirtschaftsbetrieb mit unterschiedlichen Geschäftsbereichen und muss als solcher auch verwaltungstechnisch geführt werden. Schwester Simone, die als Cellerarin, eine Art Finanzministerin des Klosters, dafür verantwortlich ist, führt uns durch mehrere mit großen Schreibtischen, Computern und Aktenschränken bestückte Räume. Würden keine Nonnen in langen schwarzen Gewändern darin sitzen, könnte man meinen, man betrete das Einwohnermeldeamt.

Neben dem Cellerariat: die Räume der Äbtissin. Sie werden zurzeit von Priorin Germana bewohnt.

Das so genannte Scriptorium entpuppt sich als großer Leseraum, rundum bestückt mit Regalen bis zur Decke. Nachschlagewerke in jeder denkbaren Ausführung: der Große Brockhaus, zwanzig Bände Geschichte der Musik, Kirchenvätertexte, theologische Zeitschriften, je ein Stapel *Geo*, *Osservatore Romano* und *Frankfurter Allgemeine Zeitung*.

„Wir vom Noviziat sollen uns nicht hier aufhalten; wir haben unseren eigenen Studienraum mit der Noviziatsbibliothek. Wenn wir Bücher benötigen, die dort nicht stehen, fragen wir die Magistra."

„Keine Tageszeitung?"

„Dafür bleibt uns keine Zeit."

Wir gehen einen Gang entlang, wo rechts Fenster zum Kreuzgarten und links die Türen zu den Zellen einiger Konventsschwestern sind. Ich will etwas fragen, aber meine Führerin macht mir Zeichen zu schweigen. Dass man vor den Privatzimmern der Nonnen ruhig zu sein hat, leuchtet selbst mir ein.

Wenig später betreten wir einen großen, lichtdurchfluteten Raum mit Ausblick auf den Obstgarten.

„Dies ist der Konventsraum. Hier finden die Vorträge des Paters oder anderer Referenten, die Gesangsstunden und der Unterricht bei Schwester Hedwig statt. Abends treffen sich die Konventsschwestern hier zur Rekreation. An hohen Feiertagen wird das Noviziat dazu eingeladen."

Bequem aussehende Holzstühle mit lindgrünen Polstern sind zu einem Kreis aufgestellt, in der Ecke steht ein schwarz glänzender Flügel. Ein riesiger Christus am Kreuz hängt auf der weiß gekalkten Stirnwand, gegenüber eine moderne Holzschrankwand, aus der neben Büchern und Schallplatten ein großer Fernseher herausragt.

„Um zwanzig Uhr läuft hier die Tagesschau."

„Für alle?", frage ich.

„Für die, die wollen."

„Auch für die aus dem Noviziat, die wollen?"

„Soweit ich weiß, ja. Ich persönlich nutze die Zeit lieber sinnvoller."

Neben dem Konventsraum liegen die Zimmer der Infirmerie: die Zelle der Infirmarin – der Krankenschwester –, zwei behindertengerechte Wohnzellen, Krankenzimmer, die Krankenstation, auf der man sich bei kleineren Blessuren verarzten lassen kann, das Arztzimmer, in dem Hausarzt Dr. Hartmann alle vierzehn Tage Sprechstunde für die Schwestern hält.

EIN SCHMALER, zwischen Westflügel und Kirche gehefteter Bau beherbergt neben dem Aufgang zur Orgelempore auf zwei Etagen die Bibliothek der Konventsschwestern: im oberen Teil Theologie und Philosophie; im unteren Kunstbuch und Belletristik. Eine schöne alte Ausgabe von Musils „Drei Frauen" fällt mir ins Auge, doch Antonia rät, erst einmal die monastische Literatur zu studieren, bevor ich Schwester Hildegard um die Erlaubnis bitte, etwas aus der „weltlichen" Bibliothek auszuleihen.

Ich beginne mich zu fragen, ob ich nicht doch ein zu großes Stück Eigenverantwortung aus der Hand gebe.

Im Kreuzgang hallen unsere Schritte von den schmucklosen Wänden wider, als Antonia mir mit gesenkter Stimme erklärt, dass hier strenge Schweigezone ist. Ich werde Wochen brauchen, um mir die klösterlichen Alltagsgebräuche zu merken. Vom Klosterjargon gar nicht zu reden. Cellerarin, Refektorium, Scriptorium, Lintearium, Silentium, Skapulier, Offizialin ... Gut, dass ich „Der Name der Rose" gelesen habe!

In finem dilexit eos, steht in kunstvollen Buchstaben an die Wand neben ein Kreuz gemalt. „Bis zum Letzten habe ich euch geliebt", entgegne ich, als Antonia Anstalten macht, übersetzen zu wollen. Sie wirft mir einen anerkennenden Blick zu, und ich fühle mich für einen Augenblick nicht mehr wie eine konfuse Zwölfjährige. Hätte nicht gedacht, dass ich noch mal so froh über die sechs Jahre Latein in der Schule sein würde.

Wir öffnen die Holztür zum Kreuzgarten, wo die Rosen noch immer in voller Blüte stehen. Eine steinerne Treppe führt in den Keller, zum Lintearium, zur Waschküche. Antonia erklärt mir gerade, wie ich samstags meine Wäsche in die nebeneinandergestellten Körbe einsortieren soll und wo ich das jeweils frische Wäschepäckchen finde, als eine schon fast magere Nonne mit weißer Schürze über dem Habit, dem bodenlangen schwarzen Ordenskleid, hereingestürzt kommt. „Ach, da haben wir ja unsere Neue. Geht's gut? Melden Sie sich, wenn Ihnen was fehlt, aber fragen Sie erst Ihre Magistra. Sonst kriegen wir beide Ärger."

Sie stopft währenddessen in Windeseile Bettwäsche in die riesige Waschmaschine, schlägt geräuschvoll die Klappe zu, tippt auf den Knöpfen herum, rauscht mit „Muss schnell die Germana vom Zahnarzt abholen", und einem kräftigen Schlag auf meine Schulter wieder raus. Nicht sehr kontemplativ, aber lustig, mit äußerst lebenstüchtiger Ausstrahlung, würde ich sagen. Die kommt auf jeden Fall auf meine Pro-Liste.

„Das war Schwester Margarita, Infirmarin und zuständig für die Wäsche."

Wir verlassen die Waschküche durch die Hintertür, betreten den Hof, der vom Noviziatshaus, langgestreckten Bauten mit Imkerei und Wirtschaftsräumen, alten Scheunen, ehemaligen Stallungen und rechtsseitig von einem halb verfallenen großen Gebäude umrahmt wird.

In den rundbogigen Torsturz einer kleineren Scheune ist die Zahl 1712 eingemeißelt.

Antonia weist mich auf die Werkstätten hin, die direkt neben dem Noviziatshaus liegen. Hier hat ein Architekt sich darin versucht, moderne

Elemente in das ansonsten natursteinerne zweistöckige Gebäude zu integrieren. Früher wurde dort eine Schweinezucht betrieben, bis man der Meinung war, dies passe nicht zu den monastischen Idealen. Es fand sich eine Handvoll finanzkräftiger Spender, die sich willens zeigten, Geld in klösterliche Kunstwerkstätten zu investieren.

Bis zur Vesper, dem Abendgebet, bleibt uns noch Zeit für einen Spaziergang durch Garten und Obstplantage, über den ich mich freue, obwohl ich dort bereits früher gewesen bin. Lange Reihen von Apfelbäumen ziehen sich über große, leicht ansteigende Wiesen, an der alten Klostermauer stehen Kirschbäume, zum Südflügel hin erstreckt sich der Birnenhang, unten bei den Gemüsebeeten sehe ich an die zwanzig Pflaumenbäume. Stauden in leuchtenden Farben wechseln sich mit hochgewachsenen Rosensträuchern und violetten Lavendelbüschen ab.

Die kleine Kirchenglocke schlägt einige Male an, wir eilen zum Noviziatshaus. Antonia muss sich noch umziehen.

„Morgen finden Sie vielleicht schon den Weg allein, ansonsten melden Sie sich", sagt sie, als sie, jetzt wieder mit schwarzem Habit und langem weißem Schleier angetan, neben mir über den Hof geht. Von allen Seiten eilen Nonnen in Richtung Kreuzgang, wo die Gemeinschaft sich zur „Statio" versammelt. Vor den zwei bedeutendsten Gebetszeiten des Tages, der Messe am Morgen und der Vesper am frühen Abend, stellen sich die Schwestern für einen Moment schweigend hintereinander auf, mit dem Blick zum großen Kruzifix, um dann gesammelt und feierlich paarweise schreitend in die Kirche einzuziehen.

Als die Orgel einsetzt, die Kantorin den Gesang anstimmt, packt es mich. Nach dem zweiten Psalm habe ich weitgehend das Prinzip verstanden, auch die Kommandos von der Seite hören auf, und zum ersten Mal an diesem Tag ist die leise Ahnung wieder da, warum ich mir das Ganze hier antue.

Nach den letzten Tönen des gesungenen Schlussgebets verlasse ich, diesmal wesentlich beglückter und ohne Panne, an der Seite von Schwester Maria die Kirche.

IM REFEKTORIUM liest die Tischleserin Artikel aus der *FAZ*. Nach dem Abendessen steht anlässlich meines Eintritts „große Rekreation" mit dem Konvent auf dem Programm.

Der Stuhlkreis ist mit plaudernden Nonnen gefüllt, als ich den Gemeinschaftsraum betrete und sehe, wie die Priorin mich zu dem Platz an ihrer Seite winkt. „Nach der kurzen Begrüßung heute Mittag möchte ich Sie der Kommunität etwas ausführlicher vorstellen."

Es wird still in der Runde, als Germana ihr Glöckchen erklingen lässt. Sie berichtet, wie alt ich bin, woher ich komme, dass ich bereits mehrfach als Gast hier war, und fordert die Mitschwestern auf, selbst das Wort zu ergreifen, wenn sie etwas über mich wissen möchten. Gegen aufkommende Fluchtreflexe ankämpfend, versuche ich, so nett und souverän wie möglich zu erscheinen.

„Was haben Sie früher gemacht?"

Kopfnicken von allen Seiten. „Nachklinische Rehabilitation von psychisch kranken Jugendlichen" kommt immer gut an.

Welche Art Ausbildung ich genossen hätte, will Schwester Radegundis, Subpriorin, wissen, obwohl ich mir nicht vorstellen kann, dass Germana sie als Stellvertreterin nicht ausführlich über mich informiert hat.

„Ach, kein Abitur? Sie sehen gar nicht so aus. Nie Interesse an einem Studium gehabt?"

„Nein. Ich musste früh mein Geld selbst verdienen."

„Und die lustigen Haare! Nett, aber die kann man doch sicher etwas ordentlicher arrangieren?"

Schwester Hedwig wirft Radegundis einen solch wütenden Blick zu, dass ich fast lachen muss.

„Noch so jung! Hätten Sie sich nicht besser noch etwas die Welt angesehen, bevor Sie mit dem monastischen Leben beginnen?"

Ich erzähle, dass ich im vergangenen Monat zwei herrliche Urlaubswochen hinter meinem zweitbesten Freund Max auf seiner 1000er-BMW sitzend verbracht hätte, wobei mir so viel Wind um die Nase geweht sei, dass es für die nächsten Jahre reichen müsste.

„Ist das ein Motorrad?"

Die Schwester scheint schockiert. Wieder nicht den Erwartungen eines hoffnungsvollen Klosternachwuchses entsprochen. Schwester Raphaela beantwortet erstaunlich sachkundig für mich die Frage und erzählt begeistert, ihr erster Freund habe eine alte Moto Guzzi gefahren und sie sei damit als Zwanzigjährige einmal ohne Führerschein von Nürnberg nach Regensburg gerast!

Etwa die Hälfte der Nonnen lacht.

Die Infirmarin Margarita, die zehn Minuten verspätet erschienen ist, möchte wissen, wie ich das Kloster kennen gelernt habe, eine andere fragt Hildegard, wie es ihr denn an ihrem ersten Tag im Amt der Magistra ergangen sei. Das lenkt glücklicherweise von mir ab. Die Angesprochene stottert unbeholfen etwas von der guten Amtsübergabe seitens Schwester Mauras.

Jemand bittet darum, dass sich für den kommenden Tag Freiwillige zum Äpfelschälen melden; etwa fünf Nonnen fangen gleichzeitig an zu reden.

Schwester Germana beugt sich zu mir und flüstert: „Haben Sie etwas Geduld mit Schwester Hildegard, die fängt gerade erst an."

„Sollte sie nicht eher Geduld mit mir haben?"

Germana zögert, drückt meine Hand und sagt: „Ich glaube an Sie. Sie werden das schaffen."

Schwester Hildegard beobachtet uns, während sie auf ihrem Stuhl hin und her rutscht und nervös mit ihren Händen spielt. Sieht aus, als wäre sie mindestens so unsicher wie ich.

„Alles ein bisschen viel für den ersten Tag, was?", flüstert mir Maria im Vorbeigehen zu. Auf die könnte Verlass sein, das muss ich noch herauskriegen.

Da dies mein erster Abend ist, bin ich von der Teilnahme am Küchendienst des Noviziats befreit. Ich darf mich auf meine „Zelle" zurückziehen und muss erst wieder um acht Uhr zur Messe auftauchen.

Bevor noch jemand auf die Idee kommt, sich in irgendeiner Form meiner anzunehmen, gehe ich los und bin froh, als ich endlich die Tür zum Innenhof gefunden habe.

In meinem Zimmer steht noch immer der unausgepackte Koffer. Obenauf liegt der kleine Walkman, den Lina mir zum Abschied geschenkt hat. Sie hat eine Kassette hineingesteckt.

Als ich die beiden Fensterflügel weit aufstoße, galoppiert hinter der Klostermauer eine Gruppe brauner und schwarzer Pferde den Hügel hinauf. Ich schwinge mich auf die erfreulich breite Fensterbank. Das ist ein guter Platz.

Aus meinem Kopfhörer klingt Peter Gabriel, „Red Rain".

Was mache ich hier?

Ursprünglich wollte ich nur ein paar Fragen stellen, als ich die eigenartig gekleidete Frau ansprach, von der mir andere Kursteilnehmer sagten, sie sei Nonne und Benediktinerin. Sie leitete den „Arbeitskreis Gregorianischer Choral", den ich für den Rest der „Musiktage" belegte.

Ich hatte bis dahin einiges unternommen, um irgendeinen Sinn jenseits von Geldverdienen und Sachenanhäufen zu finden, hatte mich in Zen-Meditation vertieft, an Gebetskreisen teilgenommen, linksalternative Wohngruppen besucht, mit missionseifrigen Freichristen diskutiert, gegen Atomkraft und Startbahn West demonstriert, Hirschbergs gesamte „Geschichte der Philosophie" gelesen. Jetzt stand eine attraktive Nonne um die vierzig vor mir, die eine Klarheit und Entschiedenheit ausstrahlte, die ich ebenso verwirrend wie faszinierend fand.

Was das für ein Leben sei, wollte ich von ihr wissen, und ob es zufrieden machen könne, ein Glaubensleben in Gemeinschaft zu führen.

„Besuchen Sie mich im Kloster, wenn Sie möchten; dann können wir uns weiter unterhalten, und Sie schauen sich das selbst an. Aber erwarten Sie keine fromme Romantik, die gibt es bei uns nicht."

Hedwig, die Musikerin mit ihren melismatischen Gesängen; die Nonne mit den antikapitalistischen Ideen; eine Frau, die von Gott reden konnte, ohne dass es peinlich war. So hat das angefangen.

Etwa acht Wochen später bin ich zum ersten Mal ins Kloster gefahren. Das war vor zwei Jahren. Ich bin immer öfter dort aufgetaucht, habe zugehört, beobachtet, nachgedacht, gefragt.

Wahrscheinlich ist die Frage, warum man in ein Kloster eintritt, genauso schwer oder unmöglich zu beantworten wie die Frage, warum man sich in einen bestimmten Menschen verliebt und nicht in einen anderen, der vielleicht klüger, hübscher, reicher oder sonst wie besser ist. Vielleicht ist es die Faszination des „alternativen Lebens", die Rückzugsmöglichkeit, die Suche nach dem Grund des Daseins, nach etwas, was bleibt, der Kampf gegen die Auslöschung der eigenen Existenz.

Germana hat in einem unserer ersten Gespräche zu mir gesagt: „Im Kloster kommt man sehr bald an die eigenen Grenzen."

Umso besser. Da will ich hin. Es ist ein Versuch, eine Art Expedition mit ungewissem Ausgang. Wir werden sehen.

„Hast du mit deiner Familiengeschichte nicht schon genug durchgemacht?", fragte Lina, als ich ihr erzählte, ich ginge ins Kloster. „Kannst du nicht versuchen, ein ganz normales Leben zu führen?"

„Was soll ich mit einem ganz normalen Leben?", habe ich geantwortet, und Lina war den Rest des Abends verstimmt. Vielleicht hätte ich versuchen sollen, mehr mit ihr zu reden, aber wie hätte ich etwas erklären sollen, was ich selbst im Letzten nicht verstehe?

Erster Tag, falscher Ton

In meiner Nähe läuten Glocken, der Wecker zeigt zehn vor sechs, und langsam wird mir klar, wo ich mich befinde. Mein Blick fällt auf ein Kreuz, das die Wand neben meinem Bett schmückt. Der tote Jesus, ausgemergelt, den Kopf auf die Brust gesenkt, die Hände von Holznägeln durchbohrt.

Jemand schiebt eine Postkarte unter der Tür durch. Picassos „Mädchen mit Taube". Auf der Rückseite steht in einer kleinen, kaum lesbaren Handschrift: *Guten Morgen! Zur Information: Kaffee steht zur Selbstbedienung im Refektorium. Einen schönen Tag wünscht Ihre Schwester Maria.*

Die Holzdielen fühlen sich schön an unter meinen nackten Füßen. Ich suche im Koffer nach frischer Wäsche, nehme das Kruzifix von der Wand und lege es in die Schreibtischlade.

Wo war noch mal das Badezimmer?

An der Tür hängt ein Plan, in den die Hausbewohnerinnen eintragen sollen, wann sie duschen möchten, aber bitte nicht länger als 20 Minuten und weder vor 5.30 Uhr noch nach 22 Uhr. Ich trage mich in die zwei verbliebenen freien Felder ein.

Die Haare ordentlich hochgesteckt und mit einem weiten, gefahrlosen Glockenrock angetan, mache ich mich auf den Weg ins Haupthaus, wo mir beim Öffnen der Tür der Duft von frisch gebackenem Brot in die Nase weht.

ZUR ARBEIT sind Sie bitte um 10 Uhr vor der großen Scheune, steht auf dem Zettel, der an meinem Becher klebt. Ich würde ihn küssen, wenn mir nicht drei Augenpaare folgen würden, von denen eines Hildegard gehört, die mich nachher ohnehin anmeckern wird, weil es unpassend ist, im Refektorium „Wow!" zu rufen.

„Vor der großen Scheune" bedeutet: bei Schwester Paula, und das hätte ich nicht zu hoffen gewagt. Paula ist die originellste alte Frau, die mir je begegnet ist: klug, kauzig, komisch.

Letztes Jahr im Herbst, als ich mich für drei Wochen zum Lernen im Gästehaus einquartiert hatte, meinte Schwester Placida, sie werde nur den halben Tagessatz für mich berechnen, wenn ich ein paar Stunden bei der Apfelernte mitarbeiten würde. Schwester Paula könne jede Helferin gebrauchen. So habe ich schon einmal vor der großen Scheune gestanden, sehr unsicher damals, weil ich zum ersten Mal das Klostergelände betreten durfte. Eine kleine, krummbeinige Frau kam hinkend auf mich zu, gekleidet in Arbeitshose und Kittelhemd, die Füße in riesigen grünen Gummistiefeln, über dem blauen Kopftuch einen aus Stroh geflochtenen Tropenhelm. „Scheiße! Wer hat wieder das Scheunentor offen gelassen?", brüllte sie und blieb mit vor der Brust verschränkten Armen vor mir stehen. „Was guckst du so? Hast du noch nie eine Nonne gesehen?"

„Doch, aber die waren alle schön ordentlich in Schwarz-Weiß und …"

„… haben nicht geflucht."

„Genau."

„Du gefällst mir", sagte sie lachend und schlug mir auf die Schulter, „was machst du hier?"

„Ich soll mich bei Schwester Paula melden."

„Steht höchstselbst vor dir!"

Lernen fiel flach. Stattdessen verbrachten wir die Tage gemeinsam in der Obstplantage, ich hörte Paulas wilden Erzählungen zu, überlebte ihren unglaublichen Traktorfahrstil und lernte, einen Cox Orange von einem Boskoop zu unterscheiden.

Im darauffolgenden Winter habe ich mir beim Äpfelsortieren mit ihr im Gewölbekeller den Schnupfen meines Lebens geholt und fasziniert ihrer Lebensgeschichte gelauscht.

Vier Jahre war sie alt, als ihr Vater, höherer Beamter in Hamburg, plötzlich an Herzversagen starb. Die Mutter verarmte, zog mit den fünf Kindern zu ihren Eltern ins Rheinland. Paula interessierte sich früh für Bücher und Musik, las alles, was sie in die Hände bekam, und brachte sich selbst das Flötespielen bei.

Nach der Schule begann sie eine Ausbildung als Jugendwohlfahrtspflegerin. Sie trat in die NSDAP ein, lernte Lieder und Parolen. „Gemeinschaft suchte ich und glaubte das Zeugs", sagte sie, „aber ich spreche ungern über diese Zeit." Obwohl ich mehr dazu wissen wollte, wagte ich nicht, sie zu fragen.

Nach Kriegsende wurde sie Flüchtlingsfürsorgerin und begeisterte sich für den Kommunismus. „Habe nichts ausgelassen", erzählte sie, „aber mit Marx kam ich der Sache dann schon näher."

Eines Tages verschlug es sie zufällig in ein wenige Kilometer von ihrem Wohnort gelegenes Kloster. Dort traf sie Menschen, von denen sie sich verstanden fühlte.

Sie konvertierte zum Katholizismus, beschloss, im Kloster zu leben, trat als Postulantin ein, wurde aber erst zehn Jahre später vollgültiges Mitglied. „Das war ein Kampf!", erzählte sie. „Ich hatte ja immer gemacht, was mir passt. Und dann gab es damals noch das in zwei Klassen geteilte Kloster. Wir waren bloß ‚Schwestern', Nichtakademikerinnen. Die ‚Frauen' mit ihrem Abitur und den Lateinkenntnissen waren was Besseres. Ich brauchte nur Luft zu holen, und schon hat sich jemand über mich aufgeregt!"

Die Oberinnen beauftragten Paula, die Obstplantage samt Imkerei zu betreuen, ohne dass sie auch nur die geringste Ahnung von der Materie hatte. „Ich wollte denen zeigen, dass ich was aufbauen kann, und habe mich darauf eingelassen."

Wie einige andere der älteren Nonnengeneration brachte sie es als Autodidaktin trotz mancher Rückschläge sehr weit in ihrem Bereich und gilt heute selbst beim regionalen Imkerverein als viel gefragte Kapazität. Ihre Äpfel sind in der Umgebung heiß begehrt.

Paula ist wunderbar. Genau das Richtige, um Hildegards Lehreifer zu überstehen.

DER KAFFEE ist erwartungsgemäß dünn, aber genießbar und in jedem Fall eine Wohltat am frühen Morgen. Als ich mich daranmachen will, meinen Teller mit Brot, Butter und Käse zu beladen, legt mir Schwester Hildegard die Hand auf den Arm und flüstert: „Frühstück nur bis sieben Uhr dreißig. Sie können nach der Messe schnell etwas essen, aber denken Sie an den Unterricht, der um neun Uhr beginnt."

An der Statio finde ich meinen Platz ohne Anweiserin, ahne aber bereits, dass mit der Feier der Messe neue komplizierte Gottesdienstriten auf mich warten. Beim Einzug in die Kirche knurrt mir der Magen. So stellt man sich Klosterleben vor.

Die Schola, die Vorsängerinnengruppe, die sich im Halbkreis um die Kantorin gestellt hat, stimmt den Introitus, den Gesang zum Einzug bei der Messfeier, an. *„Inclina, Domine, aurem tuam ad me et exaudi me ..."*

Das Stück haben wir mit Schwester Hedwig damals im Kurs gesungen. Ein Zufall, dass sie ausgerechnet heute dieses gewählt hat? Nach einem vorsichtigen Seitenblick versuche ich leise mitzusingen. Dieser Gesang strahlt eine so kraftvolle Ruhe aus, dass ich kurz alles um mich herum vergesse. Es ist genau diese feierliche Schlichtheit, die mich für die benediktinische Form der Liturgie erwärmt hat. Ausblühungen so genannter Volksfrömmigkeit sind dieser Spiritualität fremd, hat Germana mir erklärt: keine Marienandachten, kein gemeinschaftliches Rosenkranzgebet, keine eucharistische Anbetung. Damit kann ich bestens leben.

Vorn am Altar hat sich Pater Rhabanus, ebenfalls Benediktiner und seit Jahren als Spiritual – geistlicher Begleiter – der Gemeinschaft tätig, mit ausgebreiteten Armen und der Dynamik einer Schlaftablette zum Segen aufgestellt. „Der Herr sei mit euch."

„Und mit deinem Geiste."

Mit dem Ablauf der Messe kenne ich mich immerhin einigermaßen aus.

Ich war schon als Kind gern in Kirchen, fühlte mich sicher in den mit Stille gefüllten großen Räumen, wo Lärm und Gewalt offenbar keinen

Zutritt hatten. Meine Großmutter nahm mich ab und zu mit in den Sonntagsgottesdienst der lutherischen Gemeinde.

Vor drei Jahren bin ich erstmals in einen katholischen Gottesdienst geraten. Mir gefiel die farbenfrohe, sinnliche Feier, und ich ging von da an öfter hin. Nach einer Werktagsmesse, die neben mir nur eine Handvoll älterer Damen besucht hatte, sprach mich der junge Priester an, den ich bei einer Veranstaltung der ortsansässigen Grünen schon einmal gesehen hatte. Wir kamen ins Gespräch, trafen uns bald regelmäßig, und nach einem weiteren Jahr bat ich ihn, mich in die katholische Kirche aufzunehmen, obwohl ich meine Zweifel an vielen Lehrmeinungen nicht aufgeben konnte. Jan störten meine Unsicherheiten nicht sonderlich, und so wurde ich mit seiner Hilfe Katholikin. Ich war glücklich, irgendwo dazugehören zu dürfen, wenn auch innerlich randständig. Merkwürdigerweise war er sichtlich entsetzt, als ich ihm vor einigen Wochen erzählte, ich würde es mit dem Klosterleben versuchen. Er war nicht der Einzige. Ungläubiges Staunen, wo auch immer ich es erwähnte: „Ausgerechnet du willst in einem Kloster leben?"

NACH dem Auszug aus der Kirche sagt mir ein Blick auf die Uhr, dass gerade mal sieben Minuten bleiben, um ein Frühstück zu organisieren. Da ich noch nicht hundertprozentig sicher bin, welches der kürzeste Weg zum Unterrichtsraum der Novizinnen ist, verzichte ich und erscheine überpünktlich, mit Heft, Kugelschreiber und meiner druckfrischen Ausgabe der „Regula Benedicti" ausgestattet, zum Unterricht. Maria ist bereits da und räumt den großen Tisch in der Mitte frei. Ich bin erleichtert, dass auch die Triennalprofessen, die Novizinnen, die für die Dauer von drei Jahren ein vorläufiges Gelübde abgelegt haben, noch am Regelunterricht teilnehmen, sodass ich nicht allein mit der hoch motivierten Hildegard hier sitzen muss.

„Danke für die Postkarte, der Kaffee hat mir das Leben gerettet!"

„Alles in Ordnung bei Ihnen?"

„Bis jetzt noch keine weiteren Pannen, das ist doch schon mal was."

Maria lacht.

Die Magistra betritt, gefolgt von Cäcilia und Antonia, den Raum und erinnert uns, dass das Stillschweigen für die Novizinnen bis Unterrichtsbeginn gilt. Maria, die nicht viel jünger als Hildegard sein kann, blickt errötend zu Boden. Ob dieser Gouvernantenton auf Dauer zu geistlicher Reife führt, wage ich zu bezweifeln, aber vielleicht sucht auch Schwester Hildegard noch nach der passenden Form für ihre neue Rolle.

„Aus aktuellem Anlass möchte ich den Unterricht heute mit einer allgemeinen Einführung in die Regula Benedicti beginnen." Die Magistra hat mehrere Bücherstapel um sich herum aufgebaut und beginnt zu referieren: „Die Benediktus-Regel ist ein Werk spiritueller Weisung, das ein geistliches Miteinander ermöglichen will. Die Vermittlung dieser Sinngebung geschieht in konkreten Diktionen, die für den Ablauf eines kommunitären Lebens wichtig sind ... Sie sollten den Text der Regel in der Studienzeit intensiv lesen und sich zu eigen machen. Er ist die Quelle unserer Spiritualität!"

Die Magistra spricht lange von der Bedeutung der Weisungen des heiligen Benedikt und ihrer Anhänger.

Mir schwirrt angesichts der geballten historischen Bedeutsamkeit der Kopf.

Nachdem Maria eine Stelle aus dem Prolog vorgelesen hat, beginnt Schwester Hildegard, einen Kommentar dazu von einem vorbereiteten Konzeptblatt abzulesen:

> „Die Definition des Klosters als ‚Schule für den Dienst des Herrn' zeigt den Sinn des monastischen Lebens als unaufhörliches Lernen. Man lebt im Kloster, um zu lernen, nicht um zu können. Ziel ist nicht, hart zu sein und über den Dingen zu stehen, sondern innerlich weit und frei und mutig zu werden. Der Weg des Glaubens ist ein Prozess des Reifens, mit dem man nie ans Ende kommt. Angst und Panik sind da schlechte Ratgeber und begünstigen die Flucht vor sich selbst."

Auf einmal schreibe ich eifrig mit.

Mit einem kurzen Abschlussgebet sind dann alle in die morgendliche Arbeitszeit entlassen.

BEI DER Garten- und Feldarbeit, hat Antonia mir erzählt, bestehe kein Rockzwang. Das lasse ich mir nicht zweimal sagen. Wenn ich allerdings zur verabredeten Zeit da sein will, muss ich mich schleunigst umziehen. Als ich die Treppe in Jeans und Max' altem Pullover hinunterrenne, komme ich mir nicht mehr so verkleidet vor.

An der Scheune lehnt Paula breit grinsend am Traktor. „Na, Schätzchen, wie geht's dir als Klosterfrau?"

„Müssen wir uns nicht siezen?"

„Tun wir doch auch. Nun werd mal nich komisch."

„Entschuldige, ich bin vor lauter Regeln ganz durcheinander."

„Das gibt sich wieder. Fass an!"

Wir laden Holzkisten, Eimer, Pflücksäcke, eine Leiter auf. Paula startet den Trecker und ruft mir zu: „Los geht's!"

Ich schwinge mich in den klapprigen Anhänger, der sich ruckartig in Bewegung setzt. Ich traue mich nicht, die Seitenwände loszulassen, weil Paula gerade mit Vollgas den Anstieg zur Obstplantage nimmt, wo sie wenig später vor einer Reihe niedrigstämmiger Apfelbäume kraftvoll auf die Bremse tritt.

Ächzend steigt sie vom Traktor.

Wir hängen uns die Pflücksäcke um und machen uns an die Arbeit. Die fehlerfreien Äpfel werden fein säuberlich in die Holzkisten geschichtet, zweite Wahl kommt in die Eimer, um später auf dem klösterlichen Servierwagen beim Frühstück angeboten zu werden.

Paula redet ununterbrochen, erzählt Witze, gibt Anekdoten aus dem Leben einzelner Mitschwestern preis. Eine halbe Stunde vor Ende der Arbeitszeit lässt sie sich ins Gras fallen, beißt herzhaft in einen Apfel und verkündet, sie hätte für heute genug, nun sei Pause.

Schwester Luise, die Gärtnerin, kommt vorbei und bittet darum, mich noch kurz ausleihen zu dürfen. Sie hat einen großen Blumenkasten umzusetzen und braucht jemanden, der ihr dabei zur Hand geht. Luise hat ein so strahlendes, gütiges Gesicht, dass man gar nicht anders kann, als sie auf Anhieb gernzuhaben.

Wir steigen schweigend nebeneinander den Hügel hinunter, wobei Luise eine Melodie vor sich hin summt.

„Schwester, darf ich mir die Treibhäuser ansehen?"

Sie strahlt mich an. „Aber gern! Mögen Sie Blumen?"

„Ja, leider verstehe ich wenig davon."

„Wenn man etwas gernhat, lernt man schnell, richtig damit umzugehen."

Sie öffnet die Tür des größeren der beiden Treibhäuser und lässt mich vor sich durchgehen, obwohl ich erst gestern gelernt habe, dass immer die Ältere vorgelassen wird. Ich will im Türrahmen haltmachen, doch sie schiebt mich sanft in eine üppig blühende Welt: auf der rechten Seite mannshohe, süß duftende Rosenstöcke, auf der anderen Seite bunte Chrysanthemenbüsche in jeder Größe. Das zweite Treibhaus: ein Meer von wucherndem, mit kleinen Farbtupfern durchzogenem Grün. Am hinteren Ende hängt ein langes Brett, auf dem an die dreißig Töpfe mit den prächtigsten Orchideen stehen, die ich je gesehen habe. „Die sind wunderbar, wie machen Sie das?"

„Die mögen es warm und feucht, und vermutlich haben sie es auch gern, wenn jemand ihnen etwas vorsingt." Sie greift nach einem kleinen

Topf. „Hier, die können Sie mitnehmen und sich daran freuen. Wenn die Blüte abgefallen ist, stellen Sie die Pflanze einfach wieder zurück."

Das Glockenzeichen tönt herüber und erinnert an das Mittagsgebet. Mir fällt ein, dass ich mich noch um kirchentaugliche Kleidung kümmern muss. Ich bedanke mich bei ihr, will gerade eilig die Glastür hinter mir zuziehen, als Luise mich noch einmal zurückruft. „Lassen Sie sich nicht entmutigen. Aller Anfang ist schwer, auch für Ihre Magistra."

Ich nicke und wundere mich über die mir ansonsten völlig fremde Regung, jemandem, den ich kaum kenne, um den Hals fallen zu wollen.

„Haben Sie sich schon etwas eingelebt?" Bevor ich das Klopfen beantworten kann, steht Schwester Hildegard in der Mittagspause in meinem Zimmer.

„Schwester Antonia sagte, wir betreten die Zimmer der anderen nicht."

„Ich bin Ihre Magistra. Sowohl ich als auch Schwester Germana haben das Recht, Ihre Zelle zu jeder Zeit zu betreten." Sie schaut sich um, ihr Blick fällt auf den Walkman, der auf dem Nachttisch liegt. „Den können Sie ruhig bei mir abgeben. Gerade in der Anfangszeit sollten Sie sich die Stille gönnen, die unsere Art Leben ermöglicht."

Ohne Musik werde ich es keine Woche lang aushalten, das ist sicher. Oder doch? Was passiert, wenn ich auf alle Arten der „Zerstreuung" verzichte? Werde ich verrückt, oder finde ich etwas heraus? Ich will doch dieses Experiment der Stille, will ohne Ablenkung nachdenken über Gott, mein Leben, die Welt ... erforschen, was wirklich wichtig ist.

Ich schlucke, greife nach dem Walkman und drücke ihn ihr mit bemühter Lässigkeit in die Hand. Soll die doch nicht denken, dass mir das etwas ausmacht!

Hildegards Zeigefinger deutet auf die kleine Orchidee auf der Fensterbank. „Wo haben Sie die denn her?"

„Von Schwester Luise. Ich habe ihr heute Morgen beim Treibhaus geholfen."

„Geschenke, von wem auch immer, sind bei mir vorzuzeigen. Streng genommen besitzt die einzelne Schwester nichts. Dinge für den persönlichen Gebrauch werden von der zuständigen Oberin genehmigt."

„Die Pflanze ist nur geliehen. Ich freue mich ein paar Tage daran und bringe sie zurück, sobald sie verblüht ist."

Das Gesicht der Magistra überzieht für den Bruchteil einer Sekunde ein milder Hauch, doch sie fängt sich rechtzeitig, senkt die Mundwinkel wieder und weist mich darauf hin, dass ich bitte über die Funktion der Zelle als Ort der Sammlung und der Konzentration nachdenken möge. Man müsse schließlich den Unterschied zu einem bürgerlichen Wohnzimmer auf den ersten Blick erkennen können.

Den kurzen Impuls bekämpfend, die Orchidee aus dem offen stehenden Fenster zu werfen, lasse ich mich auf den Schreibtischstuhl sinken und nehme mir vor, mit der Übung der monastischen Tugend der inneren Gelassenheit sofort zu beginnen. „Haben Sie etwas dagegen, wenn ich während der restlichen Studienzeit nach draußen gehe? Das könnte einer der letzten schönen Spätsommertage sein. Ich würde die Bücher mitnehmen."

Sie hat anscheinend gemerkt, dass ich für den Moment keine weiteren Verbote verkrafte, und gewährt mir den Auslauf.

In der Tür dreht sie sich noch einmal um. „Wo ist das Kreuz hingekommen, das dort an der Wand war?"

„Ich habe es abgehängt. Mir war der Anblick einer ans Holz genagelten Leichenfigur zuwider."

„Verstehe."

Sie geht, ohne dem etwas entgegenzusetzen.

AUF DEM Hof kommt mir Schwester Placida entgegen.

„Junge Frau, Sie sind gerade mal einen Tag da und sehen schon aus wie drei Tage Regenwetter! Was ist Ihnen denn über die Leber gelaufen?"

Sie lacht, als ich nicht mit der Sprache herausrücken will, und fängt an, von ihrer Zeit als Novizin zu erzählen. „Weißt du, im Hunsrück, da singt man gerne laut und fröhlich, das liegt bei uns im Blut. Meine Magistra ist bald an mir verzweifelt."

Ich werfe einen besorgten Blick auf die Fenster des Noviziatshauses hinter mir, was Placida nicht weiter zu stören scheint.

Endlich lässt sie mich mit dem Hinweis, sie wolle ja nicht immer so viel schwatzen, weitergehen, wobei sie mir mit der Bemerkung „Nun pack mal den Griesgram wieder ein, ja?!" in die Wange kneift.

Unter einem Pflaumenbaum beginne ich die Stofftasche mit „einführender geistlicher Literatur", die Schwester Hildegard mir in die Hand gedrückt hat, auszupacken: „Chorgebet und Kontemplation", „Höre, nimm an und erfülle", „Benedikt von Nursia – Seine Botschaft heute", „Bete und Arbeite", „Ordensleben: gestern – heute – morgen" und „Die Benediktusregel mit Deklarationen der Bayerischen Benediktiner Kongregation".

Ich greife zu „Benedikt von Nursia" und versuche, mich in ein Kapitel über „Leben in der Gegenwart Gottes" zu vertiefen, bis es zur Vesper läutet.

„Das wirkte in der Kirche doch schon ganz routiniert."

„Findest du? Entschuldige, finden Sie? Ich bin schon froh, wenn ich keinen Anstoß errege und mir kein Gemecker anhören muss."

Maria geht nach der Vesper neben mir über den Hof zur abendlichen Rekreation ins Noviziatshaus, verlangsamt auffällig das Tempo und bringt mehr Abstand zwischen uns und die vor uns gehenden Mitschwestern.

„Hören Sie, Schwester Hildegard fängt gerade an. Sie war lange zum Studium fort und muss ihren Platz in der Gemeinschaft, im Amt der Magistra, erst finden. Es ist nicht leicht, die Nachfolgerin von Schwester Maura zu sein. Maura hat eine ganze Generation von Schwestern geprägt, weshalb sie von einigen hier sehr verehrt wird."

„Die unfreundliche alte Nonne mit dem verkniffenen Gesicht?"

„Sie trägt schwer am Verlust ihres Amts, nehmen Sie das nicht persönlich."

„Haben Sie die ehemalige Magistra auch verehrt?"

„Ich war nicht der Typ, mit dem sie gut zurechtkam: zu wenig ‚alte Schule', zu viele neue Ideen. Dass ich an Schwester Mauras Führungsstil nicht zugrunde ging, betrachte ich als den Beweis, dass ich tatsächlich zum Klosterleben berufen bin."

Ich bleibe stehen und sehe sie an. Ihre Stimme geht in kaum hörbares Flüstern über. „Ich wollte oft aufgeben, weil ich glaubte, am Ende zu sein. Aber ich bin nicht wegen eines Menschen gekommen, und ich wollte nicht wegen eines Menschen wieder gehen. Die Magistra ist nicht von wesentlicher Bedeutung, glauben Sie mir. Wenn Sie mit der nicht zurechtkommen, dann soll Sie das vielleicht ermutigen, innerlich selbstständig zu werden."

Bislang war ich der Meinung, die „Geistliche Meisterin" sei als Hilfe gedacht, den Weg ins Klosterleben zu finden, nicht als etwas, was es zu überstehen galt.

Wir sind kurz vor der Tür angelangt, wo Hildegard mit fragendem Gesichtsausdruck auf uns wartet.

Maria geht nahtlos dazu über, mir zu erklären, dass am Sonntag die Vesper eine Stunde früher beginne, und wirft ihrer neuen Magistra im Vorbeigehen ein strahlendes Lächeln zu.

NACH der Rekreation versammeln sich Cäcilia, Maria, Antonia und ich in der so genannten „Kalten Küche" zwecks Vorrichtens des morgigen Frühstücks für Kommunität und Gästehaus.

Cäcilia drückt mir ein Tablett mit halb zerlaufenen Butterresten vom Gästetisch in die Hand, die ich in vorbereitete Schälchen streichen soll. Als die Küchenschwester erscheint und bittet, jemand möge den Geschirrwagen aus dem Gästehaus abholen und zehn saubere Frühstücksteller mitbringen, laufe ich los.

Am Ende des langen, überdachten Ganges steht die Klausurtür offen, durch die ich erst gestern Morgen hereingekommen bin. Da niemand zu sehen ist, betrete ich, ohne zu klingeln, das Gästehaus. Der mit Geschirr und Essensresten beladene Wagen steht in Sichtweite vor der Pfortenstube, in der ich mich gut auskenne. Hier habe ich Schwester Placida oft beim Tischdecken oder Teekochen geholfen. Im hinteren Schrank sind bald die gewünschten Teller gefunden, die ich mir gerade auf den Arm lade, als die entsetzte Stimme meiner Magistra mich beinahe dazu bringt, den Stapel fallen zu lassen.

„Was machen Sie denn hier?!"

„Teller holen."

„Sind Sie sich im Klaren, dass das unerlaubte Verlassen der Klausur ein schweres Vergehen darstellt?"

„Schwester, nun bleiben Sie mal locker. Ich habe mich ja freiwillig hinter eine Mauer sperren lassen. Wenn ich die heiligen Hallen für zwei Minuten verlasse, um Geschirr zu holen, wird mich das nicht sofort zur Sünderin machen. Ist ja sonst keiner hier, der mich vom Pfad der Tugend abbringen könnte."

Die Magistra verfärbt sich glutrot. „Zum einen sollten Sie über den Ton nachdenken, in dem Sie mit mir sprechen. Zum anderen müssen wir uns gleich morgen ausführlicher über den Wert und die Bedeutung der Klausur unterhalten. Sie soll uns keineswegs einsperren, sondern einen Schutzraum gewähren. Deshalb sind die Vorschriften der Klausur unbedingt einzuhalten und niemals eigenmächtig aufzuheben. Nur so können sich die Schwestern gegenseitig den Raum der Stille und der Besinnung schenken, der unser Leben kennzeichnet."

Ich verkneife mir lieber jeglichen Kommentar und mache mich – ohne Teller – davon.

Als ich verkünde, es müsse jemand anders die Sachen aus dem Gästehaus holen, und mich stumm wieder an die Butterschälchen begebe, tritt Maria neben mich und legt mir die Hand auf die Schulter. Cäcilias missbilligenden Blick ignoriert sie. „Was ist passiert?"

Ich berichte kurz und schließe mit der Bemerkung, dass ich für so etwas nicht geeignet sei.

„Denken Sie noch daran, was ich Ihnen vorhin gesagt habe? Solche Vorkommnisse fallen auf Schwester Hildegard zurück, wenn es von der Falschen beobachtet wird. Ihr wird angelastet, wenn sie ‚neue Sitten' im Noviziat einreißen lässt. Geben Sie ihr und sich etwas Zeit."

Bevor mir Marias verständnisvoller Ton auch noch auf die Nerven geht, sage ich ihr, es sei schon gut, und halte mich für den Rest des Küchendienstes an das klösterliche Schweigen.

ALS ICH zögernd den Konventsraum betrete, empfängt mich der freundliche Gruß von Schwester Oberin Germana. Vor dem laufenden Fernseher sitzen im Halbdunkel mehrere Nonnen.

Ich setze mich auf einen freien Stuhl in der hinteren Reihe und merke erst jetzt, wer auf dem Nachbarstuhl Platz genommen hat. Schwester Hildegard beugt sich zu mir herüber und flüstert: „Tut mir leid wegen vorhin, ich hätte Sie nicht so anfahren müssen."

„Tut mir auch leid, ich wollte nicht respektlos erscheinen."

Sie sieht mich dankbar an.

Dagmar Berghoff berichtet von Hilfslieferungen, die das US-amerikanische Repräsentantenhaus den in Nicaragua kämpfenden Kontra-Rebellen zugebilligt hat. Der Mann vom Wetterdienst kündigt ein weiteres Hochdruckgebiet an, als die Nonnen eine nach der anderen aufbrechen. In wenigen Minuten müsste die Glocke zu Komplet und Vigilien, den Nachtgebeten, läuten. Germana beginnt in den Programmen zu zappen.

Ich will mich gerade auf den Weg machen, da tritt die Magistra neben mich. „Mit wem haben Sie da heute Nachmittag auf dem Hof gesprochen?"

Im ersten Moment weiß ich gar nicht, was sie meint. „Mit Schwester Placida."

„Der Kontakt zu den Konventsschwestern sollte sich auf die beschränken, bei denen Sie arbeiten. Längere Gespräche bedürfen auch da meiner Erlaubnis."

Anscheinend kann sie nicht anders, sie muss doch noch mal eins draufgeben.

„Was ist daran schlimm, einer Schwester, die man vom Gästehaus kennt, etwas zu erzählen?"

„Sie sollen die nötige Freiheit behalten, uns wieder verlassen zu können, ohne dass emotionale Bindungen an einzelne Mitglieder der Kommunität es Ihnen erschweren."

Mag sein, dass darin irgendein Sinn liegt, aber die persönlichen Gespräche allein auf den Kontakt mit Schwester Hildegard zu beschränken würde aus der ‚nötigen Freiheit' den Zwang zum Gehen machen.

Und dann muss ich mir noch sagen lassen, dass ich mein negatives Verhältnis zur Autorität überdenken soll, um tiefe geistliche Erfahrungen mit dem Ordensleben machen zu können.

Mir reicht's!

„Nicht aufgeben", flüstert es neben mir, als ich im Vorbeigehen einen zusammengefalteten Zettel in die Hand gedrückt bekomme.

Wir müssen unsere Segel in den unendlichen Wind stellen, erst dann werden wir zu voller Fahrt in der Lage sein. Alfred Delp, lese ich und schaue abwechselnd auf das kleine Papier und die davoneilende Schwester Raphaela. Keine Ahnung, was der Spruch bedeutet, aber später werfe ich ihr in der Kirche ein gerührtes Lächeln zu.

Vielleicht bleibe ich noch.

Die Novizin im Spiegel

Das vierte Mal in diesem Monat, dass ich verschlafe, und noch dazu an einem Sonntag. Damit halte ich den Noviziatsrekord. Warum kann ich mich nicht daran gewöhnen, frühmorgens um halb sechs aufzustehen? Die Magistra wird wieder den Eifer für den Gottesdienst anmahnen, und die von der „strengen Fraktion" werden Hildegard vorwerfen, sie hätte ihre Postulantin nicht im Griff. Dabei wollte ich gerade jetzt einen guten Eindruck auf alle machen. Ungewaschen und nur notdürftig gekämmt, nehme ich zwei Treppenstufen auf einmal, renne fröstelnd über den Hof.

Zu Beginn des zweiten Psalms schlüpfe ich so leise wie möglich durch die hintere Kirchentür, verneige mich, murmle ein zerknirschtes „Tut mir sehr leid" vor Priorin Germana und verfluche innerlich meinen Platz, der mich zwingt, vor aller Augen die ganze Länge des Nonnenchors abzuschreiten.

„Ich erhebe dich, Herr,
   denn du zogst mich empor aus der Tiefe,
   du ließest nicht zu, dass über mich meine Feinde frohlocken."

Ein gutes Omen? Da bejubelt der Psalmist, dass er der Schadenfreude seiner Gegner entzogen wurde, da findet einer Trost und Befreiung. Vom ersten Tag an mochte ich diese alten Psalmtexte, denen ist nichts fremd: es wird geflucht, gezürnt, verwünscht, geliebt, angeklagt und gejubelt. Sie haben im klösterlichen Alltag eine solche Präsenz, dass sie auch dann noch durch den Kopf geistern, wenn man gerade mal nicht mit Psalmenrezitation beschäftigt ist.

Warum mache ich das noch immer, sitze schlaftrunken in einer mäßig geheizten Kirche, versuche dem Psalm, der gerade gesungen wird, Bedeutung abzugewinnen, und ängstige mich, weil mir die Zulassung zur Einkleidung verweigert werden könnte? Warum wünsche ich mir, dieses Nonnenkleid tragen zu dürfen? Um endlich sichtbar dazuzugehören?

Die Magistra hat erst letzte Woche gewarnt, das viele „Warum"-Fragen würde es mir unmöglich machen, etwas anzunehmen. Sie war bestürzt, als ich ihr entgegnete, dies könne nie mein Ziel sein. Glauben, ohne zu fragen, das gebe innere Sicherheit, sagte sie, aber das könne ich wahrscheinlich erst verstehen, wenn ich länger dabei sei. Da habe ich den Versuch aufgegeben, mich ernsthaft mit der Frau auseinanderzusetzen, die mich als „geistliche Lehrerin" durch die Zeit der Einübung ins Klosterleben begleiten soll. Kein Interesse an dieser Art Gläubigkeit.

Trotzdem: es ist die erste Gemeinschaft von Menschen, in die ich hineinzuwachsen versuche; so schnell will ich nicht aufgeben. Das Leben mit anderen teilen, nicht allein für mich sein. Mit der Einkleidung gehe ich keinerlei Bindung ein; ich kann jederzeit ohne Angabe von Gründen wieder gehen, gehöre nur äußerlich dazu. Warum also jetzt aufgeben?

Abends im Bett fühle ich mich hin und wieder verdammt allein; ansonsten mag ich das Klosterleben. Es hat was. Gelegentlich ist es wunderschön. Weihnachten zum Beispiel. Ich habe es früher gehasst, dieses emotionsgeladene Familienfest, an dem mit dem Alkoholspiegel die Wut des Vaters noch schneller stieg als an gewöhnlichen Tagen. In den Jahren, in denen ich allein war, fand Weihnachten nicht statt, gut gemeinte Einladungen von fürsorglichen Menschen lehnte ich ab.

Weihnachten im Kloster ist anders. Je mehr es auf das Fest zugeht, desto stiller wird es. Selbst die Orgel schweigt im Advent. Nichts von rot-weiß-goldener Süßigkeit! Am 24. Dezember liegt die Stille wie eine Decke über dem Kloster. Abends um sieben ist Ruhe angesagt, die Nonnen gehen ins Bett. Wer kann, versucht ein wenig zu schlafen. Kurz vor 23 Uhr wird jede Konventsschwester nach uralter Tradition mit dem Spruch geweckt: *„Verbum carum factum est. Alleluja!"* –

„Das Wort ist Fleisch geworden. Alleluja!" Sie antwortet: *„Et habitavit in nobis. Alleluja!"* – „Und hat unter uns gewohnt. Alleluja!" Kurz darauf versammelt sich die Gemeinschaft in der nächtlich dunklen Kirche, meditiert, wartet. Eine einzelne kraftvolle Frauenstimme durchschneidet die Stille: „Christus ist uns geboren heute. Kommt, lasset uns anbeten." Die Schwestern stimmen ein, singen sich wechselchörig während der langen Vigilien dem Höhepunkt der Heiligen Nacht entgegen. Die Mitternachtsmesse beginnt, die Orgel braust auf, und spätestens jetzt ist auch die größte Weihnachtshasserin gefesselt von Gesängen, die sie nur zur Hälfte versteht, vom Weihrauch, von einem angedeuteten Geheimnis, das ihr rätselhafter denn je erscheint, von einer Feierlichkeit, der sie sich nicht entziehen kann. Und drei Gottesdienststunden lang merkt man trotz der späten Stunde nicht, wie die Zeit vergeht.

Am nächsten Morgen wünschen sich alle übernächtigt frohe Weihnachten und versichern, dass das Weihnachtsfest im Kloster unnachahmlich sei. Ich habe ihnen zugestimmt.

Geschenke, wenn man von dem Teller mit Keksen, Schokolade und Mandarinen absieht, den jede Schwester an ihrem Platz im Refektorium vorfindet, gibt es seitens des Klosters nicht. Von Verwandten oder Freunden zugeschickte Weihnachtspäckchen werden in den Tagen vor dem Fest bei der Priorin vorgezeigt. Überflüssiges kommt in einen großen Korb, aus dem sich jede nach Rücksprache etwas nehmen kann.

Stefan hat mir eine Ausgabe der „Jahrestage" von Uwe Johnson geschickt. Ich durfte sie behalten. In der Weihnachtszeit, wurde mir gesagt, dürfe man auch mal etwas „Nichtgeistliches" lesen.

Hedwig wedelt in meine Richtung. Ich habe mal wieder vor mich hin geträumt, statt mitzusingen.

HEUTE ist die Konventsversammlung, in der ich zur Einkleidung zugelassen werde. Oder auch nicht. Noch kann die Priorin im Einvernehmen mit der Magistra die Entscheidung allein treffen; eine Abstimmung aller Konventsschwestern erwartet mich erst in zwei Jahren. Germana wird für mich sein und Hildegard wird ihr hoffentlich nicht allzu sehr widersprechen. Meine Novizenmeisterin zweifelt an mir, das spüre ich. Dass auch ich zweifle, will ich ihr nicht sagen, sie könnte meine Unsicherheit gegen mich verwenden.

Die Stimmung ist heiter so kurz vor Karneval. Eine der Schwestern zieht aus geheimen Quellen immer neue Tücher, Hüte und sonstige bunte Teile hervor, um die Schwestern für den Rosenmontag auszustatten. Cäcilia übt Boogie-Woogie auf dem Klavier. „Feiern und fasten", sagt Schwester Luise, „beides muss man können."

SONNTAGS hat jede knapp drei Stunden frei. Küchenarbeit und Betreuung der Gäste wird mittels „Sonntagsplan" unter den Schwestern verteilt. Seit Maria mich auf die Möglichkeit hingewiesen hat, am Sonntag im Noviziatsgruppenraum Musik zu hören, verbringe ich die freie Zeit den Winter über dort und strapaziere den kommunitären Kopfhörer. Einmal pro Woche Musik zu hören wird der geistlichen Einübung nicht schaden, denke ich. Der Plattenschrank im Noviziatsraum hat sich als Fundgrube erwiesen. Zwischen Brahms' Requiem, Bach-Kantaten und Rachmaninoffs Klavierkonzerten finden sich weitere Schätze wie Suzanne Vega, die Dire Straits und eine Liveaufnahme von Billie Holiday. Ich liege wohlig ausgestreckt auf dem Teppich, gerade klingen mir die letzten Takte von „That Old Devil Called Love" ins Ohr, als ich vor mir die Füße meiner Magistra erkenne.

„Was hören Sie da für Musik?"

„Von der *Queen of the Blues*, der Königin des Blues, wunderbar traurig und schön. Wollen Sie mal?"

Sie setzt den Kopfhörer auf, schließt die Augen, wiegt sich hin und her, nimmt ihn nach einer Weile wieder ab, lächelt. „Wirklich schön, aber ich halte mich doch lieber weiterhin an Mozart, der hellt mich auf." Sie zögert kurz. „Aber für gewöhnlich höre ich gar keine Musik. Ich nutze meine freien Vor- oder Nachmittage lieber für die geistliche Lesung."

Wenn sie nicht dauernd auf gestrenge Frau Magistra machen würde, könnte man sie stellenweise ganz nett finden.

„Weswegen ich gekommen bin ... Schwester Priorin Germana hat Sie in Absprache mit den Schwestern des Konvents für den Sonntag ‚Laetare', dem vierten Fastensonntag, zur Einkleidung zugelassen."

„Fällt Ihnen das sehr schwer, Schwester Hildegard?"

„Ach Sie, was Sie immer denken." Ihre Augen röten sich.

„Entschuldigen Sie, sollte ein Scherz sein."

„Es liegt mir viel daran, mich besser mit Ihnen zu verstehen, aber oft empfinde ich Sie als, nun ja, etwas sperrig."

„Schwester, ich tue meistens nur so. Wir werden uns schon vertragen, ja?"

Sie nickt heftig und sieht dabei so dankbar aus, dass sie mir schon wieder auf die Nerven geht.

„Es ist für Schwester Germana als Priorin wie auch für mich in der Funktion der Magistra die erste Einkleidung. Wir werden in den kommenden Wochen den Ritus üben müssen, damit alles klappt. Außerdem werde ich Sie zu Einkleidungsvorbereitungen bitten, um die geistlichen Grundlagen mit Ihnen zu vertiefen."

Ich kämpfe einen aufkommenden Panikanfall nieder. Sie drückt mir ein kopiertes DIN-A5-Heftchen in die Hand: „Die Feier der Einkleidung einer Novizin". Ich soll es mir bis nächsten Mittwoch möglichst genau einprägen.

16. Februar 1988

Liebe Lina,

stimmt schon: Du hast mir in den vergangenen fünfeinhalb Monaten beinahe jede Woche geschrieben, von meiner Seite dagegen kamen zwei Postkarten, deren Informationswert gleich null war.

Es geht mir gut hier, wahrscheinlich werde ich noch eine Weile bleiben. Eine eigene kleine Welt, in der ich nicht mehr ganz so fremd bin wie in den ersten Tagen, wartet darauf, weiter von mir erkundet zu werden. Eine Zeit lang an diesem Ort, mit diesen Frauen, nach dieser Idee zu leben, scheint mir die Chance zu sein, etwas herauszufinden, was ich nirgendwo anders lernen kann. Einige von denen haben etwas, was ich auch gerne hätte.

Mein Tag wird strukturiert vom Läuten der Glocke. Er beginnt um sechs Uhr mit der Morgengebetszeit, endet gegen halb zehn abends nach den Nachtgebeten. Dazwischen läuft die Alltagsausführung des benediktinischen *ora et labora,* wobei sie hier Wert darauf legen, dass man den Begriff der *lectio* mit aufzählt: Lesung, Studium, Meditation gehören ebenso in den klösterlichen Tag wie die Arbeits- und Gebetszeiten.

In den Wochen vor Weihnachten habe ich bei Schwester Luise in der Gärtnerei gearbeitet. Über hundert Weihnachtsgestecke für Freunde, Wohltäter und Nachbarn des Klosters waren anzufertigen. Seit Neujahr arbeite ich vormittags in der so genannten Kalten Küche, plage mich mit dem Arrangieren von Wurstplatten und Brotkörben, lerne aber auch die Innenseite des Klosters von diesem zentralen Arbeitsplatz aus besser kennen. Vermutlich ist dies der Sinn der häufigen Arbeitsplatzwechsel während der Noviziatszeit.

Still ist es. Ich habe hier so viel Zeit zum Nachdenken wie noch nie. Nach dem Abendgebet wird bis zum Morgengebet nicht mehr gesprochen. Man begegnet sich auf dem Flur, nickt einander mehr oder weniger freundlich zu und ist jeglichen Zwangs zur Konversation enthoben. Das ist gut.

Das ganz andere Leben? Ja, meistens anders als erwartet.

In etwa vier Wochen, am 27. März, werde ich als Novizin eingekleidet. Die Zeremonie findet innerhalb der Kommunität im Kapitelsaal hinter verschlossenen Türen statt, zur anschließenden Gebetszeit und zum Kaffeetrinken im Gästehaus darf ich die Leute einladen, die mir wichtig sind. Angeblich sind bei den meisten meiner Vorgängerinnen ganze Wagenladungen von Familie, Freunden und Bekannten angerückt, ich möchte aber nur wenige Menschen dahaben: Dich zum Beispiel. Kommst Du?

Es grüßt Dich Deine V.

Lieber Stefan,
danke für die zwei Kästen Bier. Klug von Dir, der ganzen Gemeinschaft ein Geschenk zu machen. So gab es vorgestern zum Abendessen Jever für alle. Priorin Germana hat mir noch eine Flasche zugesteckt, die ich spätabends auf meiner Fensterbank auf Dein Wohl geleert habe. Nur so habe ich die Tatsache überleben können, dass Du an der Klosterpforte warst, ohne dass ich Dich sehen durfte.

Ich lese viel in den „Jahrestagen", wandere abends, auf meiner Fensterbank sitzend, mit Gesine Cresspahl durch New York und bedaure etwas, niemals dort gewesen zu sein.

Ich habe mich für die „Reise nach innen" entschieden; man kann nicht alles haben.

Gestern war Faschingsmontag, und die Nonnen haben ausgelassen gefeiert, sich verkleidet, getanzt, Wein getrunken und bemerkenswert gute Comedy aufgeführt. Jedes Mal wenn ich denke, nun kenne ich die Mädels, zeigen sie mir eine neue Seite ihrer Persönlichkeit.

Jetzt liegt die Fastenzeit vor uns, morgen kriegen wir Asche aufs Haupt gestreut, üben uns verstärkt in Umkehr, Gebet und Schweigen.

„Das Leben in einem Frauenkloster ist unbedingt als neurosefördernd zu bezeichnen. Allerdings gehen die echten Neurotikerinnen meistens wieder weg, bevor es richtig schlimm wird", hat mir eine kluge Nonne erzählt. Vorerst scheinen meine Neurosen den Toleranzbereich nicht zu sprengen, jedenfalls werde ich laut Beschluss der Priorin am letzten Sonntag im März eingekleidet und hoffe, dass Du kommst, um Dich gemeinsam mit mir über mich schlapp zu lachen. Vielleicht ist mir auch gar nicht zum Lachen, dann komm erst recht. Lieber, ich lasse mir dieses Nonnengewand verpassen, habe sogar darum gebeten. Kann man das begreifen?

Bis dahin bin ich Deine V.

INBRÜNSTIG singende Nonnen im mit Forsythien geschmückten Kapitelsaal.

„Welche Freude, da man mir sagte:
Wir ziehen zum Haus des Herrn!"

In der Mitte einsam auf einem massiven Hocker platziert, denke ich einen Moment nicht daran, dass da keine Rückenlehne ist, und verliere die Andacht bei dem Versuch, nicht vor versammelter Gemeinschaft aufs Parkett zu knallen. Der Psalm verklingt, Germana nimmt Haltung an und beginnt mit hochoffizieller Miene, ihre eigens für diesen Anlass verfasste Ansprache vorzulesen.

„Eine unserer Schwestern empfängt heute das Gewand dieser klösterlichen Gemeinschaft, auf dass sie in den nächsten Monaten und Jahren erprobe, ob sie berufen ist zu einem solchen Leben. Gott ruft Menschen, die in einem ganz eigenartigen Sinn ein Dasein führen, das aus dem Gewöhnlichen herausgerückt ist ..." Germana spricht ausführlich von den Frauen in der Nachfolge Jesu Christi, von der Legende der Veronika, die Jesus auf dem Kreuzweg ihr Tuch reicht, mit dem er sich den Schweiß abwischt, worauf sich sein Gesicht darin abbildet – das könne als Zeichen für die prägende und alles verändernde Kraft der Hingabe gedeutet werden. Sie meint mit Hingabe sicher etwas anderes als das, was mir gerade durch den Sinn geht, obwohl ich derartige Gedanken aus der Feier meiner Einkleidung verbannen sollte. Es scheint hundert Jahre her zu sein, seit Max vor meinem Bett stand.

Neben Germana auf dem kleinen, mit Intarsien geschmückten Beistelltisch liegt, akkurat zusammengefaltet, das Ordenskleid mit Habit, Skapulier – ein Teil des Ordenskleids –, Gürtel, Schleier und sonstigem Zubehör. Obenauf: ein weißes Läppchen, auf dem etwa sechs Stecknadeln in säuberlichen Abständen parallel nebeneinanderstecken.

Ein Königreich für eine Zigarette!

„Empfangen Sie das Kleid des Ordens des heiligen Benediktus; tragen Sie es in Ehrfurcht und Würde." Germana schließt ihre Ansprache mit einem Segensspruch, sieht mich aufmunternd an. Wie oft genug eingeübt, erhebe ich mich, trete vor sie hin, beuge die Knie und halte ihr meine ausgestreckten Arme entgegen, in die sie das Kleiderpäckchen legt – mit den Worten: „Ziehen Sie den neuen Menschen an, der nach Gottes Bild geschaffen ist, damit Sie wahrhaft gerecht und heilig leben."

Es ist gar nicht so einfach, aus dem Knien in den Stand zu kommen, wenn man vor sich einen Haufen Stoff so balancieren muss, dass er nicht auf dem Boden landet. Ich habe das so lange trainiert, bis der

Muskelkater in den Oberschenkeln lästig, das Ergebnis aber verhältnismäßig souverän wurde. Hildegard tritt neben mich, wir verneigen uns gemeinsam vor der Priorin und verlassen unter Psalmengesang gemessenen Schrittes den Saal.

Eine kleine Unendlichkeit später, mithilfe von Schwester Hildegards vor Aufregung zitternden, sich mehrmals an einer Stecknadel piksenden Händen in eine Menge schwarzen und weißen Stoff gehüllt, stehe ich vor der geschlossenen Kapitelsaaltür, aus der noch immer der Gesang der Mitschwestern tönt. Die Magistra legt die Hand auf die Klinke.

„Ich gehe da nicht rein!"

„Das kannst du jetzt echt nicht bringen!"

Ich bin so verblüfft über diesen Satz aus Hildegards Mund, dass ich mich in den Saal drängen lasse, ehe irgendein weiterer Gedanke in mein Hirn passt. Da drinnen wird es plötzlich schön. Wohlklang, milde lächelnde Mitschwestern, die Gemeinschaft erhebt sich zur Begrüßung von Schwester Veronika. Das bin ich.

Und dann habe ich den verdammten Ritus doch vergessen. Hilflos drehe ich mich nach Hildegard um, die weist mit ausgestreckter Hand auf Germana. Hinknien, leicht nach vorn beugen, die Priorin legt der neuen Novizin den Ledergürtel um: „Gerechtigkeit und Treue seien der Gürtel Ihrer Lenden. Bedenken Sie, dass von nun an ein anderer Sie gürten und führen wird, wohin Sie nicht wollen."

Mir bricht der Schweiß aus. Schwester Germana nestelt noch immer an der Gürtelschnalle herum, mein linker Fuß schläft ein. Schließlich hat sie es geschafft, betrachtet zufrieden ihr Werk. Beim Aufstehen muss ich mich an Germanas rheumatischen Knien festhalten, um nicht über den Saum des langen Kleides zu fallen. Sie verzieht schmerzvoll das Gesicht, erhebt sich mühsam, wobei ich sie äußerst unrituell stütze und zum Ausgang führe.

Ich will gerade zurücktreten, als die Priorin den Druck auf meinen Arm verstärkt. „Wenn ich schon nicht Äbtissin bin, kann ich zur Feier des Tages auch mal mit einer Novizin an meiner Seite einziehen!"

Placida schneuzt in ihr Taschentuch, Luise lacht mich an, Paula wirft mir eine Kusshand zu. Jetzt haben die es doch noch fertiggebracht: ich bin gerührt.

Beim Betreten der Kirche sehe ich, ohne den gewohnten Sichtschutz durch den Rücken einer Schwester vor mir, wer in der ersten Reihe der Gästekapelle sitzt: Lina mit ihrem Bruder Georg, Stefan, meine Ex-Kollegin Silvia nebst derzeitigem Freund, Jan mit seiner Mutter und Max in der schwarzen Motorradlederjacke, die ich ihm vorletztes Jahr zu Weihnachten geschenkt habe. Einige ältere Damen, die sich kein klösterliches Ereignis entgehen lassen, wofür sie von Paula als „Klosterwanzen" bezeichnet werden, haben sich neben Lina in die Kirchenbank gezwängt.

Hedwig stimmt die Antifon, den liturgischen Wechselgesang, an, ich reihe mich in den Chor der Nonnen ein, spüre bei jeder Bewegung Wolle an der Haut, warm und weich. Zu warm. Der Blick nach rechts und links endet in einer weißen Stoffwand. Jetzt bedaure ich es, vorhin im Ankleideraum nicht in den Spiegel geschaut zu haben.

ICH LAUFE an der Gruppe von Klosterwanzen vorbei und bremse am Ende des Flurs vor Stefan, der mich mit verschränkten Armen, den obligatorischen Zigarillo im Mundwinkel, von oben bis unten mustert. „Süße, ich hab noch einen Platz im Auto frei."

„Sehr witzig!"

Jan tritt neben ihn, einen großen Strauß weißer Rosen in der Hand. Was denkt der, was das hier ist? Seine Mutter schüttelt mir feuchten Blickes lange die Hand, wimmert, sie habe von der ersten Begegnung an daran geglaubt, dass ich den geistlichen Weg einschlagen würde. Ich sehe sie noch lauernd hinter dem Vorhang stehen, wenn ich Jan vor seinem Haus abgesetzt habe, erinnere mich daran, wie sehr sie um die Unschuld ihres Priestersohnes fürchtete, sobald der mit einer Frau sprach, die jünger als achtzig Jahre alt war. Und dann auch noch ich, die Dahergelaufene, von der man wusste, dass sie Kontakt zu Hausbesetzern hat!

Jan sieht meinen Blick, hebt entschuldigend die Achseln. Silvia kommt heran, umarmt mich zögernd. Ein Gefühl von Fremdheit breitet sich aus, das mir Angst zu machen beginnt. „Wo ist Max?"

Lina nimmt mich auf die Seite. „Er ist weggefahren. Ich soll dir das hier geben."

Ein Buch, in Packpapier eingepackt, die Nachricht quer darüber geschrieben: *Wollte versuchen zu verstehen, kann nicht. Tut mir leid, aber ich möchte Dich nie wiedersehen.*

Als ich das Papier abwickle, habe ich Peter Rühmkorfs „Irdisches Vergnügen in g" in der Hand. Max hat ein Lesezeichen reingelegt und die erste Zeile eines Gedichts mit gelbem Leuchtstift markiert:

> Wildernd im Ungewissen,
> im Abflussrohr der Zeit;
> etwas Größe unter den Nagel gerissen,
> etwas Vollkommenheit.

Ich lese, halte Lina das Buch hin. „Verstehst du das?"

Lina beginnt zu weinen.

Ich will mich gerade abwenden, als Stefan sich breitschultrig vor mich stellt, mir kurz seinen Zigarillo zwischen die Lippen steckt. „Lasst es gut sein, hier gibt's irgendwo Kaffee."

Er legt seine Arme um Lina und mich, zieht uns mit sich ins kleinere Speisezimmer, wo Schwester Placida mit dem besten Kaffeegeschirr liebevoll den Tisch gedeckt hat. Auf jedem Teller liegt eine Margeritenblüte, die Kuchenmenge würde locker für dreimal so viele Leute reichen.

Silvia beugt sich zu mir, spricht so leise, dass ich sie nur mit Mühe verstehe. „Ich wollte erst nicht kommen, habe mich sogar ein wenig davor gefürchtet. Mir ist das fremd, diese Frauen, die Mauer, dieser Glaube. Ich kenne dich, du mochtest deine Arbeit, hast dich politisch engagiert, hattest einen Freund, hast Spaß gehabt. Und jetzt? Kannst du es mir erklären?"

„Nein."

„Und du willst wirklich keinen Sex mehr? Hey, wie kann man das aus seinem Leben ausklammern?"

„Ich bin nicht hier, weil ich keinen Sex mehr will. Für mich ist das ein echter Verzicht, es tut weh. Oft genug denke ich, das werde ich nicht schaffen, aber ich muss es versuchen. Nicht weil ich keine Lust mehr auf Kerle habe, sondern weil ich etwas herausfinden will, was möglicherweise jenseits dessen eine Erfüllung schenkt, die ich sonst nicht finden würde. Nicht besser, sondern anders. Verstehst du?"

„Nee, ist mir zu abgehoben."

Schwester Hildegard betritt den Raum, beginnt honigsüß, meine Gäste, die sich artig erhoben haben, willkommen zu heißen. Sie begrüßt Stefan, erkennt in ihm den Spender des leckeren friesischen Biers. Der küsst ihr – „sehr erfreut!" – die Hand, worauf sie kichernd errötet. Nachdem sie mit jedem ein paar Worte gewechselt hat, schaut die Magistra zögerlich in die Runde, bemerkt, sie käme vor der Vesper nochmals vorbei, und geht. Wahrscheinlich hätte ich sie einladen müssen, sich zu uns zu setzen.

„So eine bezaubernde Schwester, was für ein strahlendes Lächeln!", schwärmt Jans Mutter, wofür der von mir einen wütenden Blick kassiert.

Stefan beginnt, Kuchenstücke zu verteilen, erzählt einen Nonnenwitz, fordert mich auf, die Mitbringsel auszupacken.

Die Gesellschaft entspannt sich. Silvia erhebt die Kaffeetasse, bringt, während sie Rauch in meine Richtung bläst, einen Toast auf ein glückliches Leben ohne Männer und Zigaretten aus und steckt ihrem Freund die Zunge ins Ohr. Sie hat eine Platte von Patti Smith mitgebracht: „Damit du dein revolutionäres Potenzial nicht vergisst!" Stefan meint zu seiner Wahl der ledergebundenen Ausgabe von Dostojewskis „Die Brüder Karamasow", darin sei ziemlich viel von Gott die Rede. Lina hat mir eine schwarze Jacke gestrickt. Sie muss bei ihrem Tempo wochenlang daran gearbeitet haben. Ihr Bruder entschuldigt sich, dass er nur die Taschenbuchausgabe von „Till Eulenspiegel" kaufen konnte, er sei chronisch pleite. Jan überreicht einen Kunstbildband mit Arbeiten auf Papier von Mark Rothko.

Als es zur Vesper läutet, ohne dass Hildegard noch einmal aufgetaucht wäre, verabschieden sich alle. Als Letzter bleibt Stefan zurück.

„Scheißkerl, hast mit der Magistra geflirtet!"

„Hattest du den Eindruck, dass ihr das nicht gefallen hat?"

Ich lege meinen Kopf auf seine Schulter. „Danke für alles! Kommst du mich nach Ostern besuchen?"

„Sicher."

„Hast du mit Max gesprochen?"

Stefan macht mit dem Kopf ein Zeichen in Richtung Klausurtür, wo Placida nervös mit dem Schlüssel rasselt. „Dem war nicht nach Reden zumute, ich kann dir nicht helfen, denk selber nach." Er küsst mich sanft aufs leinene Stirnband, dann lange auf den Mund.

„Jetzt aber ganz schnell!" Placida nimmt meine Hand, verabschiedet Stefan, schließt hinter ihm die Pforte ab.

„Entschuldigen Sie, Schwester, meinetwegen werden Sie zu spät zur Vesper kommen."

„Macht nichts, bin auch mal jung gewesen. Und jetzt heb das Kleid an, wir werden rennen."

LETZTER Termin des heutigen Tages: „Große Festrekreation" mit dem ganzen Konvent. Ich werde von Arm zu Arm gereicht, empfange Glückwünsche, geistliche Ermutigungen und mit Sinnsprüchen geschmückte Kunstpostkarten, die eine Art Klosterwährung darstellen, wie ich in den vergangenen Monaten gelernt habe. Sie werden ausgetauscht, weitergegeben, umgestaltet. Je höher der gestalterische Aufwand, desto größer die Wertschätzung, die sich daraus ablesen lässt. Bei flüchtiger Durchsicht entdecke ich einige sehr aufwändig gefertigte Exemplare und freue mich.

Als die Priorin mich bittet, den Platz neben ihr einzunehmen, der an gewöhnlichen Tagen ihrer Stellvertreterin, Subpriorin Radegundis, vorbehalten ist, fühle ich mich an meinen ersten Auftritt in dieser Runde erinnert. Inzwischen sind mir die Gesichter vertraut, erkenne ich meine Mitschwestern an der Stimme, an der Art, wie sie gehen, habe gelernt, wie viel Individualismus sich hinter der äußerlichen Gleichförmigkeit verbergen kann. Dennoch: nach einem halben Jahr Kloster bin ich mit dem heutigen Tag erst „Novizin", ein Neuling. Die Kirche hat Zeit. Ich wollte das, ein Leben jenseits von Leistung und Aufstieg im herkömmlichen Sinne. Den Verzicht auf Ausübung von Macht wählen, ohne die eigene Persönlichkeit dabei aufzugeben. Habe ich mir mal so gedacht. Bin weit davon entfernt, solange ich bei jeder verweigerten Erlaubnis um Fassung ringe. Nun, wie mein neuer Status besagt: Ich bin die, die anfängt. Ich fange eben weiter an.

Schwester Germana fragt, ob ich etwas sagen möchte. Ich bedanke mich bei der Kommunität für die Aufnahme ins Noviziat, bringe es sogar über mich, Hildegard für ihre Hilfe zu danken, und hoffe, fürs Erste genug Offenheit gegenüber der Gemeinschaft, wie die Priorin mir erst gestern ans Herz gelegt hat, gezeigt zu haben. Etwas mehr Aufgeschlossenheit meinerseits würde den Schwestern helfen, mich als eine der Ihren zu betrachten, sagte sie. Als ich sie fragte, wie streng das Kontaktverbot zu Konventsschwestern gehandhabt werde, zwinkerte sie mir zu und meinte, sie sei auch mal Novizin gewesen und habe sich zu helfen gewusst, obwohl es damals weitaus strenger zugegangen sei. Persönliche Freundschaften seien strengstens verboten gewesen, es habe sie aber selbstverständlich gegeben.

Man beginnt Anekdoten zu erzählen über Schleier, die der Sturm davongeweht hat, in Zugtüren verheddderte Ordenskleider, mit Sahne gefüllte Habitärmel. Mir fällt auf, dass das Skapulier einen ganz entscheidenden Vorteil hat: man weiß in solchen Runden endlich, wohin mit seinen Händen.

Schwester Franziska will wissen, was denn meine Eltern zu der Einkleidung gesagt haben.

„Ich habe nicht mit ihnen darüber gesprochen."

Germana greift ein, meint, das sei eine lange und unglückliche Geschichte, es wäre gut, mich damit nicht zu belasten.

„Man wird doch wohl fragen dürfen!" Franziska schüttelt sichtlich entsetzt den Kopf, flüstert mit der neben ihr sitzenden Schwester Maura, wobei beide nicht gerade so aussehen, als seien sie von Mitleid und Herzenswärme erfüllt. Sanft legt sich für einen Moment eine breite Hand auf meinen Arm, die Spuren jahrelanger schwerer Arbeit trägt. Als Schwester Justina, die älteste Konventsschwester, die ich noch nie in öffentlicher Runde etwas habe sagen hören, heiser zu sprechen beginnt, wird es augenblicklich still im Raum. „Jede von uns hat ihre Geschichte. Mein Vater hat fünfzehn Jahre lang kein Wort mit mir gesprochen, nachdem ich ins Kloster gegangen war. Gott sieht das Herz, wir wissen gar nichts."

„Beenden wir hiermit die Rekreation und wünschen wir unserer jungen Mitschwester Gottes Segen für den neuen Lebensabschnitt." Der Konvent ist zum abendlichen Küchendienst entlassen, von dem ich heute befreit bin.

„Schwester Germana, was mache ich damit?"

Die Priorin wirft einen flüchtigen Blick auf die Plastiktüte mit meinen Geschenken und murmelt, zu Hildegard gewandt: „Soll sie mal alles mitnehmen und behalten, ist ja wenig im Vergleich zu früheren Novizinnen."

Die Magistra will etwas entgegnen, wird aber von Schwester Germana mit abwehrender Handbewegung am Sprechen gehindert.

AM SCHWARZEN Brett treffe ich Maria.

„Wie fühlen Sie sich im neuen Kleid?"

„Das Habit ist ganz gemütlich, aber der Schleier! Ich schwitze, sehe nichts, fühle mich eingepackt. Keine Ahnung, wie ich aus den Klamotten wieder rauskommen soll."

„Ging mir am ersten Tag genauso. Klopfen Sie nachher an meiner Tür, dann helfe ich Ihnen aus den Kleidern." Sie greift mir mit beiden Händen in den Schleier, schiebt ihn über die Schultern zurück, streicht saubere Falten in den frisch gestärkten Stoff. „So, jetzt müsste das Sichtfeld schon erheblich weiter sein. Den Rest zeige ich Ihnen später. Es gibt ein paar Tricks. Aber nicht Schwester Antonia erzählen; ich überschreite da meine Kompetenzen."

Ich seufze entnervt. Maria küsst mich rechts und links auf die Wange, lächelt. „Bist eine schöne Nonne! Aber du riechst ein wenig nach Rauch."

„Trotz der ganzen Einkleidungsvorbereitungen bin ich mir selbst fremd in dem Gewand. Was bedeutet dieses Ordenskleid für dich, Maria?"

„Ich bewege mich anders in diesem Kleid. Die Menschen, denen ich begegne, sehen mich oft mit befremdeten Blicken an. Bei allem, was ich tue, signalisiere ich durch mein Äußeres, was ich lebe. Immer. Ohne ein Wort verlieren zu müssen, mache ich den Männern klar, dass ich nicht verfügbar bin. Ich kann für keinen Moment verleugnen, was für jeden weithin sichtbar ist, ich bin jederzeit mitverantwortlich für das Erscheinungsbild des Klosters."

„Da kann man ja Angst kriegen."

„Ja, auch das."

„Als ich heute zwischen meinen Freunden saß, hatte ich plötzlich das Gefühl, dass mich dieses totale Anderssein überfordern wird."

„Du solltest den Rückhalt, den die Gemeinschaft trotz aller menschlichen Unzulänglichkeiten geben kann, nicht unterschätzen. Versuch es erst mal. Das Noviziat ist zum Ausprobieren da."

Schwester Hildegard schiebt sich zwischen uns. „Kommen Sie, ich gehe mit Ihnen auf die Zelle und helfe beim Auskleiden."

Ich werfe Maria einen Hilfe suchenden Blick zu, aber die legt ihren Zeigefinger an die Lippen und entfernt sich rasch.

Hildegard geht neben mir her. Wie nett meine Freunde seien, schwärmt sie, unkonventionell, aber nett. Und wie gut alles geklappt habe, sie sei ja so aufgeregt gewesen, ihre erste Einkleidung, das werde uns jetzt aber sicher verbinden.

Wir betreten mein Zimmer, wo jemand den Rosenstrauß von Jan in einer passenden Vase arrangiert hat. Auf dem Bett liegt ein Paket mit klösterlicher Wäsche: ein zweites Habit, Schleier, Unterschleier, Stirnbänder, Hauben, die man hier „Hülle" nennt, zwei blaue Arbeitskleider, Kopftücher, ein schwarzer Schleier. „Wofür ist der denn?"

„Wenn Sie in die Stadt müssen, zum Arzt oder so. Zu Ihrem eigenen Schutz sind Sie da nicht als Novizin kenntlich."

„Wieso das?"

„War schon immer so. Heute bin ich zu müde fürs Warumfragen." Sie beginnt die Stecknadeln aus meinem Schleier zu ziehen. Nach erfreulich wenigen Handgriffen kann ich befreit den Kopf schütteln und Hildegard eine gute Nacht wünschen.

Die Geschenke sind auf dem Schreibtisch gestapelt. Überflüssige Dinge haben Einzug gehalten in meine hübsche, leere Klosterzelle. Ich lege den Rothko-Band in die kleine Meditationsecke. Diese Bilder dürfen bleiben. Die anderen Sachen könnte ich wieder abgeben. Kein Privatbesitz, an den man sein Herz hängt. Freiheit vom Habenmüssen. Wird die von ein paar Büchern gestört?

Zum zweiten Mal heute das kaum zu bändigende Bedürfnis zu rauchen. Selbst wenn ich zu einem Automaten gelangen könnte, wäre ich nicht in der Lage, Zigaretten zu holen. Die Benediktinerin hat keinerlei eigenes Geld. Obwohl der heilige Benedikt in der Regel schreibt, jedem im Kloster werde nach seinen Bedürfnissen gegeben, hätte Schwester

Simone kaum Verständnis, wenn ich aufs Cellerariat ginge und um Geld bitten würde, weil ich etwas zum Rauchen brauche. Freiwillige Armut heißt: lernen, was man alles nicht braucht.

SCHWESTER SIMONE hat mir zur Einkleidung einen neuen Wecker geschenkt. „Extra laut für Frühaufsteher!", war ihr Kommentar. Der klingelt heute vier Uhr dreißig, eine Stunde früher. Ich quäle mich aus dem Bett. Als Schwester Hildegard um halb sechs an meine Tür klopft, um mir beim Ankleiden zu helfen, stehe ich als fertig angezogene Novizin vor ihr.
„Naturtalent! Die meisten benötigen mehrere Tage, bis sie das hinbekommen." Ohne eine Antwort zu erwarten, geht sie wieder.
Erst jetzt wage ich es, in den Spiegel zu schauen. Eine Nonne sieht mich an, ziemlich blass. Fremd ist sie, könnte mir gefallen. Vielleicht.
Nach der Messe winkt Schwester Simone Hildegard und mich in einen Seitenflur, wo es für kurze Verständigungen erlaubt ist zu sprechen.
„Zwei Dinge: Zum einen braucht Schwester Luise dringend Hilfe. Schwester Veronika geht bitte ab morgen zur Arbeit in die Gärtnerei. Die Kalte Küche besetzen wir anders."
Schwester Hildegard will zum Protest ansetzen, Simone fällt ihr unwirsch ins Wort. „Ich weiß, dass die Arbeitseinsätze der Novizinnen vorher mit der Magistra abgesprochen werden, aber manchmal zwingen die praktischen Notwendigkeiten zum Handeln, ohne den langwierigen Dienstweg einzuhalten. Ich bin als Cellerarin dafür verantwortlich, dass sich hier keiner totarbeitet! Veronika hilft Luise, und damit Schluss!"
Ich finde sie toll, die Cellerarin!
„Haben Sie andere schwarze Schuhe als diese Sandalen?" Sie deutet auf meine Füße.
Ich verneine.
„Dann fahren Sie heute Morgen in die Stadt und kaufen sich welche. Das Auto ist ab zehn Uhr frei. Holen Sie nachher bei mir im Büro Geld, und nehmen Sie bitte Schwester Paula mit, die braucht dringend neue Gummistiefel."
Noch etwas, was die Novizin der Postulantin voraushat: Sie darf eines der beiden klösterlichen Autos chauffieren. Schwester Margarita verbringt den halben Tag damit, Freiwillige zu finden, die alte Mitschwestern zum Zahnarzt, zum Bahnhof, zur Untersuchung bringen. Ich habe den Tag herbeigesehnt, an dem ich wieder ein Gaspedal unter den Füßen spüre. Den ersten Ausflug gleich am ersten Tag, und dann noch mit Paula. Besser geht's nicht.

Auf dem Weg ins Cellerariat pfeife ich fröhlich ein paar Takte „Exodus", als plötzlich Schwester Maura vor mir steht, die lautlos aus dem Scriptorium geschwebt sein muss. „Mädchen, die pfeifen, und Hühnern, die kräh'n, soll man *beizeiten* den Hals umdreh'n."

Sie hätte mir genauso gut vor die Füße spucken können.

„Tut mir leid, Schwester Maura, ich dachte, hier wäre niemand."

„Sie sollen die Stille um ihres Wertes willen achten, nicht weil Sie jemand anders hören könnte. Wurde Ihnen das nicht beigebracht? Vergessen Sie es, ich habe ja nichts mehr zu sagen!"

Bevor ich mich des unerlaubten Beschimpfens einer Konventsschwester schuldig mache, fliehe ich durch die Cellerariatstür, die hinter mir ins Schloss knallt.

„Mal langsam, was ist denn mit Ihnen los?" Schwester Simone sieht ehrlich besorgt aus.

„Entspricht das dem klösterlichen Miteinander, eine Novizin wie ein lästiges Insekt zu behandeln?"

Sie hört sich geduldig meinen Bericht an, nickt ab und zu verständnisvoll und meint, sie wäre an meiner Stelle auch sauer. Im Übrigen könne sie nur raten, in Zukunft nicht mehr auf dem Abteigang zu pfeifen und meiner Magistra von dem Vorfall zu berichten, bevor Schwester Maura es täte. Sie reicht mir ein schwarzes Portemonnaie nebst Autoschlüssel. „Habe ich das nicht schön arrangiert, den Ausflug mit Schwester Paula? Und kaufen Sie gute Schuhe, kein Billigzeug, das nach vier Wochen kaputt ist. Viel Spaß!"

Am Auto wartet Paula. „Habe dich gar nicht erkannt mit dem schwarzen Schleier. Sag bloß, du fährst mich in die Stadt!"

„Du hast mich so oft auf deinem Trecker durchgeschüttelt, jetzt bin ich dran."

Sie lacht aus vollem Hals und lässt sich beim Einsteigen helfen. Ich habe das Autofahren immer gemocht. Zuzusehen, wie der nette Student, dessen Umschlag mit tausend Mark in bar ich auf dem Cellerariat abgegeben habe, meinen Käfer vom Klosterparkplatz fuhr, war eine der schwersten Übungen. Aber auch befreiend.

Jetzt starte ich den dunkelblauen Passat, lenke den Wagen zum großen Eisentor, das sich auf Knopfdruck langsam aufschiebt, um uns hinauszulassen.

Das merkwürdige Gefühl, einen sicheren Raum zu verlassen, mischt sich mit Unsicherheit angesichts des bevorstehenden Auftritts im Gewand einer noch fremden Existenz.

„Was sitzt du so steif hinter dem Steuer?", fragt Paula mich nach einer Weile.

„Tut mir leid, ich fühle mich noch nicht besonders zu Hause in der neuen Rolle."

„Eine Rolle sollst du nicht spielen."

„Ich muss noch üben, das zu sein, was ich mit diesem Gewand darstelle."

„Das müssen wir alle."

Wir erreichen die Stadt, suchen lange nach einem Parkplatz, gehen Arm in Arm durch die Fußgängerzone. Wildfremde Menschen wünschen uns einen guten Tag.

Der Schuhverkäufer hält uns die Tür auf, begrüßt die „ehrwürdigen Schwestern" aufs Herzlichste, fragt, was er für uns tun könne. Paula erzählt ihm vom Traktorfahren im Regen, und wenige Minuten später lachen die beiden gemeinsam über ein Paar geblümte Gummistiefel, in denen Paula durch den Laden humpelt.

Ein weiterer Verkäufer nähert sich, fragt, ob er mir den zweiten Schuh zu dem, den ich gerade in der Hand halte, bringen soll. Als er zurückkommt, sieht er mir lange staunend ins Gesicht, schüttelt den Kopf, entschuldigt sich. „Sie sind sehr jung! So etwas sieht man nicht mehr allzu oft heutzutage."

Ich nehme ihm den Schuhlöffel aus der Hand, versichere, dass ich ohne Hilfe zurechtkomme. Flache schwarze Halbschuhe mit Gummisohlen, die auf den Steinböden keinen Krach machen. Sie sind zweckmäßig und passen einigermaßen. Bevor ich dem dienstbeflissenen Herrn weitere Gelegenheit gebe zu schwärmen, wie ermutigend es doch sei, dass sich heutzutage noch junge Menschen für den Dienst in der Kirche entscheiden, stelle ich das Paar Schuhe an die Kasse und frage Paula, ob sie so weit fertig sei. Eigentlich erstaunlich, aber als „Dienst in der Kirche" habe ich mein derzeitiges Leben noch nie gesehen. Die Institution als solche ist mir eher fremd geblieben. Traditionell sind die Benediktiner mit ihrem Prinzip der autonomen Abteien dezentral organisiert. Übergeordnete Autorität, und sei es in Form eines päpstlichen Machtworts, wird eher kritisch aufgenommen, habe ich mir sagen lassen. Das hat mir gefallen.

Als wir den Laden verlassen, stellt sich ein hochgewachsener Punk breitbeinig vor uns. Zerrissene Hose, dunkel geschminkte Augen, Sicherheitsnadeln durch Ohr und Nase, Irokesenschnitt, die Haare stachelartig in Pink und Giftgrün weit vom Kopf abstehend. Er mustert uns von oben bis unten, zieht geräuschvoll die Nase hoch, spuckt knapp neben Paulas Füße. Die hält mich zurück, bittet, kurz ihre Tüte zu halten, verschränkt die Arme, lässt den Blick wie in Zeitlupe über ihr Gegenüber wandern und ruft, wobei sie den Kopf in den Nacken legen muss: „So originell wie du sind wir allemal!"

Der Punk starrt sie verblüfft an. „Stimmt eigentlich."

„Dann kannst du ja auch höflich sein."

Sein Gesicht verzieht sich zu einem anerkennenden Lächeln, das Paula mild erwidert. „Ihr Nonnen habt nicht zufällig eine Mark für mich?"

„Nee, wir sind selber pleite." Paula lehnt dankend den angebotenen Kaugummi ab, verabschiedet sich mit guten Wünschen, nimmt ihre Tüte und setzt sich in Bewegung. Ein paar Schritte weiter murmelt sie: „Ich frage mich, wie lange der morgens braucht, bis er die Haare so schön hat."

Wir biegen in eine Gasse ein, kommen auf den großen Marktplatz. „Grüß Gott, die Schwestern!" – „Einen schönen Tag den ehrwürdigen Schwestern!" – „Gott zum Gruße, die Schwestern!"

Wenn wir nicht bald beim Auto sind, bekomme ich noch Verfolgungswahn!

Paula reicht mir ein Pfefferminzbonbon. „Kleine, du musst aber noch viel lockerer werden!"

Wendezeiten

Im Konvent wird gemunkelt, Schwester Germana würde eventuell nicht wiederkommen nach der Hüftoperation, die sie bis zum Ende ihrer Amtszeit aufgeschoben hat. Sie wird fortgehen, bald. Für drei Wochen, drei Monate, ein halbes Jahr? „Bis die neue Äbtissin mich dazu auffordert, in die Gemeinschaft zurückzukehren", sagte sie mir vor einigen Tagen. Dies solle der Nachfolgerin den Einstieg in den Dienst der Leitung erleichtern.

Sie hat ein liebevolles Auge auf mich gehabt in den vergangenen zwanzig Monaten. Und nicht nur das. Oft hat sie in Konflikten mit Schwester Hildegard vermittelt, hat mich verteidigt, um Verständnis geworben. Als ich einmal, nach einer heftigen Auseinandersetzung mit Schwester Hildegard, bei ihr im Büro erschien, um meinen Austritt zu vermelden, wies sie mich mit den Worten zurück: „Wenn Sie gehen, dann nicht, weil Sie vor der Magistra kneifen; suchen Sie sich einen besseren Grund." Noch am selben Nachmittag wurde sie bei einem langen

Spaziergang mit Hildegard gesichtet, die mich danach tagelang mit Samthandschuhen anfasste.

Im Herbst wird der Konvent über meine Mitgliedschaft abstimmen, unter einer Oberin, deren Namen noch niemand kennt. Das Gute daran: Ich kann gehen, wenn mir das Wahlergebnis nicht passt; das Schlechte: Ich muss gehen, wenn ich Germanas Nachfolgerin nicht passe.

Als Novizin bin ich, ebenso wie die Schwestern mit zeitlichen Gelübden, nicht wahlberechtigt. Es wurde uns angekündigt, dass wir an den Wahltagen Küche und Telefonzentrale zu versorgen hätten, während der Konvent sich in den Kapitelsaal zurückzieht. Das Kloster wird praktisch lahmgelegt sein. Für wie lange, weiß keiner. Ein Abt wird anreisen, um der Wahl vorzustehen.

„Braucht man einen Außenstehenden dazu?", habe ich die Magistra gefragt. Sie antwortete, das habe etwas mit der Jurisdiktionsgewalt zu tun, die könne nur der Abt, sprich: ein zum Priester geweihter Mann, ausüben. Es folgte ein längerer kirchenrechtlicher Vortrag, bei dem mir nur eines klar wurde: dass ich die viel gepriesene Selbstständigkeit der benediktinischen Frauenabteien innerhalb der Kirche überschätzt hatte.

Immerhin: gewählt wird streng geheim und demokratisch.

„Schwester Germana, ich fürchte mich vor dem, was nach Ihrem Rücktritt kommt", sage ich ihr, als ich sie einmal allein treffe.

„Ich auch. Uns bleibt nichts anderes übrig, als auf Gott zu vertrauen."

„Wenn das so einfach wäre."

„Habe ich gesagt, dass es einfach ist?"

„Es wird hinter vorgehaltener Hand geflüstert, dass nicht wenige für Schwester Hildegard stimmen werden."

„Die braucht noch Zeit. Wenn sie lernt, mit ihrer Unsicherheit umzugehen, könnte sie in zehn oder zwölf Jahren eine gute Vorsteherin sein."

Ich melde Zweifel an, aber Germana will nicht darauf eingehen. „Wir sollten solche Gespräche nicht führen. Ich muss lernen loszulassen, und Sie müssen lernen zuzulassen. Darauf sollten wir uns konzentrieren."

Schwer auf ihren Stock gestützt, geht sie zum Haupthaus. Eine alte Frau, die seit über fünfzig Jahren im Kloster lebt, hat Angst, ihr Zuhause zu verlassen.

BEIM Abendessen verkündet Radegundis, Schwester Germana habe Nachricht von der Klinik, der Operationstermin sei um eine Woche vorverlegt, sie fahre morgen nach der Messe ab, Konvent und Noviziat mögen bitte jetzt geschlossen zur Abschiedsrekreation erscheinen, die Priorin werde ihr Amt niederlegen.

Es ist ungewöhnlich still, als ich den Konventsraum betrete. Sobald wir alle Platz genommen haben, ergreift Schwester Hedwig das Wort. „Schwester Germana hat sich für unser Zusammensein die Gestaltung einer Musikmeditation gewünscht. Weil keine Zeit für die Vorbereitung blieb, wähle ich etwas aus dem Kurs, den ich letzte Woche gehalten habe: Bach-Werke-Verzeichnis dreiundsiebzig, eine Kantate aus dem Leipziger Zyklus."

Die Vorliebe der Priorin für Bach ist allgemein bekannt. Wir sitzen im Kreis, hören Hedwigs einführenden Kommentar, warten, bis sie den Plattenspieler in Gang gesetzt hat. Niemand sagt etwas, selbst Paula sitzt ruhig da, ohne mit Placida neben sich zu reden. Als die Musik einsetzt, bewegen sich Germanas Hände unter dem Skapulier im Takt, ihre Gesichtszüge entspannen sich.

Bläser, Streicher, Chor: „Herr, wie du willst, so schick's mit mir ..."

Ich lehne mich zurück und fange an, die Bassstimme zu genießen, die sich über den Klang einiger Streicher legt. Keine so schlechte Idee, auf eine bedrückte Abschiedsgesprächsrunde zu verzichten und stattdessen gemeinsam Bach anzuhören.

Nach dem Schlusschoral erhebt sich Schwester Radegundis, die Hände feierlich ineinandergelegt, und beginnt mit bedeutungsvoller Miene, eine Ansprache zu halten: „Schwester Priorin-Administratorin Germana, ich darf Sie ein letztes Mal so nennen. Sie haben bei Ihrem Amtsantritt bewusst auf die Anrede „Mutter" verzichtet, wollten weiterhin Schwester unter Schwestern sein. Ich danke Ihnen heute im Namen der Kommunität für die vergangenen drei Jahre, in denen Sie unserer Gemeinschaft Ihre mütterliche Sorge zukommen ließen ..."

Sie spricht volle zehn Minuten und kündigt schließlich offiziell den Termin für die Äbtissinnenwahl an: 20. Mai. In vierzehn Tagen. Abt Lukas habe bereits zugesagt. Außer den Schwestern des Noviziats macht keine den Eindruck, dies nicht bereits zu wissen.

Germana steht auf. „Schwestern, es fällt mir schwer, sehr schwer, fortzugehen. Der Abschied kommt nun doch schneller, als wir dachten. Ich habe mich gefürchtet vor diesem Tag, aber nun ist er da, und vielleicht ist das auch gut. Wir alle stehen vor einer Wende, einem Neuanfang ..." Sie räuspert sich, wischt eine Träne aus dem Augenwinkel, räuspert sich erneut. „Ach, was soll's, ich spare mir die Abschiedsrede. Schwester Radegundis übernimmt die Amtsgeschäfte bis zur Wahl. Danke für das Vertrauen in den letzten drei Jahren, machen Sie's gut. Beten Sie für mich."

Die Türklinke in der Hand, dreht sie sich noch einmal um. „Ich würde gerne bald zurückkommen, eine andere Aufgabe übernehmen und wieder ein Teil von Ihnen sein. Diejenige, die das Amt antritt, wer auch immer es sei, soll wissen, dass ich ihr nicht im Wege stehen werde." Jetzt laufen ihr Tränen die Wangen hinunter, die sie in beinahe kindlicher Hilflosigkeit mit ihrem Ärmel abwischt. Warum tut keiner etwas?

„Germana, lies die Deklarationen, und reiß dich zusammen!" Schwester Mauras gebieterischer Ausruf scheint das betretene Schweigen in große Splitter zu brechen, wofür ich ihr fast dankbar bin.

Schwester Raphaela steht auf und wirft Maura im Vorbeigehen einen wütenden Blick zu. Sie legt ihren Arm um Germanas Schultern, reicht ihr ein Taschentuch und führt sie nach draußen.

„Da ist gerade eine Ära zu Ende gegangen", flüstert Maria mir zu.

„Glauben Sie, dass sie wiederkommt?"

„Natürlich kommt die wieder. Schwester Germana hat genau wie alle anderen ihre Gelübde auf dieses Kloster abgelegt und muss nicht fortgehen, wenn sie nicht will. Die Regelung, das Haus nach dem Rücktritt erst einmal zu verlassen, gilt für geweihte Äbtissinnen. Germana hat sich da ein wenig hineingesteigert. Man muss ihr das nachsehen, sie verliert ihr Amt, ist erschöpft und fürchtet sich vor Operation und Altenteil."

Marias zeitliche Profess, die Bindung an die Klostergemeinschaft, läuft in vier Monaten ab. Das wäre normalerweise der Termin für die Ablegung ihrer ewigen Gelübde. Sie weiß nicht, in wessen Hände sie die Professurkunde legen wird, darf noch nicht einmal mitwählen.

„Machen Sie sich keine Sorgen? Was, wenn Schwester Hildegard Äbtissin wird und uns das Leben zur Hölle macht?"

„Auf keinen Fall macht die uns das Leben zur Hölle, so etwas sollten Sie nicht einmal denken. Wenn sie gewählt wird, versucht sie, ihr Bestes zu geben, ich werde sie nach Kräften unterstützen, und Sie sollten das auch tun."

„Sie glauben, dass sie gewählt wird?"

„Ich bin offen für jede Mitschwester. Der Konvent wird die richtige bestimmen. Schließlich gibt es so etwas wie den Heiligen Geist."

Maria ist vermutlich ein großes Vorbild in Gottvertrauen und klösterlicher Hingabe, aber ich kann nicht umhin, ihr eine Hardlinerin von der „alten Schule" an den Hals zu wünschen. In dem Fall könnte ich allerdings gleich einpacken.

Stefan meinte letztens, er hätte jederzeit einen Job für mich. Ich bin noch nicht so lange aus dem Beruf, dass ein Wiedereinstieg mir Probleme bereiten könnte. Schichtdienst, warten auf den Gehaltsstreifen, den nächsten Urlaub planen, an der Karriere arbeiten, auf das neue Auto sparen ...? Keine Lust.

„Nun bist du schon über zweieinhalb Jahre hier und immer noch auf dem Sprung", sagte Paula gestern.

„Ich bin noch da, das ist doch was", habe ich ihr geantwortet, worauf sie mit einer wegwerfenden Handbewegung auf ihren Traktor stieg und mir im Losfahren zurief: „Man muss erst mal ankommen, um in die Tiefe vordringen zu können!"

Was hat sie gemeint? Halte ich es aus dem Grund so lange aus, weil ich mir täglich sage, dass mich niemand davon abhalten wird, einfach hier hinauszuspazieren, und dass ich deshalb genauso gut abwarten kann, was als Nächstes passiert? Die Freiheit zu gehen als Motivation zu bleiben. Reicht das?

VOR DEM Treibhaus steht eine junge Frau in zerlöcherten Jeans. Ihr Haar ist so kurz geschnitten, dass man spontan an ein stachliges Pelzchen erinnert wird. Sie lächelt, als ich vor ihr stehe, mit einer Reihe unregelmäßiger kleiner Zähne, die ihrem Gesicht etwas Koboldhaftes geben. Ein sympathischer Kobold mit sehr dünnen Beinen.

„Ich bin Pia."

„Veronika."

„Ich soll mich bei dir zur Gartenarbeit melden. Bin für einige Tage da, um mir das Klosterleben anzusehen."

Sie zeigt nicht die Spur einer Unsicherheit, schleppt wie selbstverständlich zwei Frühbeetfenster gleichzeitig, nimmt mir Hacke und Spaten ab. „Kann ich dich etwas fragen, oder schweigst du lieber?"

„Kommt auf die Frage an."

Sie lacht und verzichtet aufs Reden.

Am Ende des Vormittags wäscht sie sich neben mir, gut gelaunt vor sich hin pfeifend, die völlig verdreckten Hände.

„Was wolltest du vorhin fragen?"

„Ich bin nur neugierig, weil ich überlege, hier einzutreten."

„Ich werde dich nicht davon abhalten, aber sprich lieber mit der Magistra."

„Wie ist die denn so?"

„Lern sie selbst kennen."

Pias Mundwinkel wandern spöttisch nach oben. „Na dann vielleicht bis morgen, große Schweigeschwester."

KURZ vor der Kirchentreppe hakt sich Paula bei mir unter. „Na, Kleine, wie steht's?"

„Die nerven mich alle mit ihrem Wahlgequatsche. Als ob es kein anderes Thema mehr gibt."

„Mach dir keine Sorgen, ich hab schon manche Oberin kommen und gehen sehen, alles halb so wild. Da wird eine Menge Wind gemacht, aber im Grunde kommt es auf jede einzelne Mitschwester an, wenn aus dem Laden hier was werden soll. Du bist zäh, geh deinen eigenen Weg. Was wir hier viel eher brauchten, wären mehr vernünftige junge Leute, die mit anpacken."

„Heute war ein Mädchen im Garten, das dir gefallen würde."

Von hinten nähern sich Schritte, Paula legt den Finger an den Mund. Wir sollen hier nicht reden.

Gleich wird uns ein missbilligender Blick treffen, und mit etwas Pech macht mich Hildegard morgen früh nach dem Unterricht mit vor Enttäuschung zitternder Stimme darauf aufmerksam, dass sich wieder eine Konventsschwester bei ihr über meinen Kontakt mit Schwester Paula außerhalb der Arbeitszeit, noch dazu in einer Schweigezone, beschwert habe. Die Schritte überholen uns.

„Ihr beide versteht euch, das ist schön!" Schwester Raphaela dreht sich zu uns um, hebt grüßend die Hand, verschwindet in der Kirchentür. Paula seufzt. „Die ist in Ordnung!"

Es wird morgen früh keinen Ärger geben.

SEIT gestern verbringen die Konventsschwestern den Tag im Kapitelsaal, kommen nur für kurze Pausen, zum Gebet oder zum Essen heraus und schweigen sich uns Nichtwählerinnen gegenüber aus. Maria passt auf das Telefon auf, Antonia liegt mit Migräne im Bett, und ich pendle zwischen Küche, Garten und Gewächshäusern. Noch nie habe ich das Haus so ruhig erlebt.

„Wie lange hat es beim letzten Mal gedauert?"

„Vier Tage, aber da konnten sie sich nicht einigen." Die Küchenhilfe Johanna hat die Ruhe weg. Ihr ist es egal, wer hier künftig den Kurs bestimmt, solange sie nur pünktlich Salat, Kräuter und Gemüse geliefert bekommt.

Die Küchentür wird aufgerissen, ich lasse eine Möhre fallen und schaue in Luises gerötetes Gesicht.

„Da sind Sie ja. Schnell, nehmen Sie die Blumen aus dem Kühlraum, und schmücken Sie die Räume der Äbtissin! Ganz schön! Nehmen Sie alles, was wir haben."

Bevor ich etwas sagen kann, ist sie schon wieder verschwunden.
Johanna lacht. „Mach schon! Geh, schmück die Abtei, damit die Neue sich willkommen fühlt."

ALS ICH die Vase hinstellen will, höre ich ein Räuspern hinter mir. Vor der Tür zu den Abteiräumen stehen Abt Lukas, Schwester Raphaela und Schwester Radegundis, die mich bittet, das Zimmer zu verlassen, mich umzuziehen und in einer Viertelstunde im Kapitelsaal zur Einsetzung und anschließenden Gelübdeübertragung zu erscheinen.
Dass Radegundis als amtierende Oberin mit dem Abt hier auftaucht, scheint logisch, aber Schwester Raphaela?
Raphaela! An diese Möglichkeit habe ich gar nicht gedacht.
Die frisch gewählte Äbtissin ist leichenblass, sagt kein Wort und erwidert, zum ersten Mal seit ich sie kenne, mein Lächeln nicht. Radegundis schiebt mich aus der Tür.
Meine Koffer können vorläufig auf dem Dachboden bleiben.
Im Flur treffe ich Schwester Placida. Sie strahlt, nimmt mich um die Hüfte, macht ein paar Tanzschritte, singt fröhlich einige Takte von „O du lieber Augustin" und fängt laut an zu lachen. „Es haben sich einige hier schon mit dem Äbtissinnenstab in der Hand gesehen, und nun das! Ich sage dir, da hatte ein anderer die Hand im Spiel, das ist nicht mit rechten Dingen zugegangen!"
„...?"
„Guck nicht so, ich spreche vom lieben Gott."
„Schwester Raphaela sah gerade nicht sehr begeistert aus."
„Natürlich nicht, wer seinen Verstand beisammenhat, reißt sich nicht um dieses Amt. Da oben wird man ganz schnell einsam. Und jeden Mist muss man sich anhören."
Paula gesellt sich zu uns, zwinkert mir zu. „Na, zufrieden?"
Ich zucke die Schultern. „Was soll ich dazu sagen?"
„Freuen sollst du dich! Das ist ein guter Tag für uns alle. Hier wird ein neuer Wind wehen!"
Ob Paula Recht hat? Raphaela ist weder Vertreterin der „strengen Schule" noch eine, die den Eindruck macht, als pfeife sie auf die klösterlichen Werte. Sie hat eine sehr spezielle Art der liebevollen, aber nie zudringlichen Aufmerksamkeit, strahlt eine Mischung aus Gesetztheit und Experimentierfreudigkeit aus, die ich in der Kombination bei keiner sonst gefunden habe.
Paula hat erzählt, dass Schwester Raphaela eine erfolgreiche Karriere aufgegeben hat, um ins Kloster einzutreten, und hart kämpfen musste,

als man ihr im Noviziat abverlangte, sich unterzuordnen, Anweisungen Folge zu leisten, deren Sinn nicht unmittelbar einleuchtet. Wie auch immer sie das geschafft hat, heute wirkt sie zufrieden mit sich und ihrem Dasein, ohne Selbstgefälligkeit auszustrahlen.

Während ich noch mit dem Versuch beschäftigt bin, im Gehen die Bänder meines Schleiers zusammenzuknoten, überholt mich Schwester Maria auf dem Weg zum Haupthaus. „Passen Sie auf sich auf, ja? Bei einigen hier liegen die Nerven blank."

Bevor ich fragen kann, was sie damit meint, erscheint Schwester Hildegard in der geöffneten Haustür. „Wir versammeln uns im Kapitelsaal, wo das Pectorale, das Brustkreuz der Äbtissin, und symbolisch der Schlüssel des Klosters überreicht werden. Anschließend ziehen wir in die Kirche. Dort wird jede Schwester ihre Gelübde in Form eines Gehorsamsversprechens in die Hände der neu gewählten Äbtissin legen."

Wenn die Magistra diesen offiziellen Ton annimmt, entwickle ich regelmäßig die Fantasie von einer Torte, deren Flugbahn in ihrem Gesicht endet. „Soll ich draußen bleiben oder in der Kirche zusehen?"

„Selbstverständlich nehmen Sie teil. Ich habe mit Abt Lukas gesprochen; er sagt, dass auch Novizinnen der Neugewählten den Gehorsam versprechen. Beeilen Sie sich! Den Text können Sie ablesen."

BEIM Eintritt in die Kirche, wie immer als Schlusslicht am Ende der Reihe, sehe ich Raphaela auf dem in die Mitte des Nonnenchors gerückten Äbtissinnenstuhl sitzen. Schwester Radegundis kniet vor ihr und legt ihre Hände in die Raphaelas, während sie kaum hörbar die Formel von einem Blatt, das Maria ihr vorhält, abliest.

Wenig später sehe ich Paula zum ersten Mal weinen. Sie hat sich schwerfällig auf den kranken Knien niedergelassen und versucht, unter Schluchzen ihren Text zu sprechen. Ich will aufstehen, sie da wegholen, als jemand von hinten fest auf meine Schulter drückt. Als ich mich umdrehe, formt Luise lautlos die Worte: „Lass es!"

Vorn ist Schwester Raphaela aufgestanden, hebt Paula hoch, redet sanft auf sie ein, streichelt ihr über das tränennasse Gesicht und führt sie zu ihrem Platz im Chor. Dies verstößt ganz und gar gegen die protokollarischen Vorschriften, denke ich, und finde meine Vermutung in den schockierten Blicken von Sophia und Franziska bestätigt. Sie wird es nicht leicht haben, die Neue, den einen zu liberal, den anderen zu konservativ.

Schließlich bin ich an der Reihe. Zweifelnd, ob ich mich nicht doch dagegen hätte wehren sollen, knie ich vor Raphaela, nehme das Blatt in

Augenschein, überfliege die ersten Worte: *Mutter Raphaela, hiermit verspreche ich ...* und verliere die Stimme. Es kommt einfach kein Ton raus.

Während sie nach meinen Händen greift, höre ich sie flüstern: „Sie müssen den Text nicht ablesen, gebrauchen Sie ruhig Ihre eigenen Worte."

„Kann ich die Anrede weglassen?"

Der Druck auf meine Hände verstärkt sich. In wenigen Monaten will ich die ersten Gelübde ablegen, da kann ich ihr genauso gut jetzt schon Loyalität und Gehorsam versprechen. Ohne noch einmal aufzusehen, bringe ich es hinter mich und eile schneller, als es der liturgische Anstand zulässt, an meinen Platz zurück.

Sie wartet nach dem Nachtgebet vor der Bibliothek auf mich.

„Woher wussten Sie, dass ich hier vorbeikomme?"

Raphaela legt den Finger an den Mund, zieht mich in den Raum. „Ich habe beobachtet, dass Sie oft abends zu den Kunstbüchern gehen, besonders wenn Sie einen harten Tag hatten, stimmt's?"

„Falls es wegen heute Morgen ist, es tut mir leid, ich meinte es nicht persönlich, mich freut Ihre Wahl sehr."

„Schon gut, ich bin nicht böse. Was war los?"

„Nur das eine Wort."

„Mutter?"

„Ja."

„Lassen Sie sich Zeit damit." Sie streckt die Arme aus, als ob sie mich umarmen möchte, hält in der Bewegung inne, lässt es bei einem sanften Klopfen auf meine rechte Schulter bewenden und geht.

Selbst das Wetter spielt mit an diesem frühsommerlichen Weihetag. Abt Lukas steigt aus dem Auto, fragt, wo er sich umziehen kann. Erst jetzt fällt mir auf, wie gut der hochgewachsene Mann im schwarzen Mönchsgewand aussieht. Neben ihm hält der Wagen des Bischofs. Raphaela wollte Fahnen und Blumenkübel vor dem Haus, Eintopf mit Würstchen statt des von Johanna geplanten Bratens, ein Bierzelt im Garten. Das hat sie sich vom hiesigen Getränkemarkt ausgeliehen.

Die Festvorbereitungen haben die Klostergemeinschaft wochenlang in Anspruch genommen, nicht zuletzt weil sich die Zusammensetzung des Komitees aufgrund von Uneinigkeit mehrmals änderte. Mein Job als eine Art Mittelding zwischen Ordnerin und Türsteher entbindet mich von der Teilnahme an der letzten Chorprobe vor dem Gottesdienst, die angesichts Hedwigs steigender Nervosität ohnehin kein Vergnügen gewesen wäre.

Als ich später in der Kirche ankomme, tönt die Orgel aus allen Registern, die Nonnen sind bereits mit dem feierlichen Einzug beschäftigt, die Gästekapelle ist völlig überfüllt.

Äbtissin Raphaela, rechts und links begleitet von der gestern bestens erholt zurückgekehrten Schwester Germana und einer feierlich dreinblickenden Schwester Simone, tritt zum Altar, verneigt sich vor den Geistlichen, nimmt auf der für sie bereitgestellten Sedilie* Platz.

Nach Lesungen, Gesängen und dem von Abt Lukas mit klangvoller Stimme vorgetragenem Evangelium „vom Schatz und von der Perle", das sich Raphaela zu diesem Tag gewünscht hat, bekommt der Bischof von seinem Assistenten die Mitra aufgesetzt. Der hochwürdige Herr greift zum Stab und predigt angenehm kurz und erstaunlich benediktinisch akzentuiert von der menschlichen wie geistlichen Glaubwürdigkeit und der integren Lebensführung, die das Amt der Äbtissin erfordern.

Es wird totenstill, als er nach Segenswünschen für die Klostergemeinschaft vor Raphaela tritt, um die eigentliche Weihehandlung vorzunehmen. Ich kämpfe gegen ein aufkommendes Gefühl von Ergriffenheit an und beschließe, um jeden Preis cool zu bleiben.

Vorn am Altar spricht jemand die so genannten „Deuteworte" zur Verleihung von Stab, Siegelring und Ordensregel: „Ich übergebe dir dies als Zeichen deines Amtes. Trage Sorge für die Schwestern, die dir anvertraut sind und für die du am Jüngsten Tag Rechenschaft ablegen musst."

Ein von allen geschmettertes „Großer Gott, wir loben Dich" gibt das Signal zum Auszug der Nonnen und leitet zum geselligen Teil des Tages über. Mehr Feierlichkeit wäre kaum noch im Rahmen des Erträglichen gewesen, und dennoch ...

„Festliche Gottesdienste zelebrieren, darin sind wir wirklich erstklassig", raunt Antonia mir beim Rausgehen zu. Genau.

Mutter Raphaela wirft am Fuß der Kirchentreppe mit einem erleichterten Aufseufzen die Kukulle, das feierliche Gottesdienstgewand, von sich, drückt mir ihren Stab in die Hand und sagt: „Bring das bitte in die Abteiräume, ich brauche jetzt erst mal was zu trinken!"

Im Klostergarten, der normalerweise nicht öffentlich zugänglich ist, stehen gut angezogene Menschen mit Sektgläsern in der Hand. Einige der Frauen tragen ausladende Hüte, die Männer dunkle Anzüge mit

---

* Ein Stuhl, der nur für Gottesdienstzwecke verwendet wird

dezenten Krawatten. Wenn nicht die zahlreichen Mönche, Priester und Ordensfrauen dazwischen wären, könnte man meinen, dass gleich jemand einen Vollblüter am Zügel vorbeiführt, bevor das erste Rennen beginnt.

„Was stehen Sie hier rum? Holen Sie sich ein Tablett, und tun Sie, wofür Sie eingeteilt sind!" Schwester Cäcilia dirigiert die Helferinnen mit der Präzision und dem Ton eines Brigadegenerals.

„Woher weiß ich, wofür ich eingeteilt bin?"

Sie bläst die Wangen auf, beschenkt mich mit einem wütenden Blick, greift in die Tasche und hält mir einige zerknüllte Kopien vor die Nase. „Das hatte jede in ihrem Postfach. Sie auch!"

Auf Seite drei, unter „V", findet sich mein Name aufgelistet. „Nach der Feier bis 14 Uhr Herumreichen von Schnittchen; 14 bis 15 Uhr Kaffee kochen; 15 bis 17 Uhr Bedienen am Kuchenbüfett; 17 Uhr bis Ende Servieren von nichtalkoholischen Getränken."

„Gibt es in dem Programm nicht mal eine Pause zum Mitfeiern?"

Cäcilia hält mich keiner Entgegnung für würdig, stopft die Zettel in ihren Habit zurück und lässt mich stehen.

„Hey, Novizinnenschinden ist schlecht für die Statistik!"

Cäcilia bleibt abrupt stehen. Der Oberkörper neigt sich langsam nach vorn, ihre Hände stützen sich auf die Knie, die ganze Frau beginnt zu zittern. Ich eile zu ihr, überlege, wo ich die zwei Männer vom Sanitätsdienst zuletzt gesehen habe, und bemerke, dass sie lacht. Sie prustet, schnappt nach Luft und keucht, ich solle bloß machen, dass ich wegkäme.

In der Küche warten riesige, mit bunten Häppchen belegte Silberplatten darauf, von mir herumgereicht zu werden.

Nachdem ich Paula mit ausreichend Lachshäppchen versorgt habe, bahne ich mir, das Tablett über meinem Kopf balancierend, den Weg durch die Menge und verliere mich in einer munteren Betriebsamkeit, von der ich nicht wusste, dass sie zu meinem Repertoire gehört.

Mutter Raphaela verkündet im Anschluss an die Komplet, alle hätten sich bis zur Erschöpfung eingesetzt, es werde erst morgen aufgeräumt. Wer wolle, könne den Tag gemütlich ausklingen lassen, das Schweigen sei für heute aufgehoben, und am Büfett seien noch reichlich Würstchen vorhanden. „Es ist für mich ein traumschönes Fest gewesen, tausend Dank!"

Vor meiner Zimmertür liegt am nächsten Morgen ein kleines Buch: „Meditationen" von Alexej Jawlensky. Als ich es aufnehme, fällt ein Zet-

tel in Postkartengröße heraus: *Dass Sie mich bei der Gratulation mit „Mutter" angeredet haben, gehörte zu den schönsten Geschenken, die ich zu meiner Weihe erhalten habe. Ihre Mutter: Raphaela.*
Der Schweißausbruch könnte auch vom Duschen kommen und muss nichts bedeuten.

Die kommenden Wochen verbringe ich damit, der Äbtissin aus dem Weg zu gehen.
Sie macht sich, aus sicherer Entfernung beobachtet, erstaunlich souverän als neue Chefin. Mit heiterer Würde bewegt sie sich durchs Haus, lässt die Dinge langsam angehen, erscheint immer noch zum Erdbeerenpflücken im geflickten Arbeitskittel, bemüht sich, die um sie herumschwirrenden, allzu dienstwilligen Geister höflich abzuwimmeln. Als nach einer Woche der Konvent unruhig zu werden beginnt, weil noch immer nicht klar ist, welche Ämter neu besetzt werden, beruft sie eine Versammlung ein, in der mitgeteilt wird, dass fürs Erste jede an ihrem Platz weitermachen soll, Schwester Radegundis übernimmt das Amt der Priorin. Expriorin Germana läuft drei Tage mit übelster Laune durchs Haus, bis Raphaela sie schließlich doch zur Gastmeisterin ernennt.
Die Gemeinschaft wendet sich wieder dem Alltag zu. Die Stimmung ist verhältnismäßig entspannt, der Umgangston etwas lockerer, auch wenn die Lager der „Erneuerer" und „Bewahrer" wie gehabt aneinandergeraten.
Maria bereitet mit der Magistra ihre feierliche Profess vor.
„Da waren's nur noch zwei", sage ich in der Noviziatsrekreation, worauf Hildegard erzählt, es könne gut sein, dass bald noch jemand dazukäme.

Dorothea zieht Mitte Oktober mit einem VW-Bus voller Umzugskisten bei uns ein. Bevor man erfahren konnte, wie alt sie ist oder was sie beruflich macht, ging bereits die Nachricht durchs Kloster, dass es sich bei der Neuen um das Patenkind von Prälat Reinacher handle, einen näheren Verwandten in verantwortungsvoller Position in Rom gäbe es ebenfalls.
Als ich sie zur Klosterführung abholen will, steht sie in Rüschenbluse, Kniestrümpfen und geblümtem Rock vor mir, mit einer dieser Föhnfrisuren, die ich in unserer Generation für ausgestorben hielt. Sie umarmt mich überschwänglich. Als ich sie frage, ob wir uns denn kennen, antwortet sie, sie habe gehört, dass sich die Benediktinerinnen mit

einer schwesterlichen Umarmung begrüßten, um den Friedenswunsch auszutauschen. Beim Gang über den Hof grüßt sie den Hausmeister mit *„Benedicite!"*, worauf der mich fragend ansieht.

„Die Frau meint: ‚Guten Tag!'"

„Ach ja, natürlich. Grüß Gott, die Damen!"

Nachdem Dorothea mich darauf hingewiesen hat, dass sie nicht „die Frau", sondern „unsere Postulantin" sei, und gleich anschließend wissen will, ob es mir denn erlaubt sei, dass ich beim Gehen die Hände in den Habittaschen vergrabe, beginne ich mich zu fragen, wer die hier reingelassen hat.

Im Kreuzgang lobt sie ausführlich ihr Engagement in der christlichen Jugendbewegung, wo sie etwas wie die Mutter Teresa der Pfadfinder gewesen sein muss. Überhaupt komme sie aus einem vorbildlichen familiären Umfeld, in jeder Generation sei einer ins Kloster oder ins Priesterseminar eingetreten und habe dort Großes für die Kirche geleistet. Und über eine ausgebildete Singstimme verfüge sie auch.

Wie sie von ihrem Onkel gehört habe, meint Dorothea, käme ich ja wohl aus anderen Verhältnissen. Da sei es doch gewiss nicht leicht, sich in einem angesehenen Kloster zurechtzufinden. Aber wie schön, dass auch so jemand eine Chance bekäme.

Um zu vermeiden, dass ich der neuen Postulantin gegen eines ihrer blütenweiß bestrumpften Schienbeine trete, breche ich die Führung ab.

„ENDLICH mal jemand aus sauber katholischen Verhältnissen", lästert Paula nach der abendlichen Begrüßungsrekreation, in der die Postulantin wortreich die allerherzlichsten Grüße des Herrn Prälaten an die Kommunität ausrichten ließ und dass sie recht pfleglich mit seiner Patentochter umgehen sollten, ha ha ha ... Es lachen tatsächlich einige mit.

Als ich später Schwester Margarita in der Waschküche treffe, die den ersten offiziellen Auftritt der Neuen verpasst hat, ermahnt sie mich, ich solle darüber mal lieber keine Witze machen. Überhaupt solle ich etwas aufpassen, es würde geredet und manchmal nichts Gutes. Als ich sie nach Details frage, weicht sie aus, sagt, sie habe mich nur warnen wollen. „Sprechen Sie mit Mutter Raphaela, es wird höchste Zeit!"

DIE ÄBTISSIN sagt mir unverblümt, es sei anzunehmen, dass ich durch die Abstimmung für die Zulassung zur ersten Profess falle.

„Warum?"

„Es bestehen Zweifel, ob Sie auf Dauer für ein Leben in unserer Abtei geeignet sind. Den einen sind Sie zu eigenwillig und unkonventionell, andere haben die Sorge, dass Sie mit den Möglichkeiten, die das Ordensleben bietet, nicht zufrieden sein könnten, wieder andere hegen Zweifel bezüglich Ihrer Belastbarkeit. Und dann gibt es leider auch einige, die Ihnen die geistliche Eignung für ein Dasein als Benediktinerin absprechen."

Ich hole tief Luft, muss mehrmals ansetzen, bevor ich meine Stimme wiederfinde. „Was denken Sie?"

„Ich wünsche mir eine Entscheidung, die gut für Sie ist."

„Sie zweifeln auch an mir?"

Sie seufzt, schüttelt bekümmert den Kopf. „Das habe ich nicht gesagt. Ich will, dass Sie glücklich sind."

„Dann helfen Sie mir, bleiben zu können."

Sie sieht mich lange an, legt mir eine warme Hand an die Wange. „Wir werden sehen."

Merkwürdig, seit mehr als zwei Jahren spiele ich beinahe täglich mit dem Gedanken zu gehen, und nun scheint mir die Möglichkeit, rausgeworfen zu werden, die schlimmste aller denkbaren Katastrophen. Mein Experiment ist noch nicht beendet. Vielleicht hilft mir die Profess, endlich irgendwo anzukommen.

LUISE sagt: „Versuchen Sie nichts zu erzwingen. Legen Sie die Entscheidung in die Hand Gottes, und vergessen Sie über den ganzen Auseinandersetzungen nicht, worauf es wirklich ankommt."

„Worauf kommt es denn an?"

„Das ‚weite Herz', von dem Benedikt in seiner Regel spricht, ist das Kriterium für echte Spiritualität!"

Wahrscheinlich ist sie die eigentlich tragende Säule des Klosters, warum wird so jemand nicht Magistra? Ich frage mich, wie sie das macht, ihre innere Ruhe, die anscheinend durch nichts zu erschütternde Zuversicht, ihre Gelassenheit im Umgang mit den Widrigkeiten des kommunitären Alltags.

Als hätte sie meine Gedanken gelesen, spricht sie weiter. „Ich lasse negative Gefühle, Anfeindungen oder Missgunst nicht an mich heran; weder die der anderen noch solche, die ich selbst entwickeln könnte. Wenn's mich zu überkommen droht, stelle ich mir die Frage: Lohnt es sich, dafür meine innere Freiheit aufs Spiel zu setzen?" Sie schüttelt den Kopf. „Nein! Meine innere Freiheit ist das Wichtigste für mich."

„Wichtiger als Gott?"

„Ohne Gott keine Freiheit."

Ich berichte ihr, dass mir unter anderem vorgeworfen wird, mit einer zu profan motivierten Einstellung ans Ordensleben heranzugehen, und frage, ob sie im Klosterleben eine politische Dimension sieht.

Sie zögert, überlegt lange. „Ich habe mir diese Frage nie gestellt. Wir sollten als Gemeinschaft ein Vorbild im Glauben, im Umgang miteinander sein, dann strahlen wir nach außen etwas für die Menschen aus, die uns aufsuchen, um Hilfe und Orientierung zu finden. Im Verzicht auf Macht, Besitz und familiäre Bindung, um uns ganz in der Gottsuche zu verwurzeln, setzen wir ein Zeichen, das aus der Abgeschiedenheit des Klosters in die Gesellschaft hineinwirken kann. Ist das eine politische Dimension?"

Der Regen trommelt sanft aufs Treibhausdach, Luise reicht mir einen weiteren Stapel Tontöpfe.

„Sie finden, dass wir als Gemeinschaft ein Vorbild im Umgang miteinander sind?"

„Ich sagte, wir sollen es sein. Daran wird mit Recht gemessen, ob unsere Gottesbeziehung, unsere Lebensform, glaubwürdig ist. Wir müssen eine Kultur des Aufeinanderhörens pflegen, der Achtung voreinander, der Bereitschaft, sich durch die andere korrigieren zu lassen und, nicht zuletzt, der Liebe."

„So wie man hier manchmal behandelt wird, müssten wir nach Ihrer Definition das Kloster dichtmachen. Es gibt Neid, Denunziation, Eitelkeiten, und mir werden Sachen unterstellt …"

„Liebes, wir sind eine Gemeinschaft von Menschen, die miteinander einen Weg zu gehen versuchen, auf dem man lebenslang lernen muss. Das Leben im Kloster erfordert harte Arbeit, in erster Linie an sich selbst. Was tun Sie für ein besseres Miteinander?"

Ich verstumme, sie lächelt, greift in die auf dem Tisch aufgehäufte Blumenerde. „Ich will Ihnen Mut machen, an die gestalterische und verändernde Kraft der Einzelnen, an den Wert Ihres eigenen Beitrags zum Aufbau der Gemeinschaft zu glauben. Sie werden das schaffen. Meine Stimme ist Ihnen sicher und die vieler anderer auch, aber das ist nicht das Wesentliche."

„Schwester, ich weiß zurzeit überhaupt nicht mehr, was und woran ich glauben soll."

„Denken Sie mehr über Inhalte, weniger über äußere Umstände nach. Was erhoffen Sie sich von der Fortführung Ihres monastischen Weges? Suchen Sie Gott?"

Merkwürdig, wenn Schwester Hildegard mir diese Frage gestellt hätte, wäre ich sofort in Verteidigungsstellung gegangen. Luise kann ich unbefangen antworten. „Gottsuche? Ich bin oft ratlos. Die ‚Erbauungsliteratur‘, die mir von meiner Magistra empfohlen wird, beantwortet keine meiner Fragen. Ich möchte mit meiner Existenz ein Zeichen setzen gegen eine Innerlichkeit, die nur mit sich selbst befasst ist. Ich will mich nicht gut fühlen, ich will gut sein, gut leben, in einem tieferen Sinn. Das Kloster sehe ich auch als Signal an eine Außenwelt, deren alleiniges Ziel es zu sein scheint, Besitz zu vergrößern. Mit meinem Leben als Teil dieses Signals sage ich: ‚Schaut her, es geht anders, es gibt mehr als in Zahlen messbare Erfolge.‘ Ist das Gottsuche? Ist das zu profan? Sobald ich mich dann allerdings bei moralischen Überlegenheitsgefühlen erwische, gerät alles wieder in Schieflage. Sie sagen: arbeiten, schwerpunktmäßig an mir selbst? Dafür scheint mir die ‚Schule für den Dienst des Herrn‘ gar nicht mal so ungeeignet. Ich möchte weitermachen und bleiben. Glauben Sie, dass ich darf?"

Luise wischt sich die Hände an ihrer Schürze ab. „Tun Sie mir einen Gefallen, erzählen Sie das genau so Mutter Raphaela, es wird ihr helfen, Sie zu verstehen. Wenn Sie öfter ein wenig aus sich herausgingen und den anderen etwas mehr von sich mitteilen würden, hätten wir die derzeitigen Probleme womöglich gar nicht."

Ich versuche also zu reden. Problemgespräche, beinahe täglich. Die Äbtissin fragt nach meinen Motiven. In mehreren Konventssitzungen wird über meine Person diskutiert.

Zwei Drittel der Konventsschwestern müssten mit Ja stimmen, es wird eng werden. Manchmal schaue ich mir selbst beim Nettsein zu und möchte kotzen.

„Mach dich nicht zum Abziehbild", sagt Paula, „die müssen dich nehmen, wie du bist, oder willst du zukünftig als korrigiertes Exemplar herumlaufen?"

Schwester Margarita balanciert das Tablett mit dem Abendessen vor ihrem Bauch, stellt es geräuschvoll neben meinem Bett ab. „Hier sieht's aus, als wären Sie gerade ausgezogen."

„Ich mag keine überflüssigen Sachen."

„Das sieht man. Stecken Sie das unter den Arm."

Sie öffnet das Fenster.

Wenig später zieht sie mir das Fieberthermometer aus dem Nachthemd. „Neununddreißigfünf. Ist der falsche Zeitpunkt, aber Sie bleiben im Bett. Wenn das Fieber morgen früh noch so hoch ist, schicke ich

Ihnen Doktor Hartmann auf den Hals, also bessern Sie sich! Brauchen Sie sonst noch etwas?"

„Die Zusicherung, dass ich übermorgen nicht die Koffer packen muss."

Sie setzt sich auf die Bettkante, streicht mir übers verschwitzte Haar. „Mädchen, wir tun ja, was wir können. Paula, Placida und ich machen regelrecht Propaganda für dich. Und Hedwig hat gestern Nachmittag zwei Stunden auf die Äbtissin eingeredet. Du hast mehr gute Freunde, als du denkst."

Sie greift in ihre Kitteltasche, zieht einen Streifen Aspirin hervor, legt ihn neben den Teller. „Iss was, und wenn ich dir noch einen Rat geben darf: Es ist kaum förderlich, die Mannschaft, mit der man zusammenleben möchte, in Gute und Böse einzuteilen."

Es muss das Fieber sein, ich weine sonst nie, grundsätzlich nicht. Margarita reicht mir eine Packung Tempotaschentücher, zieht meine Bettdecke zurecht und geht zur Tür. „Ab morgen sieze ich dich wieder. Schlaf jetzt!"

SIE SIND seit einer Stunde im Kapitelsaal. Stefan weiß Bescheid, könnte mich innerhalb von zwei Stunden mit dem Auto abholen. Wir haben die Küche fertig gemacht, das Geschirr gespült, warten darauf, dass der Konvent wiederauftaucht. Dorothea geht mir auf den Geist mit dem Gerede von ihrer Einkleidung, obwohl sie gerade mal fünf Wochen da ist. Antonia reicht mir im Refektorium eine Tafel Schokolade. Für die Nerven.

Es läutet bereits zur Komplet, als auf dem Flur Schritte und das Rauschen von langen Kleidern zu hören sind. Schwester Hildegard erscheint auf der Türschwelle. „Sie sollen zu Mutter Raphaela auf die Abtei kommen." Ihrem Gesicht ist nichts zu entnehmen.

Raphaela sieht mitgenommen aus. „Alles gut, Sie sind zugelassen. Gehen wir jetzt beten, reden können wir morgen noch."

Am Treppenabsatz fällt mir Paula um den Hals. „Schätzchen, es war so verdammt knapp, aber jetzt bist du dabei! Wenn die Äbtissin sich nicht noch so für dich ins Zeug gelegt hätte, ich weiß nicht, was passiert wäre."

Ich klopfe ihr auf den Rücken, mache mich sanft los. „Bin müde, Paula, kann jetzt nicht reagieren."

Sie drückt fest meinen Arm, während ich sie zur Kirche führe. Ich sollte mich freuen, dankbar sein. Wollte ich es nicht so?

Während der Komplet frage ich mich, welche von denen, die hier um mich herum singen, zu den Neinstimmen gehören. Wozu trauern, dass es knapp war, sie werden mich schon noch mögen. Vor der zweiten Strophe des Hymnus lächelt Hedwig mir zu.

> „Weit weiche von uns Alb und Traum,
> das Wahngebild der Dunkelheit;
> Herr, schlage du den Feind in Bann,
> behüte uns an Seel und Leib."

Nach dem Schlussgebet werde ich jäh aus meinen Grübeleien gerissen, als die kleine Holztür, die als Hintereingang zur Kirche dient, mit einem Knall gegen die Wand geschmettert wird. Schwester Apollonia, die aufgrund ihres Alters von der Teilnahme an den Nachtgebeten befreit ist, kommt in Gummischlappen und Bademantel in den Nonnenchor gerannt und scheucht uns mit wild herumwedelnden Armen auf. „Kommen Sie schnell! Alle! Im Radio hab ich's gehört, ein Wunder ist geschehen! Macht den Fernseher an, wir müssen uns das ansehen! Unglaublich! Die Mauer, die Mauer fällt!"

„Welche? Unsere?"

„Nein doch! Die große! In Berlin!"

Wir verbringen die halbe Nacht vor dem Bildschirm, beobachten Trabants und Wartburgs, die im Schritttempo durch Grenzübergänge fahren. Gegen Mitternacht ist das Brandenburger Tor offen. Menschen stehen Arm in Arm auf der Mauer, schwenken Deutschlandfahnen, ziehen andere nach oben.

Schwester Simone erscheint mit zwei Flaschen Sekt. „Besondere Ereignisse erfordern besondere Maßnahmen!" Im Vorbeigehen zwinkert sie mir zu, flüstert: „Ich freue mich!" Sie erhebt ihr Glas: „Auf dass alle trennenden Mauern fallen!" Vereinzelt erntet sie irritierte Blicke, die Mehrheit lächelt zustimmend. Man stößt „Auf die Freiheit" an und darauf, „dass Revolution ohne Gewalt möglich ist, jawohl"!

Stabilitas - von einer, die bleibt

Der Länge nach auf dem Teppich ausgestreckt, kämpfe ich gegen den Drang zu niesen, der mir die Tränen in die Augen treibt. Ich werde nachher verheult aussehen. Ein Geruch, als wären viele Menschen mit Schweißfüßen darübergelaufen, was kaum vorstellbar ist. Um mich herum tönt die Allerheiligen-Litanei, die anwesende Gemeinde singt mit voller Kraft. Halbzeit in der Feier meiner ewigen Profess, schätzungsweise zwölf Minuten Pause für mich.

"Heiliger Benediktus / Bitte für uns
Heiliger Dominikus und Franziskus / Bittet für uns"

Dorotheas hoher Sopran ist deutlich herauszuhören. Sie ist seit ihrer ersten Profess am vergangenen Sonntag nicht nur stimmlich kaum noch zu bremsen, ganz Beflissenheit, ganz Hingabe, man könnte meinen, die perfekte Nonne vor sich zu haben. Vielleicht aber auch nur eine junge Frau, die nicht weiß, wie sie sich geben soll, und ihre Unsicherheit mit Übereifer zu kaschieren versucht. Wie auch immer: sie nervt. Die Schwestern mit Ecken und Kanten, mit Schrullen, überraschenden Ansichten, die, deren Frömmigkeit mit einer Extraportion gesundem Menschenverstand gewürzt ist, sind mir die liebsten. Davon gibt es eine Menge.

Warum bin ich zum zweiten Mal beinahe rausgeflogen?

Paula hat mir verraten, dass Dorothea ebenfalls nicht unumstritten durch ihre Abstimmung gekommen ist, aber ich hatte keine Lust, mich von dieser Information trösten zu lassen.

"Von allem Bösen / Herr, befreie uns
Von aller Sünde / Herr, befreie uns
Vom ewigen Tode / Herr, befreie uns ..."

Das wäre schön.

Die schlaflose Nacht macht sich in bleierner Müdigkeit bemerkbar. Jetzt einzuschlafen würde den Geschichten, die über mich in Umlauf sind, eine weitere Peinlichkeit hinzufügen. Ich sollte ergriffen, hellwach und glücklich sein. Stattdessen noch immer Unsicherheit, die ich mit dieser Feier auslöschen wollte.

"Zweifel haben wir alle, immer wieder", sagte Raphaela in einem unserer Vorbereitungsgespräche. "Die Entscheidung für das Klosterleben, die endgültige Bindung in der feierlichen Profess, das ist, als ob man einen Blankoscheck auf den Altar legt. Eine Herausforderung, menschlich wie geistlich. Es gibt keine Garantie, niemand haftet. Man springt über seinen eigenen Schatten in den Abgrund, von dem man hofft, dass dort etwas wartet, was einen auffängt, trägt, beflügelt. Das kann man sich nicht verdienen, es wird einem geschenkt. Profess, das ist ein mutiger Akt jenseits der Grenze dessen, was man selbst aktiv ‚machen' kann."

"Gut", habe ich gesagt, "da wollte ich sowieso hin."

Sie nickte mit einem Anflug von Besorgnis im Blick, den ich nicht einzuordnen wusste.

Es geschieht mehr als ein hoffnungsvoller Sprung ins göttliche Alles-

oder-Nichts. Das allein wäre spannend genug. Aber da gibt es auch die Sicherheit, die die Aufnahme in eine Gemeinschaft von Frauen verspricht, die zusammengehören, mitgehen auf dem beschwerlichen Weg der Sinnsuche. Es stimmt, was Luise sagt: Sie streiten, sie bekämpfen sich, aber wehe, es greift jemand von außen das Kloster oder eine einzelne Schwester an, dann werden sie zu einem unumstößlichen Block, zum Schutzraum, an dessen Außenwand fast alles abprallt.

Nachdem Schwester Justina letztes Jahr so krank geworden war, dass Dr. Hartmann meinte, eine Einweisung ins Pflegeheim sei notwendig, gab es keine Diskussion. „Wir sind für unsere Schwester da, wir lassen sie nicht allein!" Ein Plan wurde ans Schwarze Brett gehängt. Jede, die ein oder zwei Stunden Zeit erübrigen konnte, sollte sich eintragen, um bei der Pflege zu helfen. Bis zum Mittag waren 24 Stunden Betreuung organisiert. Vier Monate lang wechselten die Nonnen sich Tag und Nacht ab. Sie fütterten Justina, wuschen sie, brachten sie auf die Bettpfanne, sangen mit ihr, lasen ihr vor, hielten ihre Hand, bis sie schließlich in Raphaelas Armen einschlief. Margarita sagte zu mir: „Wenn du so stirbst, hast du nicht ganz falsch gelebt."

Ich werde drin sein, Teil dieser Familie.

In wenigen Minuten muss ich aufstehen und meiner Entschiedenheit in einem kirchenrechtlich höchst relevanten Akt Ausdruck verleihen.

Dem Ritus entsprechend habe ich bereits dem *„Veni filia"*, „Komm, Tochter", des Abtes Folge geleistet. Bin von meinem Platz bei den Novizinnen aufgestanden, habe gemessenen Schrittes eine Kerze in den Altarraum getragen, dabei gesungen.

> „Ja, ich folge aus ganzem Herzen;
> in Ehrfurcht nahe ich Dir und suche Dein Antlitz zu schauen.
> Herr, weise mich nicht zurück. Handle an mir nach Deiner Milde
> und nach Deinem großen Erbarmen."

Sie sind gut, diese alten, durch Generationen von Nonnen und Mönchen getragenen Texte. Gut, um sich darin zu verlieren.

Ich habe mich in Begleitung von Schwester Hildegard und Mutter Raphaela auf den im Altarraum bereitgestellten Hocker gesetzt, Abt Lukas, den ich mir als Vorsteher der Professfeier wünschen durfte, bei seiner Predigt über die Freiheit des Christenmenschen zugehört, habe die von ihm und der Äbtissin abwechselnd gestellten rituellen Fragen vorschriftsmäßig beantwortet:

„Wollen Sie durch die ewige Profess Gott noch inniger verbunden werden?"

„Ich will."

„Wollen Sie unter der Führung des Evangeliums ein Leben aufrichtigen Suchens nach Gott führen, ihm und den Mitmenschen dienen und der Liebe zu Christus nichts vorziehen?"

„Ich will."

„Möchten Sie Gehorsam geloben nach der Regel unseres heiligen Vaters Benediktus?"

„Ich will."

Will ich? Meine Koffer habe ich Margarita für die Rotkreuzsammlung gegeben. Fürs Erste kein Zurück.

„Wollen Sie in unserer klösterlichen Gemeinschaft ausharren bis zum Tode?"

„Ich will." Vorläufige Endgültigkeit, so sei es.

„Der in Ihnen das gute Werk begonnen hat, vollende es für den Tag Christi."

„Amen." Der erste Teil war geschafft.

Pater Rhabanus, für heute Assistent des Abtes, forderte die Gemeinde auf: „Beuget die Knie!" Mein Stichwort, mich zu Boden zu werfen und während der allgemeinen Anrufung der Heiligen das Signal abzuwarten, mich wieder zu erheben.

Da lieg ich nun.

DASS es gegen meine ewige Profess erneuten Widerstand seitens einiger Konventsschwestern gab, stimmt mich traurig. Es kamen ähnliche Bedenken wie vor drei Jahren zur Sprache, diesmal schärfer formuliert, wie ich den Andeutungen Raphaelas entnehmen konnte: „Zu sperrig, zu vital, oft kratzbürstig, unnahbar, aufsässig, mangelnde Fähigkeit, sich anzupassen …", eine Liste von Eigenschaften, die ich nur bedingt die meinen nennen möchte. Paula sagte, teilweise sei ich auch selbst schuld, ich konnte ihr nur halbherzig widersprechen. Man sorgt sich zudem wegen meiner Jugend, meiner Familiengeschichte, dem, was eine Schwester in der Konventssitzung meine „Anhänglichkeit an die Dinge dieser Welt" genannt haben soll. Äbtissin Raphaela versuchte zu vermitteln.

„Ist es nicht genug? Hast du das nötig, schon wieder zu riskieren, gefeuert zu werden?", fragte Stefan, als ich ihm erzählte, es könnte sein, dass meine ewige Profess auf allzu viel Widerstand stieße.

„Ja", antwortete ich, „habe ich nötig."

Und in einem Ton, den ich so nicht von ihm kannte, forderte er mich auf: „Geh von da weg, bevor es zu spät ist! Es gibt Menschen, die gerne mit dir zusammenleben würden."

„Das ist nicht das Thema."

Zwei Tage später rief er an, entschuldigte sich, meinte, ich müsse selbst am besten wissen, was ich täte, und versicherte, er sei in jedem Fall für mich da. Ich versuchte ihm zu erklären, dass ich jetzt noch nicht aufgeben wolle, dass ich noch immer hoffte, etwas herauszufinden, einen Sinn, eine Bestimmung, etwas, was Bestand hat. Ich bin noch nicht fertig.

Pia war sauer: „Wenn sie dich rauswerfen, gehe ich auch!"

„Das wirst du schön bleiben lassen. Leute wie du werden hier gebraucht."

Seit sie da war, konnte man es im Noviziat einigermaßen aushalten. Pia kam in der Weihnachtszeit, als ich längst nicht mehr damit gerechnet hatte.

Sie ist wesentlich geschickter im Umgang mit Schwester Hildegard als ich und fügt sich bewundernswert geschmeidig in den Klosteralltag. Die Referate, die sie im Noviziatsunterricht vorträgt, sind stets sorgfältig ausgearbeitet. Ich dagegen versteige mich in philosophisch-theologische Abhandlungen, die mit dem Thema nur am Rande zu tun haben.

„Du willst zu viel", sagte Paula, „tust immer so abgebrüht und hast doch einen Haufen Ideale im Kopf, die den Rest der Menschheit überfordern. Du kämpfst gegen Mauern an, die du selbst aufgebaut hast, als hätten wir hier nicht schon genug davon."

„Kannst du mir verraten, wie man ein Klosterleben führen soll, ohne Ideale zu haben oder viel zu wollen?"

Sie sah mich lange an, lächelte dann, legte ihre Stirn an meine und flüsterte: „Vergiss nicht: Das hier wird weder des Rätsels Lösung noch der Himmel sein. Und ob es der Weg dahin ist, wer kann das wissen?"

Mit dem heutigen Tag ist die Zeit des Noviziats vorbei. Das Experiment tritt in seine entscheidende Phase.

Der Bestimmtheit der Äbtissin, die den Zweiflerinnen erwiderte, dass meine endgültige Zugehörigkeit zur Gemeinschaft trotz allem wünschenswert sei, verdanke ich die Tatsache, dass ich mich ab morgen als „Vollnonne" erproben darf. Hätte dieses „trotz allem" nicht Anlass für mich sein müssen zu gehen?

Stabilitas, conversatio morum, oboedientia – Beständigkeit, klösterlicher Lebenswandel und Gehorsam. Das verspricht jede, die sich an das Kloster bindet. Mutter Raphaela versuchte, mir die Gelübde zu erklären: „Beständigkeit meint die Treue zur Lebensform und das Ausharren in der Gemeinschaft. Klösterlicher Lebenswandel heißt: Konzentration auf das Wesentliche und ständiges Mühen um Bekehrung, persönliche

Besitzlosigkeit und Ehelosigkeit inbegriffen. Das, woran Sie sich so stoßen, der Gehorsam, meint die Fähigkeit und Bereitschaft, vom eigenen Willen abzusehen und die Weisungen anderer anzunehmen."

Ab heute soll es lebenslang sein. *Stabilitas,* schönes Wort. Die Faszination des Bleibens für eine, deren Überlebensstrategie immer das Flüchten war.

Insgesamt fünfeinhalb Jahre liegen hinter mir. Ich habe durchgehalten, wer hätte das gedacht?

Die Klarheit eines geregelten Tagesablaufs, die Ruhe, die im Wechselklang der Psalmodie verbrachten Gebetszeiten: ein Korsett, das vor dem Auseinanderbrechen schützen kann.

Gottesliebe, sich von Gott geliebt fühlen, das soll mit tiefem Glück erfüllen, ist jedoch an manchen Tagen etwas zu abstrakt, wenn es kalt ist und man sich nach der Wärme eines menschlichen Körpers sehnt. Von sonstigen Dingen, die sich besser für die Ausübung zu zweit eignen, gar nicht zu reden. Luise sagte, das sei völlig normal. Sie habe nach vierzig Jahren im Kloster noch immer gelegentlich Sehnsucht nach der Zuwendung eines Mannes, man habe seine Sexualität ja nicht an der Pforte abgegeben. Sie amüsierte sich über mein Erstaunen und brachte die Sache auf eine einfache Formel: „Hat man Eheleben, fällt Klosterleben flach; hat man Klosterleben, geht kein Eheleben. Man muss entscheiden, welchen Preis man zu zahlen bereit ist. Der unsrige ist hoch, es tut weh, mal mehr, mal weniger. Mir hat die Verwurzelung in der Gemeinschaft immer sehr geholfen." Als ich ihr entgegnete, es müsse ja nicht gleich die Ehe sein, aber ein gelegentliches Ausleben meiner sexuellen Bedürfnisse würde mir schon gefallen, meinte sie, diese neumodischen Feinheiten seien ihr zu kompliziert. „Sie wissen schon, was ich meine. Das intime Zusammensein zweier Menschen, die sich lieben, ist etwas Wunderschönes, keine Frage, aber manchmal mache ich mir Sorgen, dass heutzutage die Sexualpartner austauschbar scheinen, dass es oft nur um den Wert einer momentanen Befriedigung geht, die am nächsten Morgen schon in ein schales Gefühl der Enttäuschung, der Leere münden kann. Macht das auf Dauer zufrieden? Eine konstante Partnerschaft durch alle Höhen und Tiefen des Lebens hindurch stellt eine enorme Herausforderung dar. Wollen wir nicht alle auch dann noch lieben und geliebt werden, wenn wir krank, alt oder unansehnlich sind? Grundsätzlich bin ich der Meinung, dass die Reife für das gelungene Klosterleben eine ähnliche sein muss wie die für eine stabile Beziehung. Man sollte, wenn man Ordensfrau sein will, zu beidem in der Lage sein, dann aber den Verzicht bewusst in Kauf nehmen, um Offenheit für die Erfahrungen zu gewinnen, die sich in unserem Lebenskontext machen lassen."

Wahrscheinlich müsste ich mir wegen dieser Aussage Sorgen machen. Bindungsfähigkeit gehörte bisher nicht zu meinen herausragenden Eigenschaften. Max war darüber einmal sehr unglücklich.

Bei aller Enge, die das Gemeinschaftsleben mit sich bringt: Wer gern allein ist, kommt im Kloster auf seine Kosten. Das gefällt mir. Und es stimmt, was einige Nonnen sagen: In der nicht sexualisierten Umwelt, die das Kloster darstellt, wird es einem leichter gemacht: keine ekstatisch vereinten Leiber auf großformatigen Plakaten, keine allgegenwärtigen Signale, dass man schlank, schön, sexy, potent zu sein hat, um ein toller Mensch zu sein. Klar, man trägt, wie Luise meint, seine Sexualität auch als Nonne stets mit sich herum, aber es ist nicht der zentrale Punkt, um den sich im Alltagsleben alles dreht. „Frau ist Frau, auch ohne Mann", sagte Maria einmal zu mir, und tatsächlich leben hier einige, die auch nach Jahrzehnten des Verzichts weder verklemmt noch verbittert wirken. Es scheint möglich zu sein, ohne zwangsläufig zu verkümmern. Nur manchmal, an grauen Regentagen, drängt sich mir die Frage auf, ob das zölibatäre Leben auf Dauer gut für den Menschen, gut für mich sein kann.

„CHRISTUS, höre uns / Christus, erhöre uns ..." Ich sollte mich auf den Gottesdienst konzentrieren, mein Einsatz steht kurz bevor.

Aus der Gästekapelle klingt das helle Lachen eines Kindes. Linas Kind? Es müsste jetzt etwas über zwei Jahre alt sein. Ein hübscher kleiner Junge, der seinem Vater wie aus dem Gesicht geschnitten ist und schreit, sobald ich ihn auf den Arm zu nehmen versuche. Lina sagt, er habe Angst vor meinem schwarzen Kleid. Nach ihrem letzten Besuch fragte Raphaela besorgt, ob es mir etwas ausmachen würde, meine Freundin als glückliche Mutter zu sehen, ob sich da nicht Wünsche regten? Meine Antwort, Lina wohne mit Mann und Kind im Reihenendhaus bei Bielefeld, das könne meinen Neid nicht herausfordern, verstand sie nicht. Von der Sache mit Max habe ich ihr nichts erzählt. Er ist, wie erwartet, nicht gekommen. Zwischen Lina und mir ist er kein Thema. Ich bin nicht traurig darüber. Der heutige Max, der seinen Motorradlenker gegen den Griff eines Kinderwagens eingetauscht hat, mit Lina auf dem Standesamt war und ihre gemeinsame Existenz bei einer Zeitung sichert, die wir früher als rechtskonservativ verachtet haben, hat mit dem, der sich beim Open-Air einen Schlafsack mit mir geteilt und vom Leben im Bauwagen geschwärmt hat, nicht mehr viel gemein.

Ich behalte lieber die Bilder von damals in Erinnerung, gönne Lina den „neuen Max" und verliere mich ab und zu in dem Gedanken, was gewesen wäre, wenn ...
Da gibt es nichts zu bereuen.
Oder?

„Erhebet euch!" Pater Rhabanus klingt heiser. Ein kurzer Schwindel, als ich wieder auf den Füßen stehe. Hildegard gibt mir Zeichen, ich weiß für eine Schrecksekunde nicht, was jetzt dran ist. Panik kommt auf. Dieses eine Mal wollte ich den Ritus souverän meistern. Abt Lukas grinst zu mir herüber, macht eine undefinierbare Handbewegung, die mich noch mehr aus dem Konzept bringt. Die Magistra greift erstaunlich gelassen ein, flüstert: „Verlesen der Professformel", nimmt resolut das Pergament, das ich mir von einem weiteren Beistelltisch selbst hätte holen sollen, und reicht es mir. Ich versuche, sie dankbar anzulächeln, wissend, dass sie wegen mir einen Formfehler begangen hat. Wahrscheinlich ist Hildegard genauso froh, mich los zu sein, wie ich sie.

Das Stück Pergament mit der Professformel ist nach altem Brauch mittels Tuschfeder geschrieben, die Initiale eigenhändig verziert. Schwester Sophia hatte nichts dagegen, dass ich im Atelier daran arbeitete, ein letztes Mal ihre Marderhaarpinsel benutzte. Zweieinhalb Jahre lang habe ich dort Leinwandintarsien eingesetzt, Kreidegründe geschliffen, Kittungen retuschiert, Fotodokumentationen angefertigt, Malschichten gefestigt. Angeblich war ich begabt. Das meiste hat mich gelangweilt. Schwester Sophia erwies sich in der Zusammenarbeit als traurige Schweigerin, war aber stets fair. Meine Weigerung, das Kloster eine Zeit lang zwecks Studium der Restaurierung von Kunstgegenständen in Köln zu verlassen, machten Sophias Hoffnungen zunichte, mich als ihre Nachfolgerin heranzubilden, und die Einarbeitung einer neuen Nachwuchskraft notwendig. Mutter Raphaela hätte es gern gesehen, dass ich diesen Studienaufenthalt absolviere. „Sie sind so jung", sagte sie, „Sie sollten noch einmal eine Ausbildung machen, Ihren Horizont erweitern. Und wir brauchen gut geschulte Fachleute." Sie redete immer wieder auf mich ein, gab ihre Pläne aber schließlich auf.

Nach der Profess wird mir ein neues Aufgabenfeld zugewiesen werden.

„Lesen Sie!" Hildegards Zischen ist mit Sicherheit noch in der letzten Kirchenbank zu hören.
Hedwig hat lange mit mir den optimalen Vortrag geübt.

Kurz taucht der Gedanke auf, was geschehen würde, wenn ich jetzt vorträte, mich bedankte und sagte, ich hätte es mir doch anders überlegt? Das berühmte „Nein!" bei der Hochzeitsfeier.

Ich bemühe mich um deutliche Artikulation, spreche mein öffentliches Gelübde, wie es das Kirchenrecht verlangt:

> „Im Namen unseres Herrn Jesus Christus, amen.
> Ich, Schwester Veronika, gelobe feierlich
> Beständigkeit, klösterlichen Lebenswandel und Gehorsam
> nach der Regel des heiligen Vaters Benediktus
> und den Deklarationen der Frauenklöster der Benediktinerkongregation.
> Vor Gott und seinen Heiligen, vor der Äbtissin dieses Klosters,
> Frau Raphaela Burghäuser, in Gegenwart des Herrn Abtes Lukas
> von Metzberg, der Nonnen und aller, die hier versammelt sind.
> Zur Bestätigung meines Gelöbnisses habe ich diese Urkunde eigenhändig ausgestellt.
> Kloster Marienau am 27. April 1993."

Nach dem letzten Satz umschreite ich den Altar, lege die Urkunde darauf nieder, trete zurück und stimme das Professlied an:

> *„Suscipe me, Domine, secundum eloquium tuum, et vivam.*
> *Et non confundas me ab expectatione mea. –*
> Nimm mich auf, Herr, nach Deinem Wort,
> und ich werde leben;
> und enttäusche mich nicht in meiner Hoffnung."

Alle benediktinischen Mönche und Nonnen durch die Jahrhunderte hindurch haben dies zur Bekräftigung ihrer Gelübde gesungen. Jede Schwester wiederholt es am Jahrestag der Profess im Kreis der Gemeinschaft. Beim Tod einer Nonne singen es die Mitschwestern, um der Sterbenden den Übergang zu erleichtern.

Neben Raphaelas Platz steht das Tischchen, das ich von der Einkleidung her kenne. Diesmal liegt ein rein schwarzes Stoffpaket darauf: Kukulle und Schleier. Daneben: der aus Myrtenzweigen geflochtene Kranz, ein kleines Tablett mit dem schlichten goldenen Ring. Ich habe ihn in Raphaelas Büro aussuchen dürfen. Ein Kästchen, gefüllt mit Ringen, die dem Kloster auf irgendeine Weise zugekommen sind, wurde auf dem Tisch ausgekippt, und ich sollte sehen, ob mir einer davon gefällt. Traditionell bekommt die Schwester, die ihre Profess ablegt, einen Ring von ihren Eltern geschenkt, womit ich leider nicht dienen konnte. Es fand sich ein einzelner Ehering, in den kurioserweise mein Geburtsdatum eingraviert war. Er war zu groß, aber ich wählte ihn als gutes Omen, obwohl mir die so genannte „Brautsymbolik" suspekt war.

Nach dem langen Weihegebet, bei dem Abt Lukas seine großen Hände auf meinen geneigten Kopf legt, folgt die Übergabe der Insignien, wie es im Ritus steht.

„Empfangen Sie Kukulle, Schleier und Ring als Zeichen Ihrer Weihe an Gott."

Raphaela tritt heran, beginnt mir die Kukulle überzuwerfen.

Vollkommene Dunkelheit, als mehrere Meter Stoff an meinem Gesicht vorbeifließen. Plötzlich reißt die Schwärze auf, und am anderen Ende des Tunnels fällt Kerzenlicht auf das sehr freundliche Gesicht der Mutter Äbtissin, die den Halsausschnitt über meinen Kopf gleiten lässt. Sie betrachtet kurz ihr Werk und macht sich zupfend daran, die Haken an meinem Rücken zu schließen, damit mir die ganze Pracht nicht von den Schultern rutscht. Es kitzelt. Die weiten, überlangen Ärmel werden in breite Falten gelegt, meine Hände verschwinden, ich zweifle, ob ich sie jemals wieder finden werde.

Mit behutsamen Handgriffen entfernt Raphaela den weißen Schleier der Novizin, den sie achtlos zu Boden fallen lässt und durch den schwarzen der vollgültig aufgenommenen Benediktinerin ersetzt.

Rechtzeitig, bevor Rührung aufkommen kann, sehe ich mich umringt: Abt Lukas steckt mir den Ring an den Finger, wobei er sich das ironische Grinsen auch hätte sparen können. Die Äbtissin setzt mir den Myrtenkranz der Neugeweihten auf. Ein Brauch, den ich beim Üben lächerlich fand, bis ich am frühen Morgen vom Fenster aus zugesehen habe, wie Luise vor dem Treibhaus saß und den Kranz für mich gewunden hat.

Der würzige Duft von Weihrauch breitet sich aus, verdichtet sich zu dickem Qualm und bringt Pater Rhabanus zum Husten.

Der Abt überreicht mir das Brevier: „Empfangen Sie das Buch des Kirchlichen Stundengebets, preisen Sie Gott unaufhörlich, und treten Sie ein für das Heil der ganzen Welt."

„Amen."

Bei näherem Hinsehen bemerke ich, dass es das Gebetbuch von Paula ist, der Lederumschlag hat sich an zwei Stellen von ihren kleinen, leicht schwitzigen Händen dunkel gefärbt. Paula hängt an diesem Buch, es hat sie während der ganzen Jahre ihres Klosterlebens begleitet, sie nimmt es sogar mit in die Ferien. Wie kommt es jetzt zu dieser feierlichen Übergabe? Raphaela lächelt verschwörerisch. Ich drehe mich nach hinten, will Paula sehen. Vor mir räuspert sich der sichtbar amüsierte Pater Rhabanus, tippt mit dem Finger auf das Ritenheft in seiner Hand. Der alte Langweiler kann richtig nett sein.

Der Pater hat Recht: Bringen wir es zu Ende und absolvieren das „*Ecce, quod concupivi* ...", den Dankgesang der Neuprofesse, in dem, laut Erklärung der Magistra, die Feier noch einmal zusammengefasst wird. Die Orgel spielt leise die Melodie, Hedwig gibt mir den Einsatz:

> „Seht, was ich ersehnt, schon schaue ich es;
> was ich erhofft, schon besitze ich es:
> Ihm, der im Himmel wohnt, bin ich geeint;
> Ihm, den ich auf Erden mit ganzer Hingabe geliebt."

Ich schaue nichts, besitze nichts, meine Hingabe lässt zu wünschen übrig. Es könnte gut sein, dass dies hier mehr als eine Nummer zu groß für mich ist. Die letzten Töne werden dem Frosch in meinem Hals mit äußerster Mühe abgetrotzt.

Willkommen in der Familie des Ordo Sancti Benedicti, ich habe es getan!

Raphaela legt mir ihre Hand zwischen die Schulterblätter, wir verlassen den Altarraum, gehen die drei Stufen zum Nonnenchor hinunter, wo sich die Konventsschwestern im Kreis aufgestellt haben, um mich mit dem Friedenskuss in ihre Gemeinschaft aufzunehmen.

Was auch immer vorher gelaufen ist, mir schlägt ein solch geballtes Wohlwollen entgegen, dass die Knie weich werden. Ich habe den aufwändigen Professritus geschafft, jetzt kann ich ein wenig Rührung unter meine Haut kriechen lassen, denn um die zu verscheuchen, bin ich ohnehin zu erledigt.

Gesichter, Händeschütteln, Umarmungen, Worte, Tränen. Ich versuche, möglichst viele der geflüsterten Wünsche abzuspeichern. Altpriorin Germana drückt mich mit einem Stolz an sich, als hätte sie persönlich mich gestrickt, Priorin Radegundis zitiert einen Väterspruch, der lieb gemeint klingt, Schwester Maura bringt mich mit ihrer herzlichen Umarmung vollkommen aus dem Konzept. Paula flüstert mit tränennassen Wangen: „Dass so eine wie du kommt, habe ich mir gewünscht." Ich streiche ihr eine Träne weg. „Paula, du spinnst ja." Da lacht sie. „Schon besser!" Alle nehmen mich auf, als würden sie sich vorbehaltlos freuen. Ich möchte es ihnen glauben.

Orgelspiel, ich setze mich auf den Platz neben der Äbtissin, eine weitere Ehre, die der Frischgeweihten am Festtag zukommt. Eine aufmerksame Helferin hat das Gesangbuch aufgeschlagen und an den entsprechenden Stellen mit Lesezeichen versehen. Die Messe geht von jetzt an ihren gewohnten Gang, komplett an mir vorbei.

Die aus allen Registern donnernde Orgel zum „Großer Gott, wir loben Dich", das bei keiner wichtigen Messfeier fehlen darf, bringt mich in die Gegenwart zurück: Auszug an der Seite der Äbtissin. Fast vergesse ich, die Professkerze, die noch einige Tage an der Statio brennen wird, mitzunehmen.

Im Kreuzgang angekommen, muss ich mich an die Wand lehnen.

„Ist Ihnen nicht gut?"

Ich schüttle den Kopf, lasse mir von Simone und Radegundis aus der Kukulle helfen.

Raphaela zögert. „Sollte sie das nicht noch anbehalten?"

Radegundis winkt ab. „Die sieht doch jetzt schon aus, als ob sie gleich umfällt."

„Kann ich auch das Kränzchen absetzen?"

„Das tragen Sie bis heute Abend. Es wird zum Abschluss des Feiertages von der Äbtissin persönlich abgenommen und im Archiv bis zu Ihrem Tod aufbewahrt."

Ich schlucke. „Und dann?"

„Dann werden frische Zweige drumgebunden, und Sie bekommen es im Sarg aufgesetzt."

Ich stehe regungslos vor ihr, zu keinem Wort fähig. Das waren also die Feierlichkeiten, der nächste Höhepunkt findet im Sarg statt. Schwester Simone erbarmt sich und nimmt mich am Arm. „Jetzt beschäftigen Sie sich erst mal mit dem Leben. Die Gäste warten."

AN DER Klosterpforte angekommen, zieht mich Placida in ihr Dienstzimmer, gibt mir eine große Tasse Kaffee in die Hand, schüttet aus einer kleinen Flasche karamellfarbene Flüssigkeit hinein und drückt mich auf den einzigen Stuhl, der mit einem Kissen versehen ist. „Trink das, die Leute können sich noch fünf Minuten allein vergnügen."

Ich muss an den Tag meines Eintritts denken, an dem Placidas Kaffee nicht halb so stark war und keine Promille hatte.

„Siehst du, jetzt lachst du schon wieder, und die Bäckchen kriegen auch Farbe. Ein Geheimrezept meiner Großmutter, aber ..." Sie legt ihren Zeigefinger an den Mund. Ich küsse sie auf beide Wangen. „Schwester, Sie retten mir das Leben!" Raphaela erscheint in der Tür. „Ich will auch einen!" – „Kuss oder Kaffee?" – „Beides."

Da Placida damit beschäftigt ist, die Flasche unter dem Skapulier verschwinden zu lassen, stehe ich auf, um der Äbtissin Kaffee einzuschenken. „Milch? Zucker?" Raphaela schmunzelt. „Geben Sie auch was dazu, Placida. Erstens soll man keine Geheimnisse vor seiner Äbtissin haben, und zweitens könnt ihr mir heute einen Schluck gönnen, mein Part war auch nicht ohne."

Im Foyer haben sich die Festgäste aufgestellt, jemand hat Sektgläser herumgereicht, die Stimmung wirkt fröhlich und entspannt. Drei ehemalige Kollegen, von denen ich dachte, sie hätten mich längst vergessen, prosten mir zu. „Du warst uns noch einen Abschied schuldig, den holen wir jetzt selbst ab." Ich bin mir nicht sicher, ob ich mich freue. Eigentlich will ich niemanden sehen. Die kleine Eingangshalle ist voll mit Menschen, obwohl ich laut Schwester Germana die kürzeste Liste geladener Gäste in der Geschichte des Klosters abgegeben habe. Die Aufnahme einer neuen Konventsschwester ist, im Gegensatz zur Einkleidung, Sache der Allgemeinheit. Da kommen Freunde und Gönner des Klosters, die ehrenwerten Damen „Klosterwanzen", Dr. Hartmann mit Gattin und Sprechstundenhilfe, einige der Mädchen, die während des Sommers im Garten helfen.

Lina fällt mir um den Hals, an meinen Bauch drückt sich kurz eine Wölbung. Sie interpretiert meinen fragenden Blick richtig. „Bin wieder schwanger." – „Glückwunsch!"

Der Kleine zerrt an ihrer Seidenhose. „Mama, ich will Saft!" Ich strecke meine Hand aus, versuche ihm über das Haar zu streichen, er weicht wieselflink zurück, versteckt sich hinter seiner Mutter. Die lächelt entschuldigend, nimmt ihren Sohn hoch, der sein Gesicht an ihrem Hals vergräbt. „Nicki ist schüchtern."

„Wie geht es dem Kindsvater?"

„Gut. Er lässt dich grüßen."

„Stimmt ja gar nicht."

Lina zuckt die Schultern, ich umarme sie. „Schön, dass du gekommen bist!"

Stefan überreicht mir einen mit Geschenkband verschnürten Schuhkarton. „Ich habe deine Chefin um Erlaubnis gefragt. Sie sagte, Musik ist gut für dich, und gab ihren Segen."

Ich packe einen CD-Player im Hosentaschenformat aus, beiliegend ein Packen CDs, die Stefan als „Kontrastprogramm zum Klosteralltag zwecks Seelenreinigung" präsentiert, „falls du mal kurzfristig aussteigen willst". Tom Waits, Miles Davis, John Lee Hooker, Patti Smith, Sting, drei Alben von Peter Gabriel, er hat nicht gespart. Und ich brauche die Zensur der Magistra nicht mehr zu fürchten.

Er hebt mich hoch, wirbelt herum, bis wir beide zu fallen drohen.

„Lass mich sofort runter, Spinner! Wie hat dir die Feier gefallen?"
„Widerwillig muss zugegeben werden, dass ich bewegt war."
Jan gratuliert verhalten, entschuldigt sich, dass er mich so lange nicht besucht hat, und fragt, ob er mich unter vier Augen sprechen könne.
„Das wird nicht gehen, ich muss hier mit den Leuten Kuchen essen und nach der Vesper mit den Nonnen feiern. Komm doch nächste Woche einmal vorbei."
„Nächste Woche kann ich nicht. Morgen informiere ich meine Gemeinde darüber, dass ich mein Priesteramt niederlege. Ich habe das Doppelleben satt. Meine Freundin und ich können Aufnahme in einem Kibbuz östlich von Haifa finden, dort mache ich eine Schreinerlehre. Wir reisen schon am Dienstag ab."
Ich habe schlichtweg keinen Nerv, auf diese Nachricht zu reagieren, finde nicht einmal die Kraft, ihm alles Gute zu wünschen. Seit wann hat Jan eine Freundin? Warum kann es sich die Kirche leisten, einen wie ihn zu verlieren? Jan sieht mich niedergedrückt an. „Enttäuscht?" – „Ach Quatsch, natürlich nicht. Ist dein Leben." Jan sagt leise etwas, was im allgemeinen Stimmengewirr untergeht. Mir kommt der Verdacht, dass ich mich zu viel mit mir selbst beschäftigt und zu wenig um meine Freunde gekümmert habe.
Placida klatscht in die Hände, bittet die Gäste, im Speisezimmer Platz zu nehmen. Raphaela gesellt sich zu Stefan, mit dem sie sich bestens zu verstehen scheint. Silvia drängt sich auf den Platz neben mir. „Tut mir leid, dass ich mich so lange nicht habe blicken lassen, mir ist immer etwas dazwischengekommen. Dieser merkwürdige Gottesdienst hat mich ganz schön mitgenommen. Eigentlich will ich dir so viele Fragen stellen."
Das Letzte, was ich jetzt gebrauchen kann, ist eine Diskussion mit Silvia über Sinn und Motivation meines Ordenslebens. Alles, was ich will, ist mich auf meine Zelle zurückziehen, auf der Fensterbank sitzen und diesen Tag still vorbeiziehen lassen.
Raphaela, die mir gegenüber Platz genommen hat, mustert mich kurz, übernimmt dann die Unterhaltung und beginnt, Geschichten aus unserem Klosteralltag zu erzählen. Bald lacht die ganze Gesellschaft. Man ist, wie immer, von der Frau Äbtissin entzückt. Mich eingeschlossen.

ZUR ABENDLICHEN Festrekreation wird Abt Lukas eingeladen, das entbindet mich von der Rolle der Hauptperson. Pia lässt mich in der Tür zum Versammlungsraum mit leichter Verneigung vorgehen: „Bitte sehr, ehrwürdige Schwester, mit allem Respekt." Ich kneife ihr in die Seite, wir poltern beide kichernd wie die Teenager ins Zimmer. Da lächelt man milde über den „Überschwang der Jugend", was nicht ausschließt, dass Pia sich morgen früh eine Ermahnung ihrer Magistra wird anhören müssen, die sie darauf hinweist, dass ich nun Konventsmitglied und als solches von den Novizinnen nur mit Erlaubnis zu kontaktieren sei. Als ich Pia vorwarnen will, winkt sie ab. „Bei mir ist die nicht so kompliziert, du musst sie irgendwie falsch angepackt haben." Sie grinst. Von hinten tippt mir jemand auf die Schulter. Um mich herum stehen Schwestern, die, eine nach der anderen, nochmals „privat" gratulieren möchten. Wie viele gute Ratschläge, Ermunterungen, allerbeste Wünsche kann man an einem einzigen Tag ertragen?

Äbtissin Raphaela eröffnet die Rekreation, spricht Dankesworte an den Abt und fordert ihn auf, von der Arbeit seines Klosters zu erzählen.

Später kommt man auf die Feier zu sprechen, wie ergreifend es doch wieder gewesen sei.

Abt Lukas witzelt, ich sei nun schon die neunte Frau, der er einen Ring an den Finger gesteckt habe, was die meisten meiner Mitschwestern zum Kichern bringt. Pia verdreht entnervt die Augen.

Als wir, nicht ohne noch einen äbtlichen Segen empfangen zu haben, die Rekreation beenden, sagt Pia leise: „Ich weiß wirklich nicht, was du an dem so toll findest." – „Da hättest du ihn dir vor ein paar Jahren ansehen sollen!"

NACH dem Schlusszeichen des Nachtgebets muss Antonia mich anschubsen, damit ich den Auszug nicht verschlafe. Was für ein Tag! Eines muss noch erledigt werden: Kranzabnahme und damit endgültige Versetzung in den Stand eines „normalen" Konventsmitglieds. Als ich an die Abteitür klopfe, streckt Schwester Simone den Kopf heraus, bittet mich, einen Moment Geduld zu haben, die Mutter Äbtissin müsse noch ein wichtiges Telefonat führen. Ich lasse mich auf die Wartebank im Flur fallen. Nach etwa zwanzig Minuten kommt Hedwig vorbei.

„Was machen Sie denn hier?"

„Warten. Aber jetzt reicht's mir. Ich nehme das Ding selbst ab und verschwinde."

„Nein, tun Sie das nicht, es bringt Unglück!"

Sie greift nach meiner Hand, schiebt den Kranz wieder an seinen ursprünglichen Platz zurück und eilt schnell davon, als sich die Tür öffnet und Simone vermeldet: „Sie können jetzt reinkommen."

Ans offene Fenster gelehnt, steht Mutter Raphaela. Sie befreit mich mit einem raschen Handgriff vom Kopfschmuck, zeichnet mit dem

Daumen ein Kreuz auf meine Stirn und wendet sich dem mit Papieren übersäten Schreibtisch zu.

„Das war's schon?"

„Wollten Sie denn nicht so schnell wie möglich ins Bett?"

„Doch, aber ich wüsste gerne, wie es jetzt weitergeht."

„Wenn Sie möchten, nutzen Sie den morgigen Tag, um ins Haupthaus zu ziehen. Schwester Justinas ehemalige Zelle ist frisch gestrichen, da können Sie rein."

„Und arbeitsmäßig?"

Raphaela seufzt. „Ich wollte das noch ausführlich mit Ihnen besprechen. Heute nur so viel: Vormittags sind Sie vorerst als Hilfe bei Schwester Margarita in der Waschküche eingeteilt, und nachmittags sollen Sie Zeit für ein Fernstudium in Theologie bekommen. Ich möchte, dass Sie sich in die christliche Glaubenslehre vertiefen und Nahrung für Ihren Geist bekommen. Die Schwestern, mit denen ich mich beraten habe, halten das für eine ausgezeichnete Idee, wir können Sie dann später vielseitiger einsetzen. Sehen Sie es als Chance. Sie brauchen nur zweimal im Jahr für eine Woche zum Blockseminar, den Rest können Sie von zu Hause aus machen. Keine Widerrede, das ist mein Professgeschenk, die Anmeldeformulare lege ich in Ihr Postfach. Gute Nacht!"

Eins muss man den Nonnen lassen, sie sind auch nach Jahren des Zusammenlebens immer wieder in der Lage, einen komplett zu überraschen.

Ich gehe über den Flur des Südflügels, öffne vorsichtig die Tür und betrachte das Zimmer, das ich morgen beziehen kann: Waschbecken und Kleiderschrank etwas abgetrennt, dahinter der Raum mit hellen Möbeln, einem beachtlichen Schreibtisch, reichlich leeren Bücherregalen, einem breiten Fenster mit entsprechender Fensterbank, Aussicht auf Innenhof mit Scheunen und dahinter: die größte von Nachbars Pferdekoppeln, direkt einsehbar. Perfekt.

„Nun?"

Erschrocken fahre ich herum und stehe vor Priorin Radegundis in schneeweißem Nachthemd. Die silbergrauen Locken stehen ihrem aristokratischen Gesicht hervorragend, mir war nie aufgefallen, wie schön die alte Frau ist.

„Geistert man denn so spät noch im Haus herum?"

Ich verzichte darauf zurückzufragen, ob man denn so spät noch Mitschwestern anspricht, entschuldige mich, falls ich sie gestört habe, und erzähle, dass ich ab morgen hier wohne.

„Dann sind wir Nachbarinnen." Sie wirkt aufrichtig erfreut.

Das Geräusch einer sich öffnenden Tür am unteren Ende des Ganges lässt sie kurz aufschrecken, dann die Schultern zucken. „Wir sollten das Silentium halten. Gehen Sie schlafen. Man startet besser ausgeruht ins neue Leben, jetzt wird es ernst, die Schonzeit ist vorbei."

„Sie haben nicht ernsthaft ‚Schonzeit' gesagt, oder?"

Aber da ist sie schon lächelnd auf ihren nackten Füßen davongeschwebt.

MEINE Zelle ist, als ich sie betrete, liebevoll mit Blumen und Glückwunschkarten geschmückt. Ich ziehe Schleier und Habit aus, sehe mich in meiner kleinen Oase um, die ich morgen verlassen werde.

Ein Verdacht, ein ganz leiser, unter vielen Schichten begraben, drängt sich auf, will mir einreden, dass die eigentlichen Prüfungen noch vor mir liegen. Ich weise ihn von mir, endgültig zu müde für Zweifel.

Im Bett greife ich nach dem Buch, das Silvia mir beim Abschied in die Hand gedrückt hat. „Ein beeindruckendes Werk über die Sioux", sagte sie, „beim Lesen musste ich an dich denken."

Im Klappentext werden die Idealtugenden dieses Indianerstamms genannt: „Tapferkeit, Standhaftigkeit, Freigebigkeit und Weisheit." Ich hätte nichts dagegen. Um dies zu erreichen, so der Text weiter, „wurde vom Einzelnen eine Härte gegen sich selbst gefordert, die an Selbstverleugnung heranreichte." Schon wieder. Wie die spirituellen Vokabeln einander gleichen. Ein Beweis dafür, dass etwas dran ist?

Eros und Mammon

„Sehr gut, ich gebe Ihnen ein glattes Sehr gut."

Der Philosophiedozent Dr. Michael Roth hielt es für nötig, mich über „das Verständnis des Eros bei Platon" zu prüfen, und war sich nicht zu blöd, meine Zitate der einschlägigen Stellen aus dem „Symposion" mit zweideutigen Kommentaren zu versehen. Er trägt die Note ins Studienbuch ein, lehnt sich zurück, beglückwünscht mich zu den guten Ergebnissen und bekundet ernsthaft, es sei eine Freude gewesen, mich als Studierende zu haben. „Hätten Sie Lust, Ihre Abschlussarbeit in Philosophie zu schreiben?"

„Meine Arbeit ist bereits fertig, Ihr Kollege hat mich gestern dazu geprüft."

„Darf man sich nach dem Thema erkundigen?"

„Ein Theologenporträt von Karl Rahner."
„Rahner? Schwere Kost." Er überlegt kurz. „Lassen Sie sich noch zu einem Kaffee einladen?"
„Mein Zug fährt in einer Stunde."
„Am Bahnhof gibt es ein nettes Bistro."
Die anwesenden Gäste schauen auf. Die Nonne und der Schönling, ich möchte nicht wissen, was die jetzt denken. Der Dozent, der mich bittet, ihn „Michael" zu nennen, schlägt die langen Beine übereinander, nachdem er „zwei große Braune" bestellt und mir erklärt hat, man könne in Österreich nicht einfach „Kaffee" verlangen, da müsse man schon differenzieren, zumal in Wien. Er lässt sich über die Stadt aus, mit der ihn eine Art Hassliebe zu verbinden scheint. Dr. Roth hat sich warmgeredet, winkt, als er mich auf die Uhr schauen sieht, der Kellnerin.
„Warum lebt eine Frau wie Sie im Kloster?" Seine Hand hält eine Sekunde zu lang und einen Hauch zu fest die meine. Wird der Philosoph jetzt kitschig oder ironisch?
„Aus Spaß."
„Das macht Spaß?"
„Ja, warum nicht?"
„Sie sind jung, machen nicht den Eindruck, unempfänglich für ... nun ja ..." Sein Blick wandert kurvenförmig an mir herunter. „Wie soll ich sagen ...?"
„Sie wollen das Thema Eros am konkreten Fallbeispiel meiner zölibatären Lebensweise aufgreifen?"
„Missverstehen Sie mich bitte nicht. Mein Interesse ist ..."
„Rein philosophischer Natur?"
Er schüttelt lächelnd den Kopf. „Ich glaube es einfach nicht."
„Herr Doktor Roth, es war mir ein Vergnügen, aber jetzt muss ich endgültig los."
Auf dem Bahngleis werfe ich die Visitenkarte in den Mülleimer. Es ist nichts dabei, es beruhigend zu finden, von einem attraktiven Mann noch in diesem Kostüm primär als Frau wahrgenommen zu werden, etwas anderes wäre es, die Geschichte weiterzuverfolgen. Für gewöhnlich wird man durch das Ordenskleid vor mehr oder weniger offensichtlichen Eroberungsversuchen bewahrt. Roth schien mein Aufzug eher noch zu reizen. Plötzlich fällt mir ein, was Paula jetzt zu mir sagen würde: „Bild dir bloß nichts ein!" Der Mann, der neben mir auf den Zug wartet, rückt irritiert von der einsam vor sich hin lachenden Nonne ab.

NACHDEM ich in München angekommen bin, fahre ich mit der Regionalbahn weiter.

Wegen des Theologiestudiums war ich viel unterwegs, mehr als die angekündigten zwei Wochen pro Jahr. Prüfungstermine und Studienwochen in Graz, Innsbruck, Klagenfurt, Salzburg, Wien. Bibelwissenschaften, Dogmatik, Fundamentaltheologie, christliche Philosophie, Kirchengeschichte, Moraltheologie, Liturgik, Kirchenrecht. Alles in handliche Skripten zusammengefasst, die man, falls mit funktionierendem Kurzzeitgedächtnis ausgestattet, zu den jeweiligen Prüfungen präsent haben kann, ohne sich totzuarbeiten. Wissenschaftlich fundierter Theologieextrakt für den Hausgebrauch, eine Auszeit, die mich weitere zwei Jahre vor der klösterlichen Alltagsroutine bewahrt hat. Das Reisen hat überraschend viel Spaß gemacht, Dozenten wie Mitstudierende waren nett, vielfach erfrischend „linkskatholisch" und progressiv, nur wenige mit der Art engagiertem Gutmenschentum ausgestattet, die bekennende Christen zur Strapaze macht.

Raphaela betonte, dass sie mir eine vertiefende Beschäftigung mit dem christlich-katholischen Glauben wünsche, nachdem mein Noviziat nicht das glücklichste gewesen sei. Sie hat sich persönlich eingesetzt, hat sich vor jedem Prüfungstermin die Zeit genommen, den Stoff mit mir durchzugehen. Aus Interesse, wie sie sagte, und aus Freude an der theologischen Auseinandersetzung mit mir. Ich werde diese Nachmittage vermissen. Raphaela ließ sich jede Frage stellen, gab offen zu, wenn sie nicht weiterwusste, und entzog sich der Diskussion nie mit dogmatischen Allgemeinplätzen oder finalen Bewertungen. Von meinen Ergebnissen war sie begeistert und ging sogar so weit, Schwester Hildegard ihre Verwunderung darüber auszudrücken, dass mein Lerneifer nicht bereits in der Noviziatszeit geweckt wurde.

VOR DEM Bahnhof wartet Schwester Margarita, an den gealterten Passat gelehnt.

Als sie mich jetzt umarmt, fällt mir auf, dass ich sie vermisst habe. Sie und die anderen. Es ist schon merkwürdig. „Gibt's was Neues? Alle gesund zu Hause?"

„Schwester Paula liegt im Bett. Sie ist heute Morgen während der Messe zusammengeklappt, der Doc überlegt, ob er sie zur Untersuchung ins Krankenhaus einweisen soll."

Seit Paula im Frühjahr das Traktorfahren verboten worden ist und sie die Obstplantage nicht mehr versorgen kann, wird sie zusehends schwächer. Ihr rechtes Bein hatte versagt, als sie die Bremse treten wollte. Der

Hausmeister konnte sich nur durch einen Sprung ins Rosenbeet retten und überzeugte Schwester Simone davon, dass die alte Frau auf dem Traktor eine Gefahr für die Allgemeinheit darstelle.

„Kann ich sie besuchen?"

„Sicher, sie wartet schon auf Sie."

Margarita rast im dritten Gang um die Kurve, biegt mit quietschenden Reifen in den Weg zum Kloster ein, die Plakette mit dem heiligen Christophorus fliegt zum wiederholten Mal vom Armaturenbrett.

„Haben wir morgen früh große Wäsche?"

„Ich schon."

„Was heißt das?"

„Vermutlich arbeiten Sie nicht mehr in der Wäscherei, aber tun Sie mal überrascht, ich habe nichts gesagt."

Ich kenne Margarita zu gut, als dass ich versuchen würde, nähere Informationen über meinen neuen Job aus ihr herauszubekommen. Was hat Raphaela vor? Ich fühle mich wohl in der Waschküche. Fast jede Schwester kommt dort vorbei, Margaritas praktischer Menschenverstand ist in jeder Lebenslage eine Wohltat, und sich im Mangeln von vierzig Garnituren Bettwäsche zu verausgaben ist nicht die schlechteste Maßnahme, um Ordnung in den Kopf zu bringen.

Margarita spürte regelmäßig, wenn mich das zu überkommen drohte, was sie den „Klosterkoller" nannte, teilte mich dann für eine längere Autofahrt ein, möglichst mit Autobahnstrecke, und verzichtete auf weitere Kommentare. Wenn ich zu Studienwochen wegmusste, bekam ich ein extra schön gebügeltes Wäschepaket, in das sie jeweils eine Kleinigkeit geschmuggelt hatte: Schokolade, Postkarten mit Ermunterungssprüchen.

Ich hätte mir denken können, dass das nicht ewig so weitergeht.

Simone hat mir letztens gesagt, ich müsse allmählich Verantwortung übernehmen, könne nicht mein Leben lang Hilfskraft sein und Arbeitsstellen besetzen, die etwas für Novizinnen sind. Meinem Einwand, es sei aber seit Jahren keine mehr eingetreten, entgegnete sie, ich sei Konventsschwester und müsse endlich lernen, mich als solche einzubringen.

Dass ich vergeblich auf eine bedauernde Äußerung Margaritas bezüglich meines Ausscheidens aus dem Waschfrauenteam warte, ist klar. Ihre Gelassenheit wurzelt in der Haltung, die Dinge anzunehmen, wie sie sind. Sie wünscht mir viel Freude beim neuen Start.

Wo anders als im Kloster kann man sich fast acht Jahre lang mit Neustarts beschäftigen?

ALS ICH diesmal in meine Zelle zurückkehre, finden sich die obligatorischen Heimkehrerblumen nebst einer Flasche Wein *für die fertige Theologin*, wie auf dem mit Blumenabziehbildern verzierten Zettel zu lesen steht. Raphaelas Schrift. Beim Durchblättern der Post entdecke ich einen Brief von Stefan, dem er eine CD von Chet Baker beigelegt hat. Wenn ich es schaffe, einen Korkenzieher aus der Küche mitgehen zu lassen, bevor dort abgeschlossen ist, wird es heute Abend komfortabel auf meiner Fensterbank.

Unterwegs zur Abtei kommt mir Schwester Luise entgegen. „Willkommen! Waren Sie schon bei Schwester Paula? Der geht's gar nicht gut."

„Ich muss mich erst bei Mutter Raphaela zurückmelden."

Die sitzt an ihrem Arbeitstisch vor einem Stapel Akten. Als sie mich eintreten sieht, erhebt sie sich, streckt mir beide Arme entgegen und drückt mich so lange an ihre kontinuierlich breiter werdende Mutterbrust, bis mir nichts anderes übrig bleibt, als mich herauszuwinden.

„Ach, Sie Igel! Wie ist es gelaufen?"

„Perfekt."

„Ich bin so stolz auf Sie!"

„Habe ich das also doch noch geschafft?"

Ihr Lächeln zerfällt augenblicklich. „Sie wissen genau, dass ich immer an Sie geglaubt habe. Über die alten Geschichten müssen Sie allmählich hinwegkommen, wenn Sie in Frieden hier leben wollen."

„Wie geht es jetzt weiter mit mir? Wo werde ich arbeiten?"

Raphaela bittet mich, Platz zu nehmen, beginnt von der finanziell angespannten Lage des Klosters zu berichten. „Wir brauchen noch einen Geschäftsbetrieb, der Gewinn abwirft, können aber keinen neuen hochziehen. Da bietet sich ein Ausbau der Buch- und Kunsthandlung an."

„Sie wollen doch nicht darauf hinaus, dass ich dabei aushelfen soll?"

„Nein, Sie sollen den Laden langfristig übernehmen."

Die „Buch- und Kunsthandlung" ist ein kleiner, muffiger Laden neben der Klosterpforte, vollgestopft mit Bronzekreuzen, Marienfiguren und frommen Büchern.

„Das ist nicht Ihr Ernst! Sie haben mich die ganze Theologie lernen lassen, damit ich da unten versaure?"

Wenn Mutter Raphaela sich aufregt, was selten vorkommt, beginnen sich ihre ansonsten blassen Wangen zu färben, von Zartrosa bis Himbeerrot, wo sie jetzt angelangt sind. „Schwester Beatrix leistet dort seit über zwanzig Jahren einen aufopferungsvollen und selbstlosen Dienst. Der Laden ist die erste Anlaufstelle für viele unserer Besucher, den lasse ich nicht einfach so abwerten, auch wenn er Ihnen antiquiert vorkommt.

Unser Wirtschaftsberater sagt, es steckt einiges an ungenutztem Potenzial in dem Betrieb, darauf können wir nicht verzichten. Beatrix wird alt, es ist ihr nicht mehr zuzumuten, eine grundlegende Umgestaltung vorzunehmen. Sie werden ihr eine Zeit lang helfen, sich dabei in die Materie einarbeiten und in Zusammenarbeit mit Schwester Simone und mir einen Plan ausarbeiten, was getan werden kann, um dem Ganzen ein neues, ansprechenderes Gesicht zu geben."

„Ich kann das nicht. Und ich will auch nicht."

„Sie erhalten fachliche Hilfe, wo es nur geht, der sehr erfolgreiche Buchhändler und Mitbruder Paulus aus Sankt Marien ist bereit, uns zu beraten, das Angebot für die Übernahme einer Computeranlage liegt bereits vor. Setzen Sie Ihre eigenen Akzente innerhalb des klösterlichen Rahmens, machen Sie sich Gedanken über Sortiment und Ladengestaltung, sehen Sie es als Herausforderung. Sie wollten doch, dass wir Ihnen etwas zutrauen, oder?"

„Ich bin nicht ins Kloster gegangen, um Geschäftsfrau zu werden."

„Und ich muss Sie nicht eigens darauf hinweisen, dass Sie längst als Restauratorin arbeiten könnten, der stillste und schönste Arbeitsplatz, den wir zu bieten haben. Sie können sich nicht allem verweigern. Morgen früh melden Sie sich im Laden. Das ist beschlossen, lassen Sie sich bitte darauf ein. Es ist eine Chance, glauben Sie mir, für die Gemeinschaft wie für Sie persönlich. Später werden Sie mir einmal dankbar sein."

Als ich die Abteitür hinter mir schließe, denke ich, in dem Devotionalienladen werde ich nicht alt!

PAULA liegt blass und spitznasig auf ihrem Kissen, lächelt schwach, ein geschrumpftes Abbild ihrer selbst.

„Was machst du denn für Sachen? Kann man dich nicht mal eine Woche allein lassen?"

„Grüß dich, Kleine, diesmal kein Unfug. Die Kraft ist raus, weiß nicht, wo die auf einmal hin ist."

Ich setze mich auf die Bettkante, nehme ihre Hand.

„Sei nicht rührselig, ich lebe noch."

„So gefällst du mir schon besser. Was sagt der Doc?"

„Der hat's eilig und telefoniert schon nach einem Klinikbett." Paula atmet schwer, schnappt während des Sprechens immer wieder nach Luft. Auf ihrer Stirn haben sich kleine Schweißperlen gebildet. „Es ist so warm hier drinnen. Wie war Wien? Warst du schon bei der Mutter?"

„Klar, eine ordentliche Schwester meldet sich von der Reise zurück, noch ehe sie die heimische Toilette aufsucht."

„Sie hat mir gesagt, ich soll dir zureden, die Arbeit in der Buchhandlung anzunehmen."
„Und?"
„Einen Teufel werde ich tun."
Ich küsse sie und verspreche ihr, bald wiederzukommen, wenn sie mir verspricht, sich stündlich zu bessern. Sie hebt mühsam den Kopf, lässt ihn erschöpft wieder aufs Kissen sinken.
Zwei Stunden später blicke ich dem Krankenwagen nach, der im Schritttempo das Klostergelände verlässt. Raphaela legt mir stumm den Arm um die Schultern. Meinen Abschluss zu feiern, hat jetzt keiner mehr Lust.

DAS KLEINE Büro, bis zur Decke mit Bücherregalen, Kisten und Schachteln vollgestopft, ist so dunkel, dass selbst bei strahlendem Sonnenschein das Deckenlicht eingeschaltet werden muss. Schwester Beatrix begrüßt mich mit derart liebenswürdiger Offenheit, dass sie mein schlechtes Gewissen weckt.
„Ich freue mich, dass Sie mir künftig helfen werden. Sollen wir erst eine Runde durch den Laden machen?"
Sie führt mich in den Verkaufsraum. Die Registrierkasse ist mit Sicherheit älter als ich. Beatrix zeigt mir die „christliche Kunst", wie sie die mit Devotionalien überfüllte Lochwand bezeichnet, erklärt, wo welche Bücher ihren Platz haben, und entschuldigt sich für den Staub auf den Regalen. Die Hüfte mache ihr zu schaffen, da habe sie wochenlang nicht sauber machen können.
„Soll ich mich darum kümmern?"
„Das wäre so nett, ich zeige Ihnen das Putzzeug. Aber nicht, dass Sie denken, Sie sind nur zum Reinemachen hier, ja?"

BEIM Abschließen zur Mittagspause ist Beatrix guter Dinge.
„Sie sind aber fleißig, alles schön sauber! Vielen Dank! Und ich hatte solche Angst, dass Sie nicht mit mir zusammenarbeiten wollen."
Ich kratze ein Lächeln zusammen.
„Ich kann verstehen, wenn es einem Schwierigkeiten bereitet, die Arbeit hier anzunehmen. Man ist sehr weit von der Gemeinschaft weg, mir ist das auch nicht leichtgefallen. Aber glauben Sie mir, es kommen viele Menschen her, die Rat, Trost und ein Gespräch suchen, manche schon jahrelang. Meine Aufgabe ist mehr als eine rein geschäftliche Angelegenheit, die nur auf materiellen Gewinn angelegt ist."
Ich frage mich, ob sie von den Sanierungsplänen ihrer Cellerarin und Äbtissin weiß.

NACH dem Abendessen informiert Mutter Raphaela die Kommunität über Paulas Zustand. Wie befürchtet: das Herz macht nicht mehr mit, die Ärzte versuchen, sie medikamentös einzustellen, über einen Herzschrittmacher wird nachgedacht, eventuell Bypass, vorerst muss sie im Krankenhaus bleiben.

Luise schaut mich mitfühlend an. „Kopf hoch, Paula ist zäh."

Raphaela kommt auf mich zu, fragt, ob ich ein paar Sachen für Paula einpacken könne, sie habe ihr am Telefon versprechen müssen, dass sie außer mir niemanden in ihre Zelle lassen würde. Sie reicht mir einen Zettel.

Zu den auf dem Zettel angegebenen Dingen packe ich den kleinen Kassettenrekorder, den Paulas Nichte ihr zu Weihnachten geschenkt hat.

Die Sterblichkeit geliebter Menschen gehört zu den Tatsachen, die ich als inakzeptabel bezeichne. Paula wird gebraucht, sie muss sich wieder erholen, und das ganze Gerede von „ewiger Heimat im Himmel", „Gottes Wille" und „*ars moriendi*" ist mir scheißegal, wenn es um das drohende Verschwinden meiner besten Freundin geht.

Keine unnötige Panik, noch ist es nicht so weit.

ES SIND nun schon vier Wochen. Die Medikamente schlagen nicht an, Paula wird immer dünner und schwächer. Wenn ich ihr den Kassettenrekorder anschalten will, winkt sie ab. „Ich will nur noch Ruhe."

Raphaela und Margarita verhandeln mit den Ärzten, bitten, Paula nach Hause holen zu dürfen, wenn keine Hoffnung auf Besserung mehr besteht.

Bei einem dieser Gespräche bin ich dabei, werde aber hinausgeschickt, als ich mich dem behandelnden Arzt gegenüber im Ton vergreife.

Er begegnet mir wenig später im Klinikflur, bleibt vor mir stehen und sagt freundlich: „Sie lieben die alte Schwester, stimmt's?"

Ein stummes Nicken bloß, um vor diesem Rolexträger nicht in Tränen auszubrechen.

„Ich mag sie auch, Schwester Paula ist ein ganz besonderer Mensch. Glauben Sie mir, wir tun, was in unserer Macht steht, um ihr zu helfen, aber wir können leider keine Wunder bewirken. Dafür sind Sie zuständig."

Er legt mir kurz die Hand auf die Schulter, lächelt aufmunternd und geht seiner Wege.

Ich bin gerade eingeschlafen, als das Telefon klingelt.
„Kommen Sie schnell, wir müssen ins Krankenhaus."
„Jetzt? Es ist nach elf."
„Paula stirbt."
Wie ich in meine Kleider und zum Auto gelangt bin, weiß ich nicht. Margarita sitzt am Steuer und startet bereits durch, während ich noch die Tür zuschlage. Auf der Rückbank sitzen Schwester Radegundis, Mutter Raphaela und Schwester Luise dicht gedrängt. Niemand sagt etwas, als Margarita, die in Rekordzeit die 35 Kilometer zum Josefsspital gerast ist, den Wagen im Halteverbot stehen lässt.

Auf der Station kommt uns der Oberarzt aus dem Schwesternzimmer entgegen und schüttelt traurig den Kopf. „Tut mir leid. Sie hat ganz still aufgehört zu atmen und dabei aus dem Fenster gesehen, als gäbe es in der Dunkelheit etwas, was ihr Vergnügen bereitet. Ich war zufällig dabei. Ein friedvoller Tod, wie man ihn selten erlebt."

Wir sind zu spät.

Oberschwester Kirsten, eine junge Franziskanerin, kommt dazu, berichtet, sie habe am Nachmittag noch mit unserer Mitschwester gesprochen. Sie sei fast heiter gewesen. „Alles gut", habe sie mehrmals wiederholt, „es ist alles gut."

„Können wir sie sehen?"

„Selbstverständlich."

Ich will nicht. Raphaela und Luise haken sich rechts und links bei mir ein, ziehen mich mit zum angrenzenden Schwesternhaus der Franziskanerinnen. Kirsten erklärt unterwegs, sie hätten Paula wie eine ihrer eigenen Verstorbenen behandelt und deshalb bei sich aufgebahrt, das erspare uns den Gang in den Klinikkeller. Wir betreten eine kleine Hauskapelle, wo Paula in weiße Laken gebettet liegt. Gleich wird sie sich aufrichten, schallend lachen und rufen: „Na, da habt ihr euch aber ganz schön erschreckt, oder?"

Mutter Raphaela stimmt das *„Suscipe"* an. Luise hält mich weiterhin fest, streicht über meinen Arm, fällt in das Lied mit ein. Raphaela macht das Segenszeichen über dem leblosen Körper, wischt sich eine Träne mit dem Handrücken weg, spricht das Vaterunser, schließt einen Psalm an.

Erst jetzt fällt mir auf, dass Margarita einen schwarzen Koffer mit sich trägt. Sie holt Paulas Sonntagskleid heraus. Oberschwester Kirsten nimmt mich am Arm. „Kommen Sie, ich mache Ihnen in der Schwesternküche einen Kaffee, solange Ihre Mitschwestern mit dem Ankleiden der Toten beschäftigt sind."

Gegen zwei Uhr morgens stellen wir das Auto vor dem Haupthaus ab. Mutter Raphaela bittet uns mit sich ins Abteibüro.

Oben angekommen, kramt sie fünf geschliffene Weingläser aus der Vitrine, zieht eine Flasche Sherry hervor und schenkt reichlich ein.

„Auf Schwester Paula, der es gefallen würde, uns jetzt so sitzen zu sehen!"

Luise streift sich die Schuhe von den Füßen, beginnt eine Geschichte aus Paulas Noviziatszeit zu erzählen. Margarita steuert eine weitere bei, es folgt Geschichte auf Geschichte: Traktorunfälle, lustige Auftritte, spezielle Paula-Aussprüche, Schoten, die sie sich geleistet hat. Zwischendurch gibt die Äbtissin noch eine Runde Sherry aus, wir prosten uns zu: „Auf Paula!"

Beim Morgengrauen löst sich die kleine Gesellschaft auf.

OBWOHL mir die Äbtissin erlaubt hat, so lange zu schlafen, wie ich will, bin ich pünktlich im Laden. Als ich mir den Besen greifen will, nimmt Schwester Beatrix ihn mir aus der Hand.

„Lassen Sie mal. Sie sehen total fertig aus. Ich mache Ihnen einen Tee, und Sie setzen sich ruhig hin."

Sie legt einen Umschlag neben die dampfende Teetasse. Auf dem Foto, das ich darin finde, sitzt Paula in Arbeitshose, Gummistiefeln und einer viel zu großen Windjacke auf der Bank am Fischteich. Vor ihren Füßen zwei Enten, die sie handzahm gemacht hat, neben ihr ein Kater.

„Ist das nicht ein schönes Bild? Sie können es behalten, wenn Sie möchten."

„Danke." Mehr geht nicht.

„Weinen Sie ruhig, Kind, das befreit."

Beatrix geht aus dem Büro, schließt leise die Tür hinter sich und lässt mich den Rest des Vormittags in Ruhe.

KURZ nachdem der Leichenwagen das Klostertor passiert hat, läutet die Glocke, die die Nonnen zur Versammlung ruft. Jede Schwester legt die Arbeit, an der sie gerade ist, nieder und eilt zum Kapitelsaal, wo die Gemeinschaft im Kreis stehend wartet, bis die Männer vom Beerdigungsinstitut den Sarg in der Mitte abgestellt haben. Genau dort, wo ich bei der Einkleidung gesessen und zum ersten Mal die Gelübde abgelegt habe.

Der Sarg wird geöffnet, die Männer werden von Margarita hinausbegleitet. Paula trägt Schleier, Kukulle, in den gefalteten Händen einen Rosenkranz, den sie meines Wissens in ihrem Leben nie gebetet hat.

Schwester Luise tritt heran, setzt der Toten behutsam den Myrtenkranz auf, während die Schwestern einen Hymnus anstimmen:

„Wenn wir im Tode / leiblich zerfallen,
sind wir im Geist schon / jenseits der Schwelle ewiger Nacht."

Nach der Zeremonie bleibt der Sarg bis zur Beerdigung im Kapitelsaal, damit den Nonnen die Möglichkeit gegeben ist, die Totenwache zu halten und sich Psalmen betend von ihrer Mitschwester zu verabschieden.

Am Tag der Beisetzung tragen einige Schwestern den geschlossenen Sarg in den Nonnenchor und feiern die Totenmesse, bevor sie, wieder von Gesängen begleitet, ihre verstorbene Mitschwester auf den Klosterfriedhof bringen.

„Wir begleiten unsere Toten", sagt Schwester Simone und erzählt, dass sie im Kloster gelernt hat, den Tod in ihre Mitte zu nehmen, statt ihn zu verdrängen. Ich ahne, was sie meint, und beneide jede glühend, die in der Lage ist, der Auslöschung ein trotziges Auferstehungslied entgegenzusetzen. Bei mir will Ratlosigkeit die Überhand gewinnen.

Schwester Luise pflanzt später Kornblumen und Lupinen auf Paulas Grab. Das fest gefügte klösterliche Alltagsleben nimmt seinen Gang, es folgen Wochen und Monate, in denen Schwester Beatrix versucht, mir die Grundzüge des Buchhandels zu vermitteln, während ich mir selbst beim Überleben zuschaue. Unterm Strich sollte mehr herauskommen.

DER MANN in kurzer Hose und Sandalen, der uns am Bahngleis erwartet, stellt sich als „Abt Thomas" vor und duzt uns ganz selbstverständlich. Vor dem heruntergekommenen Bahnhofsgebäude wirft er unsere Koffer in seinen VW-Bus. Nach etwa zwanzig Minuten steuern wir auf eine eindrucksvolle barocke Klosterfassade zu, die er uns als „Vierkanter Gottes" vorstellt.

Österreich, drei Wochen Ferien mit Maria. Mutter Raphaela klang stolz auf sich, als sie verkündete, diesmal hätte sie sich einen besonders schönen Urlaubsort für mich ausgedacht, bevor es mit der Buchhändlerinnenkarriere ernst werde.

Dass die Ferien in befreundeten Klöstern verbracht werden, hat nicht nur finanzielle Gründe. Wie Luise es einprägsam formulierte: „Ist gut, wenn man mal rauskommt; danach kommt man besser wieder rein. Und bei Schwestern oder Brüdern ist man gut aufgehoben, ohne sich erklären zu müssen."

Auf diesem Wege kam ich zu Aufenthalten in den Südtiroler Bergen, auf der Fraueninsel im Chiemsee, im Rheingau, im vorderen Neckartal, in der Südeifel und stellte fest, dass Ordensleute ihre Behausungen meist an hübsch gelegenen Orten platziert haben.

NACH drei Wochen bin ich braungebrannt, drei Kilo schwerer, mit einer Reihe von Benediktinern befreundet, im Weintrinken geübt wie lange nicht mehr, um eine stattliche Anzahl alter Volksweisen reicher und mit dem festen Vorsatz ausgestattet, wiederzukommen.

Bei unserer Rückkehr strahlt die Äbtissin übers ganze Gesicht. „Was hört man da für Sachen? Halb Österreich schwärmt von den netten jungen Nonnen aus Deutschland?"

Ich brumme ihr „Hören Sie bloß auf" entgegen, aber Maria hat schon begonnen, wortreich von drei sorglos-fröhlichen Ferienwochen zu berichten.

Nach der Rekreation bittet mich Schwester Simone aufs Cellerariat, wo Raphaela bereits wartet. „Haben Sie Kraft für Ihren Einsatz in der Buchhandlung schöpfen können?"

„Ergibt ein letzter Versuch, Sie um eine andere Aufgabe zu bitten, Sinn?"

Zweifaches Nein.

„Dann ziehe ich es eben durch."

Man beglückwünscht mich zu dieser Einstellung, bedankt sich, als hätte ich eine Wahl gehabt. Simone meint, sie seien in der Zwischenzeit nicht untätig gewesen. Die Computeranlage ist eingetroffen, der dazugehörige Fachmann sowie eine Architektin für Ladenbau bitten um Terminvereinbarung. Mit Schwester Beatrix wurde gesprochen, sie will versuchen, sich in die Neustrukturierung mit einzubringen, soweit es ihr möglich ist.

IN DER Buchhandlung warten am nächsten Morgen acht Kartons technisches Gerät darauf, in eine sinnvolle Aufstellung gebracht zu werden. Rechner, Tastaturen, Handscanner, diverse Einzelteile und eine schwer lesbare Skizze der Vorbesitzerin. Puzzlearbeit in Gegenwart einer verunsicherten Beatrix, die alle fünf Minuten fragt, ob sie nicht doch etwas helfen kann.

„Können Sie mich mal kurz in Ruhe arbeiten lassen?"

„Wissen Sie, was? Ich lasse Sie ganz in Frieden, auf Wiedersehen."

„So war das nicht gemeint."

Als ich sie im Büro eingeholt habe, ist sie weinend dabei, ihre Sachen zusammenzusuchen.

„Entschuldigen Sie, Schwester, ich verliere die Nerven, weil mich der Kram hier überfordert. Bleiben Sie bitte, es tut mir leid!"

Sie hängt sich ihre Tasche über die Schulter und geht zur Tür. „Hören Sie, ich weiß, dass Sie sich die Arbeit nicht ausgesucht haben, und ich weiß auch, dass Sie mich nicht vertreiben wollen. Aber es hat keinen Sinn. Hier wird alles auf den Kopf gestellt, was ich seit zwanzig Jahren getan habe. Gut, die Zeiten ändern sich, aber ich komme nicht mehr mit. Ich mache den Weg frei. Das ist für uns alle das Beste."

Jetzt weinen wir beide. Beatrix stellt ihre Tasche wieder ab. Bis zur Mittagshore sitzen wir nebeneinander auf dem Arbeitstisch, reden, versuchen uns gegenseitig zu trösten.

Die Klosterleitung zeigt sich ebenso erfreut von Beatrix' „würdevollem Verzicht" wie immun gegen meinen Wunsch, die Sache rückgängig zu machen.

Drei Tage darauf werde ich einer nicht sonderlich überraschten Kommunität als neue „Offizialin" für die Buch- und Kunsthandlung vorgestellt. Die Ernennung von Pia als meiner Mitarbeiterin kann entweder als Trostpflaster für mich gelten oder dem allgemeinen Vertrauen in Pias nüchternen Sachverstand geschuldet sein. Wahrscheinlich stimmt beides.

PHASE EINS, Phase zwei, Phase drei. Analysen, Zielsetzungen, Finanzierungspläne. Welche Kunden kommen, welche möchten wir gewinnen, was ist dafür zu tun? Lagerbereinigung, Warengruppen einteilen, Erlös pro Verkaufsfläche errechnen, Gewinnoptimierung, Konzepte abwägen, Gestaltung des neuen Sortiments. Der fünffache Salto ins Geschäftsleben.

Verhandlungen über Konditionen bei den Verlagen, Vertretern, Barsortimentern. Die Vorstellungen der Innenarchitektin übersteigen den finanziellen Rahmen; wir beschließen, neben einer abgespeckten Version ihres Entwurfs das meiste in Eigenarbeit zu schaffen. Fahrten zum Baumarkt, zu Ikea, zu Beratungsgesprächen mit Buchhändlerbruder Paulus. Pia erweist sich als begabte Handwerkerin.

Nach einer Schließzeit von nur drei Wochen können wir die interessierten Mitschwestern zur Besichtigung der Buch- und Kunsthandlung im neu erstrahlten Kiefernholzlook einladen. Modern, funktional und doch dem klösterlichen Kontext angepasst. Die Warengruppen Theologie, Philosophie, Interreligiöser Dialog, Monastika, Kunstbuch, Belletristik, Lebenshilfe reihen sich wohlgeordnet an den Wänden entlang. Der Bereich Kinderbuch mit Spielecke wird begeistert registriert, das verstärkte Angebot an klassischer wie moderner Literatur teils erstaunt, teils erfreut zur Kenntnis genommen, der verminderte Bestand von Devotionalien kontrovers diskutiert. Nur wenige Nonnen sorgen sich um ein allzu modernes Auftreten, doch man lobt unseren außerordentlichen Einsatz, wünscht gute Geschäfte und zieht sich wieder in die Klausur zurück.

DIE ERSTEN neuen Kunden aus dem Dorf erscheinen, kommen wieder, empfehlen uns weiter. Es läuft gut an, nach verschiedenen Werbemaßnahmen noch besser. Die Leute kommen gern, genießen Lesesessel und guten Service, bringen ihre Kinder mit.

Meinen Versuchen, Raphaela das Versprechen abzunehmen, mich wieder in den „Innendienst" zu versetzen, wenn der Laden auf soliden finanziellen Füßen stünde, weicht sie aus. „Sie sind in Ihrem Element in dieser Leitungsfunktion, ich weiß das."

Chefeinkäuferin, Computerfrau, Dekorateurin, Verkäuferin, schließlich auch Organisatorin von gut besuchten Lesungen. Vollzeitjob mit respektabler Erfolgsquote.

Was hat mein Alltagsleben noch mit dem zu tun, was ich im Kloster wollte?

JAHRESBILANZEN werden der Klostergemeinschaft vorgestellt. Gewinnsteigerung, zwei Jahre hintereinander. Großes öffentliches Lob seitens der Cellerarin, ein besonderes Dankeswort der Äbtissin. Allgemeines Schulterklopfen, man zollt mir Anerkennung, ich bin ein gewinnbringendes Mitglied der Kommunität geworden.

Falls der nach jahrelangem Kampf gewonnene Respekt auf der Tatsache von Erfolg und Arbeitsleistung basiert, unterschreibe ich hiermit meine persönliche Bankrotterklärung.

Raphaela verneint, das sei nicht der Grund. Die anderen seien nur froh, dass ich mich so gut mit einbrächte.

ALS PIA in die Ferien fährt, wird mir Schwester Hildegard, die im fast leeren Noviziat nicht viel zu tun hat, als Aushilfskraft zugeteilt, was ich auch mit der Versicherung, gut allein klarzukommen, nicht abwenden kann.

Meine Ex-Magistra und ich sind uns in wortlosem Einvernehmen aus dem Weg gegangen, soweit das möglich war. Jetzt steht sie, mit schwarzer Ladenschürze angetan, verlegen lächelnd vor mir, fragt, was sie tun soll, und macht sich daran, die am Morgen eingegangenen Bücherpakete auszupacken. Als sie fertig ist, bittet sie erneut um Arbeitsanweisung.

„Schwester Hildegard, ich kann Ihnen doch hier keine Befehle erteilen."

„Wieso? Sie sind jetzt die Offizialin."

„Eigentlich hatte ich mir vorgenommen loszubrüllen, wenn ich noch einmal dieses Wort höre."

Sie blickt erschrocken, beschließt dann, es als Scherz zu nehmen, und lacht mich an. „Vielleicht sollten wir uns über die Jahre während Ihrer Noviziatszeit unterhalten. Ich habe den Eindruck, da steht noch einiges zwischen uns, was ausgesprochen werden sollte."

„Lieber nicht."

„Glauben Sie mir, es vergeht kein Tag, an dem es mir nicht leidtut, dass ich keinen besseren Kontakt zu Ihnen aufbauen konnte."

Wenn sie nicht gleich aufhört, schmeiße ich sie raus. „Schwester Hildegard, wir haben alle unsere Fehler gemacht. Die Sache ist einfach dumm gelaufen. Keine Katastrophe, aus und vorbei, ich trage Ihnen nichts nach."

„Wirklich?"

„Ja, und jetzt zeige ich Ihnen, wie man die Kasse bedient."

Hildegard ist sofort bei der Kundschaft beliebt, besonders bei der älteren Generation. Nicht ein einziges Mal lässt sie die ehemalige Vorgesetzte raushängen und schwärmt sogar bei der Äbtissin, wie gut ich den Laden führe.

WAS MACHE ich hier? Tägliche Routine in einem Leben, das damals, als ich vor mehr als zehn Jahren hier ankam, das ganz Besondere, in jeder Hinsicht Ungewöhnliche sein sollte. Und jetzt? Früh aufstehen, beim Morgengebet sitzen, den Unmut der Kantorin über mangelnde Aufmerksamkeit beim Singen über mich ergehen lassen. Während der Zeit der Meditation auf der Zelle hilflos-gedankenlos auf die brennende Kerze starren oder gleich die Zeit nutzen, um Bestellungen zu notieren. Tagsüber Kunden bedienen. Abends über Monatsabrechnungen und Buchkatalogen brüten, noch eine späte halbe Stunde auf der Fensterbank dranhängen, um den Tag ausklingen zu lassen. Meist zu beschäftigt oder zu müde, die Fragen anzugehen, um derentwillen ich hier angetreten war.

Ab und zu frage ich mich, warum ich noch immer fremd bin, nicht ganz dazugehöre.

An den Nonnen liegt es nicht. Mangelnde Gemeinschaftsfähigkeit meinerseits vermutlich.

Schwester Luise meint bei einem meiner inzwischen sehr seltenen Besuche im Treibhaus, dass keine Arbeit, wie auch immer sie geartet sei, einen aus der Klostergemeinschaft hinaustreibt, wenn das Fundament stimmt. Ein Dasein als Ordensfrau sei eine Frage der inneren Haltung.

Es gibt sie, diejenigen, die wirklich in die Tiefe dringen, wie auch immer die äußeren Umstände beschaffen sind. Bei mir hat es bislang nur für ein Kratzen an der Oberfläche gereicht.

Besser als nichts. Zu wenig.

Spatzen auf der Telefonleitung

In dieser Stadt gibt es auch ein Benediktinerinnenkloster, dachte ich, während der Zug in den hell erleuchteten Bahnhof einlief. Eine alte Frau mühte sich mit ihrem Koffer ab, schaute mich misstrauisch an, als ich ihr Hilfe anbot. „Danke sehr", murmelte sie schließlich, „man trifft also doch noch auf hilfsbereite junge Menschen."

Mehrere Fahrgäste stiegen zu, drängten sich mit Koffern und Taschen vorbei, entschuldigten sich, wenn ihr Gepäck meine Schulter streifte. Ich wappnete mich automatisch gegen neugierige oder kritisch musternde Blicke, aber niemand beachtete mich. Ich würde mich schnell daran gewöhnen.

Wir gewannen wieder an Fahrt.

Vince war mit dem Kopf auf meiner Schulter eingeschlafen, sein Gesicht erschien fahl im Neonlicht, er schnarchte leise. Die Schaffnerin lächelte mir im Vorübergehen zu, sie sah ein ganz normales Paar im Nachtzug nach Berlin.

„WINDHAUCH, Windhauch, sagte Kohelet, das alles ist Windhauch."

Tags zuvor saß ich noch in den Vigilien und hörte einer Lesung aus dem Buch Kohelet zu. Schwester Cäcilia schmetterte dramatisch ins Mikrofon: „Alles hat seine Stunde. Für jedes Geschehen unter dem Himmel gibt es eine bestimmte Zeit."

Ein merkwürdiger Text innerhalb der Bibel, der sämtliche Bemühungen, das Schicksal zu berechnen und zu beherrschen, zum Scheitern verurteilt. Alles eitel, alles „Windhauch", so gar kein frommer Optimismus beim Herrn Kohelet, aber starke Sprache, das muss man ihm lassen. Ich habe immer gern zugehört, wenn eine der besonders begabten Vorleserinnen ihn zum Besten gab.

„Eine Zeit zum Suchen und eine Zeit zum Verlieren,
eine Zeit zum Behalten und eine Zeit zum Wegwerfen,
eine Zeit zum Zerreißen und eine Zeit zum Zusammennähen,
eine Zeit zum Schweigen und eine Zeit zum Reden ..."

An diesem ersten warmen Frühsommertag war eine Zeit zum Gehen. Es war erschreckend leicht.

ER STAND mit dem vierten Band der „Jahrestage" unter dem Arm in der Buchhandlung und suchte eine Ausgabe von Dostojewskis „Dämonen". Die hatten wir nicht, aber ich konnte sie ihm bestellen, wenn er morgen wiederkommen würde.
Pia fragte mich: „Warum hast du den Mann so angestrahlt?"
„Keine Ahnung. Hab ich? Findest du nicht, dass er ein umwerfendes Lächeln hat?"
„Na ja, ich weiß nicht", antwortete sie mit einem leicht säuerlichen Unterton.
Vince kam wieder. Wir redeten über Uwe Johnson und die Häufigkeit der Farbe Gelb in New York, während er mir wie selbstverständlich beim Verrücken der Büchertische zur Hand ging. Ich lud ihn auf einen Kaffee in unser Büro ein, wir sprachen über Lieblingsbücher, stellten eine so große Übereinstimmung fest, dass wir beide lachen mussten.
„Ich hätte nicht gedacht, dass Ordensfrauen sich viel mit Literatur beschäftigen."
„Es wird schon noch mehr in Bezug auf Nonnen geben, was du dir nicht gedacht hast."
„Da bin ich sicher."

EINES Tages kam ich nach einer Besprechung im Cellerariat verspätet in den Laden und fand Vince damit beschäftigt, die Seitenwände des Schaufensters in Cremeweiß zu streichen. Pia zuckte auf meinen fragenden Blick hin die Schultern. „Er verbringt seine Ferien hier und fragte, ob er was helfen kann. Bis zum Weihnachtsgeschäft haben wir mehr als genug zu tun." Sie grinste. „Außerdem hat er mir erzählt, er hätte Malerei studiert. Da wird er wohl mit einem Pinsel umgehen können."
Ich warf mir einen alten Kittel über und half ihm.
Vince wurde in den folgenden Wochen so etwas wie unser ehrenamtlicher Alleskönner.
Mutter Raphaela war erfreut über den „gebildeten jungen Mann, der

sich so engagiert und selbstlos in die Arbeit des Klosters einbringt", und forderte ihn beim Abschied auf, demnächst seine Frau mitzubringen. Pia zog hinter ihrem Rücken die Augenbrauen hoch, schwieg aber. Sie hatte sich mit Vince auf einen ironischen, leicht zänkischen Umgangston geeinigt, der für ihre Verhältnisse einer Freundschaft sehr nahekam. Sie war froh, dass meine Stimmung sich besserte, wenn Vince sich mal wieder an einer unserer Aktionen beteiligte. „Du bist viel fröhlicher, wenn der Typ bei uns auftaucht."

„Wir sind Freunde, weiter nichts."

„Klar, was sonst?"

DER BUCHLADEN lief weiterhin gut und pendelte sich auf verlässlich berechenbare Erlöse ein. Bei Klosterführungen wurde er gern als Beispiel gelungener Neuorientierung im Rahmen eines zeitgemäßen Ordenslebens vorgestellt. Mit der Zeit gehen, ohne seine Ideale zu verraten, oder so ähnlich.

Pia und ich fingen irgendwann an, von „denen oben im Kloster" und „uns hier unten" zu sprechen. Äbtissin Raphaela versuchte, uns wieder stärker in die Gemeinschaft einzubeziehen. Sie wollte die Öffnungszeiten besser mit den innerklösterlichen Veranstaltungen in Einklang bringen, was von mir als schädlich für den Umsatz abgewiesen wurde. Ich stellte fest, dass ich für diese Randexistenz zunehmend dankbar war, kleine Privilegien, die mein Job mit sich brachte, zu genießen begann.

Nur Schwester Luise traute dem äußeren Schein nicht und fragte mich eines Tages, ob mit mir etwas nicht in Ordnung sei, ich wirke so abwesend seit einiger Zeit.

Ich log, es sei alles bestens, nur die Arbeit nehme mich sehr in Anspruch. Ich konnte sehen, dass sie mir nicht glaubte, spürte ihre Enttäuschung über die Tatsache, dass ich mich ihr nicht anvertraute.

„Haben Sie jemanden, mit dem Sie darüber reden können?"

„Ja."

„Das ist gut."

PIA WUNDERTE sich, warum ich Akten und Geschäftsvorgänge so anzulegen versuchte, dass jeder sich rasch darin zurechtfinden konnte.

„Falls ich mal kurzfristig ausfalle. Man weiß ja nie."

Sie war zu klug, um sich nicht ihren Teil zu denken, und zu diskret, um meine Bemerkung mit der Äbtissin zu besprechen.

Als ich dieser in einem unserer monatlichen „geistlichen Gespräche" ankündigte, spätestens bei ihrem Rücktritt zu gehen, lächelte sie. „Ach, Liebes, Sie haben schon so oft vom Austritt gesprochen, dass ich mich auf eine Auseinandersetzung diesbezüglich nicht mehr einlassen möchte. Kommen Sie endlich zur Ruhe. Sie sind hier eingewurzelt, haben Ihren Ort gefunden."

Vince glaubte das eine Weile auch. „Von außen betrachtet macht das Ganze bei dir einen gelungenen Eindruck. Ich wünschte, ich wäre mir mit meinem Lebensentwurf so sicher."

Ich war ehrlich verblüfft. Auf den Gedanken, dass ich nicht nur mir selbst, sondern auch allen anderen etwas vormachte, war ich nie gekommen.

Unsere Gespräche begannen persönlicher zu werden, ohne dass dies einer von uns beabsichtigt hatte. Es ergab sich. So wie ich ihm irgendwann meine Durchwahl aufschrieb.

Wir telefonierten bald regelmäßig. Ab und zu rief er an, nur um mir Texte vorzulesen, die ihn gerade beschäftigten. „Hör mal zu: ‚Wir saßen draußen auf den Feldern in der Sonne wie zwei Spatzen oben auf einer Telefonleitung, durch die nur angenehme Gespräche laufen.' Wie findest du das?"

„Schön, von wem ist es?"

„Günter Ohnemus."

„Schreibst du mir die Stelle auf?"

„Geht gleich in die Post."

Wenn er da war, nutzten wir manchmal die Mittagspause für einen Spaziergang entlang den Koppeln. Sobald sich beim Gehen unsere Hände zufällig berührten, zuckten wir zurück wie zwei Seifenblasen, die Angst haben, einander zu nahe zu kommen. Rückblickend kommt mir das etwas albern vor.

Nächtliche Fantasien schob ich von mir, bevor die Bilder zu schmerzen begannen. Vince lebte in einer festen Beziehung; ich in gewisser Weise auch. Nein, wir ließen das schön platonisch. Jeder beteuerte, den Lebensentwurf des anderen nicht zerstören zu wollen. Das ging eine Zeit lang recht gut.

DIE LEERE, die entstand, wenn Vince nicht da war, hätte mich früher aufmerksam machen müssen auf das, was da unausweichlich kommen musste. Wir haben später scherzhaft darüber gestritten, wer sich zuerst in wen verliebt hat, waren uns nur darin einig, dass die Liebe, die sich früh eingenistet hatte, lange warten musste, bis wir sie als das sahen, was sie war. Sie hatte Geduld mit uns. Vielleicht wurzelt unser jetziges

Zusammensein teilweise in der gemeinsamen Lektüre, die zunehmend zum Forum für das Austauschen von Botschaften wurde, deren Bedeutung wir nur zögernd begriffen.

Wir brauchten fast zwei Jahre. Dann ging alles ganz schnell.

Eines Tages schaute ich mich während einer Rekreation, in der zwei Schwestern heiter von ihren Ferien auf der Fraueninsel im Chiemsee berichteten, in der Runde der wohlwollend zuhörenden Nonnen um und wusste: ich bin längst schon weg. Einfach so, wie ein unerwarteter ärztlicher Befund. Eine Tatsache, die plötzlich mit solcher Wucht und Klarheit im Raum stand, dass sie nur zur Kenntnis genommen werden konnte. Widerspruch zwecklos.

„DANN lass uns gemeinsam gehen", sagte Vince, als ich ihm am Telefon davon erzählte.

„Ich gehe erst mal allein."

„Warum? Damit dir keiner nachsagt, du bist mit einem Kerl durchgebrannt?"

„Jetzt wirst du klischeehaft und melodramatisch! Ich hasse romantische Geschichten!"

Auf der anderen Seite der Leitung erklang Gelächter. Ich legte den Hörer auf, wartete den Rest der Nacht vergeblich, dass er wieder anrief, verfluchte die Umstände, meine eigene Blödheit, die ganze Welt.

AM NÄCHSTEN Morgen stand er im Laden. „Wolltest du nicht schon immer in einer richtigen Großstadt leben? Wenn du gehen willst, kannst du das genauso gut mit mir zusammen tun."

„Und deine Frau?"

„Ich trenne mich von ihr."

„Das habe ich nie gewollt!"

„Ein harter Schnitt kann aufrichtiger sein als weiche Kompromisse, auch wenn man dafür jemandem wehtun muss."

„Ich werde dich nie heiraten, werde nie Kinder wollen. Für endgültige Sachen bin ich nicht mehr zu haben."

„In Ordnung. Kommst du mit?"

„Ich bin eine Flüchterin, Vince, auf mich ist kein Verlass."

„Ich verspreche mir nichts von dir. Lass es uns als schönes Experiment betrachten."

„Mit einem Experiment beschäftige ich mich seit Jahren."

„Dann wird's Zeit für eine neue Versuchsreihe, oder nicht?"

„Kannst du nicht einmal ernst sein?"

„Mir ist es noch nie so ernst gewesen."
Lange standen wir schweigend voreinander.
Ich wollte ihn, definitiv.

„ICH MÖCHTE mit Vince leben", sagte ich zur Äbtissin, die steil aufgerichtet in ihrem Schreibtischstuhl saß.
„Sie wollen alles aufgeben, um sich auf ein Abenteuer einzulassen, dessen Ausgang völlig ungewiss ist?"
„Das habe ich schon einmal getan."
„Das können Sie nicht vergleichen, Sie irren! Sie sind hier eine Bindung eingegangen, tragen Verantwortung für die Gemeinschaft: Eine Dispens von den Gelübden müsste über Rom gehen, der Antrag beim Abtpräses eingereicht werden …"
Ich hätte ihr sagen können, dass mir die kirchenrechtliche korrekte Regelung vollkommen gleichgültig sei, dass ich, wie sie wisse, zivilrechtlich gesehen mit einem formlosen Schreiben die Mitgliedschaft in dem „Verein der Benediktinerinnen" kündigen könne und von meinen Verpflichtungen entbunden sei, hatte aber keine Lust, auf dieser Ebene zu diskutieren.
„Wer soll Ihren Dienst in der Buchhandlung übernehmen? Sie sind da unentbehrlich."
„Ist das alles, was Sie dazu zu sagen haben?"
„Natürlich nicht. Sie sind jung und hungrig, nach der ersten Euphorie würden Sie es bitter bereuen! Sie haben doch nicht etwa schon mit ihm …? Haben Sie?"
„Mutter Raphaela …"
„Das ist ein Mann, der viele Frauen braucht, ich kenne diese Sorte. Dass Sie in Ihr Unglück rennen, lasse ich nicht zu!"
„Ich bin über dreißig Jahre alt, ich muss schon selbst beurteilen, was gut für mich ist."
Raphaela war richtig aufgebracht. Sie wollte mich nicht verlieren, und ein wenig freute ich mich darüber. Bis sie sich selbst entzauberte.
„Dem werde ich einen Riegel vorschieben!"
Das Gespräch hatte keinen Sinn mehr, ich nickte ihr zu, verließ wortlos den Raum.
Von diesem Moment an war es leicht.
Ich ließ ausrichten, dass ich zur Vesper nicht kommen würde, ging auf meine Zelle, sah mich kurz darin um, zog das Bett ab, packte das Nötigste in meinen Rucksack. Es war nicht einmal mehr so viel, dass ich dafür zwei Koffer gebraucht hätte. Die alte Lederhose hinten in meinem

Schrank fiel mir ein, sie war etwas zu weit, ging aber fürs Erste. Warum hatte ich sie aufgehoben? Doch eine kleine Rückversicherung?

Ich schrieb einen Zettel, legte ihn auf den Schreibtisch und ließ die Tür beim Hinausgehen offen stehen.

BEIM großen Tor traf ich auf Pia. Sie starrte mich und den Rucksack auf meiner Schulter an. „Was machst du? Wo willst du hin?"

„Weg."

„Und wir?" Pia machte einen Schritt auf mich zu, wich wieder zurück, als ich an ihr vorbeiging. Sie hob langsam die Hand, fing den Schlüsselbund auf, den ich ihr durch den Spalt des sich langsam schließenden Tors zuwarf.

„Ich rufe dich an."

„Mach's gut", hörte ich noch, drehte mich um und sah Vince neben dem Taxi warten.

Als der Wagen vor dem Bahnhof zum Halten kam, hatte ich meinen Atem wieder einigermaßen im Griff. Ich bat Vince, mir auch eine Zigarette zu geben. Wir mussten lachen, als es unseren zitternden Händen erst beim dritten Versuch gelang, sie anzuzünden.

„Bist du aufgeregt?"

„Was denkst du denn?"

Die Lautsprecheransage kündigte die Einfahrt des Nahverkehrszugs in Richtung München an.

Kurz darauf waren wir eingestiegen, das Ortsschild glitt am Fenster vorbei, hinter einer Baumgruppe konnte man die Spitze des Glockenturms erahnen. Die Schwestern würden bald mit der Vesper fertig sein, und Äbtissin Raphaela würde wenig später die Nachricht erhalten, dass ich gegangen sei.

Wir kamen in München an, rannten Hand in Hand durch die Bahnhofshalle und erreichten knapp den Zug, der uns nun schon stundenlang durch die Nacht fuhr.

ICH STRICH Vince eine Strähne aus dem Gesicht, fuhr mit dem Zeigefinger über seine Stirn. Er sah mich schlaftrunken an. „Alles in Ordnung?"

„Ja. Kannst du mir dein Telefon leihen?"

„Steckt in meiner Jackentasche. Entschuldige, ich war plötzlich so müde."

„Macht nichts. Schlaf weiter, ich gehe was trinken."

Im Zugbistro war eine Gruppe junger Frauen damit beschäftigt, Bierbüchsen zu leeren und anzügliche Geschichten zu erzählen, die in schril-

lem Gelächter gipfelten. Keine von ihnen senkte die Stimme oder sah auf, als ich an ihnen vorbeiging.
Buchstäblich die vergangene Existenz abgelegt wie ein Kleid?
Ich schob das Gangfenster auf, hielt mein Gesicht in den kühlenden Nachtwind und dachte: Wir haben das tatsächlich gemacht!
Es dauerte lange, bis sich eine heisere Stimme meldete, deren „Hallo?" wie ein Vorwurf klang.
„Habe ich dich geweckt?"
„Veronika? Um diese Uhrzeit? Wo bist du?"
„Irgendwo zwischen Fulda und Hannover, Richtung Berlin."
Stille, ein Räuspern. „Du bist da raus!"
„Ja."
Stefan lachte so laut, dass ich das Telefon vom Ohr weghalten musste.
„Hör mal, so witzig ist das auch wieder nicht."
„Wer hat das geschafft?", brachte er, noch immer lachend, mühsam hervor.
„Ich selbst. Aber falls du das meinst: Er heißt Vince, hat schöne Augen, und wir werden zusammenleben."
Er sagte mehrmals, wie froh er sei und dass ich ihm ruhig früher etwas über die Geschichte hätte erzählen können.
„Ich habe sie selbst erst vor einigen Tagen kapiert."
„Verstehe. Wie haben deine Schwestern das aufgenommen?"
„Ich fürchte, die wurden ziemlich versetzt."
„Ging nicht anders?"
„Ging nicht anders."
Wir schwiegen lange, jeder dem Atem des anderen lauschend.
„Und, hast du was gelernt in den Klosterjahren?", fragte Stefan plötzlich.
„Ich habe rudimentäre Kenntnisse über Theologie, Obstbau, Gartenbau, Restaurierung und Buchhandel erworben, eine gewisse Empfindlichkeit gegenüber jeder Art von Pathos entwickelt, viel Zeit zum Meditieren gehabt, ein paar Nonnen lieb gewonnen und festgestellt, was man alles nicht braucht."
„Bist du so cool oder tust du nur so?"
„Ich tue nur so."
Er schnaufte amüsiert ins Telefon. „Und wie hältst du's jetzt mit der Religion?"
„Nach zehn Jahren des Nachdenkens weiß ich einfach nichts. Aber jetzt kümmere ich mich erst mal um etwas anderes, was vielleicht genauso wichtig ist."

„Klar. Hast du schon eine neue Adresse?"
„Nicht wirklich."
„Ihr habt Nerven!"

ALS ICH wieder an meinem Platz war, griff Vince mir ins Haar, zog mich zu sich herüber. „Du siehst schön aus."

Kleine Küsse bedeckten mein Gesicht.

Kurz nach fünf Uhr früh würden wir in Berlin sein. Ein Freund von Vince hatte ein Atelier in Mitte, das wir bewohnen konnten, bis wir entschieden hatten, wo wir bleiben wollten. Vince sagte, er könne überall arbeiten, für mich schien die Stadt ideal, um einen Job zu suchen. Wir würden sehen.

„Berlin könnte dir gefallen", meinte Vince, „riesengroß, immer in Bewegung, an jeder Ecke ein anderes Stadtbild, Kunst, Musik, Kneipen, Cafés, alles in Fülle da, um die Flüchterin eine Weile zu beschäftigen."

Wir überlegten, ob wir zunächst ans Meer fahren sollten, um uns gegenseitig zu erzählen, wie es dazu kam, dass die Liebe über uns hergefallen ist.

Alles war offen. Wir hatten alle Zeit der Welt.

Ich wusste nicht, ob es funktionieren würde; ich wusste nur, dass ich den Rest meines Lebens bereut hätte, es nicht versucht zu haben.

Ich wollte nichts bereuen.

WAHRSCHEINLICH hätte mir der Respekt verbieten sollen, einfach so zu verschwinden, aber der Schlusspunkt war längst gesetzt. Was hätte es gebracht, sich in Auseinandersetzungen zu verstricken, die nirgendwohin führen? Worte wären gefallen, die einem später leidgetan hätten, die Verletzungen wären eher schlimmer geworden. So konnten sie erst mal eine Stinkwut auf mich haben.

Ich nahm mir vor, Raphaela zu schreiben.

Vielleicht würde die eine oder andere im Kloster eines Tages verstehen und sich für mich freuen.

Mit Abschieden habe ich mich nie lange aufgehalten.

ICH HABE diesen Ort geliebt. Er war etwas Besonderes, auch wenn er nicht gehalten hat, was ich mir von ihm versprach. Eine abgeschlossene kleine Welt, die ihren eigenen Gesetzmäßigkeiten folgte. Der Garten, das verwunschen schöne Gelände, die alten Gebäude, ich habe mich gern darin bewegt. Die Psalmengesänge, die nach dem Schlussgebet noch lange nachhallten und beinahe zwangsläufig eine innere Ruhe herstellten, waren eine hervorragende Basis zum Nachdenken. Die Erfahrungen des Gemeinschaftslebens, Frauen, auf deren Bekanntschaft beziehungsweise Freundschaft ich immer stolz sein werde. Raphaelas Mütterlichkeit, Luises Weisheit, Marias Freundlichkeit, Pias borstige Treue, Hedwigs warmer Gesang, Margaritas trockener Humor, Simones klarer Verstand, Placidas schelmische Heiterkeit, Paula in ihrer Gesamtheit, die Liste könnte noch länger sein. Jeder Einzelnen verdanke ich viel. Es war eine wichtige Zeit, trotz – oder gerade wegen? – all der inneren Widerstände und Kämpfe.

Im Buddhismus ist es durchaus üblich, sich für eine Zeit lang in ein Kloster zu begeben, zu lernen, was man lernen zu müssen glaubt, einen Monat, ein Jahr, zehn Jahre, um dann in eine neue Lebensphase zu treten. Die Nonnen werden das wahrscheinlich nicht so sehen. Ich habe mit ihnen gelebt, gebetet, gearbeitet, das war meistens schön und manchmal gut, aber es musste nicht für die Ewigkeit sein.

Hätte ich früher wieder gehen sollen?
Was soll's, so ist meine Geschichte, ich habe keine andere.
Gescheitert? Nein, weitergegangen.

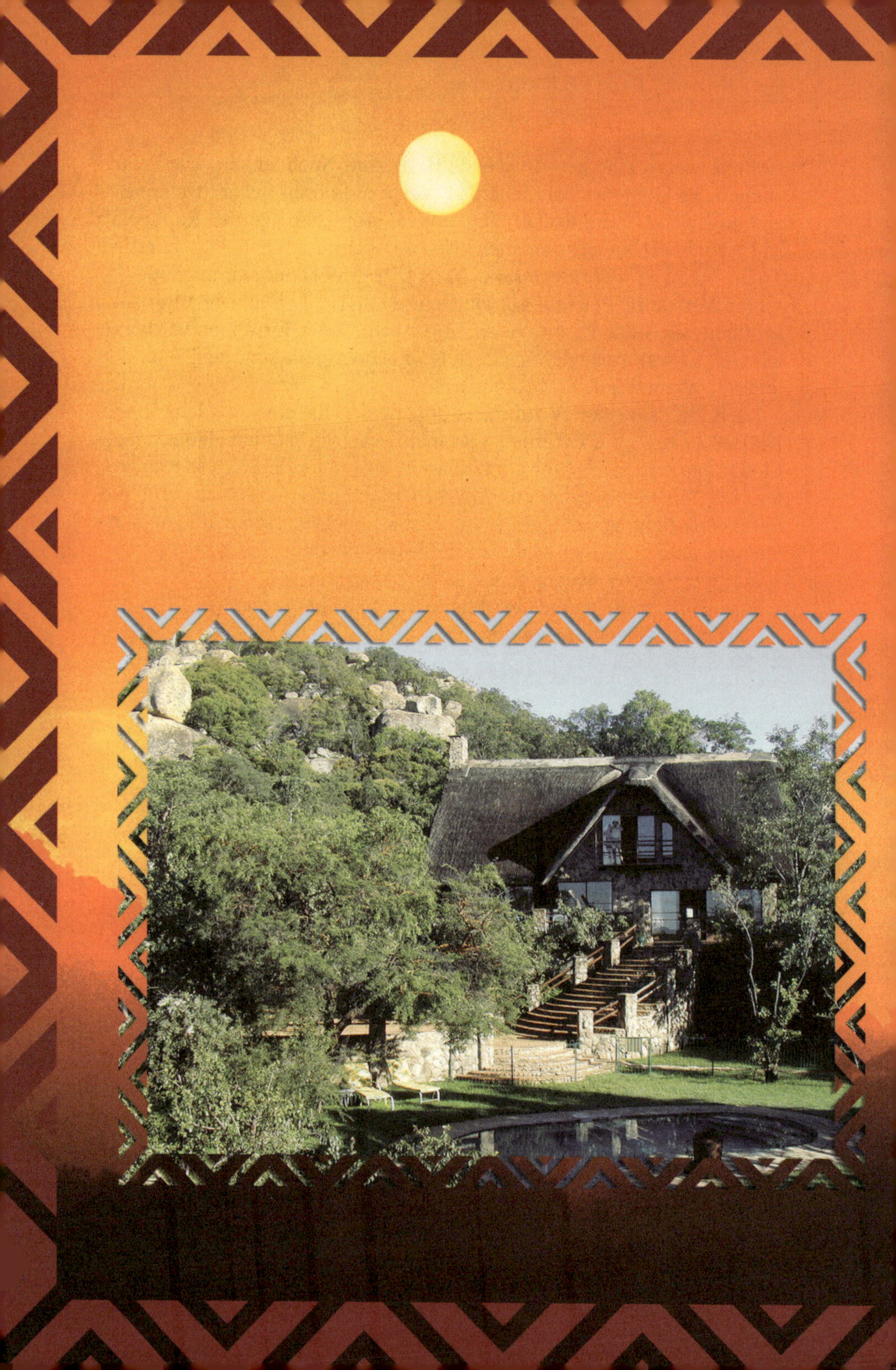

Meine Farm am Matanje

Eine afrikanische Freundschaft

BOOKEY PEEK

„Ein faszinierendes Buch – wunderbar geschrieben, witzig und anrührend zugleich. Bookey Peek beschreibt auf unnachahmliche Weise die magische Schönheit der afrikanischen Wildnis."

Kobie Krüger,
Autorin des Bestsellers
Ich trage Afrika im Herzen

Kapitel 1

Wenn ich heute an jenen stürmischen Tag im Januar 1996 zurückdenke, dann bin ich geneigt, Poombis plötzliches Auftauchen in unserem Leben nicht als glückliche Fügung, sondern als Geschenk Gottes zu bezeichnen. Ein Warzenschwein gehörte ebenso wenig zu den Dingen, die wir eingeplant hatten, wie eine Flutwelle, ein Tornado oder Drillinge. Aber wenn man in einem Wildreservat in Simbabwe lebt und arbeitet, muss man mit Naturkatastrophen rechnen, die gewöhnlich dann eintreten, wenn man sie am wenigsten erwartet.

Ich stand gerade draußen in unserer Freiluftküche und unternahm den halbherzigen Versuch, mich in den Frühjahrsputz zu stürzen, als das Gewitter, das sich schon seit dem frühen Morgen angekündigt hatte, mit apokalyptischer Wucht losbrach. Überall ums Haus herum schossen Blitze aus den Wolken in die Felsen, dicht gefolgt von krachenden Donnerschlägen. Von Süden her hörte ich das Dröhnen des nahenden Regens, der über die Hügel hinwegfegte und den Wildpark überflutete. In solchen Augenblicken hielt ich unsere Entscheidung, am Fuß eines hoch aufragenden Granitfelsens ein strohgedecktes Haus zu bauen, für eine Schnapsidee. Dabei war ein Blitzschlag eine meiner geringeren Befürchtungen. Richard, mein Mann, war am frühen Morgen losgefahren, um ein Pärchen junger Riesentrappen, das wir von Hand aufgezogen hatten, in die Aufzuchtstation in Harare zu bringen, und jedes Mal wenn er sich länger als ein paar Stunden vom Haus entfernte, ereignete sich fast zwangsläufig irgendeine Katastrophe. Als er das letzte Mal gerade weggefahren war, hatte ich die Nachricht erhalten, dass unser Scout Mapfumo von einer Schlange gebissen worden war, und zwar an einer kaum zugänglichen Stelle des Wildreservats. Das Mal davor hatten wir eine kranke Elenantilope erschießen müssen und anschließend vier Stunden gebraucht, um sie mitten in der Nacht im strömenden Regen auf die Ladefläche des Pick-ups zu hieven.

Ich wollte gerade vier Gläser Grashüpfer in den Müll schütten, die die

Lieblingsspeise unserer kleinen Koris gewesen waren, als mich eine freundliche Stimme zusammenzucken ließ.

„Morgen, Mrs Peek!"

Von einer bösen Vorahnung erfüllt, drehte ich mich um. „Hallo Mafira", sagte ich wenig begeistert zu unserem Chefscout. „Gibt es ein Problem?"

Dass der stämmige Mann mitten in einem Gewitter am Haus auftauchte, konnte nur bedeuten, dass meine Befürchtungen begründet waren.

Mafira lehnte sein schlammverkrustetes Fahrrad an die Hauswand. „Kein Problem", verkündete er mit einem beruhigenden Lächeln. „Nur Ivy Walls vom Laden. Sie hat ein junges Steinböckchen für uns."

„Schon wieder ein Waisenkind? Na, da bin ich ja erleichtert", sagte ich lachend in der irrigen Annahme, die Gefahr sei abgewendet. „Die letzten beiden sind wir ja gerade losgeworden."

Wie in weiser Voraussicht packte ich die Grashüpfer zurück in die Tiefkühltruhe. „Okay, fahren wir! Steig schon mal in den Wagen, Mafira, ich rufe David." Unser fünfjähriger Sohn nahm aktiven Anteil an unserem Tierwaisenprojekt und würde von einer neuen Rettungsaktion begeistert sein.

Das kleine Steinböckchen wird uns keine besonderen Probleme bereiten, dachte ich im Stillen, während wir über die vier Kilometer lange Schlammpiste zu unserem Eingangstor fuhren. Steinböckchen sind eine Zwergantilopenart, und die Jungtiere lassen sich leicht mit der Flasche aufziehen, wenn man sie früh genug daran gewöhnt. Wir hatten schon einmal zwei Männchen aufgezogen und sie im Alter von einem Jahr erfolgreich in die Freiheit entlassen.

Unser kleiner Supermarkt hockte verdrießlich unter einem rostigen Wellblechdach zwischen den Eisenbahngleisen und der Straße, die von Bulawayo zur Grenze von Botsuana führt. Wir hielten neben vier vor einen leeren Karren gespannten Eseln, die mit hängenden Köpfen dastanden, während der Regen von ihren langen Ohren tropfte.

Im Laden entdeckte ich Ivy Walls, die gerade mehrere Kisten einheimisches Bier auf den Tresen vor sich stapelte, aber es war unmöglich, durch das Gedränge schwitzender Körper zu ihr zu gelangen.

„Kannst du einen Moment warten?", rief sie über die Menge hinweg. „Ich lasse es von jemand holen." Dabei zeigte sie in Richtung ihres Hauses, das knapp fünfhundert Meter entfernt an der Straße lag.

Ich flüchtete mich neben einen Stapel Säcke mit Maismehl und machte mich darauf gefasst, hier eine ganze Weile ausharren zu müssen.

Wie in afrikanischen Läden auf dem Land üblich, waren die Regale mit Waren aller Art vollgestopft. Das ist notwendig, da sie ein riesiges Einzugsgebiet versorgen und die Leute bei den großen Entfernungen keine Möglichkeit haben, häufig einkaufen zu fahren. Kleider, Süßigkeiten, Brot, Bleichcremes, Decken, getrocknete Mopane-Raupen, Rasierklingen und Speiseöl waren entlang den Wänden gestapelt, totes Viehzeug aller Art hing an diversen Haken, und Ziegen und Hühner liefen zum Selbereinfangen einfach frei umher. Um meine Füße herum pickten die Hühner Körner vom Boden, und eins zupfte an den Ledertroddeln an einem meiner Schuhe. Ohne nach unten zu sehen, hob ich den Fuß, um das lästige Huhn abzuschütteln, worauf es ein empörtes Kreischen von sich gab, das ganz und gar nicht nach Federvieh klang. Als ich verwundert nachschaute, starrte mich ein winziges Warzenschwein empört an. Diesen Blick werde ich nie im Leben vergessen. Es war unsere allererste Begegnung, und schon hatte ich die Gefühle der jungen Dame verletzt.

„Wie gefällt dir mein Schwein?", rief Ivy. „Sie heißt Suza."

„Schöner Name!", rief ich zurück, was beweist, dass mein Versuch, Sindebele, die Sprache der Matabele, zu lernen, selbst nach zehn Jahren keinen Erfolg gezeigt hat. Ich hielt Suza für eine Version von Susan, und erst später, als Mafira die Augen verdrehte und Richard losprustete, als er nach Hause kam, dämmerte mir, dass ich mich irrte. Ein Blick ins Wörterbuch klärte mich auf, dass Suza „Wind lassen" bedeutet. Ein reichlich derber Name, der zudem völlig unangebracht war: Warzenschweine furzen nicht häufiger als jede andere mir bekannte Tierart.

Die Menge vor dem Laden teilte sich und ein junger Lagerarbeiter kam mit der kleinen Antilope auf dem Arm herein. Ich sah sofort, dass das Tier halb verhungert war. Als ich das Kalb vorsichtig entgegennahm, hing sein Kopf schlaff zur Seite, sodass ich ihn mit einer Hand halten musste, und die normalerweise schwarz glänzenden Augen blickten stumpf und trübe und waren halb geschlossen. Eilig brachte ich die kleine Antilope zum Auto und legte sie auf Mafiras Schoß. Dann ging ich zum Laden zurück, um mit Ivy zu sprechen, die mir auf die Veranda heraus gefolgt war, einen Blechteller und einen Löffel in der Hand.

„Cerelac, Babynahrung", erklärte sie. „Suzas Leib- und Magenspeise. Das Ferkel ist viel pflegeleichter als die kleine Antilope. Seit einer Woche versuche ich schon, das kleine Kalb mit dem Fläschchen zu füttern, aber es hat kaum einen Schluck getrunken."

„Wo kommt Suza denn her?", fragte ich.

„Jemand von Hensons Farm hat mir zwei Frischlinge gebracht", erwiderte sie. „Die Mutter wurde von Hunden totgebissen."

„Und wo ist der andere?"

„Ist vor ein paar Wochen an einer Lungenentzündung eingegangen. Aber Suza geht es prächtig. Pass auf!" Ivy schlug mit dem Löffel gegen den Blechteller, woraufhin das kleine Warzenschwein aus dem Laden geflitzt kam. Als Ivy den Teller auf den Boden stellte, stürzte sich das Schweinchen mit einem Ingrimm auf sein Futter, der selbst einem gefräßigen Hai alle Ehre gemacht hätte.

Ich erklärte Ivy, dass ich es für unfair hielt, ein Wildtier unter solch vollkommen unnatürlichen Bedingungen zu halten, und dass Suza unter diesen Umständen garantiert nicht lange überleben würde. Sie würde sich entweder an Abfall aus dem Laden vergiften oder von einem Auto überfahren werden oder gar als Sonntagsbraten enden. Zweifellos wäre Suza bei uns wesentlich besser aufgehoben, fuhr ich in einem beinahe flehenden Tonfall fort. Wir würden sie aufziehen und später in die freie Natur entlassen, wo sie hingehöre.

„Nein", entgegnete Ivy kurz und bündig. „Suza bleibt bei mir."

„Überleg es dir doch noch mal!", beschwor ich sie. „Wenn dir wirklich etwas an ihr liegt, solltest du tun, was für sie das Beste ist."

Ivy dachte nach. „Also, ich habe sie gekauft", sagte sie langsam. „Wenn du sie wirklich haben willst, musst du für sie bezahlen."

Und so kam es, dass die erste schriftliche Erwähnung unseres Schweinchens aus einem Eintrag in Ivys Rechnungsbuch besteht: *Lebensmittel 100 Dollar*, zahlbar innerhalb von 30 Tagen. Kein Umtausch, keine Rückgabe: sie gehörte mir – oder wie ich bald feststellen sollte, ich gehörte ihr. Ich klemmte mir mein strampelndes „Lebensmittel" unter den Arm und trug Suza zur Verblüffung von Mafira und David zum Wagen. Da der Platz auf Mafiras Schoß bereits von der kleinen Antilope belegt war, setzte ich Suza auf den Boden zwischen seine Füße, wo sie erwartungsgemäß auf dem gesamten Heimweg quiekte wie am Spieß.

Auf der Farm angekommen, ließen David und ich Mafira mit dem Frischling im Wagen und eilten mit der Antilope ins Haus. Ich fürchtete, wenn sie nichts zu sich nähme, würde sie höchstens noch einen Tag überleben. Aber zunächst einmal mussten wir sie an einen ruhigen Ort schaffen, wo sie vor den anderen Tieren in Sicherheit war. Wenn Neuzugänge nervös und schwierig im Umgang sind, bringen wir sie meist in der Gästetoilette unter, weil dieser Raum klein und ziemlich dunkel ist. David holte eine Decke, dann legten wir das Kalb in eine Ecke und schlossen die Tür.

Wie immer verfolgte Nandi, unsere junge schwarze Labradorhündin, jede meiner Bewegungen mit größter Aufmerksamkeit. Die erste Begegnung zwischen ihr und dem Warzenschwein würde unter sorgfältiger Beobachtung stattfinden müssen. Kurzerhand schloss ich die Hündin im Gästezimmer ein. Ach ja, und die Igel. Sie waren bei einem Steppenbrand verletzt worden und wohnten vorübergehend in einer Kiste in unserem Büro. Ich stellte die Kiste auf den Schreibtisch, rollte den Teppich auf und räumte alles außer Reichweite, was entfernt essbar aussah.

Ansonsten waren keine weiteren Vorbereitungen nötig, denn obwohl unser Haus von außen ziemlich imposant wirkt, gibt es im Innern keinerlei Luxus. Wir fühlen uns gerade deshalb so wohl in unserem Heim, weil es so ganz anders ist als ein gewöhnliches Haus. Die Buschhörnchen zum Beispiel betrachten das strohgedeckte Dach unseres verklinkerten Hauses als einen Ort, der hervorragend geeignet ist, um eine Familie zu gründen. Da unser Haus mehr Fenster als Wände hat, ist es sehr hell und luftig und gibt uns das Gefühl, Teil des wildromantischen Panoramas zu sein, das uns umgibt. Von jedem Fenster aus fällt unser Blick auf Bäume und weite, grasbewachsene Täler, in denen sich *Kopjes* türmen, die vom Wind zerfurchten, für die Matoboberge typischen Felsen.

Mafira brachte Suza in die Garage und radelte dann in den Regen hinaus. Offenbar war er froh, sich nicht weiter um das Tier kümmern zu müssen. Das übernahm David.

„Ich gehe in die Gästetoilette", sagte ich ihm. „Du passt auf, dass Suza nichts frisst. Lass Nandi nicht aus dem Gästezimmer. Und lass das Schwein keinen Moment aus den Augen!"

Mein Sohn lief hinter Suza her, die ins Büro trottete. Ich suchte eine Flasche und einen kleinen Sauger und sterilisierte beides. Dann zog ich das Steinböckchen auf meinen Schoß, und zwar so, dass sein Kopf von mir abgewandt war, genau wie ich es mit den anderen beiden gemacht hatte. Wenn man sie mit dem Rücken an sich drückt, können sie sich nicht so leicht frei strampeln, und man hat beide Hände frei. Doch zum Strampeln war das Kalb viel zu schwach. Mein einziger Kampf bestand darin, sein Maul seitlich zu öffnen und den Sauger hineinzuschieben. Nach einer halben Stunde waren meine Oberschenkel warm und nass, und das Tier hatte nicht einen Tropfen getrunken. Das Tragische war, dass dieses Kalb wahrscheinlich gar kein Waisenkind war. Wie viele andere Antilopenarten verstecken die weiblichen Steinböckchen ihre neugeborenen Jungen im Gebüsch, während sie äsen. Die Duftdrüsen der durch ihr gelbbraunes Fell getarnten Kälber sind während dieser gefährlichen Zeit noch nicht entwickelt, und sie verharren völlig reglos, bis ihre Mutter zurückkehrt. Reglos, farblos, geruchlos: die Kombination ist ein äußerst effektiver Schutz, bis jemand kommt und die Tiere „rettet" – und sie damit meist aus wohlmeinender Unwissenheit zum Tod verurteilt.

Hilflos betrachtete ich das kleine Kalb in meinen Armen. Ich würde es *Inqina* nennen, beschloss ich (oder Nina, was für unsere englischen Zungen leichter auszusprechen war), das Sindebele-Wort für Steinböckchen. Irgendwie schien mir das wichtig; mit einem Namen würde ich dem Tier eine Identität geben und zugleich meine Überzeugung bekräftigen, dass es überleben würde.

„Mama!", schrie mein Sohn. „Komm schnell!"

In der Erwartung, Suza in Nandis Fängen vorzufinden, stürzte ich aus der Toilette. Aber unserem Neuankömmling ging es prächtig, was man allerdings nicht von Lora, unserer alten blonden Labradorhündin behaupten konnte, die sich hinter dem Sofa verkrochen hatte.

„Suza hält Lora für ihre Mutter!", rief David aufgeregt. „Guck mal!"

Tatsächlich hing Suza an einer von Loras Zitzen und saugte, was das Zeug hielt. Als das nichts fruchtete, grunzte sie ärgerlich und begann Loras Bauch mit rhythmischen Kopfstößen zu bearbeiten. Lora jaulte. David brüllte. Ich schnappte mir die Hündin und sperrte sie ins Schlafzimmer.

Bald stellten wir fest, dass das Schweinchen immer genau herausfand, wer sich belästigen ließ und wer nicht. Nandi kam nicht infrage, denn sie schlug sofort zurück, und zwar manchmal ziemlich heftig. Doch die gutmütige, zurückhaltende Lora war ein leichtes Opfer. Suza war eine ausgezeichnete Taktikerin, die ihre Ziele mit List und Tücke erreichte. Sobald Lora schlief, schlich Suza sich im Zickzackkurs an, sodass es aussah, als handelte es sich um eine ganz zufällige Begegnung. Meist knabberte sie zuerst vorsichtig an einem von Loras Ohren. Doch dann biss sie plötzlich fest zu, woraufhin Lora laut aufjaulte und ins Schlafzimmer floh. Und wenn diese Taktik nicht zum Erfolg führte, gab es auch noch andere Möglichkeiten: mit Sauggeräuschen, wie man sie von der Düse eines Autostaubsaugers kennt, schob Suza ihre gummiartige lange Schnauze unter Loras Bauch und hebelte die Hündin mithilfe ihrer Nackenmuskeln, die im Lauf der Monate immer kräftiger wurden, und ihres steinharten Schädels einfach vom Boden. Lora ergriff regelmäßig die Flucht, und es dauerte nicht lange, bis sie sich allein beim Anblick des Warzenschweins im Schlafzimmer in Sicherheit brachte.

Ich setzte das Schweinchen auf Davids Schoß. „Halt es fest", trug ich ihm auf, „bis ich etwas zu fressen gefunden habe. Suza ist bestimmt hungrig." Wie sich bald herausstellen sollte, war Hunger bei Suza ein

Dauerzustand. Ständig war sie auf der Suche nach irgendetwas Fressbarem und stets darauf bedacht, so viel wie möglich in kürzester Zeit zu verschlingen.

Ich füllte eine Schüssel mit Cerelac und Suza machte sich mit Heißhunger darüber her. Dann ging ich zurück in die Gästetoilette, um erneut den Kampf mit der störrischen Nina aufzunehmen.

„Mama!", ertönte es kaum zehn Minuten später.

Innerlich fluchend öffnete ich die Tür. „Was ist denn jetzt schon wieder?"

„Suza zittert. Was soll ich tun?"

Es regnete immer noch, und mit seiner spärlichen Behaarung war dem Frischling wahrscheinlich ziemlich kalt. In der freien Natur würde es sich zusammen mit seinen Geschwistern in eine verlassene Erdferkelhöhle verkriechen, wo es warm und kuschlig war.

„Wickle sie in eine Decke und nimm sie mit in dein Zimmer. Ich komme gleich und sehe nach ihr."

„Au ja, das mach ich!", rief mein Sohn begeistert.

Ich widmete mich wieder der kleinen Antilope und schaffte es tatsächlich, ihr drei Milliliter warme Milch einzuflößen. Immerhin ein Anfang.

Als ich in Davids Zimmer kam, hatte er das Schwein in ein weiches Baumwolllaken gehüllt, sodass nur noch seine schwarze Schnauze herauslugte. Mit ernster, verantwortungsvoller Miene hielt er Suza in den Armen. „Schsch!", flüsterte er, als ich mich näherte. „Weck sie nicht auf!" Suza atmete tief und regelmäßig und rührte sich nicht. Erleichtert ließ ich die beiden allein.

Bereits nach wenigen Stunden stand fest, dass Suza einen durchsetzungsfähigen Charakter besaß und weder zu Kompromissen bereit war noch zu Diplomatie neigte. Es war beängstigend, sie sich als ausgewachsenes Tier von siebzig Kilogramm vorzustellen.

Eigentlich war es ja ganz simpel: für ein harmonisches Zusammenleben mit einem Haustier ist es äußerst wichtig, gleich zu Beginn die Rangordnung festzulegen. Theoretisch wusste ich das, aber praktisch war mir aufgrund meiner jahrelangen Erfahrung mit allen möglichen Tieren klar, dass das nicht funktionieren würde. Mit Ausnahme der Igel und einiger Mäuse hatte bisher noch jedes Tier mein gespieltes herrisches Auftreten durchschaut und sich verhalten, wie es ihm beliebte. Ich war sogar zu dem Schluss gekommen, dass mir das gefiel. Welches Recht hatten wir, Tieren Vorschriften zu machen?

Ich spürte allerdings, dass dieses Warzenschwein eine besondere

Herausforderung darstellen würde. Der einzige Ratschlag, den Ivy mir mit auf den Weg gegeben hatte, bestand darin, Suza niemals, auch nicht für kurze Zeit, allein zu lassen. Sie würde also fortan zur Familie gehören. Wie mein Mann bemerkte, als er am Abend nach Hause kam, hätten wir genauso gut einen jugendlichen Kriminellen adoptieren können. Aber es gab kein Zurück.

Kapitel 2

Wer zum ersten Mal von Bulawayo nach Stone Hills fährt, kann sich leicht enttäuscht fühlen, denn die Fahrt geht durch eine hügelige, ansonsten aber zumeist gesichtslose Gegend. Erst wenn man in die Mangwe Road eingebogen ist und diese vier Kilometer lange, von Schlaglöchern übersäte Strecke bis zu unserer Farm entlangklappert, vorbei an Ansammlungen von runden Lehmhütten und Kühen, die auf den staubigen Hügeln grasen, erschließt sich einem die Schönheit dieser Landschaft.

Beinahe unvermittelt steht man schließlich vor unserem Tor, über dem ein Schild auf Englisch und Sindebele die Farm als „Naturreservat" ausweist und um entsprechendes Verhalten bittet. Ein Wildhüter in einem dunkelgrünen Overall und mit einem kakifarbenen Hut auf dem Kopf tritt aus einer strohgedeckten Hütte, um die Besucher zu begrüßen. Weiter geht es durch ein langes, grasbewachsenes Tal bis zu einem dunklen See am Fuß des Dibe, einer riesigen felsigen Erhebung, wo sich Bäume dicht aneinanderdrängen und Kudus im schattigen Dickicht grasen. Von hier aus folgt man dem Lauf des Mathole River, bis der Weg eine scharfe Kurve beschreibt, steil ansteigt und über einen schmalen Pass führt. Auf den von der Sonne gewärmten Felsen dösen Klippschliefer, die aussehen wie überdimensionale Meerschweinchen. Oben auf dem Pass, verborgen hinter einer Reihe von Bäumen, steht unser Haus, und durch einen Tunnel aus ineinander verwobenen Ästen fährt man bis zu den Stufen unserer Lodge.

Die Hütten, die Rich an den Hängen des Dibe errichtet hatte, waren nach kurzer Zeit so verwittert, dass sie sich perfekt in die Landschaft fügten und von Weitem kaum noch zu erkennen waren. Und es gab Zeiten, vor allem gegen Ende der Hochsaison, da wünschten wir uns sehnlichst, sie wären tatsächlich nicht da. Wie wir uns hatten einbilden können, dass wir auf angenehme, entspannte Weise an 365 Tagen im Jahr und bis zu zwölf Stunden am Tag mit allen möglichen Urlaubern zurechtkommen würden, ist mir bis heute ein Rätsel. Besonders ermüdend war es, ewig dieselben stereotypen Fragen beantworten zu müssen: „Wie lange haben Sie gebraucht, um die Lodge zu errichten?" – „Wo soll David denn mal zur Schule gehen?" – „Wo kommt Ihr Name eigentlich her?" (Ich wünschte, ich wüsste es …)

Als ich einmal zufällig am Abendbrottisch ein Gespräch zwischen Rich und einer Besucherin mitbekam, wurde mir klar, dass die Zeit gekommen war, einen Verwalter einzustellen.

„Was für ein fantastischer Ort!", rief die Frau aus. „Hier haben Sie sich tatsächlich einen Traum verwirklicht."

Rich schüttelte den Kopf. „O nein", sagte er, „da irren Sie sich gewaltig. Es ist ein absoluter Albtraum."

Die Verwalter kamen und gingen. Die derzeitige Amtsinhaberin war Ursula, eine große, schlanke Frau mit krausem Haar, durchdringenden blauen Augen und einem Temperament wie eine Handgranate. Zu Leuten, die sie mochte, war sie absolut charmant, aber gegenüber denjenigen, die sie nicht ausstehen konnte, benahm sie sich wie eine Furie. Im Prinzip war sie also perfekt geeignet für den Job, und hinzu kam, dass sie Talent im Umgang mit Tieren und Kindern besaß.

Als Rich an jenem Abend nach Hause gekommen war und sich von dem Schock erholt hatte, ein Warzenschwein in seinem Wohnzimmer vorzufinden, hatten wir beschlossen, es umzutaufen. Richard und ich hatten es „Lady Marigold" nennen wollen, weil uns seine Stupsnase an eine Adlige erinnerte, die kürzlich unsere Lodge besucht hatte. Doch David hatte auf den Namen „Poombi" bestanden. Dann hatten wir uns gemeinsam die sture Nina vorgeknöpft und ihr mit sanfter Gewalt tropfenweise Milch eingeflößt, bis ihr nichts anderes übrig geblieben war, als zu schlucken. Später übernahm Ursula, und als Nina nach zwei Tagen endlich anfing zu saugen, wussten wir, dass sie es geschafft hatte. Sie blieb noch zwei Wochen in der Gästetoilette, dann brachten wir sie zu unseren beiden Buschböcken Mary und Nyami, die sich in dem großen Gehege vor unserem Haus tummelten.

Zwei Wochen nachdem Poombi bei uns eingezogen war, wollten wir auf die Seychellen fahren. Wir hatten Alistair, unseren Freund und Berater in allen Lebenslagen, gebeten, sich während unserer Abwesenheit um das Haus und die Tiere zu kümmern. Da in der Jobbeschreibung weder ein Warzenschwein noch ein Steinböckchen erwähnt waren, nahmen wir uns vor, Poombi ein paar Manieren beizubringen, bevor wir sie in die Obhut des nichtsahnenden Alistair übergaben.

Die ersten paar Nächte hatten wir sie noch verwöhnt, doch dann gewöhnten wir ihr an, in unserer im Freien gelegenen Küche zu schlafen. Um sie an ihren Schlafplatz zu locken, stellten wir eine Schüssel mit Milch in die hinterste Ecke der Küche, und zwar so, dass Poombis Schwanz zur Tür zeigen würde, während sie trank. Augenblicklich ließ sie sich auf die Knie fallen und tauchte ihre Schnauze tief in die Milch. Während sie beschäftigt war, schlichen wir zur Tür und versuchten, sie zu schließen, ohne dass Poombi es bemerkte, was jedoch wegen der Geschwindigkeit, mit der sie trank, selten funktionierte. Jedes Mal wenn wir gerade durch die Tür schlüpfen wollten, spürten wir prompt ihre Nase in den Kniekehlen, sodass wir gezwungen waren, sie zurückzubugsieren und die Tür zuzuschlagen – ohne sie einzuklemmen, was gar nicht so einfach war. Poombi machte das Ganze noch schlimmer, indem sie ein schrilles, opernreifes Kreischen von sich gab – opernreif deshalb, weil sie es schaffte, denselben Ton mindestens fünf Minuten lang zu halten, ohne ein einziges Mal Luft zu holen.

Poombi verfügte über ein vielfältiges Repertoire an Ausdrucksmöglichkeiten, das vom leisen, vertrauensseligen Quieken bis hin zu einem tiefen, aus dem Bauch kommenden ärgerlichen Knurren reichte. Mit leisen Seufzern und zufriedenem Grunzen reagierte sie auf die stundenlangen Massagen und die Streicheleinheiten, die ihr ihrer Ansicht nach selbstverständlich zustanden.

In jenen ersten Tagen bestand ich darauf, dass sie freien Zugang zum Haus haben sollte. Na ja, um ehrlich zu sein, bestand Poombi darauf, und ich konnte wenig dagegen ausrichten.

„Du bist verrückt", bemerkte Rich, während er zusah, wie ich eine riesige gelbe Pfütze im Wohnzimmer mit Zeitungspapier aufwischte. „Irgendwann wird sie hier das Kommando übernehmen und uns rausekeln."

„Sei nicht albern, Liebling. Schweine sind bekanntermaßen äußerst reinliche Tiere. Es ist nur eine Frage der Erziehung. Schweine sind sehr intelligent."

Mein Mann hob die Brauen und verzog sich entnervt ins Büro.

Ich stellte fest, dass Poombi ihren Schlafplatz sauber hielt, nur leider bezog sich ihr Bedürfnis nach Reinlichkeit nicht auf unser Haus. Zwar stehen die Türen zum Garten und Vorgarten den ganzen Sommer über offen, aber Poombi brauchte offenbar eine gewisse Privatsphäre, um ihr Geschäft zu erledigen, vor allem wenn sie merkte, dass ich versuchte, sie eines Besseren zu belehren. Sie gewöhnte sich an, sich in Davids Zimmer unterm Bett zu verkriechen, von wo sie sich keinen Millimeter weit wegbewegen ließ. Jede Art von „bestimmter, liebevoller Erziehung" wurde einfach ignoriert, und wenn ich sie lobte, nachdem sie in den Garten gepinkelt hatte, weil sie es nicht mehr rechtzeitig ins Haus geschafft hatte, sah sie mich nur verdutzt an. Als Rich sich eines Abends im Wohnzimmer aufs Sofa fallen ließ, ertönte ein unangenehm schmatzendes Geräusch. Das Sofa war Poombis Lieblingsschlafplatz, und es war sehr bequem, einfach in die Ritze zwischen den Kissen zu pinkeln, was den zusätzlichen Vorteil bot, dass niemand hörte, was sich abspielte.

Ich gab mich geschlagen. Poombi wurde nach draußen verbannt, und sie ließ keinen Zweifel daran, wie tief wir ihre Gefühle damit verletzt hatten. Stundenlang stand sie vor der Terrassentür, die Schnauze gegen die Scheibe gedrückt, beobachtete jede unserer Bewegungen und schrie wie am Spieß. Schließlich zog ich die Vorhänge zu.

Aber Poombi war nicht allein verantwortlich für unsere Einkerkerung. Auch der Vordereingang war durch einen Zaun abgesperrt, und zwar wegen der beiden Buschböcke Mary und Nyami. Mary hatte vor vier Jahren bei einer Wildumsiedlungsaktion ihre Mutter verloren, und Nyami war, als er erst vier Tage alt war, von einer Bekannten am Sambesi vor einem hungrigen Fischer gerettet worden. Wir waren damals begeistert gewesen, endlich einen passenden Kameraden für Mary gefunden zu haben.

Die beiden Buschböcke waren ein hübsches Paar, auch wenn Nyami uns anfangs einige Probleme bereitete. Mary war noch nie im Haus gewesen und wagte sich höchstens bis auf den Rasen vor der Veranda vor, weshalb wir die Schiebetür immer offen lassen konnten. Aber Nyami war äußerst geschickt im Treppensteigen, und als wir ihm die Tür vor der Nase verschlossen, sprang er kurzerhand durchs Schlafzimmerfenster. Um ihn aus dem Haus zu bekommen, mussten wir zuerst die beiden Hunde einsperren und dann langsam und vorsichtig durchs Haus schleichen und versuchen, ihn nach draußen zu bugsieren, ohne ihn in Panik zu versetzen. Künftig schlossen wir die Schiebetüren und verrammelten die Fenster.

Besucher wurden mit einer Liste von Anweisungen begrüßt: „Halten Sie die Schlafzimmerfenster geschlossen. Wenn Sie unbedingt frische Luft brauchen, öffnen Sie die Fenster nur einen Spaltbreit." – „Vorsicht vor dem Warzenschwein. Wenn Sie durch die Hintertür ins Haus kommen, achten Sie darauf, dass Poombi Sie nicht beobachtet." – „Wenn Sie unbedingt auf der Veranda sitzen wollen, vergessen Sie nicht, die Schiebetür hinter sich zu schließen."

Zwangsläufig war der eine oder andere Gast unachtsam, was jedes Mal zu aufgeregtem Geschrei führte. „Schaff das Schwein aus dem Haus! Wer hat die Tür offen gelassen?"

Unter derart stressigen Bedingungen blieben unsere Gäste meist nur ein, zwei Tage. Ich konnte es ihnen nicht verübeln.

ALS WIR von den Seychellen zurückkehrten, hatte sich eine Menge geändert. Wir fanden Alistair auf der Veranda vor dem Haus vor, neben ihm Poombi, die mit geschlossenen Augen auf dem Rücken lag, die Beine in die Luft gestreckt, und sich genüsslich den Bauch kraulen ließ. Meine halbherzigen Versuche, einen Garten anzulegen, hatte Poombi mit der Verachtung gestraft, die sie verdienten. Von den wenigen Blumen, die ich gepflanzt hatte, waren nur noch kurze Stängel übrig, und der Rasen war dabei, sich in eine Mondlandschaft zu verwandeln.

Poombi hatte alles unter Kontrolle. Alistair streichelte sie auf Befehl, Lora wagte sich nicht mehr aus dem Schlafzimmer heraus, und Nandi, froh über eine Gefährtin, spielte unaufhörlich mit ihr. Da Poombi sich nicht das Geringste entgehen lassen wollte, begleitete sie uns auch auf unseren Abendspaziergängen mit den Hunden, sehr zum Verdruss der armen alten Lora, die nicht gerade davon begeistert war, sich von einem steinharten Schädel vorwärtsschubsen zu lassen.

Es gab kaum etwas, was Poombis Aufmerksamkeit entging. Warzenschweine haben zwar keine besonders guten Augen, aber dieser Mangel wird durch ihren extrem ausgeprägten Geruchssinn mehr als wettgemacht. Wenn es Poombi hin und wieder gelang, ins Haus zu schlüpfen, verriet sie sich meist durch ein tiefes, sonores Schnüffeln auf der Suche nach etwas Fressbarem.

Dank seinen kurzen Beinen und seiner langen Schnauze braucht ein Warzenschwein sich nie zu bücken, um zu fressen. Gegraben wird mit der Nase, einem glänzenden schwarzen Knubbel am Ende der Schnauze, die so effektiv ist wie eine Baggerschaufel. Im Sommer, wenn es viel regnet und das Leben leicht ist, verbringt ein Warzenschwein die meiste Zeit auf den Beinen und reißt Grashalme mit den Zähnen ab, doch im Winter sind nahrhafte Wurzeln und Pilze nur im Boden zu finden, unerreichbar für alle, die über keine spezielle „Ausrüstung" verfügen.

Tausende von Jahren evolutionärer Auslese haben dafür gesorgt, dass Warzenschweine sogar bereits als Föten über eine harte, schützende Hornhaut an den Knien (anatomisch korrekt eigentlich Handwurzelgelenken) verfügen. Daher können sie auf den „Knien" und mithilfe ihrer extrem kräftigen Nackenmuskulatur und des harten Schädels sogar den härtesten Boden umgraben.

Poombis Körper ist einerseits mehr oder weniger nackt, andererseits ist sie ein ziemlich haariges Tier. Ihr Schmuckstück ist ihre prächtige, mit kastanienbraunen Strähnen durchsetzte Mähne, die selbst einen Löwen mit Stolz erfüllen würde. Ihr Fell (soweit man es als solches bezeichnen kann) ist grau meliert, aber ihre Vorderbeine sind oberhalb und unterhalb der von Hornhaut bedeckten Knie dicht schwarz behaart. Ihre Wimpern sind unverschämt lang, die empfindlichen Haare an der Nase kurz und stachlig. Ach, und ihr Duft! Glauben Sie ja nicht, dass Warzenschweine stinken. Wenn Poombi gut gelaunt ist und sich freut, uns zu sehen, verströmt sie einen warmen, würzigen Duft.

Bis zum Alter von eineinhalb Jahren zeigte unser Warzenschwein keinerlei Anzeichen von Freiheitsdrang. Im Gegenteil, Poombi konnte es nicht ausstehen, auch nur für kürzeste Zeit allein gelassen zu werden, genau wie Ivy es mir prophezeit hatte. Abends, wenn sie ohne unsere Anwesenheit schlafen sollte, ließ sie sich, nachdem sie ihren Fressnapf geleert hatte, nur mit einem Schluck warmer Milch beruhigen, und vor allem im Winter schlüpfte sie anschließend unter zwei dicke Wolldecken in ihrer Schlafkiste. Diese Decken mussten jedoch immer wieder ersetzt werden, weil Poombi sie so lange hin und her zerrte und rupfte, bis sie nur noch aus Fetzen bestanden.

Nachdem wir beschlossen hatten, sie nicht mehr ins Haus zu lassen,

Mit Poombi, dem schönsten Warzenschwein der Welt

David und Poombi bei einer ihrer Lieblingsbeschäftigungen: im Matsch wühlen

Für Poombi ein beliebtes Opfer: unsere Labradorhündin Lora

verbrachte sie die Tage im Garten. Aber auch dort war sie niemals allein, denn hinter dem Haus gesellte sich stets Nandi zu ihr, und die beiden spielten stundenlang Tauziehen mit einem alten Schuh oder einem Kohlstrunk. Während Nandi an einem Ende des Streitobjekts wie wild herumzerrte, stand Poombi mit geschlossenen Augen seelenruhig da und hielt das andere Ende zwischen ihren kräftigen Backenzähnen, bis Nandi die Nerven verlor und in wütendes Gebell ausbrach. Dann kostete es Poombi nur noch einen kleinen Ruck mit dem Kopf, um die Beute in ihren Besitz zu bringen.

Ein verärgertes Warzenschwein verfügt über verschiedene Waffen, die es zum Einsatz bringen kann. Der breite Kopf mit dem granitharten Schädel und die gummiartige Nase dienen dazu, den Gegner durch Knüffe und Stöße aus dem Gleichgewicht zu bringen. Das reicht dem Schwein meist aus, um sein Missfallen zum Ausdruck zu bringen. Nur in äußerster Wut setzt es seine unteren Hauer als Hieb- und Stichwaffen ein, die bei ausgewachsenen Tieren wesentlich länger und sogar schärfer als die Reißzähne eines Löwen sind.

Am schwierigsten war es, Poombi vom hinteren in den vorderen Garten zu schaffen, denn der einzige Weg führte durchs Haus. Wenn der Umzug nicht schnell genug vonstatten ging, blieb Poombi genug Zeit, um aufs Sofa zu springen, von wo sie, wenn sie es sich dort erst einmal bequem gemacht hatte, fast nicht mehr fortzubewegen war. Die ganze Prozedur war überhaupt nur zu zweit zu bewältigen: während einer die Tür aufhielt, lief der andere mit einer Möhre oder einer anderen Delikatesse voraus, dicht gefolgt von Poombi. Dabei kam es auf die exakt richtige Distanz an – entfernte man sich zu weit von ihr, verlor sie das Interesse, kam man zu dicht an sie heran, riss sie einem den Leckerbissen aus der Hand und stürmte damit aufs Sofa.

ALS DAVID im Alter von acht Jahren in die Schule kam, hatte er nur selten menschliche Spielkameraden gehabt – aber die Tiere machten den Mangel wett. Mit Nandi spielte er Welpe, mit Poombi spielte er Ferkel. Die beiden wälzten sich im Garten im Schlamm, und wenn Poombi auf Zerstörungstour durch unseren Garten kurvte, hängte David sich an ihren Schwanz und trompetete: „Vorsicht, Rasenmäher!" Im Gegensatz zu allen anderen Familienmitgliedern ließ er sich von ihr in keiner Weise beeindrucken, während sie ihn dafür stets mit Zuneigung und Nachsicht behandelte.

Als wir Poombi aus dem Haus verbannten, war noch Sommer, aber Ende Mai fing der Winter an, die Jahreszeit, die ein Warzenschwein am wenigsten schätzt. Weil ich wusste, dass Poombi sich tagsüber in der Nähe des Hauses aufhalten wollte, bastelte ich ihr auf der hinteren Veranda aus einem großen Pappkarton und einer Decke ein gemütliches Bett. „Hier kannst du es dir gut gehen lassen, mein kleiner Schatz", sagte ich zu Poombi, während ich sie schön warm zudeckte.

Minuten später ertönte hinter dem Haus ein erbärmliches Quieken. Vor der Verandatür stand ein Schwein mit Gänsehaut, kaum einen Meter entfernt von seinem neuen Bett – in dem es sich ein kleiner Junge bequem gemacht hatte, dessen roter Schopf unter der Decke hervorlugte.

„Raus da!", befahl ich.

„Aber Mama", quengelte David. „Ich hab nur ein Bett. Warum kriegt Poombi zwei?"

„Weil sie sehr krank werden und sogar sterben könnte, wenn sie der Kälte ausgesetzt wird. Bei dir ist das kein Problem, weil du dich warm anziehen kannst, und Nandi hat ein dichtes Fell, aber sieh dir Poombi bloß an, die paar Haare, die sie hat, können sie nicht gegen die Kälte schützen."

„Und wie würde sie sich in der freien Natur warm halten?", wollte er wissen.

„In der freien Natur würde sie in einer Höhle leben, wahrscheinlich in einer verlassenen Erdferkelhöhle, und sie und ihre Geschwister würden sich aneinanderkuscheln und gegenseitig warm halten."

David schwieg eine Weile, dann breitete sich auf seinem sommersprossigen Gesicht ein Grinsen aus. „Ich hab eine Idee", sagte er. „Wir bauen ihr eine Höhle, und dann können Poombi und Nandi und ich dort schlafen und uns gegenseitig warm halten."

Was ein Erdferkel in zwei Stunden geschafft hätte, kostete unseren Gärtner zwei Tage harte Arbeit. Die anschließende Inspektion des Erdlochs führte Poombi mit derart königlicher Haltung durch, dass wir Zuschauer uns das Grinsen kaum verkneifen konnten.

Mit der Zeit lernten wir, dass jedes halbwegs interessante Loch dieselbe Wirkung auf sie hatte und die Überprüfung jedes Mal in zwei Phasen ablief: zuerst kroch sie vorwärts in die Öffnung, wobei sie mit Füßen und Schnauze noch ein bisschen in der Höhle herumbuddelte, und dann noch einmal rückwärts, wobei sie sich mit dem Hintern voran in die Öffnung schob, bis nur noch ihre Schnauze zu sehen war. Auf diese Weise übte sie wohl ihr Verhalten für die Zukunft, denn in der freien Natur flitzen die Ferkel bei drohender Gefahr schnurstracks in die Familienhöhle, gefolgt von ihrer Mutter, die sich in letzter Minute umdreht, um jedem potenziellen Feind ihr gesamtes Waffenarsenal zu demonstrieren.

Als die Höhle fertig war, feierten Poombi, Nandi und David das Ereignis mit einem ausgelassenen Spiel, krochen in die Höhle hinein und wieder heraus und scheuchten einander in einer wilden Jagd kreuz und quer durch den Garten. Aber schon am nächsten Tag nahm Poombi ihre alten Gewohnheiten wieder auf.

Wie immer hatte ich das Schwein unterschätzt. Poombi wusste ganz genau, dass es sich um eine künstliche Höhle handelte, und wieso sollte sie freiwillig eine private Luxussuite aus Kiefernholz gegen ein schnödes Erdloch eintauschen? „Poombis Palast" in der hinteren Ecke des Gartens blieb weitgehend unbeachtet – ein Denkmal menschlichen Unverstands und schweinischer Klugheit.

Kapitel 3

Für mich begann alles im Februar 1989, als wir uns in der Vorhalle des Internationalen Flughafens von Harare begegneten, wo wir jeder einen voll beladenen Gepäckwagen vor uns herschoben. Im ersten Augenblick hatte ich in dem Mann im blauen Blazer mit dem sorgfältig gestutzten Bart gar nicht meinen normalerweise ziemlich zerzausten, in Kaki gekleideten Ehemann erkannt.

„Ich hab ein Stück Land gefunden!", begrüßte er mich mit einem triumphierenden Lächeln.

„Ich glaub's nicht! Wo denn?"

„Nordwestlich der Matoboberge. Ich hab es noch nicht gesehen, aber James Perry ist rausgefahren, und er meint, es sei ideal für ein Wildreservat." Rich kritzelte eine Telefonnummer auf einen Zettel. „Hier, ruf ihn doch an, sobald du nach Hause kommst, er wird es dir zeigen. Er ist ein netter Kerl ... ein alter Freund von mir aus Parks-Zeiten."

Ich kam gerade von einem Besuch bei meinen Eltern in Australien zurück und hatte einen anstrengenden Flug hinter mir, aber all das war mit einem Mal vergessen. Wir umarmten uns über unser Gepäck hinweg, dann verschwand Rich, der eine sechswöchige Geschäftsreise in die USA antrat, durch die Passkontrolle.

Ich war überglücklich, denn es sah so aus, als würden wir endlich unsere eigene Farm bekommen, von der wir so lange geträumt hatten. Ich schob mich durch die Masse australischer Touristen und nahm den Flug zurück nach Hause, nach Bulawayo.

UM PUNKT SECHS UHR am darauffolgenden Montag klingelte es an der Tür. Ich öffnete in Erwartung eines Mannes mit braungebrannten Beinen, bekleidet mit Boxershorts und abgetretenen Schnürschuhen, der üblichen Aufmachung für alle, die auch nur entfernt mit dem Busch zu tun haben. Stattdessen stand ein sorgfältig gekleideter Herr vor mir und streckte mir seine Hand entgegen.

„Mrs P-P-Peek?", fragte er feierlich. „Ich bin James P-P-Perry. Ich hoffe, ich bin nicht zu früh?"

Ich riss meinen Blick von den makellosen Bügelfalten und den blitzblank gewienerten braunen Schuhen los. „Nein, nein, ganz und gar nicht. Ich bin spät dran. Kommen Sie doch rein!"

Entsetzen breitete sich auf Perrys Gesicht aus. „Äh, nein, danke", sagte er hastig. „Ich warte im W-W-Wagen."

Schnell rannte ich in die Küche, stopfte hastig etwas Brot und ein paar Äpfel in eine Plastiktüte und verriegelte die Haustür.

Ich war ziemlich verwirrt. Der Mann, der da an meiner Tür geklingelt hatte, wirkte eher wie ein verklemmter Steuereintreiber und hatte nichts gemein mit den exzentrischen Naturburschen, die zum Kreis von Rich' „Freunden aus den Zeiten bei Parks" gehörten, jenen Jahren, als er für das „Department of National Parks and Wildlife Management" gearbeitet hatte.

Wir saßen schweigend nebeneinander im Auto. Nach einer Viertelstunde hatten wir die Stadt hinter uns gelassen und fuhren auf die Grenze von Botsuana zu.

In guten Jahren setzt der Regen im Matabeleland erst spät ein, im Februar oder März, füllt den Grundwasserspiegel auf und stärkt die Vegetation für die kommenden sieben oder acht trockenen Monate. Auch dieses war eines jener glücklichen Jahre.

Nebelschwaden umhüllten leuchtend grüne Kopjes, als wir etwa eine Stunde später in Stone Hills eintrafen. James fuhr langsam und bremste ab und zu, um mich auf einen mit goldgelben Blüten übersäten Mukwa-Baum aufmerksam zu machen, auf eine Spitzmaus, die sich auf einem Stein sonnte, oder auf das tiefe Violett der winzigen Usambaraveilchen, die am Wegrand wuchsen. Ebenso wie Rich war er ein geborener Naturliebhaber. Sein Stottern war inzwischen so gut wie verschwunden.

Der Weg schlängelte sich durch ein hügeliges Waldgebiet, wo das Laub an den Bäumen smaragd-, oliv- und apfelgrün leuchtete und die Luft nach Erde duftete. Schließlich ließen wir den Wald hinter uns. Vor uns lag eine weite, mit Gras bewachsene Steppe, die sich sanft abfallend zu einer Hügelkette erstreckte und darüber hinaus bis zur nächsten, die am Horizont sichtbar war.

Wir hielten an einem Bach am Fuß des Dibe, dem hoch aufragenden Kopje, an dessen Fuß wir später unser Haus bauen sollten. James tippte mir auf die Schulter und zeigte mit vor Aufregung leuchtenden Augen nach oben. „Da", sagte er. „Ein Pärchen Kaffernadler."

Ich richtete mein Fernglas auf die beiden majestätischen Vögel, deren Silhouette sich gegen den bleichen Morgenhimmel abhob. „Brüten die schon?"

„Noch nicht. In ein, zwei Monaten fangen sie mit dem Nestbau an, und im Mai oder Juni beginnt dann die Brutzeit. Diese Vögel sind monogam, sie bleiben ihr Leben lang zusammen."

„Und wie ist es mit Nistplätzen?", fragte ich. „Glauben Sie, es könnte auf der Farm welche geben?"

„Mit Sicherheit. Im nordöstlichen Teil des Gebiets habe ich ein paar steile Felshänge gesehen, die wären perfekt geeignet."

Würden wir unser eigenes sesshaftes Adlerpärchen haben? Seit wir in Stone Hills angekommen waren, schien sich die Wirklichkeit in einen Traum aufgelöst zu haben – einen Traum, geboren aus einer tiefen Sehnsucht nach der freien Natur, die meinen Mann und mich von Kindheit an beseelt hatte. Im Alter von 18 Jahren hatten sich Rich und mein Bruder David ihren Jugendtraum erfüllt und beim Department of Wildlife Management um einen Job als Wildhüter in den Naturparks beworben, einen Posten, den damals viele junge Männer anstrebten, doch nur wenige bekamen. Ich wäre als Kandidatin niemals infrage gekommen – ich war ein Mädchen. In den Sechzigerjahren absolvierten in Rhodesien, wie das Land damals noch hieß, auch nur sehr wenige junge Frauen ein Universitätsstudium. Damals erwartete man von uns, dass wir Sekretärinnen, Krankenschwestern oder Lehrerinnen wurden, und was Abenteuer anging, waren falsche Wimpern und ein Paar hochhackige Schuhe das höchste der Gefühle. So ließ ich nach Abschluss der Schule alles hinter mir und reiste die nächsten zehn Jahre durch die Welt, immer auf der Suche nach dem Ort, den ich nun endlich, im Herzen meines Heimatlandes, gefunden hatte.

Ich lehnte mich im Beifahrersitz zurück, schloss die Augen und spürte, wie die Stille mich umhüllte wie ein warmes Kleid. „James, egal was es kostet, hier muss ich leben", murmelte ich. „Es kommt mir beinahe so vor, als hätte dieser Ort die ganze Zeit auf mich gewartet."

„Ja, das Gefühl kenne ich gut. Man fühlt sich spontan mit einem Ort verbunden, und dann möchte man ihn nie wieder verlassen."

Ich öffnete die Augen wieder, ließ meinen Blick über die Kopjes schweifen und wusste, dass dieser verwunschene Ort mehr Geheimnisse barg, als wir bis ans Ende unseres Lebens würden entdecken können. „Sagen Sie mal, James, wohnt irgendjemand in Stone Hills?"

„Nein, Sie haben Glück. Die Farm wird nicht illegal bewohnt, und die Eltern des Eigentümers sind schon vor über zwanzig Jahren weggezogen. Seither wird das Land als Weideland an die Nachbarn verpachtet."

„Gott sei Dank." In jenem Jahr machte der Streit um Grundstücksverkäufe, in Simbabwe stets ein hochemotionales Thema, Schlagzeilen. Für die „Wiederansiedlung von Kleinbauern" sollten große Landstriche bewirtschafteten Farmlands verstaatlicht werden. Zu diesem Zweck wurde der „Land Acquisition Act" erlassen, der einige böse Überraschungen enthielt. Zwar sollten enteignete Farmer entschädigt werden, aber um diese Verpflichtung zu umgehen, konnte die Regierung kurzerhand die Verfassung ändern. Von nun an war der Erwerb von Land nicht mehr nur ein Geschäft zwischen Käufer und Verkäufer. Die Regierung behielt sich ein „Ablehnungsrecht" vor, und die zuständigen Politiker ließen sich viel Zeit mit ihrer Entscheidung.

Auch wir sollten diese Entwicklung zu spüren bekommen. Zwei Monate nach Bekundung unseres Kaufwunsches mussten wir ängstlich abwarten, bis wir endlich Nachricht erhielten: Unser Verkäufer hatte ein Gutachten erhalten, in dem die Regierung bescheinigte, dass sie „zurzeit kein Interesse" an dem Land habe, und Stone Hills gehörte uns – vorerst. Das war der Zeitpunkt, an dem wir anfingen von Tag zu Tag, oder höchstens von Monat zu Monat, zu leben. Wir haben gelernt, den Augenblick zu schätzen, und wir feiern jedes Jahr, das wir erleben durften, und beten, dass Stone Hills in Vergessenheit geraten möge.

Das riesige Gebiet, in dem sich Stone Hills befand, hieß Bulilima-Mangwe und diente lange als Weideland. Jahrelang war es die Hochburg von Mzilikazi, dem Kriegerkönig der Matabele, gewesen, der dort nicht nur seine Elitesoldaten stationiert, sondern auch seine riesigen Viehherden hatte weiden lassen.

Nachdem Kenia in den Siebzigerjahren die Jagd verboten hatte, richteten sich alle Blicke auf Rhodesien. Auf Privatgelände und in von der Regierung konzessionierten Gebieten wurden Großwildjagden organisiert, und das Kisuaheli-Wort „Safari" bürgerte sich bei uns ein. Der Buschkrieg schien die Kunden nicht abzuschrecken. Dann, als der Konflikt 1980 mit der Unabhängigkeitserklärung beigelegt wurde, kamen in das neue Simbabwe auch wieder Touristen, die nicht an der Jagd interessiert waren, sondern die Natur und das Land erleben wollten. Touristen-Lodges in den Nationalparks, die während der zwölf Kriegsjahre halb verfallen waren, wurden wieder hergerichtet. Überall im Land entstanden private Safari-Lodges.

„Seit man mit Wildtieren Profit machen kann, haben viele alteingesessene Viehbesitzer angefangen, sie mit anderen Augen zu sehen", sagte James. „Heutzutage gibt es vor allem im südöstlichen Lowveld riesige private Ländereien, in denen Vieh und Wildtiere friedlich nebeneinanderleben."

„Und wie sieht es hier in der Gegend aus?", fragte ich. „Hat sich hier auch etwas geändert?"

„Ja, aber es geht nur sehr langsam voran. Es gibt ein paar Leute, die ihr Glück mit einem Wildpark versuchen, aber das ist ein ganz neues Konzept und es wird noch eine Weile dauern, bis es sich durchsetzt."

Den ganzen Tag über wanderten wir durch die *Vleis*, Feuchtgebiete, in denen das Gras so hoch wuchs, dass es unsere Köpfe überragte, an gewundenen, von Felsteichen unterbrochenen Bächen entlang und kletterten bis auf die Spitze der Castle Kopjes, die aus riesigen, wild aufeinandergetürmten Felsbrocken bestehen. Es war das Jahr 1989, aber wir hätten uns auch in einer zweihundert Jahre zurückliegenden Epoche oder sogar in der Steinzeit befinden können.

„Ich kann nicht fassen, welche Vielfalt an Bäumen es hier gibt", sagte ich zu James, während wir unter einem Feigenbaum am Ufer des Matanje River einen Imbiss zu uns nahmen. „Alles wirkt so üppig und fruchtbar. Was meinten Sie heute Morgen, als Sie sagten, das Land sei karg?"

„Das hat mit dem Boden zu tun, der hauptsächlich aus zersetztem Granit besteht, und der enthält nur wenige Nährstoffe und Minerale wie Kalzium und Phosphat." James nahm eine Handvoll Sand und ließ ihn durch seine Finger rieseln. „Diese Art Boden kann Feuchtigkeit nicht lange halten, und da es nur selten und unregelmäßig regnet, gibt es nur eine kurze, sehr intensive Wachstumsperiode. Sie werden feststellen, dass es im Winter hier ganz anders aussieht."

So war es in der Tat. Wie James gesagt hatte, erwacht das Land eine Woche nach dem ersten Novemberregen zu neuem Leben. Die Feuchtgebiete sind sumpfig und bedeckt von einem dicken Grasteppich, und in guten Jahren führen alle Flüsse Wasser, das in den Limpopo und schließlich in den Indischen Ozean fließt. Wo vorher kahle Bäume standen, entstehen kühle, schattige Wälder von leuchtendem Grün, in denen es nach dem dampfenden Mulch aus verrottendem Laub duftet. Aber bereits Ende März ist der Zauber vorbei. Extreme Hitzewellen saugen die Feuchtigkeit zurück in den Himmel. Alles Grün verblasst zu

Gelb, und im April verlieren viele Bäume ihr Laub. Bis Ende Juli ist alles Zarte, Weiche verschwunden, die herbe, schroffe Schönheit der Kopjes kommt wieder zum Vorschein und erinnert uns daran, dass die Dürregebiete von Botsuana nur etwa 150 Kilometer westlich von uns liegen.

„Stone Hills ist ein klassisches Beispiel für Misswirtschaft", erklärte mir James. „2600 Hektar mögen eine Menge Land sein, aber diese Art von Land verkraftet nur eine Kuh pro acht Hektar. Da man von dreihundert Kühen nicht leben kann, wurde das Gebiet jahrelang mit zu vielen Rindern überstrapaziert. Und das ist das Ergebnis."

Vor uns lag eine gewaltige Aufgabe. Wir würden das Gebiet einzäunen, den Wildtierbestand aufstocken, den Boden wieder urbar machen und uns ein Haus bauen müssen, und wir würden eine Safari-Lodge einrichten müssen, um das Ganze zu finanzieren. Aber wir hatten uns in Stone Hills verliebt. Und ich hatte den richtigen Mann für diesen Job.

RICH stammt aus einer Familie, die seit drei Generationen in Simbabwe lebt, er ist auf einer Farm im Maschonaland aufgewachsen. Sein Vater, Dick Peek, war ein passionierter Pferde- und Rinderzüchter, während der Sohn eine Leidenschaft für Wildtiere entwickelte, die er von frühester Kindheit an beobachtete, studierte, jagte, aß, zeichnete, malte und schließlich in dem verzweifelten Versuch, sie möglichst lange um sich zu haben, ausstopfte. Schon damals widmete er sich allen Aufgaben mit einer Energie und Entschlossenheit, die jeden normalen Menschen innerhalb von 24 Stunden an den Rand des Erschöpfungstodes gebracht hätte. Mit einer Ausnahme: Hausaufgaben. „Sie sollten lieber nicht noch mehr Geld für seine Schulausbildung verschwenden", riet der Schuldirektor Rich' Eltern, nachdem er zum dritten Mal durch die Abschlussprüfung gefallen war.

Im Alter von 18 Jahren tat Rich das einzig Richtige und trat eine Stelle beim Department of National Parks and Wildlife Management an. Nach fünf Jahren bei „Parks", in denen er an allen möglichen Orten im Land im Einsatz gewesen war, belegte er an der Universität einen Kurs in Ökologie, der als Fortbildungsmöglichkeit für Wildhüter angeboten wurde. Am Ende des Kurses legte Rich eine Abschlussarbeit über die Gemeinsamkeiten zwischen zwei Frankolin-Arten (eine afrikanische Vogelart) vor. Daraufhin wurde ihm ein dreijähriges naturwissenschaftliches Studium angeboten. Er machte sein Diplom in Zoologie und Botanik als einer der Besten und kehrte als wissenschaftlicher Mitarbeiter zu Parks zurück, wo er sich endlich mit den Dingen beschäftigen konnte, die ihn interessierten, anstatt Wege anzulegen und Toilettenhäuschen zu bauen.

Jugendbilder: mein Mann Richard und ich

In seiner neuen Eigenschaft als Wissenschaftler wurde er als Erstes in den Gonarezhou-Naturpark („Ort der Elefanten") im Südosten versetzt, einen der größten und am wenigsten entwickelten Nationalparks des Landes, wohin er zusammen mit seiner ersten Frau Meg und seinen kleinen Kindern Nicki und Nigel zog. Der Gonarezhou-Naturpark liegt an der Grenze zu Mosambik, in einer kaum besiedelten Gegend, die 1976, auf dem Höhepunkt des Buschkrieges, regierungsfeindlichen Terroristen (wie sie damals genannt wurden) eine ideale Möglichkeit bot, nach Rhodesien einzudringen.

Später bekam Rich einen Posten als Kurator für die Säugetierabteilung im Naturkundemuseum von Simbabwe. Dort erhielt er eines Tages einen Anruf von einem Tierpräparator. Der Mann hatte vor, nach Südafrika umzusiedeln, und suchte einen Mitarbeiter mit künstlerischem Talent und fundierten Kenntnissen der afrikanischen Fauna, der daran interessiert war, später als Teilhaber in sein Geschäft einzusteigen. Als Rich 1981 seinen neuen Job in der Tierpräparatorenwerkstatt annahm, kriselte es in seiner Ehe schon seit einigen Jahren. Ich lernte Rich kennen, als ich 1984 nach einem fünfjährigen Australien-Aufenthalt in die Firma eintrat, wo ich mit der Aufgabe betraut wurde, den ungeheuren Papierkrieg zu bewältigen.

Vielleicht halten Sie von der Jagd grundsätzlich nichts. Ich jedenfalls kann ihr nichts abgewinnen. Aber durch die Jagd sind Wildtiere zu einem wichtigen Wirtschaftsfaktor geworden, ganz besonders in Afrika. Ausländische Jäger, vor allem Amerikaner, bezahlen erkleckliche Summen nicht nur für Safaris, sondern auch für das Privileg, sich ihre von Tierpräparatoren hergerichteten Trophäen zu Hause an die Wand hängen zu können.

Wirtschaftliche Aspekte können durchaus ihr Gutes haben. Wer wollte von einem hungrigen Eingeborenen verlangen, dass er tatenlos zusieht, wie ein Elefant sein Maisfeld zertrampelt, oder von einem Viehzüchter, dass er die Löwen bewundert, die seine Herden dezimieren? Aber wenn man diesen Leuten einen guten wirtschaftlichen Grund gibt, die Wildtiere auf ihrem Land zu schützen, dann werden sie es tun.

Das „Campfire-Projekt" in Simbabwe etwa soll sowohl der einheimischen Bevölkerung als auch den Wildtieren zugutekommen. Früher wurde ein Elefant, der Maisfelder zertrampelte, als Problem eingestuft und von Nationalparkangestellten abgeschossen, die das Leder und das Elfenbein mitnahmen und den Leuten aus dem Dorf das Fleisch überließen. Dort, wo Campfire erfolgreich funktioniert, wird derselbe Elefant von einem ausländischen Kunden abgeschossen, der im Besitz eines Jagdscheins und in Begleitung eines professionellen Jägers ist. Die Dorfgemeinde erhält die Trophäengebühr (zurzeit etwa 10 000 US-Dollar) – und darf das Fleisch ebenfalls behalten. Da die Einheimischen somit um den Wert der Tiere wissen, werden sie es tunlichst vermeiden, sie planlos und unbedacht abzuschießen.

Wir kauften Stone Hills im September 1989 und verwandelten die ehemalige Viehranch in einen Ort, wo heute Tausende von Wildtieren von Menschen weitgehend ungestört leben und sich fortpflanzen. Doch eigentlich waren es die Jäger und die Tierpräparatoren, die uns ungewollt dazu verholfen haben.

Kapitel 4

Als wir uns endlich an einem der unteren Hänge des Dibe Hill eine Stelle für unser Haus ausgesucht hatten, sprang Richard von Felsbrocken zu Felsbrocken, um mir zu zeigen, wo alles hinkommen würde. „Das Esszimmer!", rief er und zeigte mit einer ausladenden Handbewegung auf eine von Nesseln und Gestrüpp zugewucherte Mulde. „Da, eine Etage tiefer", sagte er, sprang über die Nesseln und landete auf dem nächsten Felsen, „richten wir uns das Wohnzimmer ein mit einem zentralen Treppenhaus, das ins Zwischengeschoss führt."

Obwohl die Prophezeiungen aus dem Mund meines besessenen Ehemanns kamen, der zu allem fähig war, glaubte ich kein Wort.

Zwei Jahre später war das Haus fertig, eine von Granitfelsen umgebene Luxuslodge mit vierzehn Betten, die von verschiedenen Kommentatoren als „großartig ausgestattet", „luxuriös und dennoch in Harmonie mit der Umgebung" und „eine der luxuriösesten Safari-Lodges des Landes" beschrieben wurde. Wenn wir allerdings unter uns waren (was in jenen ersten Jahren nicht häufig vorkam), nannten wir das Haus „die verfluchte Lodge" – was nicht an unseren Gästen lag, wie ich betonen möchte, sondern an dem endlosen Behördenkram und den ständigen Problemen mit den Angestellten.

Anfangs hatten wir keinen Koch. Für die meisten Farmersfrauen, die ich kannte, hätte das kein nennenswertes Problem dargestellt, doch was gute Küche anging, war ich ein ausgemachter Banause. In den Monaten vor der großen Eröffnung lag ich nächtelang schlaflos mit zusammengebissenen Zähnen im Bett, verfolgt von Schreckensvisionen, in denen ich an einen riesigen Gasherd gekettet war, auf dem das Abendessen in Flammen stand.

Aber trotz aller Zweifel und Befürchtungen musste ich zugeben, dass die Lodge hinreißend schön geworden war. Mit der für ihn typischen Umsicht war es Richard gelungen, ein Haus mit Wohn-/Esszimmer, Küche, Vorratsräumen und Bad sowie sieben Hütten an einem bewaldeten Berghang zu errichten, ohne den Bäumen wesentlichen Schaden zuzufügen. Frisch mit Stroh gedeckte Dächer hoben sich golden gegen den grünen Hintergrund des Dibe ab, und an den Mauern aus Granitblöcken schimmerten bunte Flechten. Zehn kräftige Männer hatten keuchend unsere beiden Esstische aus massivem Teakholz, die vor siebzig Jahren einmal als Eisenbahnschwellen gedient hatten, die Stufen hinaufgeschleppt. Alle unsere Möbel waren aus diesen ehemaligen Eisenbahnschwellen gefertigt, und wir waren sehr stolz darauf, dass kein einziger lebender Baum für unseren Komfort hatte gefällt werden müssen.

Die große Eröffnung war für April 1993 geplant, und im Februar hatte ich einen genialen Einfall. Ich bat alle Frauen, die mit ihren kleinen Kindern an unserer wöchentlichen Spielgruppe teilnahmen, beim nächsten Mal ein paar von ihren Lieblingsgerichten mitzubringen. Einige davon waren so gut, dass ich sie später immer wieder zubereitete, zum Beispiel warmen Hähnchensalat, der von den Gästen stets hoch gelobt wurde.

Unsere Lodge in Stone Hills

Hongwe Tekwana, die „schwebenden Felsen" – der Blick aus unserem Schlafzimmerfenster

Ich genieße die Aussicht vom Stone Hills Viewpoint bei unserer Lodge.

Die Sonne durchdringt nur schwer den morgendlichen Nebel über unserer Lodge.

Im Mai 1993 schickte der liebe Gott uns zwei echte Köche, die wie sonnengebräunte Engel in der Lodge erschienen. Seitdem habe ich die Kochtöpfe nie wieder angerührt.

Rechts von der Lodge und den sieben Hütten lag die Hütte der Parkführer. Es war das erste Haus, das wir auf der Farm errichtet hatten. Seitdem die Lodge den Betrieb aufgenommen hatte, wohnten dort jeweils unsere Chefkellnerin und ein oder zwei Parkführer. Ursprünglich hatte die Hütte aus einem Wohn-/Esszimmer in der Mitte und je einer Rundhütte auf beiden Seiten bestanden, doch das sollte sich ändern – nach einem dramatischen Ereignis.

An einem Nachmittag im Sommer 1994 saßen Nell, unsere Chefkellnerin, und ich gerade in unserem Haus am Computer und plagten uns mit der Monatsabrechnung herum. Es lag Regen in der Luft, wir spürten es deutlich an der windstillen Schwüle, doch bis auf ein paar dicke Wolken im Norden war der Himmel blau und klar. Wir rechneten überhaupt nicht mit dem enormen Blitz, der wie aus dem Nichts aus dem Himmel zuckte und anscheinend ganz in unserer Nähe einschlug.

„O nein!", entfuhr es Nell, als das vertraute „Ping!" ertönte. „Ade, Telefon – ade, Computer!"

Es war schon so oft passiert. Offenbar zog der Granit Blitze unweigerlich an. Aber ich muss gestehen, dass ich es eigentlich ganz angenehm fand, wenn das Telefon ausfiel. Abgesehen von der Funkverbindung zu unserem Büro in der Stadt war das unsere einzige Verbindung mit der gefährlichen Außenwelt.

Während Nell und ich vor dem schwarzen Computerbildschirm saßen, sahen wir, wie einer unserer Gärtner die Einfahrt hinunterrannte. Wenige Augenblicke später kam er wieder zurückgerannt.

„Was ist los?", rief ich durchs Fenster.

„*Umlilo!*", schrie er, ohne anzuhalten. „*Umlilo!*"

Wir hörten noch mehr Fußgetrappel, dann tauchte Rich auf, die beiden jungen Parkführer im Schlepptau. Wir liefen hinter ihnen her.

„Was für ein Feuer?", fragte ich die drei. „Wo brennt es denn?"

„In unserer Hütte!", rief Mark, einer der Parkführer, mir über die Schulter hinweg zu. „Rich ist auf dem Weg dorthin, und wir sollen mit Feuerlöschern nachkommen."

Wir eilten in verschiedene Richtungen davon, um die Feuerlöscher zu holen, und trafen uns wenige Minuten später wieder auf dem Weg zur Hütte. Weiter kamen wir nicht. Wir hörten Rich rufen: „Beeilt euch!", doch der dicke schwarze Rauch raubte uns den Atem und zwang uns, den Rückweg anzutreten.

Wir mussten es weiter oben versuchen, aber bis wir eine Stelle gefunden hatten, wo der Rauch weniger dicht war, war es bereits zu spät. Kaum hatten wir die Hügelkuppe erreicht, kam Rich zu uns zurückgelaufen, und im nächsten Augenblick schlugen auch schon die Flammen hoch. Voller Entsetzen mussten wir zusehen, wie das strohgedeckte Dach vom lodernden Feuer verschlungen wurde.

„Was ist mit deiner Hand passiert?", fragte ich.

Rich betrachtete verblüfft seine verbrannte Handfläche. „Ich hab's noch nicht mal gemerkt", sagte er. „Als ich die Tür aufgedrückt habe, ist meine Hand am Lack kleben geblieben. Nachdem ich Luft reingelassen hatte, ist das Feuer erst richtig ausgebrochen. Die Feuerlöscher hätten überhaupt nichts genützt."

Das Feuer hatte zunächst nur in der Mitte der Hütte gebrannt, doch nun erreichten die Flammen auch die Schlafzimmer und die Balken begannen zusammenzubrechen. Ich konnte es nicht ertragen, mir das noch länger mit anzusehen.

Das einzig Gute an dem Feuer war, dass wir kurz darauf ein sehr effektives Löschsystem einbauten und regelmäßig Übungen abhielten, die bei unseren Angestellten ziemlich beliebt waren. Die langen weißen Schläuche, deren Wasserstrahl man so hart einstellen kann, dass er denjenigen, der davon getroffen wird, durch die Luft schleudert, werden seitdem immer wieder zweckentfremdet. Einmal zum Beispiel kamen sie im Kampf gegen einen gereizten Elenantilopenbullen zum Einsatz, der unsere Gäste auf dem Weg in ihre Hütten terrorisierte.

An jenem Tag kehrten unsere drei Gäste um fünf Uhr von einem sehr angenehmen Ausflug in den Park zurück. Wir begrüßten sie vollkommen erschöpft und von Kopf bis Fuß rußgeschwärzt an der Treppe zu unserem Haus. Aber Rich hatte bestimmt: „Alles geht seinen geregelten Gang!", und beschlossen, dass wir die Katastrophe herunterspielen würden, um die Urlauber nicht zu verschrecken. Ein wenig enttäuschend war das allerdings schon, denn eigentlich fühlten wir uns alle wie Helden.

„Ach herrje!", sagte einer der Gäste, nachdem wir ihnen in knappen Worten von dem Brand berichtet hatten. „Was für ein Pech. Können wir trotzdem noch eine Fahrt durch den Wildpark machen?"

Also raffte Mark sich mühsam auf und kletterte tapfer in den Toyota, während wir anderen das Abendessen vorbereiteten.

Gegen halb neun wurde die Lodge von einer Explosion erschüttert, die die Scheiben in den Fenstern klirren ließ. Unsere drei Gäste sprangen entsetzt auf.

„Keine Sorge", sagte Rich nonchalant, „das war nur eine Gasflasche, die wir nicht rechtzeitig aus der Küche entfernt haben."

Als wir am nächsten Tag den Schaden begutachteten, stellten wir fest, dass die Gasflasche, die explodiert war, ein Loch in die Wand gerissen, eine Blechkiste samt Inhalt zerfetzt, den Kühlschrank zu einem undefinierbaren Etwas zerbeult und einen Teil des Herdes durch die Überreste des Daches in die Einfahrt geschleudert hatte.

„Ach du meine Güte!", sagte die Ehefrau des einen Gastes. „Eine halbe Stunde vorher haben wir noch durch dieses Fenster gelugt."

Anscheinend hatten wir sie endlich mit etwas beeindruckt.

Nach dem Brand wurde die Hütte anders aufgebaut: wir ließen zwischen die Wohnbereiche eine Trennwand ohne Tür einziehen. Der Grund dafür war, dass bislang jede Frau, die als Chefkellnerin bei uns angefangen hatte, von den jungen Parkführern belästigt worden war. Ich hatte jedes Mal unter diesem Theater zu leiden gehabt, weil ich mir immer wieder die Klagen über ungebetene nächtliche Besuche und Streitereien hatte anhören müssen. Damit war nun Schluss.

EINER unserer Parkführer war Brendon. Er besaß ein Engelsgesicht, und ihn riefen wir zu Hilfe, als das amerikanische Ehepaar zu Besuch war.

Sie kamen ziemlich spät und in strömendem Regen an, und Ursula führte sie in Zimmer Nummer sechs. Sie versuchte, das mit Solarzellen betriebene Licht einzuschalten, aber wie so oft waren die Batterien fast leer. „Tut mir leid", sagte sie mit einem freundlichen Lächeln. „Ich gebe Ihnen ein anderes Doppelzimmer, das genauso schön ist."

Die Frau erwiderte Ursulas Lächeln nicht. „Ich will kein anderes Zimmer", erklärte sie.

Ursula führte die beiden trotzdem in Zimmer Nummer zwei, eine durchaus akzeptable Alternative, vor allem da in diesem Zimmer das Licht funktionierte.

„Nein", sagte die Amerikanerin. „Ich will in Nummer sechs bleiben. Sehen Sie gefälligst zu, dass Sie das Licht reparieren."

Wir wurden gerufen, und ich wartete vor der Hütte Nummer sechs, während Rich keuchend und fluchend die schwere Ersatzbatterie durch die Dunkelheit und den strömenden Regen schleppte. Aber auch damit ging das Licht nicht an.

Außer sich vor Wut trat Rich nach der Batterie und stapfte los, um eine andere zu holen. Zehn Minuten später hockte er vor der Hütte und verfluchte Gott und die Welt: die Lodge, die Batterie, den Regen, die Politiker, die wirtschaftliche Situation. Am lautesten fluchte er auf die beiden Gäste, die in der schönen Hütte Nummer zwei saßen und partout nicht dort bleiben wollten. Schließlich hatte er es geschafft und stand auf. „Was für gottverdammte Idioten!", sagte er. „Wieso müssen die so einen Aufstand machen?"

Später stellte sich heraus, dass die beiden Amerikaner die ganze Zeit in der dunklen Hütte gesessen und die komplette Vorstellung mitbekommen hatten.

Kaum waren wir wieder im Haus, als Ursula wutschnaubend hereingestürmt kam. „Sie müssen sofort mit zu Nummer sechs kommen. Madam sagt, sie weigert sich, zum Abendessen zu kommen, solange wir kein Moskitonetz in ihrem Zimmer anbringen."

„Das ist doch lächerlich! Sagen Sie ihr, im August gibt's hier keine Moskitos. Es ist Winter, Herrgott noch mal!"

„Das hab ich ihr schon gesagt, aber sie hört mir gar nicht zu. Kommen Sie. Das mache ich nicht allein."

Als wir mit einem Moskitonetz bei der Hütte eintrafen, erwartete uns die Amerikanerin mit geschürzten Lippen an der Tür.

„*Hi!*", sagte ihr Mann, aber wir ignorierten ihn. Die beiden setzten sich ans Fenster und sahen uns bei der Arbeit zu. Wir stellten fest, dass wir das Netz nicht am Dachbalken aufhängen konnten, weil das Bett nicht mehr unter dem Haken stand. Es handelte sich um ein breites französisches Bett, das unglaublich schwer war, weil wir ein massives Brett unter die Matratze gelegt hatten, damit sie nicht durchhing. Als wir versuchten, das Bett an die richtige Stelle zu schieben, sprang der Mann auf, um uns zu helfen.

„Nein, Dwayne!", fauchte seine Frau und schlug ihm auf die Finger. „Das lässt du schön bleiben. Setz dich sofort wieder hin!"

Ängstlich schlich der Mann zurück ans Fenster und setzte sich. Nachdem das Bett endlich wieder an seinem Platz stand, hängte Ursula das Moskitonetz auf, während ich mich keuchend an die Wand lehnte und mir meinen schmerzenden Rücken massierte.

Kaum waren wir draußen, hörten wir die Frau hinter uns herrufen: „Kommen Sie sofort zurück! Ich will einen Preisnachlass!"

„Probleme?", ertönte eine gedehnte Stimme hinter uns.

Eine Zigarettenspitze glomm in der Dunkelheit auf, und als Ursula ihre Taschenlampe in die Richtung hielt, stand Brendon vor uns, bekleidet mit ausgefransten Shorts und einem uralten T-Shirt.

„Allerdings", antwortete Ursula. „Und du wirst uns jetzt helfen. Würdest du bitte nach oben gehen und der Frau sagen, dass du in dieser Angelegenheit zuständig bist und ihre Bitte ganz entschieden ablehnst?"

„Nein, tut mir leid", erwiderte Brendon hastig. „Ich bin hier als Parkführer angestellt, mit den Zimmern hab ich nichts zu tun."

Ursula trat auf ihn zu und leuchtete ihm mit der Taschenlampe in die Augen. „Ach ja?", fauchte sie. „Du hängst hier mehr vor meinem Zimmer herum, als du mit Führungen verbringst. Wie wär's, wenn du zur Abwechslung mal diese Frau da oben mit einer Kostprobe deines Charmes beglücken würdest?"

„Ist ja schon gut", lenkte Brendon ein.

Wir haben nie erfahren, was Brendon mit der amerikanischen Zicke gemacht hat. Aber am nächsten Morgen entschuldigte sie sich, falls sie am Abend ein bisschen „gereizt" gewesen sei, dann habe das wohl daran gelegen, dass das Gefühl, endlich in Afrika zu sein, sie völlig überwältigt habe.

Kapitel 5

Die Ersten, die die Geheimnisse des Matabelelandes und der Kopjes erkundeten, waren die Buschmänner. Diese steinzeitlichen Jäger und Sammler kannten weder Hütten noch Kochtöpfe oder eiserne Äxte. Sie jagten mit Giftpfeilen, sammelten Früchte und Nüsse, schliefen in kalten Winternächten in Höhlen an einem wärmenden Feuer und bereicherten die natürliche Schönheit der Kopjes mit ihren Felsmalereien, die ebenso ausdrucksstark sind wie die Felsen selbst.

Kaum etwas kann mich so begeistern wie die Entdeckung neuer Höhlenmalereien. So oft wie möglich unternehme ich, bewaffnet mit einem Fernglas und einem Knüppel (für den Fall, dass ich einer Schlange begegne), lange Wanderungen ohne bestimmtes Ziel. Nach stundenlangem Klettern und Kraxeln bin ich völlig zerkratzt, verdreckt und erschöpft, meistens ohne irgendetwas gefunden zu haben. Aber das schreckt mich nicht ab. Wenn ich aber tatsächlich einmal etwas Neues entdecke, ist das jedes Mal überwältigend. Hier kann ich Kunst in ihrer ursprünglichsten Form erleben: Der Künstler stand an derselben Stelle, wo ich jetzt stehe, er ist über dieselben Felsen geklettert. Womöglich bin ich die Erste seit Hunderten von Jahren, die diese Malereien zu Gesicht bekommt.

Bei Ausgrabungen in einigen der größeren Höhlen in den Matobobergen wurden Fragmente von Felsmalereien gefunden, die mindestens zwölftausend Jahre alt sind, und dennoch wirken manche Bilder so klar und frisch, dass man sich nicht wundern würde, das Feuer des Künstlers noch glimmend vorzufinden.

Vor etwa 1500 Jahren hörten die Buschmänner auf zu malen. Dann starben sie allmählich aus und hinterließen nur ihre Kunst in der Stille der Hügel.

Die Malereien der Buschmänner halfen uns auch, als wir Vorbereitungen dafür trafen, wieder Wildtiere auf der Farm anzusiedeln. Wir mussten uns vergewissern, dass die Tiere, die wir aussuchten, hier eine geeignete Umgebung vorfanden, und wir waren überzeugt, dass die in den Matobobergen ansässigen Buschmänner die Tiere gemalt hatten, die ihnen aus der Gegend bekannt waren, wie Halbmondantilopen, Gnus, Zebras und Giraffen, alles Arten, von denen 1989 in Stone Hills kein einziges Exemplar mehr anzutreffen war. Neben den ökologischen Voraussetzungen benutzten wir die Höhlenmalereien als Entscheidungsgrundlage für die Auswahl der Tiere.

Rich hatte viel Erfahrung mit dem Einfangen von Wildtieren, was seine zahlreichen Narben bewiesen. Einer der schlimmsten Zwischenfälle hatte sich in den Siebzigerjahren ereignet. Als damals die ersten Wilderer angefangen hatten, schwarze Nashörner zu erlegen, hatten Rich und mein Bruder David zu einer Gruppe von Wildhütern gehört, die die Tiere aus bedrohten Gebieten einfingen und in die Nationalparks umsiedelten, wo man sie damals noch in Sicherheit wähnte. Natürlich hatten die kurzsichtigen und äußerst reizbaren Nashörner diese Prozedur keineswegs zu schätzen gewusst, und einem besonders undankbaren Exemplar war es gelungen, Rich gegen einen Palisadenzaun zu drücken und ihm sein Horn durchs Bein zu rammen. Zusätzlich zu dem Loch im Unterschenkel war seine Wirbelsäule an mehreren Stellen angeknackst gewesen, und er hatte sich im Lauf der nächsten sieben Jahre zweimal operieren lassen müssen.

Das Einfangen der ersten Tiere für unsere Farm war bei Weitem kein so dramatisches Erlebnis. Nachdem man vierzehn Zebras mithilfe eines Hubschraubers von ihrer Herde getrennt hatte, wurden sie in ein Gatter getrieben, auf einen Laster mit geschlossenen Seitenwänden verladen und von ihrem Geburtsort im südöstlichen Lowveld nach Stone Hills verfrachtet.

Alles war für ihre Ankunft vorbereitet. Wir hatten vier Gatter errichtet, jeweils zwei rechts und links eines schmalen Korridors. Der Laster sollte rückwärts an eine Rampe heranfahren, und die Zebras sollten darüber jeweils in dasjenige Gatter laufen, dessen Tor gerade offen war. Aber natürlich war die Prozedur gar nicht so einfach. Wenn die Zebras beim Herauslaufen auch nur den geringsten Lichtstrahl sahen, war damit zu rechnen, dass sie ausbrachen. Deswegen hatten wir beide Seiten des Korridors sorgfältig mit Planen verhängt, vor allem die Stelle, wo der Laster an die Rampe fahren sollte. Aus demselben Grund hatten wir jedes der drei Meter hohen Gatter mit dicken Grasmatten abgedichtet, die keinen noch so kleinen Spalt freiließen. Um die Zebras zu beobachten, mussten wir auf die Gerüste klettern, die Rich rundherum errichtet hatte, und von oben über den Zaun lugen.

Nachdem der Laster angehalten hatte, lief ich hin, um einen Blick auf die Ladefläche zu werfen. Die Zebras tobten und wieherten so laut, dass sie das Motorgeräusch übertönten. Der Fahrer schien Stunden zu brauchen, um rückwärts an die richtige Stelle zu rangieren. Dann endlich schaltete er den Motor ab, und wir sahen alle gebannt zu, wie die beiden Tierfänger auf den Wagen sprangen und vorsichtig die Hecktüren öffneten. Erneut begannen die Zebras zu wiehern und um sich zu treten, bis schließlich eins seinen Kopf herausstreckte – und ihn gleich wieder zurückzog. Plötzlich rief der Fahrer: „Achtung, sie kommen!" Die Tiere stoben aus dem Laster, jagten die Rampe herunter und durch den Korridor und verteilten sich in die Gatter.

Rich stand mit einem Fernglas auf dem Gerüst. „Ein Hengst!", rief er, als das erste Tier um die Ecke geschossen kam. „Wieder ein Hengst!", rief er, als das zweite Tier erschien. „Und noch ein Hengst!"

Rich wirkte zusehends verblüfft. Als alles vorbei war und die Tore sich hinter dem dreizehnten Zebra geschlossen hatten (wir hatten leider einen Todesfall zu verzeichnen, einen erwachsenen Hengst), stand fest, dass es sich bei elf der dreizehn Tiere um stramme, ausgewachsene Hengste handelte und wir nur eine Stute mit einem einjährigen Stutfohlen bekommen hatten.

Vom ersten Tag an gingen die Zebras sehr gemein miteinander um. Ich fragte mich, ob die vorübergehende Enge, in der sie eingeschlossen waren, der Grund dafür war, aber inzwischen haben sie 2600 Hektar zur Verfügung und es hat sich nichts geändert. Ein besonders beliebter Sport unter Hengsten ist das Schwanzbeißen, wobei der Angreifer sich nicht etwa mit einem spielerischen Zuschnappen begnügt, sondern seinem Opfer drei Viertel des Schweifs amputiert und damit triumphierend herumstolziert. Der Stumpf verheilt relativ schnell, aber als Fliegenpatsche ist er nicht mehr zu gebrauchen, ganz abgesehen davon, dass der Besitzer mit dem Stummel ziemlich albern aussieht.

Einen Monat später bekamen wir vier Stuten und zwei weitere Hengste geliefert, um das Geschlechterverhältnis langsam anzupassen.

Tuli, der junge Giraffenbulle

Das junge Zebra steht uns noch etwas skeptisch gegenüber.

Allerdings hatten wir immer noch viel zu viele Hengste. Die Tierfänger versprachen uns deshalb, zwei von ihnen wieder abzuholen und auf eine andere Farm zu bringen.

Ein aufregendes Ereignis fand drei Wochen, nachdem die zusätzlichen Stuten eingetroffen waren, statt: die Geburt eines Fohlens. Trotz des ganzen Chaos überlebte „April Foal" unbeschadet. Eine zweite Stute, möglicherweise eine halb erwachsene Tochter, kam der Mutter zu Hilfe, und gemeinsam beschützten die beiden Stuten das Fohlen vor den gemeinen Streichen der restlichen Herdenmitglieder. Nachdem die Tiere sich eingewöhnt hatten, wollten wir sie aus dem Gatter auf eine angrenzende vier Hektar große, von einem dreieinhalb Meter hohen Elektrozaun umgebene Koppel umsiedeln. Der Zweck der Übung bestand darin, unsere neuen Tiere an Zäune zu gewöhnen, bevor wir sie in die Freiheit entließen, potenziellen Ausbrechern eine Lehre zu erteilen und überhaupt allen klarzumachen, dass es besser war, sich von Zäunen fernzuhalten.

Nach etwa dreieinhalb Monaten hatten die Zebras sich einigermaßen an das Leben im Gatter gewöhnt und waren, wie die meisten in Gefangenschaft lebenden Tiere, nicht erpicht darauf, ihre sichere Umgebung und vor allem ihre Futterquelle zu verlassen.

Zuerst entließen wir die Stuten auf die Koppel – was sich als langwierige Angelegenheit entpuppte. Nach einer Dreiviertelstunde fassten sich schließlich einige der mutigeren Tiere ein Herz und betraten das offene Gelände. Wenig später folgten dann auch die anderen, zuletzt April Foal samt Mutter und Schwester. Und mit einem Schlag wirkten unsere scheuen Gefangenen wie neugeboren! In vollem Galopp jagten sie über die Koppel und feierten ihre Freiheit mit wilden Sprüngen und Tritten. Zweimal beobachteten wir, wie ein Tier gegen den Zaun stieß und einen Stromschlag abbekam.

Richard, unser junger Helfer Mike und ich hatten es uns auf Hockern bequem gemacht, um uns das Schauspiel anzusehen. Plötzlich sprang Rich auf, begann wild zu gestikulieren und murmelte: „Weg, weg!" Auf dem Weg am anderen Ende der Koppel näherte sich ein Radfahrer, offenbar jemand, der nicht mitbekommen hatte, dass sich alle dieser Gegend fernhalten sollten. Und tatsächlich – das war für die Zebras zu viel der Aufregung. Eine Stute brach aus der Herde aus, stürmte auf die entgegengesetzte Ecke des Zaunes zu, warf sich, ohne zu zögern, dagegen und riss ihn nieder. Sie galoppierte davon und war schon bald unseren Blicken entschwunden.

Mike, der Jüngste und Durchtrainierteste von uns dreien, rannte los und erreichte die Lücke im Zaun gerade rechtzeitig, bevor das nächste Zebra auf die Idee kommen konnte, es der ersten Stute gleichzutun. Wir reparierten den Zaun notdürftig, und die Zebras nahmen ihren wilden Galopp um die Koppel wieder auf.

„Gottogott!", rief Rich. „Hoffen wir bloß, dass das nicht die Mutter von April Foal war."

Welch ein schrecklicher Gedanke! Und als wir die Herde beobachteten, mussten wir leider wie befürchtet feststellen, dass das Fohlen ziellos zwischen den erwachsenen Tieren herumlief. Am besten wäre es gewesen, die Tore zu öffnen und die Zebras freizulassen, doch die oberen 800 Hektar der Farm, wo wir die Gatter errichtet hatten, waren noch nicht ganz eingezäunt, und wahrscheinlich hätten wir sie dann nie wiedergesehen.

„Geben wir ihnen ein bisschen Zeit, sich zu beruhigen, dann sehen wir weiter", sagte Rich.

Wir ordneten an, dass niemand sich dem Weg am Gatter nähern durfte, und fuhren zum Haus, um uns auszuruhen. Einige Stunden später kletterte ich auf einen Kopje am Rand der Koppel und hielt Ausschau nach unserem Ausreißer. Die Stute war nirgendwo zu sehen, aber mitten in der Steppe lief das kleine, einsame Fohlen herum. April Foal war ebenfalls durch den Zaun gebrochen und hatte sich auf die Suche nach seiner Mutter gemacht. Nach etwa einer Stunde kletterte er zurück durch den Zaun, und wir standen wieder vor demselben Problem. April Foal war gerade mal sechs Wochen alt und noch auf die Muttermilch angewiesen.

Wir kamen zu dem Schluss, dass wir ihn von der Herde trennen und irgendwie von der Koppel zurück ins Gatter schaffen mussten. Wir postierten Percy, einen unserer Scouts, hinter dem Tor. Versteckt hinter einem Stapel Säcke hielt er ein Seil in der Hand, mit dem er im entscheidenden Augenblick das Tor zuziehen und April Foal so von der Herde trennen sollte. Erstaunlicherweise klappte es. Am nächsten Tag lief ich stundenlang mit einer Milchflasche hinter dem Fohlen her. Natürlich interessierte sich April Foal nicht die Bohne für die Flasche. Er stand am Zaun und rief nach seiner Mutter. Die Hengste, die sich im angrenzenden Gatter befanden, kamen an den Zaun, und ihre Nähe schien das Fohlen zu beruhigen. Am nächsten Abend legten wir eine Spur aus Trockenfutter auf den Weg und in den Eingang zum nächsten Gatter in der Hoffnung, damit die Mutter zu ihrem Fohlen zurückzulocken. Auch diesmal versteckte sich Percy wieder hinter einem Stapel Säcke neben dem Tor, das er sofort schließen sollte, falls die Stute auftauchte. Sie kam tatsächlich, traute sich jedoch nicht durchs Tor, und am nächsten Morgen war sie wieder verschwunden.

Jetzt blieb uns nur noch eins: Da die Mutter offenbar nicht zu ihrem Fohlen kommen würde, mussten wir April Foal freilassen und hoffen, dass die beiden sich nicht nur finden, sondern auch auf der Farm bleiben würden, weil sie bei ihrer Herde bleiben wollten. Am dritten Abend öffneten wir das Tor für April Foal und sorgten dafür, dass sich niemand in der Gegend aufhielt.

Als wir bei Tagesanbruch zum Gatter kamen, war es leer. Wir folgten den kleinen Hufspuren, bis sie sich schließlich mit denen der Stute vereinten. So weit war also alles in Ordnung. Jeden Morgen fanden wir nun die Spuren der beiden vor dem Gatter, aber wir bekamen sie erst wieder zu Gesicht, als die Herde drei Wochen später freigelassen wurde.

UNSERE ersten Giraffen waren in dreierlei Hinsicht außergewöhnlich. Sie gehörten damals zu den teuersten Wildtieren, die je in Simbabwe gekauft wurden, sie waren bei ihrer Ankunft so ruhig und gelassen wie keines der anderen Tiere (zwei legten sich gemütlich zum Wiederkäuen hin), und anschließend bereiteten sie uns den größten Ärger.

Wir hatten einige spezielle Vorbereitungen treffen müssen. Ein ausgewachsener Giraffenbulle erreicht eine Größe von gut fünf Metern. Unsere Telefonleitungen mussten also mindestens sechs Meter hoch hängen. Die Mitarbeiter der Telefongesellschaft waren über unser Ansinnen reichlich verblüfft, ließen sich jedoch dazu überreden, unserem Wunsch nachzukommen. Die Futtertröge mussten an den obersten Draht des Gatters gehängt werden, ebenso die Zweige, die dreimal täglich frisch für die Giraffen geschnitten wurden.

Wir gaben den drei Giraffen die Namen von Flüssen, und jedes Tier sollte einem unserer Kinder gehören. Lundi, die älteste Kuh und das nervöseste der Tiere, sollte für Rich' Tochter Nicki sein, Shasham wurde Nigel, Rich' Sohn, zugeteilt und Tuli, der junge Bulle, war für das lebhaft strampelnde kleine Wesen bestimmt, das ich damals im Bauch trug, nachdem ich zu unserer großen Überraschung im Alter von vierzig Jahren schwanger geworden war. Ich bin mir ziemlich sicher, dass außer David keinem anderen Baby, das im November 1990 in der Sandton Clinic in Johannesburg das Licht der Welt erblickte, bei seiner Ankunft verkündet wurde, dass es der stolze Besitzer eines jungen Giraffenbullen war.

Die Giraffen blieben nur zwei Wochen im Gatter und zehn Tage auf der Koppel, allerdings nicht, weil wir davon überzeugt waren, dass sie sich eingewöhnt hatten, sondern weil wir nicht genau wussten, welche Art Futter sie brauchten. Sie stammten aus dem so genannten *Sweetveld* im Südosten Simbabwes, einer Gegend, deren Vegetation sich stark unterscheidet von der in unserem wesentlich kargeren Gebiet. Äser wie Giraffen fressen nur frisches Grünzeug, sie wandern gewöhnlich umher und knabbern an allen möglichen Pflanzen. Zwar fraßen unsere Tiere die Zweige und Schösslinge, die wir ihnen anboten, aber wir waren uns nicht sicher, ob sie ihnen gut bekamen. Widerwillig ließen wir sie daher schließlich frei und trugen den Scouts auf, sie im Auge zu behalten. Falls sie eine Giraffe in der Nähe des Zauns antrafen, sollten sie sie fortscheuchen.

Nachdem die Giraffen den dritten Tag in Freiheit verbracht hatten, erreichte uns zu Hause in Bulawayo jedoch ein Anruf (die Lodge und unser Haus waren zu dieser Zeit noch nicht fertig). „Rich", sagte Mike aufgeregt, „die Giraffen sind in die Sümpfe entwischt, und ich habe keine Ahnung, wo sie stecken."

Am Nachmittag waren zwei Scouts über einen Hügel gekommen und hatten gesehen, wie Lundi den Hals über den Zaun reckte und sich mit der Brust dagegendrückte. Das plötzliche Auftauchen der Männer versetzte die Giraffen in Panik. Tuli und Shasham stürmten gegen den Zaun und gelangten aufs Nachbargrundstück. Im nächsten Augenblick waren alle drei draußen, rannten einen Kopje hinauf, auf der anderen Seite wieder hinunter und auf und davon. Als die Scouts hinter ihnen herliefen, fielen die Giraffen in einen noch schnelleren Galopp.

Rich rief sofort bei Clem Coetzee, dem Wildfänger, an und ging mit ihm durch, welche Möglichkeiten wir hatten. Aufgrund ihrer Größe und ihres Gewichts bestand nicht die Möglichkeit, sie mit einem Betäubungsgewehr ruhigzustellen und zurückzutransportieren. Offenbar blieb uns nur eine Fangaktion mit allem Drum und Dran übrig, mit Einsatz eines Hubschraubers, Errichten eines Gatters und Transport mit Lastwagen: eine ungeheuer kostspielige Angelegenheit ohne Erfolgsgarantie. Aber wir hatten keine Alternative.

Die Ausreißer wurden am nächsten Tag in nur sechs Kilometer Entfernung gesichtet. Doch dann fühlten sie sich offenbar von einer Viehherde gestört, und am Tag darauf entdeckten wir sie in zehn Kilometer Entfernung nordöstlich von unserer Farm, wo sie sich für eine Weile einzurichten schienen.

Das Fangteam war wenige Stunden nach unserem Anruf vor Ort. Die Männer parkten ihren winzigen zweisitzigen Hubschrauber auf einer Koppel in der Nähe der Hauptstraße und rumpelten mit ihrem Laster bis auf wenige Kilometer an die Giraffen heran, wo sie den Wagen zwischen ein paar Bäumen abstellten. Dann machten Clem und seine etwa zwanzig Helfer sich daran, ein riesiges dreieckiges Gatter zu errichten. An einer Seite des Dreiecks ließen sie einen breiten Eingang und an der gegenüberliegenden Spitze einen Ausgang, der genauso breit war wie der Lastwagen, den sie dort mit der Rückseite voran und weit offenen Türen parkten. Entlang den Seiten des Gatters wurden eine Reihe von Stahlseilen gespannt, hoch genug, damit die Giraffen sich nicht daran enthaupten konnten, und an jedem Seil ein schwarzer Plastikvorhang befestigt. Hinter den zurückgezogenen Vorhängen versteckten sich die Männer.

„Steigen Sie ein!" Während Clem auf den Rücksitz seines Landrovers deutete, warf er einen besorgten Blick auf meinen enormen Bauch. „Wird das nicht zu anstrengend?"

Ich versicherte ihm, dass es kein Problem geben würde. Schließlich blieben noch sechs Wochen bis zum Geburtstermin.

„Also dann!" Clem gab dem Piloten über Funk das Startsignal und gleich darauf hörten wir, wie der Hubschrauber abhob.

Wenige Minuten später meldete sich der Pilot. „Ich habe sie im Blick!", verkündete er. „Es kann losgehen."

Wie eine wütende Biene flog der kleine Hubschrauber dicht über den Bäumen dahin und scheuchte die Giraffen vor sich her, die im Galopp ins Gatter rannten. Was für ein beeindruckender Anblick! Unsere Giraffen, selbst in ihrer Panik prächtig und elegant, donnerten durch die Bäume auf uns zu.

„Festhalten!" Als die Giraffen den Eingang des Gatters erreichten, trat Clem das Gaspedal durch und raste hinter ihnen her. Es war eine veritable Höllenfahrt, und wir können von Glück sagen, dass David nicht auf der Stelle das Licht der Welt erblickte. Direkt hinter uns wurde der erste Vorhang zugezogen, dann der zweite und der dritte. In wenigen Sekunden waren wir an der Spitze des Dreiecks angelangt. Clem ließ den Giraffen keine Zeit zum Zögern. Er fuhr mit dem Rover bis dicht an sie heran und bugsierte sie mithilfe eines breiten Brettes, das er an die Kühlerhaube montiert hatte, auf die Ladefläche des Lasters.

Lammfromm stiegen sie in den Wagen, und lammfromm verhielten sie sich auf der ganzen Fahrt, die sie damit zubrachten, seelenruhig durch ihre langen Wimpern die Landschaft zu betrachten.

Endlich waren sie wieder zu Hause.

Kapitel 6

Mit Tieren sprechen zu können! Mehr noch, verstehen zu können, was sie antworteten – Gott, wie ich mir wünschte, das zu können!

Und dann, 1988, in dem Jahr bevor wir die Farm kauften, stand eines Tages ein Afrikaner vor unserem Tor, der auf der Suche nach einem Job war. Ich redete mit ihm durch die Gitterstäbe, denn unser Rottweiler Bruno, der etwa die Größe eines Ponys hatte, konnte ziemlich aggressiv werden. Der Mann stellte sich als Abel Ncube vor. Über den legendären Buschfunk war ihm zu Ohren gekommen, dass wir einen Gärtner suchten, und er hatte ein Empfehlungsschreiben von seinem letzten Arbeitgeber mitgebracht, das er mir mit dem warmherzigsten Lächeln durch die Gitterstäbe reichte. Ich mochte ihn auf den ersten Blick, und seltsamerweise schien es unserem Hund ebenso zu ergehen. Der Mann setzte sich zu meinen Füßen auf den Boden und wartete geduldig, bis ich den Brief gelesen hatte.

Abel Ncube, so entnahm ich dem Schreiben, war acht Jahre lang bei einer Familie angestellt gewesen. Leider konnten die Leute ihn nicht weiter beschäftigen, weil sie das Land verließen. Abel habe im Garten und hin und wieder auch im Haus gearbeitet, hieß es weiter. Er sei zuverlässig und ehrlich und als Arbeitskraft sehr zu empfehlen. Außerdem habe er „ein Händchen für Tiere".

Ich konnte mein Glück kaum fassen. „Heißt das, Sie mögen Tiere?", fragte ich.

„O ja, Madam", erwiderte Abel, der inzwischen durch die Gitterstäbe Brunos Kopf kraulte.

Da ich mich mit Pflanzen nicht besonders gut auskannte, brauchte ich dringend einen Gärtner. Allerdings stellte sich heraus, dass Abel noch ahnungsloser war als ich. Wir waren beide talentiert im Umgang mit der Schaufel, nur davon, wie man dafür sorgte, dass Pflanzen wachsen und gedeihen, hatte er nicht den leisesten Schimmer. Doch das spielte keine Rolle. In kürzester Zeit war der ganze Garten überwuchert von Schwertfarnen und rosafarbenen Fleißigen Lieschen, die einfach nicht auszurotten waren, und Abel schlenderte gemütlich umher, stets gefolgt von Bruno und Lora. Er sprach kaum mit den Hunden, außer wenn er sie beim Namen rief. Stattdessen gab er leise gurgelnde, knurrende Geräusche von sich, auf die die Tiere sofort reagierten. Das war seine spezielle „Hundesprache", da bin ich mir ganz sicher, denn wenn er mit unseren Buschböcken und später mit seiner geliebten Poombi „redete", klang das ganz anders.

Nachdem wir auf die Farm gezogen waren, wurde Abel zu unserem Cheftierpfleger. Morgens war er stundenlang unterwegs, um frische Zweige für die Buschböcke zu schneiden; er fütterte die Hunde und nahm sie mit auf endlose Wanderungen, wenn ich in der Lodge zu tun hatte; und wenn uns mal wieder irgendwelche Tierwaisenkinder gebracht wurden, half Abel dabei, sie mit der Flasche aufzupäppeln. Eigentlich hatte er nicht besonders viel zu tun. Bis Poombi kam.

Im August 1996 war unser Warzenschwein etwa zehn Monate alt, es war Winter, und das wenige, was Poombi vom Rasen übrig gelassen hatte, war inzwischen verdorrt. Wenn wir vergaßen, zwischen Haus und Tor nachts eine Fackel aufzustellen, liefen wir Gefahr, in einen der tiefen Krater zu treten, die Poombi dort gebuddelt hatte, und uns einen Knöchel zu verstauchen.

Poombi wurde immer rastloser. Zwar hatte sie Nandi als Spielkameradin und sie lieferte sich tägliche Kopfstoßkämpfe mit Nyami, dem jungen Buschbock. Aber selbst unsere nachmittäglichen Spaziergänge wurden ihr bald zu langweilig. Wir machten uns zwar wie gewohnt auf den Weg, doch am Fuß des Hügels musste ich meist nach Poombi rufen, die immer eine Extraeinladung brauchte. Die Erfahrung hatte mich gelehrt, nie länger als drei Minuten zu warten. Wenn sie bis dahin nicht aufgetaucht war, rannte ich zurück, um zu verhindern, dass sie sich zu unseren Gästen gesellte, die gerade ihren Tee einnahmen, oder in die Küche schlich, um dort in einem Anfall von Zerstörungswut ein Riesenchaos anzurichten.

Wir kamen zu dem Schluss, dass es vielleicht doch besser war, sie wieder in die freie Natur zu entlassen – ein hehrer Plan, der jedoch, so befürchteten wir, bei seiner Nutznießerin auf keinerlei Begeisterung stoßen würde.

Um Poombi unser Vorhaben schmackhaft zu machen, unternahm Abel von nun an jeden Morgen mit ihr eine Schweinewanderung. Nach dem Frühstück öffnete er das am weitesten vom Haus entfernte Tor, rief Poombi zu sich und ging mit ihr den ganzen Vormittag spazieren. Und Poombi graste, buddelte und wühlte im Dreck wie ein richtiges Warzenschwein. Mittags nahm sie, häufig zusammen mit David, im hinteren Garten ein ordentliches Schlammbad, und dann ging Abel wieder mit ihr los bis zum Sonnenuntergang.

Ich freute mich immer auf die Tage, an denen Abel freihatte und ich ihn vertreten konnte, denn die Spaziergänge mit Poombi lieferten mir einen unanfechtbaren Vorwand, mich von der Lodge und der damit ver-

Abel, der Mann, der mit den Tieren sprechen konnte, mit seiner Poombi

bundenen Arbeit fernzuhalten. Aber davon abgesehen, waren die Stunden allein mit Poombi im Busch ohnehin eine wunderbare Erfahrung.

Nervös wurde ich allerdings, als sie einmal zehn Minuten lang verschwunden blieb, denn normalerweise hielt Poombi sich während unserer nachmittäglichen Spaziergänge immer in Sichtweite. Auf mein Rufen erfolgte keine Reaktion, dann sah ich, wie Nandi im hohen Gras mit dem Schwanz wedelte. Es stellte sich heraus, dass Poombi sich für ihren Abenteuerausflug ein Loch ausgesucht hatte, das sich an einer Steilwand befand. Alles, was ich sah, war ein dickes Hinterteil und zwei strampelnde Beine. Nandi und Lora standen schwanzwedelnd daneben, und ich konnte mich kaum halten vor Lachen. Ich hängte mein Fernglas an einen Ast und zog Poombi an ihren Hinterbeinen aus dem Erdloch. Sie flutschte heraus wie ein Sektkorken und trottete davon, als wäre nichts gewesen. Aber mir fiel auf, dass sie von da an etwas mehr Vorsicht walten ließ, bevor sie sich in ein Loch zwängte.

In Simbabwe wohnen Warzenschweine fast ausschließlich in Höhlen, die von Erdferkeln, ewig scharrenden, nachtaktiven Tieren mit großen Ohren und langer Schnauze, gegraben werden. Diese Tiere sind mit keiner anderen Tierart verwandt (allerdings gibt es seit Neuestem Vermutungen, dass sie womöglich von denselben Vorfahren abstammen wie Elefanten und Klippschliefer). Ihre Tüchtigkeit im Graben und Buddeln hat mit ihrer Vorliebe für Termiten und Ameisen zu tun, die sie mit ihrer langen, klebrigen Zunge auflecken. Weiß der Himmel, wie viele von diesen scheuen Tieren in Stone Hills leben, jedenfalls ist das gesamte Gebiet mit ihren Höhlen übersät – komplexen Wohnanlagen mit zahlreichen Schlafkammern, die, auch wenn der Bauherr höchstpersönlich dort residiert, reichlich Raum bieten für Warzenschweine und andere Untermieter.

Auf den täglichen Schweinewanderungen sammelte Poombi Erfahrungen über das Leben im Busch. Sie fand heraus, wo sie sich gefahrlos bewegen und wo sie etwas zu fressen finden konnte und wie sie die Zeichen um sich herum zu deuten hatte. Außer für ältere männliche Tiere spielt für Warzenschweine die Familie eine entscheidende Rolle. Die Gruppe ist matriarchalisch strukturiert, wird von einer dominanten Bache angeführt und besteht aus miteinander verwandten weiblichen Tieren. Junge männliche Tiere werden meist verjagt, sobald der nächste Wurf Frischlinge das Licht der Welt erblickt, aber wenn die Keiler Glück haben, schließen sie sich ziemlich bald mit anderen jungen, umherschweifenden Junggesellen zusammen.

Irgendwie würde Poombi einen Partner finden, Junge bekommen und zusammen mit diesen eine eigene Gruppe bilden müssen. Aber wie? Zum einen interessierte sie sich nicht die Bohne für andere Warzenschweine. Wenn sie sie von Weitem sah, ignorierte sie sie einfach, und wenn ihre Artgenossen zu nahe kamen, flüchtete sie sofort zu Abel, um bei ihm Schutz zu suchen. Irgendwann dämmerte es mir dann: Poombi hatte keine Ahnung, dass sie ein Schwein war.

Und es gab noch ein anderes Problem: Wenn es so weit wäre und Poombi brünstig werden würde, wie würde irgendein Keiler es je schaffen, in ihre Nähe zu gelangen? Er würde es garantiert nicht dulden, dass Abel mit von der Partie war, aber Poombi würde zweifellos darauf bestehen, dass ihr Beschützer in der Nähe blieb.

Aber zunächst einmal ging das Erziehungsprogramm weiter – und zwar nicht nur für Poombi, sondern auch für David. Bis Januar 1997 war das Leben unseres Sohnes ein reines Idyll. Wie Mogli lief er barfuß umher, und der gesamte Wildtierpark war sein Spielplatz. Wenn die Flussbetten ausgetrocknet waren, sprang er von den Ufern in herrliche, von der Sonne gewärmte Sandgruben.

Auf dem Schoß von Agnes, unserer Wäscherin (die etwas von einer Hexe hatte), lernte er alles über wilde Beeren. Gemeinsam zogen sie los, um Beeren zu sammeln – Agnes stapfte in ihren überdimensionalen Turnschuhen mitten durch den Busch, während David sich an ihren Rücken klammerte. Er lernte die Namen der Bäume auf Sindebele: *umbumbulu* für den Milkwood-Baum, *uxakuxaku* – Geckenholzstrauch, *umqokolo* – Batoko-Pflaume. Und er beherrschte die komplizierten Klicklaute, die aus der uralten Sprache der Buschmänner stammen.

Aber Agnes unternahm diese Expeditionen in den Wald nicht nur aus uneigennützigen Gründen. Einmal traf ich sie mit verschränkten Armen allein unter einem Milkwood-Baum an. „Wo ist David?", fragte ich, denn ich wusste, dass die beiden wenige Stunden zuvor gemeinsam aufgebrochen waren.

Agnes machte eine Kopfbewegung in Richtung Baum. *„Isihlahla. Pezulu."* Sie sprach immer stur Sindebele mit mir, obwohl ihr klar war, dass sie kein Wort verstand.

„Ich bin hier, Mama!" Und da hockte mein Sohn hoch oben im Baum, pflückte die gelben Früchte und sammelte sie für seine Lehrerin in einen Beutel.

Dann kam der 13. Januar. David wurde offiziell eingeschult, und ich wurde im Auftrag der Fernschule in Harare zu seiner Lehrerin. Wenige Wochen zuvor war ein ganzer Stapel Lehrmaterial bei uns eingetroffen. Das Zeug jagte mir eine Heidenangst ein. Für jemanden, der seit seinem dreizehnten Lebensjahr jede Art von Mathematik gemieden hatte, war es unvorstellbar, einem Kind das Rechnen beizubringen. Wahrscheinlich würde ich seine ganze Zukunft ruinieren, und er würde irgendwann, immer noch barfuß und unfähig, irgendeinen Job zu übernehmen, durch die Straßen von Harare streifen.

Aber die Leute von der Fernschule hatten jeden Unterrichtstag haarklein ausgearbeitet, einschließlich ausführlicher Anweisungen für den neuen „Lehrer". Für den Tag eins im Rechnen war im Lehrplan das Zuordnen zu Gruppen vorgesehen. „Sagen Sie beispielsweise", stand auf dem entsprechenden Bogen, „dass Ihr Vater Polo spielt. Dann gehört er zur Gruppe der Polospieler." Großartig. Das Material stammte aus einer Zeit von vor vierzig Jahren, als mein Vater durchaus ein Polospieler hätte sein können, aber die vielen Kinder im ländlichen Afrika, die derzeit in den Genuss des Fernunterrichts kamen, würden mit derartigen Beispielen schwerlich etwas anfangen können.

Mach dich nicht verrückt, sagte ich mir, als Tag eins anbrach, andere Mütter tun das schon seit Jahren. Die waren garantiert auch nicht alle geborene Lehrerinnen. Ich musste mich zusammenreißen. Um halb sieben marschierte ich in Davids Zimmer und zog beherzt den Vorhang auf. „Guten Morgen, mein Schatz!", flötete ich gut gelaunt. „Aus den Federn! Heute ist dein erster Schultag. Ist das nicht aufregend?"

Das war der von der Fernschule empfohlene Ansatz. *Präsentieren Sie Ihrem Kind die Schule als etwas Positives. Machen Sie ihm den Unterricht als etwas Begehrenswertes und Aufregendes schmackhaft.*

Im Bett tat sich überhaupt nichts. Vorsichtig legte ich eine Hand auf Davids Schulter und schüttelte ihn sanft. „Aufstehen, mein Schatz! Du willst doch an deinem ersten Schultag nicht zu spät zum Unterricht kommen."

Aber mein Schatz rührte sich nicht. Ich schlug die Bettdecke zurück, diesmal schon etwas weniger sanft. Schließlich war ich schon seit fünf Uhr auf, hatte in der Küche Bücher und Malkreiden zurechtgelegt und die Anweisungen noch einmal studiert. Ich zog David in eine sitzende Position und griff nach seinen Kleidern, aber als ich mich umdrehte, war er schon wieder aufs Kopfkissen gesunken, die Augen fest geschlossen.

„David, Herrgott noch mal, du musst aufstehen!", schrie ich und brach die Grundregel der Erziehung: Du sollst ein Kind niemals anschreien. Aber er wollte einfach nicht aufstehen. Gegen neun kam er schließlich aus seinem Zimmer, aber bis dahin war ich vor lauter Frust in Tränen aufgelöst. Kein guter Anfang.

Der einzige Ort, wo wir unseren Unterricht abhalten konnten, war unsere im Freien gelegene Küche, die so weit vom Haus entfernt war, dass ich mir keine Gedanken übers Kochen zu machen brauchte: da wir unsere Mahlzeiten meistens in der Lodge zu uns nahmen, war die Küche nie als solche benutzt worden, aber sie war ein idealer Lagerraum und diente neuerdings außerdem als Poombis Schlafplatz. Der Schreibtisch und zwei Holzstühle standen direkt neben ihrer Schlafkiste mit den Wolldecken.

Wie das Schicksal es wollte, war Abel an jenem Tag krank, und Poombi erwartete uns bereits im Garten. Und als sie sah, dass wir auf ihr Schlafgemach zustrebten, nahm sie selbstverständlich an, dass sie mit von der Partie war. Mir war sofort klar, dass wir es auf normalem Weg nie ohne sie in die Küche schaffen würden. Kurzentschlossen hob ich David über die niedrige Tür, kletterte hinterher und ließ das beleidigte Schwein draußen stehen.

Kaum hatte David den Stapel Bücher und die Wachskreiden entdeckt, fing er an zu gähnen. Ich bemühte mich, es zu übersehen.

„Also gut", sagte ich so selbstbewusst wie möglich. „Fangen wir mit Rechnen an."

In diesem Augenblick ertönte draußen ein grässliches Kreischen.

„Halt die Klappe, Poombi!" Ich beugte mich über die Tür und gab ihr einen Klaps auf den Hintern. „Jetzt mach, dass du wegkommst, und lass uns in Ruhe."

Immer noch kreischend, attackierte unser Warzenschwein die Küchentür wie ein spanischer Kampfstier, indem es sie immer wieder mit seinem massiven Kopf rammte.

„Sei doch nicht so gemein, Mama!", quengelte mein Sohn. „Sie will doch nur bei uns sein."

Mir blieb keine andere Wahl. Ich öffnete die Tür, Poombi spazierte gemächlich herein, warf mir einen verächtlichen Blick zu und verzog sich still in ihre Kiste.

„Siehst du?", sagte David. „Jetzt wird sie uns keinen Ärger mehr machen."

Nach einer halben Stunde Rechnen war ich reif für das nächste Thema – und für eine Pause. Ich ließ David zusammen mit seinem Schwein im Schulzimmer zurück, flüchtete ins Haus und starrte zu den Hügeln hinüber, bis ich genug Kraft geschöpft hatte, um die nächste Unterrichtsstunde in Angriff zu nehmen.

Zurück in der Küche, nahm ich mir das Unterrichtsmaterial für das Fach Lesen vor und reichte David ein Blatt, auf dem ein Mann namens John mit einem Schmetterlingsnetz dargestellt war. „Das wird dir Spaß machen", sagte ich. „Du brauchst nichts anderes zu tun, als das Bild auszumalen."

David schwieg einen Moment. „Das geht nicht, Mama", meinte er dann.

„Ich bitte dich, David. Warum denn nicht?"

„Weil ...", er zeigte anklagend auf das Warzenschwein, das seelenruhig kauend in seiner Kiste lag, „... Poombi alle Stifte aufgefressen hat!"

Kapitel 7

Die Schweinewanderungen waren ein voller Erfolg, aber leider wurde Poombi unseren Gästen gegenüber zunehmend unleidlicher. Es wurde allmählich Zeit, dass wir einen Ort fanden – und zwar möglichst weit von der Lodge entfernt gelegen –, wo wir unser Warzenschwein wieder in seine natürliche Umgebung eingliedern konnten.

Wie ich inzwischen wusste, sind Warzenschweine sehr bodenständige Tiere, die ihrem angestammten Wohnsitz häufig ein Leben lang treu bleiben. Wenn Poombi wie ein normales Warzenschwein leben sollte, würden wir sie in ein ganz anderes Gebiet verfrachten müssen, wo sie sich ihr eigenes Territorium erobern konnte. Aber der Plan würde uns mit einer ganzen Reihe von Problemen konfrontieren. Erstens würde sie überhaupt nicht wegwollen. Zweitens würden wir eine Stelle finden müssen, die ihr nicht nur Schutz, sondern auch ausreichend Wasser und Nahrung bot und die nicht zu nah am Zaun lag, wo sie allzu leicht irgendwelchen Wilderern und deren Hunden zum Opfer fallen könnte. Drittens fragten wir uns: Wie sollten wir sie, wenn wir uns erst einmal für einen Ort entschieden hätten, dazu bringen, dort zu bleiben?

Nach monatelangem Kopfzerbrechen trafen wir eine Entscheidung: Wir schickten alle unsere sieben Scouts mit dem Auftrag los, eine ordentliche Erdferkelhöhle in einer akzeptablen Umgebung zu finden.

Einen Tag später kam Scout Billiard Mudenda zurück. „Ich habe eine passende Wohnung für Poombi gefunden", verkündete er. „Eine große Höhle zwischen ein paar Bäumen am Matanje River."

Nachdem wir die Höhle besichtigt hatten, kamen wir zu dem Schluss, dass sie wirklich die perfekte Lösung darstellte. Die Höhle lag, geschützt vor Wind und Wetter, hinter der Uferböschung und besaß zwei Ausgänge. Am Flussufer würde Poombi immer genug zu fressen finden, und falls das Flussbett im Sommer austrocknen sollte, konnten wir ihr einen Wassertrog hinstellen.

Zwei Tage später schickten wir ein paar Männer mit Kaninchendraht, Eisenstangen und Grasbüscheln los, und wieder zwei Tage später stand dort ein hübsches kleines, um die Erdferkelhöhle herum erbautes Anwesen mit einem strohgedeckten Haus und einem Tor im Zaun, der verhindern sollte, dass Poombi entwischte. Eigentlich hätte ich mich freuen sollen, aber plötzlich widerstrebte mir die ganze Sache. Es hatte tagelang geregnet, und ich benutzte das schlechte Wetter als willkommenen Vorwand, um den Umzug so lange wie möglich hinauszuzögern.

AM 2. MÄRZ war der Morgen klar und sonnig. Ich rief Poombi und legte eine Spur aus Trockenfutter bis zur Ladefläche des Toyotas. Kein Problem. Sie reist gern, seit wir sie als Frischling oft auf Safaritouren mitgenommen haben. Abel und ich stiegen, jeder eine Tüte Trockenfutter unterm Arm, in den Wagen, dann schlug Rich die Heckklappe zu und wir fuhren zum Matanje River. Dreieinhalb Kilometer von der Lodge entfernt stiegen wir aus und ich hielt Poombi die Tüte mit dem Trockenfutter vor die Nase. Als sie sich schnüffelnd vorbeugte, hoben Rich und Abel sie vorsichtig aus dem Wagen.

Mit etwas Trockenfutter in der Hand lockte ich sie in Richtung Uferböschung bis in Sichtweite ihres neuen Domizils. Sie blieb stehen, hob den Kopf und betrachtete es argwöhnisch, ehe sie durch das kleine Tor ging und sich auf Knien der Höhle näherte. Sie schob den Kopf in die Öffnung, streckte den Hintern in die Luft und verharrte eine Weile in dieser Position. Dann zog sie plötzlich ihren Kopf aus dem Loch, drehte sich um und starrte mich einen Moment lang an, ehe sie blitzartig davonrannte.

Wir reichten Abel den roten Futternapf und die Tüte mit Milchpulver. Um 18 Uhr wollten wir ihn abholen in der Hoffnung, dass er es bis dahin geschafft hatte, Poombi in die gefürchtete Höhle zu locken und das Tor hinter ihr zu verriegeln. Und siehe da – es funktionierte.

Am nächsten Morgen stieg Abel auf sein Fahrrad, und als er um halb sieben bei ihrer neuen Behausung eintraf, stand Poombi irritiert am Tor – glücklicherweise auf der richtigen Seite. Die beiden verbrachten den ganzen Tag damit, das Flussufer zu erkunden. Ich hielt mich absichtlich fern, denn wenn sie sich von uns entwöhnen sollte, war es besser, wenn sie uns so wenig wie möglich sah. Jeden Tag brachte ich Abel sein Mittagessen, aber ich stellte es an einer verabredeten Stelle ab und fuhr wieder los, bevor die beiden mir über den Weg laufen konnten. Abends, wenn er zurückgeradelt kam und sein Fahrrad in der Garage abstellte, wartete ich schon ungeduldig auf seinen Bericht. Abel hatte den Eindruck, dass alles gut lief; bei den Spaziergängen, die er täglich mit Poombi am Fluss entlang unternahm, entdeckten die beiden immer wieder neue interessante Stellen. Bisher waren sie nur wenigen anderen Warzenschweinen begegnet, und keins davon hatte versucht, Poombi ihre Höhle streitig zu machen. Und wenn es darum ging, sich zwischen dem langen Weg nach Hause und einer Handvoll Trockenfutter zu entscheiden, war die Verlockung des Leckerbissens jedes Mal größer gewesen.

Am sechsten Tag nach Poombis Umsiedlung saß ich um acht Uhr abends im Wohnzimmer und versuchte lustlos, etwas Ordnung in das Chaos unserer monatlichen Rechnungen zu bringen. Plötzlich hörte ich einen Wirbelwind durch die Dunkelheit rasen, und im nächsten Augenblick stürmte ein Warzenschwein durch die Haustür und schaffte es gerade noch, vor meinen Füßen anzuhalten – die Worte „Ich bin wieder zu Haus" ins triumphierende Gesicht geschrieben. Ich sprang auf, warf Poombi den Stapel Papiere an den Kopf, stampfte mit den Füßen auf und schrie: „Raus! Raus!" Das war auf keinen Fall die Art von Begrüßung, mit der sie gerechnet hatte. Wütend zerfetzte sie das Buch mit den Februarabrechnungen und rannte wieder hinaus.

Kaum war sie draußen, bereute ich natürlich meine Reaktion. Poombi war inzwischen in die Küche gesaust und in ihre alte Kiste gesprungen. Während David ihr den Bauch kraulte, traf ich hastig ein paar Vorsichtsmaßnahmen, verrammelte die Kühlschranktür mit einem Stapel Ziegelsteinen und brachte Davids Schulbücher und Wachskreiden in einem verschlossenen Hängeschrank in Sicherheit.

Am nächsten Morgen verfrachteten wir Poombi zurück zu ihrem Anwesen und stellten dort fest, dass sie herausgefunden hatte, wie man das Tor am Zaun ihres neuen Heimes von innen öffnete, um dann den dreieinhalb Kilometer langen Weg zu unserer Lodge anzutreten. Da wir das nicht zulassen konnten, solange sie sich dort nicht endgültig heimisch fühlte, verstärkten wir das Schloss am Tor, und fortan gab es keinen Ausbruch mehr. Als Abel Ende April seinen wohlverdienten Urlaub antrat, hatte Poombi sich eingewöhnt, und wir konnten das Tor offen lassen, sodass Poombi nun ein freies Schwein war.

Da mich meine neue Rolle als Lehrerin voll in Anspruch nahm, konnte ich diesmal die Schweinewanderungen nicht übernehmen, und so musste einer unserer Scouts Abel vertreten. Poombi war äußerst wählerisch und machte die Sache ziemlich kompliziert. Nur zwei von unseren Scouts ließ sie – widerwillig – in ihre Nähe: Billiard, der die Höhle am Matanje entdeckt hatte, und Frank Mpofu.

Die Betreuung von Poombi stellte nur einen kleinen Teil von Billiards und Franks Pflichten dar. Zusammen mit fünf weiteren Scouts mussten die beiden in regelmäßigen Abständen das gesamte Farmgelände ablaufen, unsere Gäste zu Fuß oder im Geländewagen auf Ausflügen begleiten, die Zäune kontrollieren und instand halten, Bericht erstatten, wenn Jungtiere geboren wurden oder ein Tier verendet war, und sich bei verschiedenen, von Rich initiierten und überwachten Forschungsprojekten engagieren. Keiner von ihnen hatte eine formelle Ausbildung, aber mit der Zeit waren sie alle auf jeweils einem bestimmten Gebiet zu Spezialisten geworden. Jeder Scout kümmert sich um ganz bestimmte Tiere. Frank ist für Vögel, Warzenschweine und Buschschweine zuständig. Richard Mabhena beobachtet Geparden, Leoparden und Hyänen. Jabulani Khanye berichtet uns darüber, wo unsere zahmen Elenantilopen äsen. Andere halten uns auf dem Laufenden über Spießböcke, Rappenantilopen und Wasserböcke und andere Antilopenarten. Jeden Abend teilen sie Mafira, unserem Chefscout, ihre Beobachtungen mit, und Mafira fasst alles in einem schriftlichen Bericht zusammen, den er per Fahrrad bei uns abliefert. Der erste Teil besteht aus einer Liste der an einem Tag gesichteten Tiere: ihre Anzahl, das Geschlechterverhältnis, die Tageszeit und die Koordinaten. Dann folgen interessante Beobachtungen wie: „Gepard, erwachsenes Weibchen, reißt eine Impala", oder: „Die Spur einer Hyäne entdeckt, die ein Hinterbein einer Antilope hinter sich herschleppte", oder: „Schleifspur auf der Dibe Road verfolgt; einen Honigdachs aufgeschreckt, der gerade eine Python fraß, die kurz zuvor einen Klippschliefer verschlungen hatte". Einem erfahrenen Spurenleser enthüllt sich vieles. Um bestimmte Raubtiere identifizieren zu können, messen die Scouts den Abdruck der Hinterpfote mit einem Grashalm und fertigen dann eine maßstabsgetreue Zeichnung für den täglichen Bericht an.

AM 2. MAI war Poombi seit sechs Tagen ein freies Schwein. Zwar war sie mehrmals in Begleitung eines Keilers gesichtet worden (vielleicht waren es auch verschiedene Keiler, denn Warzenschweine sind nicht unbedingt monogam), aber anscheinend wanderte sie die meiste Zeit allein umher und zeigte kein Interesse mehr daran, in ihr altes, behütetes Leben zurückzukehren. Monatelang hatten wir uns immer wieder besorgt gefragt, wie sie einen Paarungspartner finden sollte, aber Poombi hatte die Sache auf ihre übliche spontane Art gelöst: Anstatt ihre Zeit mit dem Warten auf einen Freier zu vergeuden, war sie einfach losgezogen und hatte sich einen gesucht, und sie hatte sich auch nicht davon abschrecken lassen, dass sie noch nie allein im Busch unterwegs gewesen war.

Nur wenigen war bisher das Glück beschieden, die Paarungsrituale von Warzenschweinen beobachten zu dürfen. Wenn der Keiler sich eine Bache ausgesucht hat, trottet er hüftschwingend und mit gesenktem Schwanz hinter seiner Angebeteten her und lässt seinen *chant de cœur* – Herzensgesang – in Form lauter, rhythmischer Grunzlaute erklingen, der sich angeblich anhört wie ein Automotor im Leerlauf. Wir fragten uns, ob Poombi jemals zurückkehren würde, nachdem sie gelernt hatte, wie viel Spaß das Leben bieten kann.

Am siebten Tag, den Poombi in Freiheit verbrachte, waren David und ich gerade dabei, die Schulsachen aufzuräumen, als wir draußen etwas klappern hörten. Und siehe da, am Tor stand unsere Streunerin Poombi! Ziemlich zerzaust begrüßte sie uns mit einem fröhlichen Grunzen. Sie lief in den Garten und trottete herum, um sich davon zu überzeugen, dass alles noch genauso war, wie sie es vor zwei Monaten hinterlassen hatte. Unter einem Strauch fand sie sogar den alten Schuh und hielt ihn Nandi hin, um sie zum Tauziehen aufzufordern. Dann holte David meine französische Lockenbürste und begann, sehr zu Nandis Verdruss, Poombis Fell zu bürsten. Das Warzenschwein rekelte sich genüsslich auf dem Boden, während David geduldig seine verfilzte Mähne striegelte.

Nach dem Tee luden wir Poombi auf den Toyota und verfrachteten sie zurück in ihre Villa. Im Rückspiegel sah ich, wie sie sich völlig entspannt von jeder Bewegung des Wagens schaukeln ließ. Billiard brachte sie an diesem Abend in ihre Höhle, aber während des morgendlichen Spaziergangs am nächsten Tag entwischte sie ihm, als sie einem Keiler begegneten, der sie fast den ganzen Weg zurück zur Lodge begleitete. Sie kam allein an, nach einem Schlammbad von oben bis unten verdreckt, und diesmal lud ich das Schwein, Peek junior und Nandi in den Wagen, und wir fuhren zu viert zum Matanje.

In der Überzeugung, es wäre für Poombi das Beste, hatten wir versucht, die „emotionalen Bande" zu ihr komplett abzubrechen, aber das Warzenschwein hatte uns klargemacht, was für ein lächerlicher Einfall das gewesen war. Wir waren Poombis Familie – vielleicht würden wir das immer bleiben –, und unser Warzenschwein ließ sich nicht daran hindern, seinen natürlichen Instinkten zu folgen.

Kapitel 8

„Und was bedeuten sie?" Diese Frage hören wir jedes Mal, wenn wir Gästen unsere Felsmalereien zeigen, und auch wenn wir uns alle möglichen Legenden dazu ausdenken könnten, müssen wir zugeben, dass weder wir noch sonst jemand wirklich ihre Bedeutung kennt. In südafrikanischen Forschungsinstituten existieren einige Mitschriften von Gesprächen mit Buschmännern, die in den 1870er-Jahren am Kap in Gefangenschaft geraten waren, und wir haben eine Menge über Riten der Kalahari-Buschmänner gehört, die bis vor nicht allzu langer Zeit noch ihr traditionelles Leben führten. Doch die Künstler, deren Werke in den Granithügeln von Simbabwe verewigt sind, haben vor 1500 Jahren ihre Farben eingepackt und ihre Geheimnisse mitgenommen. Der Mangel an Informationen hat dazu geführt, dass Forscher und selbst ernannte Experten ihrer Fantasie nach Belieben freien Lauf lassen können.

Bei keiner Safarifahrt in Stone Hills darf ein Halt bei Lucy fehlen, dem Kopje, wo unsere rätselhaftesten Felsmalereien zu besichtigen sind. Nach gängiger Lehrmeinung handelt es sich um die Darstellung des berühmten Trancetanzes, bei dem sich Schamanen in die Welt der Geister versetzen. Auf einer Felsklippe steht eine menschliche Gestalt mit dem Kopf und den Ohren eines Schakals, die Arme hoch erhoben. Aus den Händen sprühen lauter Punkte über das ganze Gemälde und enden zu Füßen eines gebückten Mannes, aus dessen Kopf ebenfalls Funken springen. Sind dies „Kraftlinien", die darstellen, wie der Geist den Körper verlässt? Oder sind diese Punkte eine Art vom Bewusstsein erzeugte „entoptische Erscheinungen", Bilder, die nur von demjenigen gesehen werden können, der sich im Trancezustand befindet? Oder ist der Schakalmann ein Regenmacher, der eine Buschmannzeremonie abhält, wie sie immer noch jedes Jahr in Stone Hills und anderen Heiligtümern in den Matobobergen durchgeführt werden?

Da Frank sein ganzes Leben in Stone Hills verbracht hat, dachte ich, er könne mir vielleicht etwas über die Felsmalereien erzählen.

„Als wir Kinder waren, hat man uns gesagt, sie stammten von Gott", erklärte er mir. „Heute glaube ich, dass sie von Buschmännern gemalt wurden, aber mehr kann ich Ihnen nicht dazu sagen. Fragen Sie doch mal Kephas. Der erinnert sich vielleicht noch daran, was die Alten früher berichtet haben."

Kephas Dube spricht kein Englisch, also nahm ich Richard Mabhena als Dolmetscher mit. Mittags fanden wir ihn. Kephas saß unter einer riesigen Kapfeige auf einem Felsbrocken, während unsere kleine Viehherde friedlich um ihn herum graste.

„*Salbonani,* Madam!" Er lächelte schelmisch und nahm die rote Wollmütze ab, die er immer trägt. Wie viele Alte in Afrika weiß Kephas nicht, wie alt er ist. Schon als wir die Farm kauften, war er ein verhutzeltes Männlein. Sein Großvater war ein berühmter *n'anga*, ein Schamane, aus Botsuana, und die Scouts meinen, er habe Buschmannblut in den Adern, weil er so klein und runzlig ist.

In Afrika ist es unhöflich, sofort zum Thema zu kommen, ohne die langen Begrüßungsrituale einzuhalten. Als der Ältere erkundigte sich Kephas zuerst nach Mabhenas Gesundheit – *Linjani?* –, und Mabhena antwortete mit respektvoll vor dem Körper gefalteten Händen – *Sikhona.* Es folgte eine kurze Pause, dann ein kleines Schwätzchen, und schließlich fragte Mabhena: „*Ngicela ukubuza?*", darf ich eine Frage stellen? Kephas nickte, und nun, da die Formalitäten erledigt waren, konnte Mabhena sich erkundigen, ob Kephas etwas über die Felsmalereien wusste. Der alte Mann kratzte sich eine ganze Weile bedächtig über die grauen Bartstoppeln, dann schüttelte er den Kopf. „*Angazi,* ich weiß nichts."

„Könnte es sein, dass Kephas aus einer Buschmannfamilie stammt?", wollte ich von Mabhena wissen.

„Möglich", antwortete er. „Aber das kann ich ihn nicht fragen."

„Warum nicht? Ich könnte mir vorstellen, dass er stolz darauf wäre."

„Oh, das glaube ich nicht", sagte Mabhena. „Einige von ihnen leben bei uns im Distrikt Tsholotsho. Wir nennen sie *amasili*, die, die nicht an die Zukunft denken. Sie essen an einem Ort alles auf und ziehen dann weiter, ohne sich etwas für den nächsten Tag aufzuheben."

„Aber ist das nicht normal bei Jägern und Sammlern?"

„Früher, ja. Aber als ich klein war, hat die Regierung sie alle aus dem Busch holen lassen, damit sie registriert werden konnten, und jetzt dürfen sie nicht mehr umherziehen. Man sieht immer gleich, wo sie wohnen, denn sie bauen sich seltsame Häuser und sie haben keine Ahnung, wie man ein Feld bebaut."

Kephas strahlte uns an. Ich war froh, dass er unserem Gespräch nicht folgen konnte.

„Und wie leben die Buschmänner heute?", fragte ich.

„Sie gehen in den Busch, um Pflanzen und Honig zu sammeln. Und obwohl es verboten ist, jagen sie manchmal auch mit Pfeil und Bogen, oder irgendwelche Farmer stellen sie als Viehhirten ein, denn darin sind sie gut. Aber die Regierung weigert sich, ihnen Lebensmittel zu schicken, und deswegen sind sie immer hungrig."

Ich erinnerte mich, dass unsere unabhängigen Zeitungen während der letzten Dürreperiode immer wieder über hungernde Buschmänner berichtet hatten. Hin und wieder, so Mabhena, bekämen sie allerdings eine anständige Mahlzeit: Wenn Elefanten, die Felder zertrampelten, zum Problem würden und die Nationalparkverwaltung den Auftrag bekomme, die Übeltäter abzuschießen, kämen alle Buschmänner angelaufen, um sich über das frische Fleisch herzumachen, und blieben so lange an Ort und Stelle, bis nichts mehr übrig sei.

NACH einigen Jahren in Stone Hills gewöhnte ich mir an, die Zeit in Mondphasen zu messen. „Ach ja", sagte ich zum Beispiel, „an Mrs Finkelstein kann ich mich erinnern. Sie war während des letzten Vollmonds hier."

Das mag ein bisschen exzentrisch sein. Doch wir lebten in einer durch die Grenzen unserer Farm beschränkten Welt. Immerhin gab es hier neben allem, was die Natur zu bieten hatte, einen Mikrokosmos sämtlicher Facetten menschlichen Lebens: Politik (die bekamen wir reichlich in der Lodge geboten), Geschichte – vor allem die Steinzeit –, einheimische Kultur und Wirtschaft. Was sich darüber hinaus im Rest der Welt abspielte, schien keine große Bedeutung zu haben.

Eine seltsame Umgebung für einen kleinen Jungen, um aufzuwachsen, dachte ich, als ich David einmal dabei beobachtete, wie er in der

Lodge einen Teller mit Süßigkeiten unter den Gästen herumreichte. „Probieren Sie mal eins davon", ermunterte er einen Gast. „Das ist eine neue Plätzchengattung."

Als der Unterricht zu Hause irgendwann ein Ende hatte und David auf eine richtige Schule kam, wurde er etwas „normaler", aber da er ohne Fernseher und ohne Geschwister aufgewachsen war, blieben seine Interessen eher ungewöhnlich.

Als er im Alter von drei Jahren angefangen hatte, uns über Vulkane auszufragen, schien das der richtige Zeitpunkt zu sein, mit ihm David Attenboroughs wunderbar informative Naturvideos anzusehen. Jeden Abend (die einzige Zeit, in der unser Generator uns mit Strom versorgt) sah er beim Abendessen fasziniert seinem Helden zu, wie er bis in die höchsten Wipfel gigantischer Regenwaldbäume kletterte, in geheimnisvollen Höhlen herumkroch und durch windumtoste Eiswüsten stapfte.

Auf unseren Abendspaziergängen hielt David uns nun Vorträge und zitierte wortreich, wenn auch nicht immer ganz korrekt, aus seinen Videos. Er veranstaltete sogar geführte Spaziergänge rund um den Dibe. Gefolgt von amüsiert dreinblickenden Gästen stapfte er selbstbewusst in seinen blauen Gummistiefeln los. Als Erstes ging es stets zum Misthaufen des Wollschwanzhasen, dieses fetten, wolligen Kopjehasen, dessen Babys von den Mambas als Delikatesse sehr geschätzt werden. David bückte sich, hob einen von den erbsenförmigen Köteln auf und zerrieb ihn zwischen den Fingern. „Dieser Hase", begann er seinen Vortrag, „frisst Gras, und er kackt. Dann frisst er seine Kacke und kackt wieder." Im Prinzip richtig – David brachte es nur nicht fertig, das Wort „kotfressend" auszusprechen.

Einen Höhepunkt der Tour bildete der Stopp bei der Wäscherei. David blieb in einiger Entfernung vor dem Waschhaus stehen, zeigte auf Agnes, als wäre sie ein Exemplar einer seltenen und gefährlichen Spezies (was tatsächlich zutraf), und bat dann alle Gäste, „der äußerst wichtigen Frau, die unsere Kleider wäscht", die Hand zu schütteln.

Zum Abschluss ging es zu Johnson Sibanda, „dem Mann, der unser Holz hackt und unsere *knobkerries* (Knüppel) herstellt", wo erneutes Händeschütteln an der Reihe war. Die Fertigung von Knobkerries war Johnsons Spezialität: Man brauchte ihm nur ein Stück Holz in der gewünschten Länge und Dicke zu geben, und wenige Tage später hatte man seinen Knobkerrie in der Hand, einen als Spazier- oder Schlagstock verwendbaren Knüppel, geschnitzt aus den langen, geraden Wurzeln des Grewia-Strauchs oder der Wilden Olive. Jeder Knüppel war anders und jeder war der Stolz seines Besitzers.

Vom Küchenfenster aus sah ich zu, wie Johnson David seinen ersten Knobkerrie überreichte, den ich als Belohnung für gute Leistungen und als Ansporn für zukünftige Einsatzfreude für ihn in Auftrag gegeben hatte.

„So schlägt man damit zu", erklärte Johnson ihm auf Sindebele, wirbelte den Knüppel über den Kopf, tat so, als wollte er David damit eins überbraten. „Aber", er hielt den Knobkerrie außerhalb der Reichweite von Davids ausgestreckten Händen, „wenn du ein richtiger Krieger werden willst, musst du zuerst Sindebele lernen. *Kulungile?*"

„*Ngiyabonga,* danke!" David schnappte sich den Knobkerrie und suchte das Weite, bevor Johnson auf die Idee kam, noch weitere Beweise für seine sprachlichen Fähigkeiten zu verlangen.

Seit dem Tag, als ich mit unserem *esibomvu*, dem Rotschopf, aus der Klinik nach Hause gekommen war, sprachen die Afrikaner auf der Farm auf unsere Bitte hin ausschließlich Sindebele mit ihm. Aber obwohl er offenbar jedes Wort verstand, antwortete er stets auf Englisch, das die meisten fließend beherrschten. Es mag lange gedauert haben, bis ihm die Wörter über die Lippen kamen, aber ich glaube, die Musik des Sindebele wird David sein Leben lang begleiten, denn diese Sprache ist wirklich wie Musik.

ABGESEHEN von Davids Touren zu den Hasenköteln, bekamen unsere Gäste die unterschiedlichsten Führungen geboten, auf denen es einiges an Unerwartetem zu erleben gab.

Einer unserer Guides, Rupert, hatte einen ziemlich schrägen Humor. Doch wenn er mit den Gästen redete, war er wortkarg und unterband jedes oberflächliche Geplauder mit einem finsteren Blick. Rupert leitete gerade eine Tour, als eine aufgeregte Französin die Worte „*Le chemin!*" („Der Weg!") durch das Heckfenster der Fahrerkabine des Toyotas schrie. An diesem Nachmittag war es das einzige zur Verfügung stehende Fahrzeug gewesen, und alle französischen Gäste hatten darauf bestanden, an der Safari teilzunehmen, sodass sie zu siebt auf der Ladefläche stehen mussten.

Was konnte die Frau meinen? Die Gruppe war vom Weg abgebogen und rumpelte jetzt auf der Suche nach einer Spießbockherde über ein von Erdferkellöchern übersätes Gelände. Da die Frau nicht aufhörte zu kreischen, hielt Rupert an. Als er ausstieg, sah er den Mann der Französin zweihundert Meter weiter hinten im Staub sitzen, ein bisschen benommen, aber glücklicherweise unverletzt, die Videokamera noch um den Hals. Richtig, es hatte einen leichten Ruck gegeben, als das Fahrzeug über einen kleinen Termitenhügel gefahren war ...

Frank konnte als Guide ein ziemlicher Tyrann sein. Wer mit ihm eine Tour machte, sollte gefälligst etwas Vernünftiges lernen und nicht nur ziellos umherschlendern. Wenn Frank beispielsweise auf einen Baum mit kleinen schwarzen Früchten aufmerksam machte und dessen Namen nannte, *Bridelia mollis*, gab er sich nicht damit zufrieden, dass der Gast den Namen wiederholte. Nein, nachdem er seinem Opfer einen zehnminütigen Vortrag über den Baum gehalten und es mit einem Dutzend weiterer wissenschaftlicher Bezeichnungen verwirrt hatte, führte er es schnurstracks zum nächsten *Bridelia mollis* und pflanzte sich mit dem gnadenlosen Blick eines strengen Lateinlehrers davor auf.

„Äh", stammelte der arme Gast, der sich vorkam wie ein Idiot. „Äh – tut mir leid, Frank, ich kann mich einfach nicht erinnern ..."

Woraufhin Frank einen entnervten Seufzer ausstieß und seinen Vortrag wiederholte.

Die besten Gäste waren diejenigen, die zum ersten Mal nach Afrika kamen und von allem restlos begeistert waren, denn sie stellten meistens keine peinlichen Fragen. Die schlimmsten hingegen war eine bestimmte Sorte von Einheimischen, typische Besserwisser, die schnurstracks die Leitung einer Tour übernahmen, nachdem sie lautstark verkündet hatten, ihre Familie lebe „in dritter Generation in Simbabwe" – als könnte das ihre bodenlose Ignoranz ausgleichen.

NATÜRLICH teilen nicht alle Gäste unsere Faszination für jede Art von Haustieren. George aus Yorkshire zum Beispiel. Er fiel uns gleich auf durch seine laute Stimme und sein knallrotes Golfhemd, das sich gefährlich über seine enorme Wampe spannte, als wir die Stufen zur Lodge hinaufgingen, um eine Gruppe neu eingetroffener Gäste zu begrüßen. Wir schüttelten den vier in Kaki gekleideten Gästen die Hand und warteten, während George etwas in seinem Koffer suchte. Schließlich richtete er sich auf und wedelte mit einem unserer Prospekte vor Rich' Nase herum.

„Ich habe eine Frage an Sie, Mr Safariführer", begann George. „Ich möchte mal gern wissen, was wir hier tun sollen."

Ich sah, wie Rich' Kinn sich gefährlich vorschob. „Die meisten unserer Gäste sind zufrieden, in einer der spektakulärsten Landschaften der Welt herumzuwandern oder -zufahren und sich die vierundvierzig Säugetierarten und die über zweihundert Vogelarten anzusehen, die es hier gibt", sagte er eisig. „Aber vielleicht ist denen ja irgendetwas entgangen." Er warf einen demonstrativen Blick auf Georges Bauch. „Was genau schwebt Ihnen denn vor? Bungee-Jumping?"

Einen Moment lang durchbohrten die beiden Männer einander mit wütenden Blicken.

„Was das Wildwasserpaddeln angeht", fuhr Rich fort, inzwischen voll in Fahrt, „muss ich Ihnen leider mitteilen, dass die Flüsse hier zurzeit vollkommen ausgetrocknet sind, aber ..."

Er wurde durch ein lautes Krachen und Scheppern unterbrochen, als das Teetablett von Jowel, unserer Chefkellnerin, mit der Hintertür der Lounge kollidierte. Noch nie war mir dieses Geräusch so willkommen gewesen.

„Möchte jemand Tee?", fragte ich, nahm Jowel das Tablett aus den Händen und hielt es George vor die Nase.

Er stopfte sich mit der Rechten ein paar Kekse in den Mund. „Ich sage Ihnen, was ich tun will!", fauchte er, während Krümel auf den Prospekt rieselten, den er in der Linken hielt. „Ich will einen verdammten Leoparden sehen! Hier auf Ihrem Prospekt ist einer abgebildet, aber *sie* hat mir eben eröffnet, dass Sie schon seit Monaten keinen mehr zu Gesicht bekommen haben!"

Ich drehte mich zu Ursula um, die die Leute vom Flughafen abgeholt hatte und gerade mit finsterem Blick Tee einschenkte. Sie verdrehte die Augen.

„Ganz recht", sagte Rich. „Und falls Sie einen entdecken, sind Sie ein echter Glückspilz. Leoparden gehören zu den scheuesten Wildkatzen Afrikas, und hier in dieser zerklüfteten Landschaft finden sie ausreichend Möglichkeiten, sich zu verbergen. Die kommen nicht auf Befehl aus ihren Verstecken, wissen Sie." Mit einer ausholenden Geste zeigte er auf eine große Spießbockherde in der Nähe der Lodge. „Aber es gibt eine Menge anderer interessanter Dinge zu sehen."

„O nein", entgegnete George. „Ich bin schon so oft in Afrika gewesen, dass ich es nicht mehr zählen kann. Ich habe Löwen beobachtet und Büffel gejagt und bin auf Elefanten geritten – das ganze Programm. Jetzt fehlt mir nur noch ein Leopard. Und wenn ich keinen zu sehen kriege, dann werden Sie von meinem Anwalt hören!"

Man braucht nur wenige Monate im Tourismus zu arbeiten, um zu wissen, dass es mit Gästen, die so anfangen, nur noch schlimmer werden kann.

Auf Safarifahrten fläzte sich George auf dem Beifahrersitz des Toyotas und gab lauthals abfällige Kommentare von sich, was die anderen Gäste zur Weißglut brachte. Das Einzige, was seinem fleischigen Gesicht ein Lächeln entlocken konnte, war Essen, und erst an seinem dritten und letzten Abend, als er gerade mit seiner Suppe beschäftigt war, bekamen wir Gelegenheit, ihm seine Unverschämtheiten heimzuzahlen.

Zufällig sah ich, wie sie aus dem Brotkorb stieg. Meiner Erfahrung nach ist das der beste Moment, um sie zu erwischen, aber ich hatte zu lange gewartet. Als ich meine Hand hob, bemerkte sie den todbringenden Schatten und ging blitzschnell in Deckung. „Keine Sorge, die beißt nicht", sagte ich. „Das ist bloß eine ..."

„Kakerlake!", kreischte eine Amerikanerin am Kopfende des Tisches.

„Igittigitt!", röchelte George, als die Schabe unter seinen Teller kroch, und ließ seinen Löffel entsetzt in die Gemüsesuppe fallen, sodass sich die Hälfte der heißen Flüssigkeit samt Kartoffel- und Möhrenstücken auf sein Hemd ergoss. Es kostete ihn einige Mühe, seine zwischen Tischkante und Stuhl eingeklemmte Wampe zu befreien, um auf die Füße zu kommen.

Rich schnappte sich eine saubere Serviette vom Tisch und reichte sie George seelenruhig. „Tut mir leid, alter Junge. Sieht so aus, als würden Sie keine Insekten mögen."

„Ekelhafte Viecher!", stammelte George, während er sich hektisch Gesicht und Hemd betupfte.

„Ha! Da ist sie ja!" Rich machte einen Satz in Richtung Tür. „Erwischt!" Er bückte sich und hob die Schabe vom Boden auf. Dann hielt er sie zwischen Daumen und Zeigefinger, um sie George zu zeigen. „Was würden Sie sagen, wenn ich Ihnen erklärte, dass Sie sich gewaltig irren? Ihnen mag dieses Insekt hässlich erscheinen, aber es handelt sich um ein Exemplar der *Periplanata americanus*, eine vollkommen harmlose Verwandte der lieblichen Gottesanbeterin. Diese erstaunlichen Insekten sind so erfolgreich, dass sie in unveränderter Form seit über dreihundert Millionen Jahren existieren, stellen Sie sich das mal vor! Nicht die Tiere sind hässlich, George, sondern Ihre Wahrnehmung ist falsch."

Rich trat einen Schritt näher, damit George die Kakerlake noch besser in Augenschein nehmen konnte.

„Das reicht!", schrie George und versuchte, Rich und die Schabe mit seiner Serviette zu verscheuchen.

„Natürlich", fuhr Rich unbeirrt fort, „ist die *Periplanata* äußerst gefräßig, aber dafür sollten wir sie nicht verurteilen, nicht wahr, George? Sehen Sie, wir bieten allen Kreaturen hier ein sicheres Zuhause, ganz egal wie sie aussehen. Wenn Sie mich also jetzt entschuldigen wollen, ich bringe das kleine Tierchen nur schnell wieder dorthin zurück, wo es hingehört."

Rich trug die strampelnde Schabe nach draußen. George ließ sich sprachlos auf seinen Stuhl sinken, und nachdem ich einen kurzen Blick unter die Schüsseln geworfen hatte, um mich zu vergewissern, dass wir mit keinem weiteren Überraschungsgast aus dem Tierreich rechnen mussten, servierte ich das Roastbeef.

Als wir an dem Abend unser Haus betraten, konnten wir endlich nach Herzenslust losprusten.

„Was hast du mit dem ekligen Biest gemacht?", fragte ich Rich.

„Natürlich zertreten", erwiderte er. „Aber Georges Gesicht war doch einfach göttlich."

M<small>IT WENIGEN</small> Ausnahmen sind Engländer auf liebenswerte Weise verschroben, vor allem wenn es um Tiere geht.

Die Idee, eine Libellengesellschaft zu gründen, konnte nur auf englischem Boden geboren werden, und nur dort konnte es passieren, dass Hunderte von Libellenfans der Gesellschaft beitraten und weite Reisen unternehmen, um diese „Juwelen der Gewässer" zu beobachten. Libellen gibt es seit über dreihundert Millionen Jahren auf der Erde, länger als fast alle anderen heute lebenden Insekten. Die schnellen und aggressiven (aber für den Menschen harmlosen) „Drachen der Lüfte" sind die gefährlichsten Räuber der Insektenwelt.

Fast jeden Sommer kommen Ray und Kay Thomson als Vertreter der Libellengesellschaft nach Stone Hills. Wir geben den beiden jedes Mal dieselben Zimmer, das obere mit Blick auf die Wasserstelle und die farbenprächtigen Hügel rund um das Pundamuka-Tal und das darunter, wo die beiden Hobbyforscher ihre Fotoausrüstung unterbringen können. Ray und Kay sind sehr bescheiden. Nach dem Frühstück machen sie sich, ausgerüstet mit einem gut gefüllten Picknickkorb, in unserem alten Landrover auf den Weg und kehren abends braungebrannt und glücklich zurück. Vor dem Zubettgehen trinken wir meist noch einen Gin Tonic auf der Veranda.

Sooft wir können, nehmen wir unsere Ferngläser und Kameras und machen uns auf die Suche nach diesen beiden ruhigen, gelassenen Menschen. Für ein perfektes Foto von einer Libelle nimmt Kay klaglos Hitze, Hunger und Unbequemlichkeit jeder Art in Kauf. Mit ihren grünen Augen, die so scharf und unbestechlich die Landschaft absuchen wie ein Feldstecher, entdeckt sie selbst das winzigste Insekt.

Mit Kay und Ray verbringen wir oft ganze Tage mehr oder weniger reglos am Flussufer, während um uns herum das Leben summt und brummt. Am Mittag tragen wir unseren Picknickkorb zu einem Baum, strecken uns in seinem Schatten aus und lauschen den Geschichten, die

Ray mit seiner weichen Stimme erzählt. So ruhig und geduldig, wie er ist, stelle ich mir den perfekten Arzt vor, und genau das ist sein Beruf. Wenn wir mit diesen beiden ganz besonderen Menschen am Flussufer sitzen, verwandelt sich ein ganz normales, unscheinbares Stück Flussufer plötzlich in eine komplexe Miniaturwelt voll unglaublicher Geschöpfe, die man an einem normalen Tag völlig übersehen würde.

Kapitel 9

Nie haben wir genug Käfige. Egal wie viele wir bauen, das nächste Waisenkind oder der nächste Invalide braucht garantiert einen anderen. Das Nest in der stillen Ecke eines Käfigs, der als perfekte Zuflucht für den verletzten Igel dient, ist völlig ungeeignet für das Buschhörnchenbaby, das Platz zum Klettern und eine hölzerne, vom Dach baumelnde Schlafkiste braucht. Und mit Gehegen für größere Tiere ist es auch nicht einfacher. Halbmondantilopen und Warzenschweine graben sich unter Zäunen durch, Kudus und Elenantilopen springen drüber, und Steinböckchen rennen sie einfach um.

Also kommt es häufig vor, dass es für einen überraschenden Familienzuwachs keine passende Unterkunft gibt, und dann muss improvisiert werden. In solchen Situationen erweist sich ein geräumiges, spärlich möbliertes Haus, in dem es weder Teppichboden noch Vasen mit frischen Blumen oder bestickte Damasttischdecken gibt, als äußerst praktisch. Unser Ehebett hat schon einmal zwei traumatisierte Riesentrappenküken beherbergt, und es ist der sicherste Ort für Buschhörnchenbabys, die ansonsten erfrieren würden. Wir stecken sie in einen Pantoffel aus Schaffell, den wir am Fußende unter die Decke packen, damit keine Gefahr besteht, dass wir sie nachts im Schlaf erdrücken. Unsere kleineren Besucher behalten wir im Auge, indem wir sie ins Büro sperren, und die Gästetoilette ist gut geeignet für die besonders schüchternen unter ihnen, wie das Steinböckchen Nina.

Nicht alle Waisenkinder wurden uns vor die Haustür gelegt. Trotz einer landesweiten Benzinknappheit war Rich bereit, in sein Auto zu springen und sechs Stunden bis Harare zu fahren, um zwei Eulenküken abzuholen, die jemand vor einem Hund gerettet hatte. Er ist verrückt nach allen Vögeln, aber Eulen haben es ihm ganz besonders angetan. Zum Glück stellte sich heraus, dass er die lange Autofahrt nicht zu unternehmen brauchte, denn ein Bekannter, der am nächsten Tag von Bulawayo nach Harare und zurück fliegen wollte, erklärte sich bereit, die

Vögel mitzubringen. Da Air Zimbabwe die Eulen allerdings kaum als Passagiere akzeptieren würde, mussten sie im Laderaum transportiert werden. Nach einigen hektischen Telefonaten gelang es Rich schließlich, eine Hundereisebox aufzutreiben, einen handlichen Plastikcontainer mit Luftschlitzen an den Seiten und einer Gitterklappe.

Als wir den Plastikcontainer in Bulawayo von unserem Bekannten übernahmen, warf Rich einen ersten Blick auf die beiden flauschigen grauen Küken. Er strahlte. „Zwei Weißgesichteulen! Meine Lieblingseulen!"

Es war ein heißer Oktobertag, und wir hatten den ganzen Tag in der Stadt zu tun. Als Abschluss hatten wir einen Besuch in der Zoohandlung geplant, in der ich mir telefonisch deren gesamten Vorrat an Ratten hatte reservieren lassen und 25 Eintagsküken bestellt hatte. Danach würden wir endlich die Heimfahrt antreten können. Als wir bei der Zoohandlung ankamen, war die Ladefläche des Toyotas vollgepackt mit Lebensmitteln für die Lodge, Gasflaschen, Maismehlsäcken, Säcken mit Resten vom Gemüsehändler für die Buschböcke und allem möglichen Krimskrams, den wir jedes Mal aus der Stadt mitnehmen.

Während David auf die Eulen aufpasste, deren Käfig wir auf dem Rücksitz platziert hatten, gingen Rich und ich in die Zoohandlung. Trübsinnig wie immer hockte der Eigentümer in seinem Laden und betrachtete die apathischen Kaninchen und die hechelnden Welpen in ihren Käfigen. Obwohl es schon später Nachmittag war, hatte die Hitze kein bisschen nachgelassen. Der Mann bat einen Mitarbeiter, unsere Ratten und Küken einzupacken.

„Sehen Sie sich mal an, was ich heute Morgen reinbekommen habe", sagte er düster. „Könnte Sie interessieren." Er nahm einen kleinen, offenen Styroporbehälter vom Regal hinter sich und stellte ihn auf den Verkaufstresen. Wir blickten hinein und sahen die Überreste eines alten Putzlappens – schmutzig, grau, leblos.

„Ein kleiner Junge hat sie mir gebracht – er hatte sie in diese Schachtel gesetzt und dann in seine Schultasche gestopft. Und das bei dieser Hitze!" Ungläubig den Kopf schüttelnd, fuhr er mit einem Finger über den Putzlappen, der sich ein wenig zu rühren schien. Dann nahm er die Hälfte des Inhalts aus der Schachtel und hielt uns das Häufchen hin.

„Am besten nehmen Sie sie gleich mit, wo Sie jetzt eine Eulenzucht aufmachen. Ich hab es geschafft, ihnen ein bisschen Futter und Wasser einzuflößen, aber die sind noch lange nicht über den Berg."

Der Putzlappen verwandelte sich in ein Fleckenuhuküken, das uns durch halb geschlossene Lider anstarrte wie ein Reptil. Sein Schnabel war schwarz und stark gekrümmt, die schuppigen Füße riesengroß unter dem grauen Flaum. Es sah aus wie ein kleiner, frisch geschlüpfter Dinosaurier.

„Das da hat wahrscheinlich eine Chance", sagte Rich, der das andere Küken in der Hand hielt, „aber bei dem hier bin ich mir nicht so sicher. Es bewegt sich kaum noch. Die müssen ja Gott weiß was mitgemacht haben." Wenigstens gelang es ihm, ein paar Tropfen Wasser seitlich in den Schnabel des Kükens zu träufeln.

Wir packten die Küken und die Ratten zu den Säcken mit den Lebensmitteln, und während Rich fuhr, hielt ich die Dinosaurierbabys in der Styroporschachtel auf dem Schoß. Junge Fleckenuhus sind fast drei Monate lang vollkommen von ihren Eltern abhängig. Sie bleiben etwa sechs Wochen lang in ihrem Nest, und dann, lange bevor sie fliegen können, watscheln sie zum nächsten brauchbaren Baum. Mithilfe ihres Schnabels und der kräftigen Klauen klettern sie auf einen Ast, wo sie von nun an darauf warten, dass ihre Eltern ihnen die nächste Mahlzeit servieren.

Diese beiden waren von einem tumben Glücksritter, der gehofft hatte, in der Stadt ein paar schnelle Dollars zu verdienen, im Alter von weniger als einer Woche aus dem Nest geraubt worden.

Jetzt hatten wir also vier Eulen, zwei Kisten mit Hühnerküken, die, jedes Mal wenn wir über einen Buckel fuhren, empört piepsten, und eine Kiste mit Ratten in allen Farben und Größen. Die Ankunft zu Hause war so chaotisch wie immer. Diesmal allerdings war das Abladen unsere geringere Sorge. Die Ratten mussten aus ihrem muffigen Karton befreit und in einen passenden Käfig verfrachtet werden, bevor sie erstickten, und die 25 piepsenden Küken mussten in eine große Kiste gesetzt und gefüttert werden. Das war mein Job, und ich erledigte ihn in der Küche, die sich hervorragend als Tierpflegestation eignet. Während der Inhalt unseres Kühlschranks zum Glück immer ziemlich normal war, gestattete ich keinem unserer Gäste, sich selbstständig irgendetwas aus der Tiefkühltruhe zu holen – zu groß war die Gefahr, dass jemand zufällig auf den Beutel mit den gefrorenen Ratten stieß oder auf den Kuckuck vom letzten Sommer, den wir immer noch nicht identifiziert hatten.

Aus irgendeinem Grund bin immer ich für das Lebendfutter zuständig, während Rich sich mit unseren glanzvolleren Gästen beschäftigen darf, in diesem Fall mit den Eulenküken, die inzwischen mit ihm und David auf der Veranda saßen. Anfangs habe ich mich noch über diese Ungerechtigkeit beschwert, aber da er mit seinen langen, feinfühligen Fingern, seiner ruhigen Hand und seiner Bifokalbrille eindeutig im Vorteil ist, schlucke ich mittlerweile meinen Frust herunter.

Offenbar lief alles gut auf der Veranda. Häufig sind Neuankömmlinge völlig verängstigt und verweigern sich jeder Art von Futter, und so war ich erleichtert zu sehen, dass einer der Fleckenuhus nach kleinen Stückchen Fleisch schnappte, die Rich ihm mit einer Pinzette vor den Schnabel hielt. David saß neben ihm, das andere Küken auf dem Schoß.

„Habt ihr ihnen schon Namen gegeben?", erkundigte ich mich.

„Bei diesen beiden darf ich die Namen aussuchen!", verkündete David. Allerdings musste die endgültige Namensgebung vom Familienrat einstimmig abgesegnet werden, um zu vermeiden, dass uns womöglich demnächst ein King Kong oder Superman im Haus herumflatterte. „Das Küken, das Dad gerade füttert, soll Marco Polo heißen, weil es so abenteuerlustig ist, und meins soll Hedwig heißen, so wie die Eule, die Harry Potters Briefe abliefert. Und gefüttert ist Hedwig auch schon."

Rich hielt Marco ein letztes Stückchen Hühnerfleisch hin, nach dem der kleine Racker so gierig schnappte, dass er beinahe zu Boden gefallen wäre. Mein Mann rückte seine Brille zurecht und betrachtete das Küken so hingerissen, als handelte es sich um einen prachtvollen Paradiesvogel. „Sie sind unglaublich. Hier, halt ihn mal, ich muss die Weißgesichteulen füttern."

Mit einem Gesichtsausdruck wie ein Flüchtling in einem Rettungsboot saß Marco auf meinem Schoß, während Rich die Hundebox öffnete und vorsichtig eins der beiden anderen Küken herausnahm. „Hmm", murmelte er, als die kleine Eule das Fleischstückchen geschickt von der Pinzette zupfte, „das hier muss Ernst sein. Seine Augen sind ein bisschen gelber als Claudias."

Während Rich Ernst fütterte, saß Claudia adrett auf meiner Hand.

„Hast du keine Angst, dass sie wegfliegen?", fragte ich. „Die sehen doch aus, als wären sie fast flügge."

Plötzlich drehte Claudia ihren Kopf um hundertachtzig Grad und starrte mich an, als hätte ich gerade etwas unfassbar Idiotisches von mir gegeben. Es ist wirklich unbeschreiblich, wie Eulen ihren Kopf korkenzieherartig umdrehen können, ohne den Rumpf auch nur einen Millimeter zu bewegen.

„Ich glaube nicht, dass sie wegfliegen", sagte Rich. „Erstens sind sie noch Anfänger, und zweitens sind sie um diese Tageszeit nicht besonders unternehmungslustig."

Inzwischen hockten Hedwig und Marco nebeneinander in einem mit Zeitungspapier ausgelegten Schuhkarton. Von Anfang an war nicht zu übersehen, dass beide Eulenpärchen aneinander hingen wie die Kletten. Sie konnten es nicht ertragen, getrennt zu werden. Und offenbar hatten sie viel miteinander zu bereden. Von morgens bis abends flüsterten sie geheimnisvoll miteinander oder klapperten verärgert mit dem Schnabel, wenn Nandi sie neugierig beschnüffelte.

Ernst und Claudia hatten schon fast ihr vollständiges Erwachsenenfederkleid. Die dunklen Gesichtsfedern, die die stechenden orangefarbenen Augen einrahmten, würden bald schwarz werden, ihre Gesichter würden heller werden, und in wenigen Monaten würde sich ihr Brustgefieder, das jetzt noch aschgrau war, cremeweiß färben. Aber selbst als Jungvögel erschienen sie mir perfekt: Sie waren so fein gezeichnet, als hätte ein Künstler mit zartesten Pinselstrichen auf perlgrauem Grund komplizierte Muster gemalt.

AM FRÜHEN Montagmorgen fuhr ich in unser Büro in der Stadt. Während ich meine erste Tasse Tee trank, rauschte Marina Jackson herein, wie immer perfekt zurechtgemacht. Sie streckte mir ihre Hände entgegen, in denen sie etwas eingeschlossen hielt. „Ich habe hier ein Baby", verkündete sie, und als sie ihre Hände öffnete, kam ein winziges Weißgesichteulenküken zum Vorschein, das höchstens ein paar Tage alt war. Das klitzekleine, mit grauem Flaum bedeckte Vögelchen saß stocksteif wie ein Zinnsoldat in Marinas Händen.

„Was für ein wundervolles Geschöpf! Wo hast du es gefunden?"

„An einer Tankstelle." Zärtlich kraulte Marina die Brust des Kükens mit ihrem langen, rot lackierten Fingernagel. Es öffnete ein Auge, schaute sie ernst an und schloss es wieder.

„Wir kamen gerade von einer Wildzählung im Hwange National Park, und während wir tankten, sah ich mitten in einer Schar von Perlhühnern etwas kleines Graues sitzen. Es muss aus dem Nest gefallen sein. Ich habe es mit nach Hause genommen, und am liebsten würde ich es behalten, aber das würde mein Jack-Russell-Terrier nicht mitmachen."

Eine Woche später siedelte der kleine Owlie in einem mit Servietten ausgelegten Drahtkäfig zu uns nach Hause über. Am Abend boten wir ihm mit der Pinzette ein paar Stückchen Ratte an. Er kniff die Augen zu und wandte sich angewidert ab. Vor dem Zubettgehen versuchten wir es noch einmal, aber ohne Erfolg.

Am nächsten Morgen rief ich Marina an. „Wir machen uns Sorgen um deinen kleinen Owlie", sagte ich. „Er will einfach nicht fressen. Wir haben es schon mehrmals versucht, aber es ist zwecklos."

„Was gebt ihr ihm denn?"

„Rattenstücke."

„Igittigitt!", rief Marina. „Ist doch klar, dass er das ekelhaft findet. Wir haben ihm immer frisches Filet zu fressen gegeben."

Claudia, die Weißgesichteule, wird gewogen. Anfangs wohnten alle unsere Eulen in unserem Büro.

Auch Owlie nimmt an den beliebten „Wassertänzen" teil.

Mein Mann Richard mit einem Eisvogel

Owlie und David beim Lesen

Innerhalb von nur vier Tagen hatten die Fleckenuhus ihr Gewicht verdoppelt und lugten neugierig über den Rand ihres Schuhkartons. Rich hielt die täglichen Fortschritte der einzelnen Küken in einem Tagebuch mit Kommentaren fest wie: „Abends halb verdautes Futter herausgewürgt" oder „Durchfall – braun und dünn". Lauter kleine Unfälle, die den Fußboden im Büro in ein Minenfeld verwandelten.

Während der gleichen Zeit überwachte Rich die Entwicklung zweier wilder Uhuküken, die auf einem nahe gelegenen Felsvorsprung hockten. Auch diese beiden wurden auf die Waage gesetzt, um Vergleichswerte für Marco und Hedwig zur Verfügung zu haben.

Eine Woche später versuchte ich gerade, Claudia ruhig zu halten, damit ich sie wiegen konnte, als das Telefon klingelte. „Ich brauche euren Rat", sagte ein Freund, der aus der Stadt anrief. „Ich habe eine Eule gefunden..."

Jetzt hatten wir also sechs. Der neueste Zugang war ein gerade flügge gewordener Fleckenuhu, den man halb tot vor Hunger und Erschöpfung in einem Graben gefunden hatte. Wir gaben ihm den Namen Disraeli. Er erhielt eine Junggesellenwohnung in einem Käfig vor unserem Schlafzimmer, wo er sich so lange erholen durfte, bis wir ihn freilassen konnten.

Schon bald wurde uns klar, dass bei Owlie die Liebe nicht durch den Magen, sondern durch die Füße ging. Wir hatten schon bei den beiden Vogelpärchen beobachtet, dass sie sich gegenseitig die Füße kraulten, also wollten wir das natürlich auch einmal versuchen. David legte sich vor Hedwig auf den Bauch und kitzelte ihre Zehen, woraufhin sie kokett auf seine Hand krabbelte und begann, an seinen Fingern zu knabbern.

Auch Owlie reagierte auf diese „Reflexzonenmassage". Er schmiegte sich dem Wohltäter in den Nacken und gurrte wie ein verliebter Täuberich. Dann knabberte er zärtlich an unseren Ohren und Haaren und schließlich am Mundwinkel – sein Atem duftete so ähnlich wie der eines Geiers.

Da Owlie seine leibliche Mutter nur ein paar Tage lang gekannt hatte, hielt er sich für einen Menschen und glaubte, er sei Teil unserer Familie. Wenn er nicht gerade auf der Schulter oder dem Schoß von irgendjemandem saß, hockte er vor dem Spiegel über der Frisierkommode, plusterte sich zu doppelter Größe auf, riss die Augen auf, legte die Ohrbüschel an wie eine wütende Katze und schnitt seinem Spiegelbild hässliche Fratzen.

Unser Schlafzimmer war Owlies Hauptquartier, und vom Fenster aus hielt er wachsam Ausschau nach ungebetenen Gästen, zu denen seiner Meinung nach alle außer uns zählten. Selbst der Anblick eines harmlosen Kanarienvogels, der auf dem Rasen herumhüpfte, versetzte ihn in Rage. Zu meiner großen Freude entpuppte er sich wenigstens als Liebhaber guter Bücher: Wenn ich mich nach dem Mittagessen auf Davids Bett legte und ihm vorlas, machte Owlie sich in meinen Haaren ein gemütliches Nest und ließ sich zu einer Siesta nieder.

Egal was die Uhus taten, es hatte meist etwas Komisches an sich. Hedwig zum Beispiel spielte gern mit Grashalmen, die sie mit einem Fuß festhielt und dann durch ihren Schnabel zog. Wenn Marco Polo dann zu ihr hineilte, um mitzuspielen, stolperte er regelmäßig über die Beine der Verandasessel.

Zu einem Vergnügen sowohl für die Jungvögel als auch für uns entwickelte sich eine Idee, die Rich im Frühling hatte. Der Frühling in Afrika stellt einen grausamen Kontrast zu seinem europäischen Pendant dar. Wir vergehen fast in der brütenden Oktoberhitze, verhöhnt von Wolken, die Regen versprechen und dann doch nichts hergeben. Einmal rief Rich mich mittags ins Büro, wo Hedwig und Marco mit ausgebreiteten Flügeln auf dem Bauch lagen. „Wie zwei fette Damen am Strand", meinte er. „Vielleicht können wir sie draußen ein bisschen abkühlen." Von diesem Tag an gehörte der „Wassertanz" zum täglichen Ritual für alle Eulen und Uhus: „Hu-huu!", riefen sie beglückt, wenn Rich sie mit dem Gartenschlauch berieselte. Sie drehten ihre Köpfe, wackelten mit den Schwänzen und breiteten ihre Flügel aus, um kein Tröpfchen Wasser zu verpassen. Wenn sie besonders ausgelassen waren, marschierten sie mit Grashalmen im Schnabel im Gänsemarsch durch den Regen und versuchten, einen Kopfstand zu machen.

DOCH nicht nur an den Jungvögeln hatten wir unsere Freude. Auch andere Tiere wie die possierlichen Buschhörnchen gehörten zu unserem Alltag und waren mir ans Herz gewachsen.

Das Erste, was wir von Nutsy hörten, war ein Schnattern irgendwo im Haus. Da wir es gewohnt waren, dass die Buschhörnchen in unserem strohgedeckten Dach geräuschvoll ihre Nester bauten, kümmerten wir uns nicht weiter darum. Aber als das Schnattern immer lauter wurde, ahnten wir, dass jemand von zu Hause ausgebüxt war. Nutsy hockte in einer Ecke hinter dem Esszimmerschrank, rief um Hilfe und wedelte aufgeregt mit seinem buschigen braunen Schwanz. Er war höchstens drei Wochen alt und hatte ohne seine Mutter keine Überlebenschance.

Also setzten wir ihn an eine schattige Stelle hinter dem Haus und warteten darauf, dass seine Mutter ihn holen kam. Als sie sich zwei Stunden später immer noch nicht hatte blicken lassen, holten wir das Buschhörnchenbaby ins Haus. Nutsy wickelte uns alle ziemlich schnell um den Finger. Nach kürzester Zeit lag er gemütlich auf Davids Schoß

David kümmert sich liebevoll um Nutsy, das Buschhörnchenbaby.

und nuckelte an einer mit Milch und ProNutro gefüllten Spritze, und wenn er satt war, schloss er die Augen, hob ein Vorderbeinchen und ließ sich genüsslich den Bauch kraulen. Die Milch war er schon bald leid. Nach wenigen Tagen machte er sich über Bananen, Kürbiskerne, Beeren, Blumen und Mandeln her. Als er etwas älter war und sich auf kurze Ausflüge nach draußen begab, nahm er stets eine Mandel mit, und nachdem er sich vergewissert hatte, dass niemand ihn beobachtete, grub er schnell ein kleines Loch in den Boden, schob die Mandel mit der Nase hinein, machte das Loch wieder zu und klopfte die Erde mit den Pfötchen fest, damit niemand etwas entdecken konnte.

Abgesehen von ihrer hohen Intelligenz haben Nagetiere ein weiteres typisches Merkmal, nämlich ihre stets nachwachsenden, sich selbst schärfenden Nagezähne. Nutsy nagte an allem, zuerst an unseren Fingern, später an sämtlichen Gegenständen im Haus, die ihm in die Quere kamen: Angelruten, Bücher, Kabel, nichts blieb verschont. Er trippelte über die Computertastatur und kroch in den Drucker, dann fand er plötzlich Geschmack an Kugelschreibertinte. Nichts kann ein entschlossenes Buschhörnchenbaby von dem abbringen, was es sich einmal in den Kopf gesetzt hat, und so zog ich den Kugelschreiber über das Papier, während Nutsy sich daran kopfüber festklammerte, wie bei einer Pferdedressur im Zirkus, und die Spur aufleckte.

Nandi, unsere Hündin, war schon mehr als einmal von einem Hausgenossen in den Hintergrund gedrängt worden, und das drohte ihr auch dieses Mal. In der Hoffnung, dass die beiden sich anfreunden könnten, rief ich die Hündin zwar hin und wieder zu mir, damit sie an Nutsy schnüffeln konnte, wenn ich ihn in den Händen hielt. Aber eine Freundschaft zwischen den beiden ungleichen Tieren war offenbar undenkbar. Nandi saß nur zitternd und mit tränenden Augen vor mir und flehte mich um ein bisschen Zuwendung an.

Kaum ließen wir Nutsy aus dem Käfig, machte er sich sofort auf die Jagd nach Insekten. Insbesondere hinter Fangschrecken war er her. Die Erste, die er sich schnappte, kniff ihn zwar ordentlich in die Nase, aber nachdem er erst einmal ein bisschen Übung hatte, entging ihm keine mehr. Er flitzte hinter den Biestern her, schnappte sie sich mit seinen kleinen Pfoten und biss ihnen den Kopf ab, ehe sie eine Chance hatten, sich zur Wehr zu setzen.

Weil er so winzig war, verloren wir ihn natürlich häufig aus den Augen – wir fanden ihn in einer Handtasche, in einer Kaffeetasse und einmal sogar zusammengerollt in einem Rotweinglas. Wir ließen Nutsy nie ohne Aufsicht draußen spielen, und wenn wir in die Stadt fahren mussten, sperrten wir ihn in einem Hinterzimmer ein. Als wir einmal aus der Stadt zurückkamen, hörten wir jemanden im Badezimmer hämmern. Ich fand einen unserer Scouts im Bad vor, wo er vor der Frisierkommode auf dem Boden kniete, während meine Eltern, die gerade zu Besuch waren, sich besorgt über ihn beugten.

„Gott sei Dank bist du da", sagte meine Mutter. „Nutsy steckt irgendwo da drin, und wir mussten Max rufen, um ihn zu befreien."

„Aber ...", setzte ich vorsichtig an, wurde jedoch übertönt vom Lärm zerberstenden Holzes, als Max das Brecheisen ansetzte und das Waschbecken aus dem hölzernen Unterschrank löste.

Ich klopfte ihm auf die Schulter, als er nach seinem Hammer griff. „Ich möchte dir ja nicht reinreden, aber bist du dir ganz sicher, dass Nutsy da drin ist?"

„Kein Zweifel", erklärte mein Vater entschieden. „Wir haben ihn da reinkriechen sehen, und er ist nicht wieder rausgekommen. Der arme kleine Kerl."

„Bookey!", rief meine Mutter plötzlich aus dem Schlafzimmer. „Rate mal, wen ich gefunden hab!"

Und siehe da, Nutsy hockte fröhlich auf der Gardinenleiste.

Kapitel 10

Schließlich wurden Hedwig und Marco Polo flügge, und wir trugen sie in ihrer Kiste nach draußen und setzten sie auf den Rasen. Eine ganze Weile blieben sie, aufgeplustert wie Teddybären, reglos nebeneinander hocken, während sie zum ersten Mal die Geräusche um sich herum wahrnahmen und den Wind in ihrem Gefieder spürten. Als Rich sich neben sie ins Gras legte, kuschelten sie sich schutzsuchend in seinen Bart und gaben leise Piepstöne von sich. Hedwig, die extrovertiertere, breitete als Erste die Flügel aus.

Schon nach wenigen Wochen waren die Uhus kaum zu bremsen, wenn wir ihre Kiste öffneten; mit gesenktem Kopf und hochgezogenen Schultern flogen sie los wie zwei Amateurdetektive, die eine heiße Spur aufgenommen hatten. Ehe sie mir allzu abenteuerlustig wurden, nahm ich die Jungvögel tagsüber, wenn ich am Computer arbeiten musste, lieber mit auf die Veranda. Dann saß Owlie jedes Mal wie eine fedrige Epaulette auf meiner Schulter, während Hedwig und Marco Polo schläfrig auf einer steinernen Säule hockten, auf den Fersen wippten und hin und wieder ihre Füße inspizierten.

Weit entfernt davon, ihrem Ruf als mürrische Nachtvögel gerecht zu werden, genossen die Uhus ihr Leben in vollen Zügen. Abends ließen sie sich von Rich auf seinem Bürostuhl wie auf einem Karussell im Kreis drehen und schlugen aufgeregt mit den Flügeln. Und bis David dagegen protestierte, zogen wir seine Spielzeugmaus an einem Stück Schnur über den Boden, während die beiden Uhus hinterherwatschelten und vergeblich versuchten, die Maus mit ihren Klauen zu erwischen.

„AH, SIKOVA!", rief Johnson kopfschüttelnd, als er die Jungvögel eines Nachmittags im Garten herumtollen sah. „Sehr böse Vögel!"

Ich wusste, dass Eulen bei vielen Afrikanern einen schlechten Ruf haben, aber „sehr böse" war eine äußerst unpassende Beschreibung für diese liebenswürdigen Clowns. Deshalb sprach ich unseren Scout Khanye darauf an.

„Wir fürchten uns nicht vor allen Eulen", sagte er. „Eigentlich nur vor den Uhus."

„Aber warum jagen euch ausgerechnet diese Uhus Angst ein? Die sind doch unglaublich komisch!"

„Ebenso wie wir glauben, dass Hexen auf Hyänen und Erdferkeln reiten, sind wir davon überzeugt, dass sie Uhus benutzen, um ihre Flüche und

schlechten Omen zu verbreiten. Wenn ein Uhu in der Nähe unseres Hauses auf einem Ast sitzt und ‚Huhuu!' ruft, dann bedeutet das, dass jemand aus der Familie bald sterben wird. Deswegen jagen wir die Vögel fort."
„Glauben das denn alle?", fragte ich.
„Die meisten. Viele von denen, die hier auf der Farm arbeiten, können nicht verstehen, warum Sie sich Uhus und Eulen halten, wenn Sie sie nicht für Zauberei brauchen."

DAMALS hätten wir ein bisschen Zauberei gut gebrauchen können. Die Landfrage beherrschte wieder einmal die Nachrichten, und die Regierung forderte schärfer denn je von den Weißen, ihre Farmen den landlosen Bauern zu überlassen. Der Großteil der ausländischen Zeitungen betrachtete das lediglich als gerechte Methode der Wiedergutmachung für während der Kolonialzeit begangenes Unrecht. Die *Newsweek* berichtete beispielsweise, dass das enteignete Land unter 100 000 erfahrenen schwarzen Bauern verteilt würde.

Anfangs wirkten die Forderungen durchaus vernünftig. Niemand, nicht einmal die „Commercial Farmers Union" (CFU), der Verband kommerzieller Farmer, konnte leugnen, dass eine Landreform vonnöten war. Das Ministerium stellte Kriterien für die Zwangsenteignung von Landbesitz auf; so sollten zum Beispiel nur Farmen, die kaum genutzt wurden oder deren Besitzer im Ausland lebten, an den Staat zurückfallen. Daraufhin bot die CFU Tausende Hektar gutes Land an. Ihr Angebot wurde ignoriert. Schließlich ordnete Präsident Mugabe eine Volksabstimmung an, um eine Verfassungsänderung absegnen zu lassen, die der Regierung unter anderem die Möglichkeit geben würde, Land ohne Entschädigung zu enteignen. Aber zu seiner großen Verblüffung wandte sich sein Volk zum ersten Mal offen gegen ihn. Die Antwort lautete deutlich „Nein", und das hatten wir dem MDC („Movement of Democratic Change") zu verdanken, der ersten Opposition, die seit der Unabhängigkeit diesen Namen auch verdiente.

Natürlich wurde die Opposition von den wenigen Weißen unterstützt, die noch im Land verblieben waren, und von weißen Geschäftsleuten und Farmern finanziert. Das erboste Mugabe dermaßen, dass er sein Volk dazu aufrief, sich als Vergeltungsmaßnahme das Land kurzerhand selbst anzueignen.

Rich war nicht da, als ich meine E-Mails abrief und im CFU-Rundbrief las, dass fünf Farmen im Manicaland besetzt worden waren. Ein paar Minuten lang starrte ich wie benommen auf den Bildschirm und versuchte zu begreifen, dass es tatsächlich angefangen hatte. Aber dann schob ich den Gedanken beiseite. Es handelte sich um einzelne Vorfälle, die sich in einem ganz anderen Teil Simbabwes abgespielt hatten, redete ich mir ein. Aber zwei Wochen später war die Zahl der besetzten Farmen bereits auf 70 angestiegen, und bis Ende des Monats waren 561 Farmen teilweise mit Gewalt übernommen worden, und zwar nicht von „erfahrenen Bauern", sondern von Kriegsveteranen, Jugendlichen und einem von der Regierung aufgewiegelten Mob. Bis auf ihre einfachen Spitzhacken hatten diese Leute nichts, womit sie Landwirtschaft hätten betreiben können. Sie besaßen weder Kapital noch Saatgut, keine landwirtschaftlichen Geräte oder auch nur Erfahrung. Mitten in einer schrecklichen Dürreperiode blieben große Flächen kultivierten Landes unbearbeitet, weil die Landbesitzer entweder vertrieben worden waren oder sich in ihren Häusern verbarrikadiert hatten. An die Polizei war der Befehl ausgegeben worden, sich aus dem Konflikt herauszuhalten.

Die Besetzungen breiteten sich bis ins Mashonaland aus – das politische Hinterland der Regierungspartei und das fruchtbarste Gebiet des Landes. Inzwischen wurde die Regierung von der Weltbank und der EU offen dafür kritisiert, dass sie in Zeiten der größten wirtschaftlichen Krise des Landes die Landwirtschaft ruinierte und die Menschenrechte missachtete.

Wir waren noch nie gern in die Stadt gefahren, aber jetzt war es uns unangenehmer denn je. Es wurde über nichts anderes geredet als über die Besetzungen, die Gefahr und die Gewalt. Freunde hoben Zeitungsartikel für uns auf, um uns auf dem Laufenden zu halten.

Mir wäre es lieber gewesen, sie hätten uns im Dunkeln gelassen. Was für eine Erleichterung war es jedes Mal, wenn wir der Stadt den Rücken kehren, über die offene Landstraße (die wegen der Benzinknappheit umso leerer war) brausen und eine Stunde später durch unser Tor fahren konnten. Und was war es für eine Freude, von einer Herde Impalas umzingelt zu werden. Für uns wurde unser Tor zur Grenze zwischen der wirklichen Welt und einem schöneren, sichereren Ort.

Dann, endlich, ließ sich die Stimme des Gesetzes vernehmen. Das Oberste Gericht von Simbabwe erklärte die Besetzung von Farmen für gesetzeswidrig und verfügte, dass alle Eindringlinge die besetzten Ländereien innerhalb von 24 Stunden räumen müssten. Der Spuk würde bald vorbei sein.

ZUM GLÜCK sorgten unsere Tiere für reichlich Ablenkung. Abends unterhielt ich Owlie mit Grashüpfern, um seinen Jagdinstinkt zu trainieren, was sich allerdings als ziemlich langwieriger Prozess erwies.

Und während Ernst und Claudia ohne Probleme in der Voliere draußen hinter dem Schlafzimmer blieben, bis wir sie im folgenden Sommer in die Freiheit entließen, verstand sich unsere kleinste Eule als vollwertiges Familienmitglied und empfand das Leben in einer Voliere als reine Zumutung. Den lieben langen Tag verbrachte Owlie schmollend in einer Ecke, und abends, wenn der Generator zu knattern begann und die Lichter angingen, saß er vor dem Büro auf der Fensterbank und begehrte Einlass. Ihn zu ignorieren war vollkommen unmöglich. Manchmal beschlich einen irgendwie ein seltsames Gefühl, und wenn man sich umdrehte, dann hockte er mit angelegten Ohren auf der Fensterbank und durchbohrte einen durch die Scheibe hindurch mit finsteren Blicken.

In meinem früheren Leben, als ich eine bei den Anwaltsvereinigungen in England und Australien zugelassene Rechtsanwältin gewesen war, waren Büros durchorganisierte Orte gewesen, wo Telefone klingelten, Aktenordner in alphabetischer Reihenfolge in Regalen standen und Schubladen ausreichend Briefpapier und Briefumschläge enthielten. Unser so genanntes Büro, das Zimmer, wo wir alle wichtigen Dinge aufbewahren, ist ein einziges Chaos, und Owlie wurde nun einfach ein Teil davon. Das Problem ist, dass wir einfach nichts wegwerfen können. Wie auch? Unsere Buchführung ist so katastrophal, dass selbst der winzigste Kassenzettel eines Tages die lebensrettende Information für unseren Steuerberater enthalten könnte.

Das andere Problem ist, dass wir Simbabwer sind. Seit Ian Smith 1965 Rhodesien einseitig für unabhängig von England erklärte, ist in diesem Land immer irgendetwas knapp. Also horten wir vorsichtshalber alles: von alten Autoreifen, die man noch für Eselskarren gebrauchen oder aus denen man Schuhsohlen herstellen kann, bis hin zu säckeweise Plastiktüten, die man wiederverwenden oder aus denen man bunte Körbe flechten kann.

Rich, der geniale Praktiker, kann jedes Gerät zum Laufen bringen und dafür sorgen, dass es auch weiterhin funktioniert. Damit wir unsere Computer tagsüber, wenn der Generator ausgeschaltet ist, trotzdem benutzen können, hat er sie an ein ganzes Arsenal von Batterien angeschlossen, ebenso die Außenlampen, die Drucker, den Kopierer und seine Wetterstation, die auf einem Kopje steht und den ganzen Winter über funktioniert, bis sie beim ersten Frühlingsgewitter vom Blitz getroffen wird. Kabel verschiedener Länge hängen an den Wänden des Büros wie die Luftwurzeln eines Feigenbaums, und alle sind einer ganz bestimmten Steckdose zugeordnet.

Und da wir vor lauter Angst, etwas durcheinanderzubringen, nichts anzurühren wagen, ist unser Büro zu alledem noch ein Paradies für Spinnen und für Haselmäuse, die im Dach nisten und ständig auf der Jagd nach Insekten über den Boden flitzen.

Die Uhus und Eulen waren im Frühjahr zu uns gekommen, und jetzt, im Sommer des darauffolgenden Jahres, konnten sie es kaum erwarten, uns zu verlassen.

Wie stets in dieser Jahreszeit gab es reichlich Insekten und kleine Nager als Leckerbissen für hungrige Uhus. Aber unsere beiden Tölpel waren noch nie einer lebendigen Ratte begegnet, ganz zu schweigen davon, dass sie selbst eine erlegt hätten. Rich nagelte kleine Bretter an die Ecken der Veranda, auf denen die Vögel sitzen und ihre Umgebung beobachten konnten. Damit wir nicht unerwartet fliegenden Besuch ins Haus bekamen, versahen wir die größeren Fenster vorsichtshalber mit schützendem Maschendraht.

Als Rich Hedwig eines Nachmittags gegen vier aus der Voliere holte, saß sie ganz gesittet auf seinem Handschuh. Wie geplant hüpfte sie auf das Brett an der Veranda, und nur wenige Minuten später gesellte sich Marco Polo zu ihr. Dann hockten sie mit aufgerichteten Ohrbüscheln da und schauten uns traurig an.

„Sie wirken so verletzlich", sagte Rich bedrückt. „Ich wünschte, wir hätten sie besser auf all das vorbereiten können."

Mit ausgebreiteten Flügeln und gesenktem Kopf rannten unsere Uhus auf die verängstigten Buschböcke zu und jagten sie durch das Gehege. Allmählich wurde es dunkel, und kurz bevor wir uns ins Haus zurückzogen, rutschten unsere Waisenkinder über das Strohdach wie ein paar Rotznasen, die man auf einem Spielplatz losgelassen hatte.

Bevor wir uns schlafen legten, stellten wir etwas Futter für die beiden Uhus oben auf die Voliere, wo sie es nicht übersehen konnten. Am nächsten Morgen stellten wir fest, dass sie das Futter nicht angerührt hatten.

Als wir sie vier Tage lang überhaupt nicht mehr zu Gesicht bekamen, fingen wir allmählich an, uns Sorgen um sie zu machen. Abgesehen von ihrer allerersten Woche auf dieser Welt, waren sie ihr Leben lang vollkommen abhängig von uns gewesen. Nachdem sie eine Woche lang nicht aufgetaucht waren, nahmen wir an, dass sie entweder tot oder von anderen Eulen verscheucht worden waren.

Dann, mitten in der Nacht, rüttelte Rich mich wach. „Sie sind wieder da!", rief er aufgeregt. „Ich kann sie hören."

Wir gingen nach draußen, wo mein Mann, splitternackt bis auf die Grubenlampe auf seinem Kopf, verzweifelt nach unseren Uhus rief.

„Huhuu!", schienen sie zu antworten, bis ihre Rufe immer leiser wurden und schließlich überhaupt nicht mehr zu hören waren.

Nach einer Weile begannen sie uns abends zu besuchen, und das tun sie heute noch. Dann sehen wir sie im Mondlicht auf dem Dibe hocken oder lautlos ums Haus fliegen. Eine Zeit lang hatten sie uns ihr Vertrauen und vielleicht sogar ihre Zuneigung geschenkt, aber inzwischen brauchen sie uns nicht mehr – wir gehören nur deshalb zu ihrem Leben, weil wir zufällig in ihrem Territorium wohnen.

Freiheit. Wir Menschen nehmen sie als heiliges Recht in Anspruch, wir sind bereit, für sie zu kämpfen und womöglich sogar zu sterben. Und dennoch haben wir kein Problem damit, ein wildes Tier sein Leben lang in einen Käfig zu sperren, in dem Glauben, dass es, solange wir ihm Futter, Wasser und Sicherheit bieten, ganz zufrieden sein wird. Oder machen wir uns einfach gar keine Gedanken darüber? Tatsache ist, dass wir nur sehr wenig über Tiere und deren Bedürfnisse wissen.

Niemand kann beweisen, dass unsere Eulen und Uhus glücklich waren über die Freiheit, zu fliegen und zu jagen, wo sie wollten. Mit Sicherheit wissen wir nur, dass ihre Instinkte sich in dem Augenblick durchsetzten, als wir sie aus der Voliere ließen, obwohl die Vögel von uns Menschen aufgezogen worden waren. Es gab keinen Kompromiss – als wir ihnen die Freiheit gaben, verließen sie uns endgültig, trotz Hunger, Gefahr und all der Risiken des Lebens in der Wildnis.

NINA, das Häuflein Elend, das ich zusammen mit Poombi aus dem Laden mitgebracht hatte, war im Alter von einem Jahr so weit, dass wir sie in die Freiheit entlassen konnten. Wie die beiden Buschböcke, die wir großgezogen hatten, war sie mit der Flasche gefüttert worden. Aber kaum war sie der Milch entwöhnt, hatte sie keinen weiteren Bedarf an menschlichem Kontakt. Bald war sie zu einem kräftigen, lebensfrohen Geschöpf herangewachsen, und als ich eines Abends das Tor öffnete und eine Spur Trockenfutter auslegte, um sie aus dem Gehege zu locken, war sie über Nacht verschwunden.

Ihre winzige Spur führte durch das Tor hinaus in eine neue, gefährliche Welt.

„Was man liebt, muss man loslassen", heißt es. Bei einem Tier, das die Chance auf ein erfülltes Leben in freier Natur hat, bleibt einem nichts anderes übrig.

Kapitel 11

Am 27. Oktober suchte Abel den ganzen Tag lang nach Poombi und fand sie schließlich einen halben Kilometer vom Fluss entfernt im hohen Gras. Sie war in Gesellschaft von vier Warzenschweinen, und um die nicht zu verscheuchen, rief Abel leise aus der Entfernung nach ihr. Sie blickte auf, um zu zeigen, dass sie ihn gehört hatte, aber zum ersten Mal kam sie nicht zu ihm. Abel sah zu, wie sie sich zusammen mit den anderen Warzenschweinen auf den Weg machte. Er rief sie nicht noch einmal. Nach 22 Monaten hatte sie genau das getan, was wir gehofft und geplant hatten. Sie hatte eine Entscheidung getroffen.

Nachdem Poombi sich endgültig für die Freiheit entschieden hatte, gaben wir ihr keine Chance, es sich noch einmal anders zu überlegen. Abel stand sein Jahresurlaub zu, und er reiste an dem Tag ab, als sein Schützling uns verließ. Es war eine schwere Zeit für Abel, denn seine sehr junge Frau hatte kurz zuvor eine Fehlgeburt erlitten, und ich hatte das Gefühl, dass das nicht das Einzige war, was ihn bedrückte. Nicht dass er je ein Wort darüber verloren hätte, und doch lag manchmal etwas Trauriges und Sorgenvolles in seinen Augen.

Was Poombi anging, so verbrachte sie ihre Tage offenbar lieber allein als in Gesellschaft ihrer neuen Freunde. In den Scoutberichten tauchten immer wieder Bemerkungen über sie auf, und ich machte mich oft auf den Weg, um nach ihr zu suchen, nicht nur ihretwegen, sondern auch meinetwegen, denn sie fehlte mir fürchterlich. Die Mittagspausen am Flussufer waren mir zur lieben Gewohnheit geworden, und es fiel mir schwer zu akzeptieren, dass diese Zeit für immer vorbei sein sollte. Von nun an würden wir uns nur noch zufällig begegnen, und häufig vergingen mehrere Tage, ehe wir uns wieder sahen.

Fast zwei Wochen nach Abels Abreise stattete Poombi uns zum ersten Mal einen Besuch am Haus ab. Ich hörte Nandi am Tor hysterisch bellen, und als ich nachsehen ging, stand Poombi auf der anderen Seite und begehrte Einlass. Da weder Flehen noch Betteln half, legte sie sich resigniert da, wo sie war, auf den Boden. David und ich waren stundenlang damit beschäftigt, Poombi von den zahllosen Zecken zu befreien, die überall an ihr hingen. Um vier Uhr zog sie wieder ab. Bemüht, nicht allzu aufdringlich zu erscheinen, machte ich um halb sechs eine kleine Spazierfahrt und fand Poombi beim Grasen auf dem Weg in der Nähe des Elenantilopengeheges. Nachdem sie mich kurz begrüßt hatte, fraß sie in aller Seelenruhe weiter, was mich vermuten ließ, dass ihre Höhle nicht weit weg sein konnte.

Das Gehege und der Gemüsegarten waren die begehrtesten Plätze in Poombis Territorium. Seit sie in Freiheit lebte, tauchte sie regelmäßig zur abendlichen Fütterungszeit am Gehege auf. Die Scouts hatten mir diesen Tipp gegeben, und als ich nachsehen ging, entdeckte ich sie prompt, wie sie sich zwischen neun mit Hörnern bewehrte Antilopen drängte, denen sie gerade mal bis an die Kniescheiben reichte, und sich einen Platz am Futtertrog erkämpfte. Elenantilopen sind die größten Antilopen Afrikas, und sie sind nicht gerade für ihre Toleranz gegenüber anderen Tieren bekannt. Unser mickriges Schwein fand jedoch offenbar überhaupt nichts dabei, täglich für einen Leckerbissen sein Leben aufs Spiel zu setzen.

Der Gemüsegarten wurde regelmäßig zum Opfer von Invasionen – von Poombi, einer Horde Grüner Meerkatzen, von Klippschliefern, einigen Wollschwanzhasen und von Elenantilopen. Die Affen waren am schwersten vom Garten fernzuhalten, bis wir mehr oder weniger per Zufall entdeckten, wovor sie sich am meisten fürchteten. Als Rich eines Tages aus der Stadt zurückkehrte, sah er in den Bäumen am Straßenrand eine Horde Meerkatzen kreischend auf und ab springen. Sie schienen in seine Richtung zu blicken, woraufhin er verblüfft anhielt, um der Sache auf den Grund zu gehen. Dadurch machte er alles noch schlimmer. Mit zurückgezogenen Lippen, die Zähne vor Angst gebleckt, rückten die Affen dichter zusammen und schrien noch lauter. Es dauerte eine Weile, aber schließlich begriff Rich, was das Problem war. Unser Emblem für die Lodge ist ein Leopardenkopf, und der Anblick dieses Leopardenkopfes auf beiden Seiten des Toyotas versetzte die Affen in Angst und Schrecken. Als Rich sich vor das Emblem stellte, sodass die Affen es nicht sehen konnten, beruhigten sie sich augenblicklich.

Das brachte die Lösung. Rich suchte ein paar große Pappstücke zusammen und zeichnete fauchende Leoparden darauf. Diese nagelte er an den Zaun, der den Gemüsegarten umgab, und für die nächsten Monate hatten wir Ruhe vor den Affen.

LEBENDE Leoparden bekommen wir selten zu Gesicht. Obwohl diese Großkatzen ständig um uns sind, bin ich innerhalb von zehn Jahren nur einmal einem Leoparden wirklich nahe gekommen. Diese Begegnung habe ich in den folgenden Aufzeichnungen festgehalten. Sie stammen aus einem Versteck, einem künstlichen Felsen aus Fiberglas, platziert am Fuß eines glatten Felsens unter einem Feigenbaum, in der Nähe der halb aufgefressenen Beute eines Leoparden.

Gewitterstimmung über dem Hongwe Tekwana

Seltener Gast: ein Leopard auf einem der Kopjes

13. August 1997
Wir kriechen um 15.30 Uhr in unser Versteck. Es ist bequem, aber heiß drinnen. Rich schläft ein, während mein Buch mich wach hält – meistens. Alle paar Minuten werfe ich einen Blick durch mein Guckloch. Nichts regt sich. Ich sehe noch einmal nach, und plötzlich ist der Leopard da, steht reglos und wachsam auf dem Felsen. Er nähert sich dem toten Buschschwein und berührt seinen Kopf so sanft mit der Pfote, dass es fast wie ein Streicheln wirkt. Vielleicht will er es umdrehen. Aber er ist auf der Hut und blickt immer wieder auf, sieht sich um, bewegt die Ohren, die Augen sind abwechselnd entspannt und weit offen. Zweimal schaut er uns direkt an, und dann ist er auch schon wieder weg, lautlos verschmolzen mit dem Unterholz, aus dem er gekommen war. Ein Muster ohne Gestalt, nicht greifbar, ohne Anfang und ohne Ende – ein Geschöpf, das zugleich beseelt und leblos ist, wenn es reglos verharrt oder mit seiner Umgebung verschmilzt.

Der Leopard hat meine Wahrnehmung der Kopjes, der Bäume, des Stückchens Erde, das wir vorübergehend unser Eigen nennen, verändert, denn wenn er da ist, gehört alles ihm und ordnet sich seiner Existenz unter.

Kaum ein Tag vergeht, ohne dass jemand Spuren von Leoparden entdeckt, aber leider bekommt man die Tiere fast nie zu sehen. Leoparden sind Meister der Illusion – oft nur ein Schatten auf einem Felsen bei Sonnenuntergang, eine kaum wahrnehmbare Bewegung im hohen Gras. Man meint, sie zu sehen, aber man kann sich nicht sicher sein.

Eines späten Nachmittags ging ich mit unserer Labradorhündin Lora am Fuß des Kopje vorbei, den die Einheimischen *hongwe tekwana*, die „schwebenden Felsen", nennen. Ich hob mein Fernglas, um einem Vogelschwarm hinterherzublicken, der durch die Bäume flog. Aber was sich mir durch die Linse präsentierte, waren die vergrößerten goldenen Augen eines Leoparden, der sich auf einem Felsen hoch oben über uns ausgestreckt hatte und zu uns herunterblickte.

Es war ein großes männliches Tier, dessen Spuren wir schon überall auf dem Farmgelände entdeckt hatten. Zweifellos umfasste sein Territorium ein riesiges Gebiet, von dem unsere Farm nur einen kleinen Teil darstellte. Am liebsten hätte ich sofort den Hund gerufen und die Flucht ergriffen. Aber ich wusste, dass das nicht nur dumm, sondern auch völlig unnötig gewesen wäre. Wenn der Leopard sich überhaupt bewegte, dann, um sich vor mir in Sicherheit zu bringen, und dazu brauchte er nichts weiter zu tun, als sich vom Felsen geschmeidig ins Gebüsch gleiten zu lassen. Und so beobachteten wir einander, der Leopard und ich, und zwar eine ganze Stunde lang, während Lora hechelnd zu meinen Füßen lag, ohne sich der Raubtierblicke bewusst zu sein, die ihre Schmackhaftigkeit einzuschätzen suchten.

Schließlich bekam ich ein schlechtes Gewissen, weil ich so egoistisch war, diesen seltenen Anblick allein zu genießen. Also rannte ich nach Hause und sagte allen Bescheid. Eine Stunde später trafen wir mit dem Toyota an derselben Stelle ein, und der Leopard war immer noch da, lag noch immer auf demselben Felsen, in derselben Haltung, ohne sich von diesen aufgeregten Menschen aus der Ruhe bringen zu lassen.

Auf unserer Farm haben wir uns schon immer frei und unbewaffnet bewegt, und wir fürchten eher, einem angriffslustigen Elenantilopenbullen zu begegnen als einem Leoparden. Dennoch sind wir auf der Hut, denn ein Leopard, der verletzt ist oder sich bedroht fühlt, kann sehr gefährlich sein. In den dunklen Nischen der Höhlen, in welchen wir nach Felsmalereien suchen, könnte sich auch eine Leopardin mit ihren Jungen verbergen. Schleifspuren, die quer über einen Weg und auf einen Kopje hinaufführen, sollten nur mit äußerster Vorsicht verfolgt werden, denn ein Leopard könnte sich mitsamt seiner Beute unter einem felsigen Überhang oder unter einem Strauch verstecken.

Für bestimmte Familienmitglieder haben wir besondere Regeln aufgestellt. Weil Großkatzen kleine Menschen als potenzielle Mahlzeit betrachten, darf David sich nicht allein vom Haus entfernen. Nandi wird nachts eingesperrt und darf sich, wenn wir nicht bei ihr sind, tagsüber nur im Garten aufhalten. Ein Leopard würde einen fetten Labrador zum Abendessen keinesfalls verschmähen.

Was würde ich tun, frage ich mich oft, wenn ich einem wütenden Leoparden über den Weg liefe? Theoretisch bin ich natürlich vorbereitet. Die Buschmänner sagen, falls man einem Löwen begegnet, muss man sofort zum Angreifer werden, egal wie viel Angst man hat. Wenn man dem König der Tiere direkt in die Augen sieht, laut schreit und alles nach ihm wirft, was man in die Finger bekommt, hat man gute Chancen, dass der Löwe die Nerven verliert und sich verzieht. Bei Leoparden ist das anders. Einem Leoparden in die Augen zu sehen, ist das Allerletzte, was Sie tun dürfen. Nein, Sie müssen so tun, als hätten Sie diesen Ausbund an katzenhafter Aggressivität gar nicht gesehen, der da einen Meter von Ihnen entfernt faucht und zischt. Schlagen Sie sich seitlich ins Gebüsch und machen Sie, dass Sie wegkommen. Das raten jedenfalls die Buschmänner, und die sind zweifellos aus härterem Holz geschnitzt als ich.

Aus den Spurenberichten der Scouts schließen wir, dass sich in Stone

Hills normalerweise drei oder vier Leoparden aufhalten. Vor einer Woche ist in der Nacht einer um unser Haus herumgestrichen, und am nächsten Tag bin ich der Spur eines kleinen Leoparden am Ufer des Mathole gefolgt. Es war derselbe Leopard, der in zwei aufeinanderfolgenden Nächten einen jungen Klippspringer – eine kleine Antilopenart – und ein vier Wochen altes Wasserbüffelkalb gerissen hat. Niemand hat ihn bisher zu Gesicht bekommen, aber womöglich ist er ganz in der Nähe, liegt ausgestreckt auf einem Felsen des Dibe und beobachtet alles, ohne gesehen zu werden.

Wegen der Leoparden halten wir die Antilopen in einem Gehege. Kurz nachdem wir die Farm übernommen hatten, hatten wir sogar eine Reihe von wilden Buschböcken in Stone Hills angesiedelt, aber die sind inzwischen fast alle verschwunden. Buschböcke, die in der dichten Vegetation in der Nähe von Flüssen leben, sind die scheuesten aller Wildtiere, sie bewegen sich geschickt im Schatten der Bäume und täuschen das Auge mit ihrer Musterung aus Streifen und Punkten. Aber sie sind eine sesshafte Antilopenart, und Leoparden bevorzugen denselben Lebensraum. Die kraftzehrende Hetzjagd der Geparde oder die gemeinschaftliche Jagd der Löwen ist nichts für sie – ein Leopard jagt allein, und er nutzt das dichte Laub als Deckung, wenn er lange und geduldig auf der Lauer liegt, um im entscheidenden Augenblick mit tödlicher Präzision zuzuschlagen.

Kapitel 12

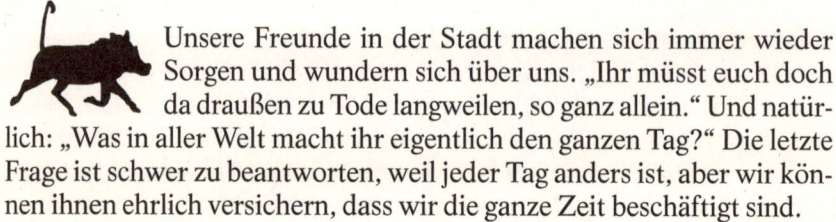

Unsere Freunde in der Stadt machen sich immer wieder Sorgen und wundern sich über uns. „Ihr müsst euch doch da draußen zu Tode langweilen, so ganz allein." Und natürlich: „Was in aller Welt macht ihr eigentlich den ganzen Tag?" Die letzte Frage ist schwer zu beantworten, weil jeder Tag anders ist, aber wir können ihnen ehrlich versichern, dass wir die ganze Zeit beschäftigt sind.

Zum Beispiel an jenem Montag, dem 3. April. Rich war um sechs Uhr morgens nach Bulawayo aufgebrochen, in der Tasche eine Liste mit langweiligen Aufgaben, die den ganzen Tag beanspruchen würden. Ich setzte mich an meinen Schreibtisch im Schlafzimmer, um ein paar Dinge zu erledigen. Um halb elf hörte ich das Funkgerät piepsen. Innerlich über die Unterbrechung fluchend, stand ich von meinem Schreibtisch auf und ging ins Büro. „Nullacht, Stone Hills. Bitte kommen", meldete ich mich.

Durch das Rauschen hörte ich die atemlose Stimme von Richard Mabhena. „Mapfumo ist von einer Schlange gebissen worden. Kommen Sie schnell!"

Mir blieb fast das Herz stehen. Seit zehn Jahren waren wir jetzt in Stone Hills, wir hatten sieben Scouts, die täglich ihre Rundgänge machten, und noch nie war jemand Opfer eines Schlangenbisses geworden. Bis zu diesem Tag, an dem Rich 75 Kilometer weit weg war und es auf der ganzen Farm nur eine Person gab, die sich darum kümmern konnte. Und das war ich.

Ich umklammerte das Funkgerät und bemühte mich, langsam zu sprechen. Die Antwort auf die nächste Frage war von entscheidender Bedeutung: „Was für eine Schlange, Mabhena? Hast du sie gesehen?"

„Nein. Sie war schon im hohen Gras verschwunden, aber Mapfumo meint, es könnte eine Mamba gewesen sein."

Mamba. Mamba. Ich ließ mich auf den Schreibtisch sinken und schloss die Augen. Welch ein hübscher Name für eine der gefährlichsten Schlangen der Welt.

„Mrs Peek, sind Sie noch da?"

„Ja, Mabhena, ich bin noch da." (Mehr oder weniger zumindest.) „Wo wurde Mapfumo gebissen, und wo genau befindet ihr euch?"

Die Schlange hatte Mapfumo in den linken Unterschenkel gebissen, berichtete Mabhena, und die beiden befanden sich am Ufer des Matanje, etwa vier Kilometer von unserem Haus entfernt.

„Okay, bleib ganz ruhig, Mabhena. Ich melde mich gleich wieder."

Bleib ganz ruhig, sagte ich ihm, während ich selbst in Panik geriet. Herrgott noch mal, krieg dich in den Griff!, befahl ich mir selbst. Denk nach, anstatt einen Koller zu kriegen. Als Erstes rief ich beim „Medical Air Rescue Service" (MARS) an, einem medizinischen Notfalldienst. Ich gab die ersten beiden Ziffern ein, aber ich kam nicht einmal bis Bulawayo durch. Dann versuchte ich, Rich auf seinem Handy zu erreichen – nichts. So läuft das meistens hier. Wenn man sich um acht Uhr hinsetzt, um ein paar Anrufe zu erledigen, sitzt man wahrscheinlich um zehn Uhr immer noch da, hämmert zum x-ten Mal dieselben Ziffern ins Telefon und ist kurz davor, es aus dem Fenster zu werfen. Ich versuchte es mit dem Funkgerät und gab nullneun ein für das Büro in Bulawayo. Die Verbindung kam zustande, das rote Lämpchen leuchtete, aber niemand meldete sich.

Seit Mabhenas Anruf waren bereits zehn Minuten vergangen. Wenn es mir beim nächsten Versuch nicht gelang, jemanden zu erreichen, würde ich selbst zu Mapfumo fahren und ihm irgendwie helfen müssen.

Das Problem war nur, dass ich keine Ahnung hatte, was ich tun konnte. Zwar hatten Rich und ich einen Erste-Hilfe-Kurs absolviert, aber das lag Jahre zurück. Ich erinnerte mich dunkel, dass im Laufe des Kurses irgendwann über Schlangenbisse gesprochen worden war, dass man die Bissstelle abbinden und Eis darauflegen sollte, damit das Gift sich nicht so schnell ausbreitete, aber das war auch schon alles. Dann fiel mir ein, dass wir ein Erste-Hilfe-Buch hatten. Es stand auf dem obersten Brett des drehbaren Aktenschranks im Büro. Aber als ich den Schrank drehte, konnte ich das Buch nirgends entdecken.

Ich versuchte es ein letztes Mal mit dem Telefon.

„MARS-Notfalldienst. Guten Morgen."

Ich bekam ganz weiche Knie vor Erleichterung. Die Frau in der Zentrale stellte mich durch zu Sue Bryant, meiner Freundin, einer unvergleichlichen Notfallschwester. Sie ist die Erste, die ich mir in einem Notfall an meiner Seite wünschen würde – Sue, die Frau mit der sanften Stimme und dem ruhigen Lächeln. Plötzlich ging es mir schon wesentlich besser. Sue versicherte mir, die Rettungssanitäter würden sich sofort auf den Weg machen.

„Und wie kann ich Mapfumo in der Zwischenzeit helfen?", wollte ich wissen. Sue bestätigte die Sache mit dem Abbinden der Bissstelle – einen elastischen Verband über die Bissstelle, so fest gebunden wie bei einem verstauchten Fuß, aber nicht wie bei einem Druckverband. Und auch Eis, ja, aber auf den Verband und nicht direkt auf die Haut, sonst würde sie absterben. Falls der Patient an Übelkeit leide, solle man ihm schluckweise Wasser anbieten, aber vor allem solle man Ruhe bewahren und dafür sorgen, dass er sich möglichst wenig bewege.

„Sue, ich danke dir", sagte ich im selben Tonfall wie sie – langsam, zuvorkommend, wie eine Frau, die die Situation vollkommen unter Kontrolle hat.

Kaum hatte Sue den Hörer aufgelegt, sprang ich von meinem Stuhl auf, riss die elastischen Binden aus der Plastiktüte auf dem Aktenschrank und nahm mir vor, den Erste-Hilfe-Kasten auf Vordermann zu bringen, sobald dieses Drama ausgestanden war. Dann im gestreckten Galopp in die Lodgeküche, wo der Koch, der sich gerade seinen Frühstückstee aufgegossen hatte, mich verblüfft anstarrte. „Mapfumo! Schlangenbiss! Ich brauche sofort Eis und Wasser!"

Ruhe bewahren! Wie sollte ich Ruhe bewahren? Seit ich Mabhenas Funkspruch erhalten hatte, war bereits eine halbe Stunde vergangen, und jetzt musste ich zu Mapfumo rausfahren, Erste Hilfe leisten und ihn dann zum Krankenwagen schaffen, der bis dahin entweder an unserem

Tor warten oder noch auf dem Weg von Bulawayo hierher sein würde. Wenn Mapfumo eine volle Ladung Gift von einer Mamba abbekommen hatte, kam womöglich jede Hilfe zu spät. Fünf Minuten später rannte ich zurück zum Haus, unter den Armen Verbandszeug, Handtücher, Wasserflaschen und einen Behälter mit Eiswürfeln.

Als ich aus der Garage fuhr und nach rechts in Richtung Fluss abbog, begann ich mich zu fragen, wie das nur alles passiert sein konnte. Die Mamba, lang, schlank und schnell, ist das Vollblut unter den Schlangen, ein Geschöpf von sprunghaftem Temperament, das schnell zubeißt. Eine Mamba kann sich auf halbe Körperlänge aufrichten und dann, den Kopf über das hohe Gras gereckt, mit hoher Geschwindigkeit tänzelnd auf einen zugleiten. Sie kann in praktisch jede Richtung zuschlagen, aber wenn Mapfumo in den Unterschenkel gebissen worden war, dann war er wahrscheinlich auf die Schlange getreten.

Eigentlich war das nicht verwunderlich, da seit Oktober dreimal so viel Regen gefallen war wie gewöhnlich, was das trockene, karge Grasland in einen veritablen Dschungel aus dichtem Grünzeug verwandelt hatte, vor allem in der Nähe der Flüsse. Na ja, *wir* sagen „Flüsse", aber in Wirklichkeit sind es kleine Bäche, die den größten Teil des Jahres über ausgetrocknet sind und manchmal während der Regenzeit ein oder zwei Tage lang Wasser führen. Doch diese bescheidenen Rinnsale waren nun zu reißenden Flüssen angeschwollen, die das Gras platt walzten und Bäume entwurzelten, während ihre Ufer unter der Wucht der nicht enden wollenden Sintflut einbrachen. Für den vier Kilometer langen Weg bis zu unserem Tor, der sich in eine mörderische Schlammpiste verwandelt hatte, brauchte man mindestens eine halbe Stunde. Wir hatten uns angewöhnt, nur noch im Konvoi zu fahren und in jedem Fahrzeug schwere Seile und Ketten mitzuführen, damit wir uns notfalls gegenseitig aus dem Morast ziehen konnten.

Aber jetzt im April hatte der Regen endlich aufgehört. Mithilfe riesiger Granitplatten hatten unsere Leute den Sumpf, der zu unserem Haus führte, wieder in eine Straße verwandelt, und rechts und links des Weges hatten sie Dränagen gegraben, damit das restliche Wasser ablaufen konnte. Ich fuhr bis zu den Ruinen des alten Farmhauses, weiter kam ich nicht, denn dort verwandelte sich der Weg in einen Bach. Also hielt ich an, zog meine Schuhe aus und sprang. Schlamm quoll zwischen meinen Zehen hindurch und umspielte meine Knöchel. Großartig! Mapfumo lag fünf Minuten von mir entfernt, und ich würde wahrscheinlich entweder auf dem Weg zu ihm oder spätestens bei der Rückfahrt mit dem Wagen im Schlamm stecken bleiben. Aber es gab keinen anderen

Weg, den ich nehmen konnte. Notfalls würde ich den Toyota stehen lassen, die paar Kilometer zum Tor laufen und die Rettungsleute dazu bringen müssen, dass sie mit dem Krankenwagen so nah wie möglich heranfuhren. Sie würden Mapfumo auf einer Trage da rausholen müssen. Ich wagte nicht, auf die Uhr zu sehen – und hoffte inständig, dass es keine Mamba gewesen war.

Ich ging ein Stück neben dem ehemaligen Weg entlang. Der Boden war aufgeweicht wie ein Schwamm, aber eine dicke Schicht frisches Gras bot vielleicht den notwendigen Halt. Ich rannte zurück zum Auto, schaltete den Vorderradantrieb ab, legte einen niedrigen Gang ein und fuhr vorsichtig los. Sofort sank der Wagen ein und die Räder drehten durch. Dann, entgegen allen guten Ratschlägen, trat ich das Gaspedal durch, und wie ein Pferd beim Start zu einem Rennen sprang der Toyota aus dem Sumpf auf den trockenen Weg.

Meine erste Reaktion, als ich Mapfumo am Straßenrand hocken und Mabhena neben ihm stehen sah, war nicht etwa Erleichterung, sondern Panik. Dass ich die beiden hier antraf, bedeutete, dass sie vom Ufer über hundert Meter weit gelaufen waren, das Schlimmste, was man tun kann nach einem Schlangenbiss, denn jede Art von Bewegung regt den Kreislauf an und sorgt dafür, dass das Gift umso schneller das Herz erreicht. Aber ich sagte nichts davon. Mabhena wirkte wesentlich erregter als Mapfumo, der, das linke Bein abgewinkelt, ruhig und gelassen dasaß.

Ich unterdrückte ein erleichtertes Schluchzen und bemühte mich, eine aufmunternde Miene aufzusetzen. „Wie geht's, Mapfumo? Wie fühlst du dich?"

„Äh, es tut weh, Mrs Peek, aber nicht sehr." Mapfumo zeigte auf zwei schwach erkennbare Bissmale an seiner linken Wade. Falls sein Bein geschwollen war, war nicht viel davon zu erkennen.

„Keine anderen Symptome?", fragte ich. „Druck auf der Brust? Atemnot? Übelkeit?"

„Nein", erwiderte er. „Nichts davon."

„Und du glaubst immer noch, dass es eine Mamba gewesen ist?"

Mabhena schüttelte den Kopf. „Zu klein", sagte er. „Wir sind zu dem Schluss gekommen, dass es wahrscheinlich eine Kobra war."

Am liebsten wäre ich in Jubelschreie ausgebrochen, aber ich nahm bloß das Verbandszeug vom Beifahrersitz und kniete mich neben meinen Patienten. Ich bekam den Verband sogar erstaunlich gut hin. Mabhena half Mapfumo beim Einsteigen und drückte ihm während der Fahrt das Eis auf die Bisswunde.

Immer wieder warf ich beim Fahren einen Blick in den Rückspiegel, aber Mapfumos Gesichtsausdruck veränderte sich nicht, nur Mabhena wirkte grau und erschöpft. Später stellte sich heraus, dass er seinen Freund, der viel jünger und wesentlich kräftiger gebaut war als er, vom Flussufer bis zur Straße getragen hatte.

Ich schaltete wieder auf Allradantrieb, fuhr jedoch auf der anderen Seite der Gefahrenstelle vorbei, um nicht endgültig im Morast zu versinken. Wie ein altgedientes Rallyefahrzeug schlingerte der Toyota durch den Sumpf und arbeitete sich nach oben auf den trockenen Weg. Plötzlich hörte ich die Vögel zwitschern, und als ich mich nach den beiden Scouts auf der Rückbank umdrehte, sah ich, dass sie lächelten. Mapfumo würde überleben.

Der Krankenwagen stand nicht am Tor, also fuhren wir ihm in Richtung Bulawayo entgegen. Als er noch einen halben Kilometer von uns entfernt war, konnten wir schon das rote Blinklicht sehen, und ich blendete kurz auf, um mich zu erkennen zu geben. Nachdem wir nebeneinander gehalten hatten, sprangen drei uniformierte Sanitäter aus dem Wagen, um Mapfumo beim Aussteigen zu helfen. Ich hätte sie umarmen können. In einem Land, wo praktisch nichts funktioniert, schraubt man seine Erwartungen mit der Zeit ziemlich herunter.

Wenn es MARS, eine private Hilfsorganisation, nicht gegeben hätte, dann hätte ich Mapfumo in eins der staatlichen Krankenhäuser bringen müssen, vor deren Toren die Angehörigen und Freunde der Patienten zu Hunderten im Freien kampieren. Von ihnen wird erwartet, dass sie das Bettzeug, die Verpflegung und die Medikamente für ihre Verwandten zur Verfügung stellen, weil das Krankenhaus kein Geld dafür hat. In der Unfallstation, wo ein einziger Arzt Dienst tut, der oft gleichzeitig auch noch für andere Stationen zuständig ist, müssen sich selbst Schwerstverletzte in einer aus fünfzig bis sechzig Personen bestehenden Warteschlange anstellen. MARS war natürlich nur für Notfälle zuständig; die Leute von MARS übernahmen die Erstbehandlung und lieferten einen dann in einer der gefürchteten Institutionen ab. Ich habe schon oft gedacht, falls ich einmal in einem ihrer Krankenwagen landen sollte, dann würde ich sie mit vorgehaltener Pistole zwingen, so lange umherzufahren, bis es mir wieder besser ginge.

Die Hecktüren des Krankenwagens öffneten sich und gaben den Blick auf das makellose Innenleben frei: zwei Tragen mit frisch gestärkten weißen Laken, Sauerstoffflaschen, Atemmasken, Blutdruckmessgeräte, säuberlich gestapelte Schachteln mit allem erdenklichen medizinischen Zubehör. Eine der Schachteln enthielt ein spezielles Gegengift für Mamba-Bisse, ein Mittel, das es in keinem staatlichen Krankenhaus gab. Mapfumo, der tief beeindruckt zu sein schien, legte sich auf eine der Tragen, wir riefen alle: „Bis bald, Mapfumo! Viel Glück!", die Türen schlossen sich wieder und der Krankenwagen fuhr davon.

Am nächsten Tag kam er schon wieder zurück, gut erholt und begierig, seinen Freunden zu erzählen, was er alles erlebt hatte. Er war tatsächlich von einer Schlange gebissen worden, aber es musste ein „trockener Biss" gewesen sein, mit dem die Schlange zwar die Haut eingeritzt, aber kein Gift injiziert hatte. Mabhena und ich, beide schon etwas älter, brauchten wesentlich länger, um uns von dem Schreck zu erholen. Ich bin sicher, dass diese Art von Schock das Gehirn schwächt, denn wie sollte ich mir sonst erklären, dass ich immer wieder vergesse, die elastischen Binden zurück in den Erste-Hilfe-Kasten zu legen? Heute werde ich es tun: das heißt, falls ich die Zeit finde und falls die derzeitigen Bewohner von Stone Hills nicht wieder in irgendwelche Kalamitäten geraten und die Finger vom Funkgerät lassen. Wie wir unseren Freunden schon geschrieben haben – auf der Farm gibt es immer mehr als genug zu tun.

Kapitel 13

Heute ist die afrikanische Wildnis nur noch in unseren Nationalparks und in einigen privaten Schutzgebieten zu finden – und selbst diese Überreste sind ständig bedroht durch politisches Chaos und die zunehmende menschliche Not. Wildtierfarmen auf Privatland haben sich im Lauf der letzten zwanzig Jahre zu einem lukrativen Geschäft entwickelt. Im Vergleich zu Land- oder Viehwirtschaft mag es wie eine leichte Alternative erscheinen, so als brauchte man nichts weiter zu tun, als der Natur ihren Lauf zu lassen. Das mag in Gebieten von der Größe der Serengeti der Fall sein, aber kleinere, begrenzte Grundstücke wie das unsere müssen intensiv gepflegt werden, um ihre Gesundheit und Produktivität zu erhalten.

So gern wir es unseren Tieren gestattet hätten, sich frei in und außerhalb von Stone Hills zu bewegen, uns blieb nichts anderes übrig, als unsere Farm einzuzäunen: mit 23 Kilometer Stahlzaun von zwei Meter Höhe und mit zwanzig parallel gespannten Drahtseilen. Nach den Gesetzen von Simbabwe unterstehen Wildtiere der Aufsicht durch denjenigen, auf dessen Grund und Boden sie sich befinden. Das bedeutet, dass beispielsweise unsere Elenantilopen so lange unter unserem Schutz stehen, wie sie sich auf unserer Farm aufhalten, aber sobald sie das

Land unseres Nachbarn betreten, zu Freiwild werden. Wenn wir unsere Elenantilopen frei umherlaufen ließen, würden sie wahrscheinlich früher oder später in der Tiefkühltruhe unserer Nachbarn landen. Und wenn unsere Farm nicht eingezäunt wäre, müssten wir zudem damit rechnen, dass auf unserem Land gewildert würde oder dass unsere Tiere von dannen ziehen und nie wieder zurückkehren würden.

Obwohl wir also einheimische Wildtiere wieder in ihrer natürlichen Umgebung angesiedelt haben, setzen wir ihnen unnatürliche Grenzen. Unser Stück Land muss für ihr Überleben ausreichen – und zwar für immer. Wir können uns nicht einfach in Ruhe zurücklehnen und abwarten, ob es klappt, wir tragen die Verantwortung dafür, dass es funktioniert.

Der Zaun, der eigentlich Schutz bieten soll, kann das umzäunte Land allerdings auch in ein tödliches Gefängnis verwandeln. In den trockenen Monaten nach dem Winter halten wir immer ängstlich Ausschau nach weißen Rauchsäulen, die zwischen den Kopjes aufsteigen, wenn die Savanne brennt. In manchen Nächten werden die Berge in der Ferne von Flammen erleuchtet, und es gibt Tage, an denen der Wind den Rauch vor sich hertreibt, bis er die ganze Lodge einhüllt. Ein Feuer, dem nicht rechtzeitig Einhalt geboten wird, könnte unsere gesamte Farm innerhalb weniger Stunden zerstören.

An windstillen Abenden im Juni oder Juli brennt Rich ein Mosaik von Brandschneisen kreuz und quer über die Farm. Schon Wochen vorher markieren die Scouts die Linien für die Schneisen und roden zwei Meter breite, parallel verlaufende Streifen, um das Feuer zu begrenzen. Wenn der große Tag gekommen ist, wollen natürlich alle dabei sein. Bewaffnet mit Stöcken, an deren Ende ein Stück Leder oder Gummi befestigt ist, klettern sie auf den Traktor und der alte Magudu setzt sich ans Steuer. An Ort und Stelle angekommen, springen sie alle vom Traktor und beziehen ihre Posten entlang der Schneise, damit sie das Feuer ausschlagen können, falls es zu übermütig wird oder Wind aufkommt und es über die Schneise hinauszutreiben droht.

Es bedarf nur eines glimmenden Streichholzes oder einiger Tropfen Benzin, um einen Brand auszulösen. In der plötzlich entstehenden Hitze bildet sich ein Wirbelwind, der das letzte trockene Laub von den Bäumen fegt und über die Flammen hinausträgt. Langsam frisst sich das Feuer durch das Gras und wird zu einem funkensprühenden Feuerwerk, sobald es die ausgetrockneten Zweige und Stämme der Akazien erreicht.

Wenn die Tiere nicht gerade davon eingeschlossen werden, lassen sie sich von einem Feuer nicht in Panik versetzen. Sie gehen ihm einfach aus dem Weg und bringen sich in Sicherheit. Und eine Woche später, wenn die umgestürzten Baumstämme und -stümpfe immer noch vor sich hin glimmen, zeigen sich die ersten grünen Schösslinge inmitten der Schwärze, und sofort sind die Äser zur Stelle, die sich über diesen unerwarteten Leckerbissen hermachen. Wenn wir nicht aufpassen, können die Tiere großen Schaden anrichten, daher macht Rich die Schneisen breit genug, um Kahlfraß zu verhindern, und legt sie jedes Mal woanders an, damit sich der Boden immer wieder erholen kann.

Alle Eltern wissen, dass Kinder gern zündeln. Einmal, als ich David am Abend bei unseren Nachbarn abholte, wo er den Tag über mit seinem Freund Andrew gespielt hatte, fiel mir auf, dass er besonders gut gelaunt war. Andrews Mutter Doris verabschiedete uns am Tor. „Die beiden haben einen wunderbaren Tag verlebt", sagte sie strahlend. „Ich hab sie mit ins Safaricamp genommen, sie sind in den Kopjes herumgetollt, und ich hab den ganzen Tag keinen Ton von ihnen gehört."

Ein paar Tage später stellte sich heraus, dass die Jungs deswegen so still gewesen waren, weil sie die Streichhölzer aus der Küche geklaut und den Nachmittag damit verbracht hatten, so viele Feuer wie möglich anzuzünden. Ihr Erfolg war größer gewesen als beabsichtigt: Die Farmarbeiter waren die ganze Nacht damit beschäftigt gewesen, die riesige Feuersbrunst zu bekämpfen, die um das Safaricamp herum gelodert hatte. Mit sehr viel Glück war es ihnen gelungen, die strohgedeckten Hütten vor den Flammen zu bewahren.

Ein riesiges Donnerwetter erwartete die Jungs. Und dann wurde den Übeltätern mindestens hundertmal geduldig erklärt, wie gefährlich Feuer sein kann, und sie versprachen hoch und heilig, nie wieder zu zündeln.

Drei Monate später wütete ein Waldbrand in der Gegend. Stone Hills blieb auf wundersame Weise verschont, nicht jedoch die Farm, die Andrews Eltern gehörte. In der zweiten Nacht legten sie sich abends in dem Wissen ins Bett, dass ihr Safaricamp auf der Route des Feuers lag und dass sie nichts tun konnten, um es vor den Flammen zu schützen.

Am nächsten Morgen erhielt ich einen Anruf von Doris. „Erinnerst du dich noch an das Feuer, das die Jungs gelegt haben?", fragte sie.

Ich versicherte ihr, dass ich das bestimmt nie vergessen würde.

„Also, wenn die Brandschneise nicht gewesen wäre, die dabei entstanden ist, wäre letzte Nacht unser gesamtes Safaricamp abgebrannt. Ihnen haben wir es zu verdanken, dass es noch steht."

„IN STONE HILLS gibt es immer Wasser", hatten uns die Einheimischen versichert, und inzwischen kennen wir die kleinen Tümpel zwischen den Felsen entlang der ausgetrockneten Flussbetten, die manchmal den ganzen Winter über bestehen bleiben. In früheren Zeiten waren sie sicherlich die letzte Rettung für die Viehbestände, aber für all unsere Wildtiere reichen sie nicht aus. Nachdem Rich die ehemalige Desinfektionsgrube neben den Ruinen des alten Farmhauses mit Erde und Steinen aufgefüllt hatte, begann er eine Reihe von Staudämmen anzulegen. Den ersten baute er am Mathole River am Fuß des Dibe. Der Dibe, so sagte man uns, trägt den Namen des Häuptlings, der einst hier lebte, aber Dibe heißt in der Sprache der Kalange auch „Quelle", und dort, wo der Fluss in den Stausee fließt, gibt es tatsächlich Quellen.

Nach zehn Jahren beginnt Stone Hills endlich zu gesunden. Als wir hierherkamen, war das Land von tiefen Rinnen durchzogen, die Flussufer waren bröcklig, der Boden war zertrampelt und ausgelaugt nach Jahren intensiver Viehwirtschaft. Durch die Abschaffung der frei grasenden Viehherden und das Auffüllen der Rinnen mit Steinen konnten wir die Erosion eindämmen. Den Belag nicht mehr benötigter Straßen hat Rich entfernt und stattdessen Pflanzen angesiedelt.

Normalerweise sorgt die Natur für ein harmonisches Verhältnis zwischen Pflanzen und Tieren, aber auf unserem eingegrenzten Gebiet müssen wir dafür Sorge tragen, dass die Artenvielfalt erhalten bleibt. Wenn eine Spezies sich zu stark vermehrt, kann das für eine andere Spezies, die dieselbe Art von Nahrung und Umgebung braucht, gefährlich werden. Indem wir unsere Kapazitäten nicht voll ausnutzen, schonen wir das Land, denn wir sind uns stets bewusst, dass wir in einem Dürregebiet leben und eine gute Regenzeit keine Garantie dafür ist, dass es auch in den folgenden Jahren solche Regenzeiten gibt.

Vor zehn Jahren haben wir nicht viel Zeit in der Nähe der Flüsse verbracht. Der Anblick der ausgelaugten Ufer mit lauter in die Luft hängenden Wurzeln und die trockenen, sandigen Flussbetten, in denen sich umgestürzte Bäume stapelten, hätte uns nur deprimiert. Heute dagegen genießen wir es, den Ottern zuzusehen, die das ganze Jahr über an den Flussufern leben und auf den Uferfelsen kleine Häufchen aus Krebsschalen hinterlassen. Wir gehen oft an den Mathole und werfen Angelleinen aus nach den Barschen, die im klaren Wasser schwimmen.

Wir mögen eine Besitzurkunde haben, aber das Land wird nie uns gehören. Als seine Hüter haben wir den Heilungsprozess in Gang gesetzt, um dann in den Hintergrund zu treten und der Natur ihren Lauf zu lassen. Und das Leben kam zurück wie ein heimkehrender Flüchtling, leise und zögernd anfangs, dann immer selbstbewusster ... Und heute herrschen in Stone Hills wieder Harmonie und Ganzheitlichkeit.

Kapitel 14

Ende April 1997 holte ich einen Freund vom Flughafen ab. Als wir am späten Nachmittag auf dem Weg zurück zur Farm waren, sah ich beim Gatter der Elenantilopen nach Poombi, aber sie war nicht da. Eigentlich hatte ich auch kaum damit gerechnet. Seit zwei Wochen machte sie sich besonders rar; wir hatten sie am Matanje in Begleitung eines kräftigen Keilers angetroffen.

Als wir um die nächste Ecke bogen, trat unvermittelt ein weibliches Warzenschwein aus dem Schatten eines Kopje ins abendliche Sonnenlicht und blieb mitten auf dem Weg vor uns stehen. Gleich hinter ihm stand ein Keiler, ein großer, stattlicher Bursche mit riesigen, glänzenden Hauern, der offenbar gutes Genmaterial zu bieten hatte. Er schubste die Bache von hinten, und im nächsten Augenblick waren die beiden auch schon im hohen Gras verschwunden. Einfach so. Ich schaltete den Motor ab und stieg aus.

„Poombi!" Sofort kam sie angelaufen, den Kopf erhoben, um sich liebevoll tätscheln zu lassen. Der Keiler stand nur wenige Meter weit entfernt und blickte ziemlich grimmig drein. Nachdem sie ihre familiären Pflichten erfüllt hatte, trottete Poombi wieder von dannen, den Keiler auf den Fersen.

Ich taufte ihn Harald, weil mich seine gewaltigen, gebogenen Hauer an die gehörnten Helme der Wikinger erinnerten. Bei Warzenschweinen dauert die Tragezeit 160 bis 175 Tage, also etwa fünfeinhalb Monate. Wenn alles gut ging, konnten wir damit rechnen, dass die Frischlinge Mitte Oktober geboren würden, mitten in der trockensten, heißesten Jahreszeit. Das Gras würde also am spärlichsten wachsen, wenn Poombi es am dringendsten brauchte.

Aber im vergangenen Jahr hatten wir einen außergewöhnlichen Winter gehabt, die Hauptregenzeit hatte erst Ende Dezember eingesetzt, und dann waren innerhalb von zwei Monaten 75 Zentimeter Regen gefallen. Ende Februar hatte es ebenso plötzlich wieder aufgehört zu regnen. Ideal war es nicht gewesen, dafür hatte die Regenzeit nicht lange genug angehalten, aber immerhin hatten wir Tag und Nacht das Tosen des Mathole hören können, der hundert Meter entfernt von unserem Haus vorbeirauschte, dabei die Flussufer unterhöhlte und die Schilfböschung erschütterte.

Der Grundwasserspiegel stieg und stieg. Dauernd mussten wir unsere Safarijeeps aus dem Morast ziehen, eine Prozedur, die die Gäste

> Im Winter kommen die Kudus an unsere Terrasse, um sich füttern zu lassen.

erstaunlicherweise zu amüsieren schien. Die vier Kilometer Schlammpiste von unserem Tor bis zur Straße konnten wir nur im Kriechgang bewältigen, da sämtliche Furchen sich in gefährliche Sturzbäche verwandelt hatten. Monatelang sickerte das Wasser aus den gesättigten Feuchtwiesen in die Flüsse und Stauseen. Die durstigen Gräser reagierten auf die Sintflut mit einem Wachstumsschub, der dafür sorgte, dass unser Warzenschwein auch in den mageren Zeiten noch ausreichend Wurzeln zu fressen finden würde.

WEIL die Regenzeit in jenem Jahr so kurz gewesen war, brachen Ende September für unsere Äser wie die Elenantilopen und die Kudus schwere Zeiten an. An den Bäumen war kaum noch Laub, nur noch ein kläglicher Rest in einer Höhe, die nur die Giraffen erreichen konnten. Anstatt wie üblich im Winter zu verschwinden, trieben massenhaft Zecken ihr Unwesen und plagten die empfindlicheren Tiere, wiederum die armen Elenantilopen, Kudus und Wasserböcke.

Poombi dagegen strotzte vor Gesundheit, was mich beinahe zu dem Schluss verleitet hätte, dass sie trächtig war, wenn mir nicht aufgefallen wäre, dass es den anderen Warzenschweinen in der Gegend genauso gut ging. Wir beobachteten Poombis Bauch mit Argusaugen. War sie nun trächtig oder nicht? Sie lag häufig faul herum (was aber auch an der Hitze gelegen haben kann), und ich hätte schwören können, dass ich strampelnde Frischlinge gespürt hatte, als ich das letzte Mal ihren Bauch betastet hatte.

Am 20. September nahm Abel seinen Urlaub, und wir fuhren für vier Tage zu einer anderen Wildtierfarm im südöstlichen Lowveld. Wir hatten das Glück auf unserer Seite. Wir sahen Löwen, Geparden, Nashörner und Büffel und verbrachten einen wunderbaren Nachmittag in einem unterirdischen Beobachtungsposten in der Nähe einer Wasserstelle. Als am frühen Abend Elefanten an uns vorbeizogen, sahen wir ihre riesigen Füße auf Augenhöhe, nur einen halben Meter entfernt. Dann kam ein tastender Rüssel durch den Beobachtungsschlitz, gefolgt von lautstarken Unmutsäußerungen, ein buchstäblich atemberaubendes Erlebnis. Sogar Rich zog sich vorsichtshalber samt Kamera in Richtung Ausgang zurück.

Als wir auf unsere Farm zurückkehrten, wurden wir schon von Khanye am Tor erwartet. „Alles in Ordnung?", fragte ich ängstlich.

„Ja", sagte er langsam. „Auf der Farm ist alles in Ordnung." Wir konnten also aufatmen, und Rich wollte schon weiterfahren. Doch Khanye war noch nicht fertig. „Ich habe traurige Nachrichten. Abel ist tot."

Nein, das konnte einfach nicht wahr sein! Abel war doch in Tsholotsho und dabei, für sich und seine Familie ein neues Haus zu bauen. Als er aufgebrochen war, hatte er nach Bulawayo rausgewollt, um Dachmaterialien zu kaufen, und noch am selben Tag hatte er vorgehabt, mit dem Bus nach Hause zu fahren. Wahrscheinlich war der Bus verunglückt. Mit diesen Bussen gab es dauernd Unfälle. Die Fahrzeuge wurden nie gewartet, und die Fahrer hielten erst an, wenn sie hinterm Steuer einschliefen.

„Nein", sagte Khanye, als ich mich erkundigte. „Es war kein Unfall. Es heißt, er wurde ermordet."

Auf halbem Weg zum Haus trafen wir Poombi, und ich stieg aus, um sie in die Arme zu nehmen und ihr zu erklären, dass der Mensch, der so viel Zeit mit ihr verbracht hatte, der sie ebenso liebte wie wir und der sie so gut verstand, nie wiederkommen würde. Ich brauchte Monate, um mich an den Gedanken zu gewöhnen, dass Abel tot war.

Abel war tatsächlich ermordet worden. Jemand hatte ihn vergiftet. Nach der ersten Geschichte, die wir hörten, war er zur Bierhalle gegangen, zweifellos voller Vorfreude auf ein kühles Bier, nachdem er zwei Tage lang auf dem Dach gearbeitet hatte, und ein paar Kinder hatten ihm irrtümlich ein giftiges Gebräu vorgesetzt, das für jemand anders bestimmt gewesen war. Abel musste in der Nacht unter fürchterlichen Qualen gestorben sein. Man hatte ihn sofort begraben. Niemand ging zur Polizei, und so wurden nie Ermittlungen angestellt oder eine Obduktion durchgeführt. Was hätte die Polizei unternehmen sollen angesichts eines weiteren Todesfalles, wo doch täglich Hunderte von Menschen durch Aids dahingerafft werden?

Wir mussten daran denken, wie traurig und besorgt Abel in den letzten Monaten gewirkt hatte. Er hatte sich niemandem anvertraut, nur Mafira gegenüber erwähnt, er müsse nach Hause, um irgendwelche Familienangelegenheiten zu klären. Wenn ein Mann stirbt, ist es Brauch, dass sein älterer Bruder wie ein Vater für die Witwe und deren Kinder sorgt. Abel war kaum eine Woche tot, als sein älterer Bruder entgegen der Tradition dessen junge Frau ehelichte.

AM ABEND nach unserer Rückkehr kletterte ich auf den Dibe und setzte mich auf einen der riesigen Felsen, die Welt zu meinen Füßen. Von dort aus hatte ich einen guten Blick auf das verwitterte Strohdach unseres Hauses, auf die Granithügel ringsum und die dazwischen liegenden Täler. Zehn Jahre zuvor hatte ich am Fuß dieses hoch aufragenden Kopje gestanden, zwischen den beiden roten Fliederbäumen, wo wir unser Haus errichten wollten. Nichts hatte mich jemals so ergriffen wie dieser Anblick, dennoch fühlte ich mich unwohl, als wäre ich ein Störenfried in der Stille und Einsamkeit dieses majestätischen Ortes. Und ehrlich gesagt hatte ich auch ein bisschen Angst, nicht vor den Tieren um uns herum, sondern davor, so weit entfernt von der Zivilisation zu leben. Hier, mitten im Niemandsland, vor Gott weiß was oder wem nur geschützt durch eine dünne Wand, werde ich niemals ruhig schlafen, hatte ich damals gedacht.

Und dann endlich waren die Wände verkleidet, war das Dach gedeckt und das Haus fertig. Wir stellten Regale auf, das Doppelbett und das Kinderbett und brachten die beiden Labradorhunde mit. Wir hängten unsere Kleider in die Schränke, zündeten ein Feuer im Kamin an, und plötzlich war es unser Zuhause.

In den folgenden Jahren hüteten und pflegten wir unser kleines Stückchen Afrika und füllten es mit den Tieren, denen es rechtmäßig gehörte. Wir nannten es Tierschutzgebiet, als könnte der Name wie ein Talisman das Land vor Schaden schützen. Aber jetzt war Abel tot, und unser Land war in Gefahr; wir waren gezwungen, zur Kenntnis zu nehmen, was wir eigentlich immer schon gewusst hatten, dass weder ein

Zaun noch die Bezeichnung Schutzgebiet oder all unsere besten Wünsche die Welt außen vor halten konnten. Als Abels Mutter uns nach seinem Tod aufsuchte, reichte sie mir die Hand, und noch einmal sah ich die freundlichen Augen und das warme Lächeln ihres Sohnes. Ich war fassungslos vor Wut über die Ungerechtigkeit, über den Verlust eines so wertvollen Lebens, aber das Gesicht von Abels Mutter war wie das Gesicht Afrikas – geduldig, gelassen und gefasst. Nur die Weißen, dumm, wie sie sind, versuchen immer wieder vergeblich, die Macht dieses uralten und gleichmütigen Landes herauszufordern.

DIE REGIERUNG hatte unseren Widerspruch gegen die Beschlagnahme akzeptiert und Stone Hills sowie weitere 541 Farmen von der schrecklichen Liste gestrichen. „Von nun an wird man Sie in Ruhe lassen", versicherte uns unser Anwalt. Natürlich irrte er sich. In den Zeitungen erschienen immer wieder neue Listen, und schließlich wurde doch niemand ausgenommen. Jedenfalls brauchten sich die Politiker nach keinerlei Listen mehr zu richten, da der Präsident ihnen die unbeschränkte Vollmacht gegeben hatte, sich jedes beliebige Stück Land anzueignen.

Die Enteignungswelle überzog das ganze Land wie hässliches Unkraut, ruinierte die Landwirtschaft, zerstörte das Leben vieler Menschen, machte Tausende Landarbeiter zu Flüchtlingen im eigenen Land.

Was war mit dem Mann passiert, der bei der Unabhängigkeitserklärung die Farmer zum Bleiben ermutigt hatte? Der erklärt hatte: „In diesem Land gibt es Platz für alle. Wir wollen sowohl den Gewinnern als auch den Verlierern Sicherheit geben." Er machte uns alle zu Verlierern.

Plötzlich hatten die Gesetze für die Regierung keine Bedeutung mehr. Wenn ein Gesetz ihren Wünschen widersprach, hoben sie es einfach auf. Friedliche, von der Opposition organisierte Demonstrationen wurden mit Gewalt niedergeschlagen. Und es sollte noch viel schlimmer kommen.

Uns allen war längst klar, dass eine Landreform vonnöten und überfällig war, aber das hier war nichts als politisch motiviertes Chaos. Die Landfrage war in den Schlagzeilen, sie war die letzte Hoffnung korrupter Politiker, die den Menschen sonst nichts mehr anzubieten hatten.

Ähnliches war in ganz Afrika passiert. Aber in Sambia etwa hatte die Regierung die Farmer, die verjagt worden waren, schließlich wieder zurückgebeten, damit sie auf dem fruchtbaren, unverwüstlichen Boden Landwirtschaft betreiben. Dieses Glück würde uns nicht beschieden sein. Jahrzehntelang war unser karger Boden völlig überstrapaziert und ausgelaugt worden. Inzwischen hatte sich die Situation gebessert, sehr sogar, aber es bedurfte noch Jahre der intensiven Pflege, bis das Land sich wieder erholen würde. Falls hier erneut Kleinbauern angesiedelt werden sollten, hatte Stone Hills keine Chance mehr. Jetzt nicht und auch in Zukunft nicht.

Kapitel 15

Könnte man doch im Oktober am Meer sein oder auch mitten in London oder irgendwo auf der Welt – auf jeden Fall nicht in Stone Hills, wo alles auf den Regen wartet.

Früher nannte man den Oktober den „Selbstmordmonat", und auch wenn man diesen Ausdruck heute kaum noch hört, kennt jeder das Gefühl tiefer Verzweiflung, das sich im Lauf der langen, drückend heißen Wochen einstellt. Man will gar nicht mehr aus dem Haus gehen, denn selbst der Busch bietet keinen Trost, erst recht nicht der Anblick der ausgemergelten Tiere, die hungrig und mit trüben Augen auf der Suche nach etwas Fressbarem umherstreifen.

Kein vernünftiges Tier würde im Oktober seine Jungen zur Welt bringen, aber bei meinen Berechnungen kam ich jedes Mal zu demselben Ergebnis: unsere Poombi würde im Oktober niederkommen. Wurzeln waren meiner Meinung nach keine angemessene Nahrung für eine werdende Mutter, und so bekam sie jetzt, jedes Mal wenn sie unseren Garten heimsuchte, etwas Trockenfutter und einen Kohlkopf oder irgendeinen anderen nahrhaften Leckerbissen. Sie war nicht die einzige Schwangere, auch Ursula erwartete um dieselbe Zeit ein Baby. Am frühen Nachmittag des 21. Oktober traf ich sie beide im Gemüsegarten an, zwei kugelrunde Damen, die einander argwöhnisch beäugten.

Wie es um Ursula stand, die mit ihren geröteten Wangen aussah wie eine reife Tomate, war auf den ersten Blick zu erkennen. Ich tätschelte ihren prallen Bauch und bückte mich zu Poombi, um den ihren in Augenschein zu nehmen. Endlich konnte ich eine eindeutige Veränderung entdecken, aber nicht an der Wölbung ihres Bauchs, sondern an ihren Zitzen.

Plötzlich trat Harald aus dem Busch und schenkte uns einen kühlen, bedeutungsschweren Blick. Ursula und ich zogen uns schleunigst hinter den Gartenzaun zurück, wo Frank, Billiard und Mafira gerade aufgetaucht waren, und gaben unsere Wetten ab. Die Preisfrage lautete nun nicht mehr, ob Poombi trächtig war oder nicht, sondern ob sie schon geworfen hatte oder nicht.

„Ja", erklärte ich, auf meine weitreichenden Erfahrungen bezüglich Mutterschaften zurückgreifend. „Als ich sie vor ein paar Tagen gesehen habe, waren ihre Zitzen noch länglich. Und seht sie euch jetzt an! Es muss passiert sein."

Ursula stimmte mir zu, aber Frank und Billiard schüttelten den Kopf.

Zwei Tage später fühlten die Scouts sich in ihrer Meinung bestätigt, als sie Poombi auf dem Bushbuck Vlei im Nordwesten der Farm begegnet waren. „Das zahme Schwein hat sich hingelegt, und wir haben ihre *amabele* (Brüste) betastet – keine Milch!", verkündeten sie triumphierend.

Mich wunderte, dass Poombi sich ein derart respektloses Verhalten hatte gefallen lassen; das passte ganz und gar nicht zu ihr.

Der Bushbuck Vlei wird im Süden und Westen von kleinen, bewaldeten Kopjes begrenzt, die bei Leoparden sehr beliebt sind, und im Norden durch den Matanje, etwa eineinhalb Kilometer weit entfernt von unserer Schweinevilla. Wir hatten das Gebiet nach einem jungen Buschbock benannt, einem prächtigen Tier, dem wir eines Nachmittags in der Nähe des Matanje begegnet waren. Zwei Wochen später hatte Mabhena den Kadaver des Buschbocks gefunden. Ein Leopard hatte ihn gerissen und auf einen Felsen unter der großen Kapfeige geschleppt, der mitten in dem Feuchtgebiet steht.

Den ganzen September und Oktober über hatten wir ordentlich zugefüttert. Am 24. Oktober meldete Mafira sich gegen Mittag über Funk, um zu berichten, dass die Scouts am Matanje eine Herde Rappenantilopen gesichtet hatten. Wir packten säckeweise Trockenfutter auf die Ladefläche des Toyotas, lasen Mafira auf und fuhren in Richtung Fluss. Dort schütteten wir die Brocken ins ausgetrocknete Flussbett direkt auf ihren Pfad und verzogen uns so unauffällig wie möglich. Das Futter musste in die Windrichtung der Antilopen ausgelegt werden und an einer Stelle, wo sie uns nicht sehen konnten.

„Ich gehe zu Fuß nach Hause", sagte Mafira, „und halte unterwegs Ausschau nach Tieren, die Futter brauchen."

Eine Stunde später telefonierte ich gerade, als ich hörte, wie die Tür sich quietschend öffnete und Mafira eintrat. An seinem breiten Grinsen konnte ich schon von Weitem ablesen, dass er gute Neuigkeiten mitbrachte.

„Du hast Poombi gefunden!"

„So ist es. Auf dem Bushbuck Vlei mit zwei Babys so groß wie Klippschliefer. Ich hab sie im hohen Gras gesehen, aber dann haben sie mich entdeckt und sind weggelaufen."

Ich rief nach Rich, trug hektisch Ferngläser, Hüte, Kameras und einen

Kohlkopf zusammen und machte mich mit meinem Mann auf den Weg in die Kopjes, um mein geliebtes Schwein und seine neue Familie zu begrüßen.

Eine halbe Stunde lang suchten wir die ganze Gegend ab, wobei wir uns in die Richtung hielten, in die die Tiere vor Mafira geflüchtet waren. Ich suchte in jedem Erdferkelloch nach Spuren, fand jedoch nichts. Auch auf meine Rufe bekam ich keine Antwort. Ich zweifelte aber nicht daran, dass Poombi ganz in der Nähe war. Jedes Mal wenn sie in letzter Zeit gesehen worden war, hatte sie sich auf dem Vlei oder in dessen Nähe befunden oder war aus seiner Richtung gekommen.

Poombi hatte sich eine gute Gegend ausgesucht, eine große, offene Fläche, wo es ausreichend Nahrung gab, wo zwischen den Kopjes eine Menge Erdferkelhöhlen Schutz boten und wo es immer Wasser gab, entweder im Matanje oder im Gehege der Elenantilopen.

Wir ordneten an, dass niemand sich dem Bushbuck Vlei nähern durfte: keine Traktoren, keine Arbeiter, keine Scouts. Poombi sollte absolut in Ruhe gelassen werden. Na ja, fast. Ich wollte sie nur einmal sehen, redete ich mir ein, um mich davon zu überzeugen, dass es tatsächlich passiert war. Aber natürlich war es mehr als das. Wir waren Poombis Familie gewesen, und ich konnte es kaum erwarten, ihre Kinder zu sehen.

Am nächsten Morgen war ich vor Sonnenaufgang wieder auf dem Vlei, und zwar allein. In einem tiefen Felsspalt, einem idealen Nistplatz, entdeckte ich zwei schlafende Fleckenuhus. Ich nahm mir vor, die Scouts darauf aufmerksam zu machen, damit sie die Vögel beobachten konnten. Aber Poombi fand ich nicht. Um neun Uhr war der Himmel bereits strahlend blau. Es würde ein heißer Tag werden.

Um halb zwölf meldete Mafira sich per Funk. „Mrs Peek, ich habe gerade Poombi gesehen. Sie war allein im Elenantilopengatter."

Wieder sprang ich in den Wagen und raste los, nur um bei meiner Ankunft festzustellen, dass sie schon weg war. Aber diesmal würde ich nicht aufgeben. „Komm, Mafira, wir fahren zum Vlei und versuchen es dort noch einmal."

Als wir hinter den Kopjes ankamen, die den Vlei begrenzen, parkten wir den Wagen und machten uns leise auf den Weg. In knapp fünfzig Meter Entfernung konnte ich im Gras einen kleinen grauen Rücken ausmachen, ein Warzenschwein, das mit gesenktem Kopf wie wild im Boden wühlte.

„Poombi!", rief ich leise. Sie blickte auf, hörte jedoch nicht auf zu fressen. Erst der Geruch des Kohlkopfes (der inzwischen eine lange Reise hinter sich hatte) weckte ihr Interesse. Mit einem Grunzen stürzte sie sich darauf und verschlang ihn innerhalb weniger Sekunden. Sie war zwar allein, aber mir war klar, dass sie sich nicht allzu weit von ihren Frischlingen entfernen würde. Ich wollte sie so gern sehen, aber hier ging es natürlich nicht um meine Bedürfnisse. Einen Moment lang war ich in Versuchung, Poombi stehen zu lassen und die nähere Umgebung abzusuchen, aber sofort fragte ich mich: mit welcher Berechtigung? Bisher hatten wir ihr immer zugestanden, sich für alles die Zeit zu nehmen, die sie brauchte. Es wäre ein großer Fehler gewesen, uns jetzt, angesichts des wichtigsten Ereignisses ihres Lebens, ohne ihr Einverständnis einzumischen.

Traurig, aber zumindest reinen Gewissens, ließ ich sie zurück und fuhr nach Hause, wo ich mir erst einmal ein großes Glas Eistee einschenkte. Wie so oft in letzter Zeit hatten wir einen brütend heißen Tag.

„Und?", fragte Rich.

„Nichts." Ich erzählte ihm, wie wir Poombi gefunden hatten. „Ich habe mich entschlossen, sie in Ruhe zu lassen. Wenn sie gewollt hätte, dass ich die Kleinen sehe, dann hätte sie dafür gesorgt. Aber das hat sie nicht getan, und das muss ich respektieren." Ich warf meinen Hut aufs Sofa, das Poombi einst okkupiert hatte, und schüttelte meine Schuhe ab. „Aber ich muss gestehen, dass ich sehr enttäuscht bin."

Nach dem Mittagessen legten wir uns schlafen – das Einzige, was man tun konnte bei der Hitze, die sich wie ein flimmernder Nebel über die Savanne ergoss, den Blick trübte und die Bäume im Hintergrund verschwimmen ließ.

Die arme Ursula. Sie lag in ihrer Hütte, schwitzte sich halb tot und wartete auf das Baby, das einfach nicht kommen wollte.

Ich nahm mir ein Buch von Dr. Dave Cummings vor, der in der Sengwa Wildlife Research Area Warzenschweine beobachtet und aufgezogen und eine wissenschaftliche Arbeit über ihr Verhalten geschrieben hat. Lustlos blätterte ich darin herum. So viele ausführliche Informationen über Fortpflanzung, und ich war ausgeschlossen und würde es wohl auch bleiben, wenn dieses Schwein mich weiterhin ärgerte und es sich nicht bald anders überlegte. Und dann entdeckte ich folgende Zeile: *Weder Rosemary noch Susan schien es zu stören, wenn wir ihre Jungen anfassten.*

Ich klappte das Buch zu und sprang aus dem Bett. „Ich hab's!"

„Was ist denn jetzt schon wieder?", grummelte Rich verschlafen. „Wo willst du hin?"

„Ich werde es noch einmal versuchen. Wenn Rosemary und Susan nichts dagegen hatten, warum sollte Poombi sich was draus machen?"

„Wer zum Teufel sind Rosemary und Susan?"
„Egal. Schlaf weiter."
Diesmal nahm ich mir vor, etwas raffinierter vorzugehen. Es hatte keinen Zweck, mit dem Auto bis zu den Kopjes zu fahren und dann einfach loszumarschieren. Besser wäre es, das Auto am Antilopengatter zu parken und mich im Schutz der Kopjes anzuschleichen.

ZWEI UHR. Seit dem späten Vormittag zogen im Norden immer mehr dunkle Wolken auf, in der Ferne war Donnergrollen zu hören, und ein leichter Wind hatte eingesetzt, der nach köstlichem Regen duftete. Nichts auf der Welt kommt diesem Duft gleich, weder die berauschende Meeresluft noch der Wohlgeruch von Rosenblüten oder das Aroma frisch gebackenen Brotes. Denn der Duft nach Regen verheißt Leben und Fortbestand.

Langsam ging ich zwischen den Kopjes hindurch und blieb ab und zu stehen, um zu lauschen und mich umzusehen. Der Wind kam mir zum Glück entgegen, und ich hielt mich hinter den Felsen, um meine Anwesenheit nicht zu verraten. Ich wollte auf einen ganz bestimmten Kopje klettern, einen mit einer abgeflachten Spitze, von wo ich einen guten Ausblick haben würde. Und dort, am Fuß des Kopje, entdeckte ich ein frisches Erdloch mit reichlich Warzenschweinspuren und einem Schwarm Fliegen vor dem Eingang. Diese Höhle war zweifellos bewohnt.

Vorsichtig kletterte ich auf den Kopje, kroch wie ein Indianer auf allen vieren bis zum Rand, bemüht, mich hinter Büschen und Sträuchern zu halten. Auf der anderen Seite fiel der Kopje steil ab, und in etwa hundert Meter Entfernung sah ich vier Warzenschweine, die auf dem Vlei grasten – aber Poombi war nicht dabei. Ich machte es mir bequem und richtete mich auf eine lange Wartezeit ein.

Dann plötzlich bemerkte ich, dass sich direkt unter mir etwas bewegte. Zwei winzige Warzenschweine kamen aus dem Gebüsch geflitzt und jagten einander laut quiekend durch das Gras. Ein Muttertier trat aus dem Schatten und begann seelenruhig zu grasen, ohne sich um die ausgelassenen Spiele seiner Sprösslinge zu kümmern.

Meine Kehle schnürte sich zusammen und ich konnte kaum noch atmen. *Ach, Poombi, meine Poombi, was hast du nur fertiggebracht.* Ich taufte die beiden Gruntable (Grunzerle) und Squeak (Quiek), zwei Namen, die ich mir schon vorher überlegt hatte.

Immer noch im Temporausch verließen die Frischlinge ihren Parcours und verschwanden im Gras. Sofort hob Poombi den Kopf. *Kommt sofort zurück!*, befahl sie ihnen mit einem tiefen Stakkatogrunzen, woraufhin die beiden augenblicklich wieder angeschossen kamen. Ganz so seelenruhig war sie also doch nicht.

Dann muss ich mich bewegt haben, oder vielleicht hatte Poombi auch meine Witterung aufgenommen, denn plötzlich stellten sich ihre Ohren auf, und ihr ganzer Körper wurde stocksteif. Sie drehte sich einmal um ihre Achse und schaute nach oben – direkt in meine Augen. Nur ein Laut von ihr, und die Frischlinge würden sich in ihre Höhle verziehen, ihre Mutter auf den Fersen.

Ganz leise flüsterte ich vor mich hin: „Geh nicht weg, du wundervolles Schwein. Nur noch ein paar Minuten, mehr verlange ich nicht. Bitte, bitte, lass mich noch ein bisschen an deinem Mutterglück teilhaben."

Ich redete immer weiter, gratulierte ihr, lobte sie, erklärte ihr meine Liebe, bis ich sah, dass sie sich entspannte. Gruntable und Squeak, die nichts von meiner Anwesenheit ahnten, steuerten von rechts und links jeweils eine Zitze an, während ihre Mutter mit verträumtem Blick, den Kopf gesenkt, die Mähne halb aufgestellt, in typischer Warzenschweinmanier dastand, mit sich und der Welt zufrieden. Die Kleinen nuckelten inbrünstig, als stünden sie kurz vor dem Verhungern, und saugten sich an Poombis Zitzen fest, bis ihre Beinchen in der Luft strampelten. Kein Wunder, dass ihre Zitzen so seltsam ausgesehen hatten, als ich sie neulich im Gemüsegarten in Augenschein genommen hatte.

Ein Junge und ein Mädchen – obwohl sie noch so klein waren, konnte ich bei Gruntable den Ansatz von Zitzen erkennen und Squeaks winzigen, knubbeligen Penis. Beide hatten einen putzigen weißen Schnurrbart. Die Jungen mussten jetzt zwischen zehn Tagen und zwei Wochen alt sein.

Nachdem sie sich satt genuckelt hatten, trabten sie zum Fuß des Felsens unter mir und verschwanden. Auf halber Höhe des Kopje befand sich ein breiter Spalt, wo sich ein riesiger Granitblock gelöst hatte und einen verborgenen Überhang bildete. Die Öffnungen lagen so verdeckt, dass sie nur aus nächster Nähe zu erkennen waren. Poombi folgte ihren Jungen ins Versteck, dann hörte ich sie im verwelkten Laub rascheln. Wenn ich mich auf den Bauch legte, konnte ich in den Spalt hineinlugen. Und da, im Halbdunkel, erblickte ich das breite Gesicht meines Schweins, das zu mir heraufsah. Das Gesicht zog sich zurück, und als Nächstes schob sich ein dicker grauer Hintern aus dem Versteck. Gleich darauf war Poombi wieder aus meinem Blickfeld verschwunden, aber aus dem Ächzen und Grunzen, das unter mir ertönte, schloss ich, dass sie versuchte, auf den Kopje zu klettern.

Ich zog mich etwas vom Rand zurück und quetschte mich zwischen

Poombi wird immer Teil unseres Lebens bleiben.

Endlich gibt es Familienzuwachs:
Gruntable und Squeak, Poombis Frischlinge

zwei Felsbrocken. Wenige Minuten später wuchtete sie sich auf das Plateau. Sie kam tatsächlich zu mir. Als ich ihr völlig hingerissen die Arme um den Hals schlang, hob sie den Kopf, um mir zur Begrüßung einen Nasenkuss zu verpassen, der besonders feucht ausfiel, weil sie sich so angestrengt hatte und weil ich in Tränen ausgebrochen war. Aber Poombi wollte noch mehr. Sie schob sich an mir vorbei, machte kehrt und blieb abwartend hinter mir stehen.

Atemlos quiekend kamen die Frischlinge über den Felsrand geklettert – und blieben wie angewurzelt stehen. Zwar konnten sie ihre Mutter sehen, ganz nah bei ihnen, doch wer war dieses seltsame, riesige Wesen mit dem komischen Geruch, das ihnen den Weg versperrte? Langsam gingen sie rückwärts, aber Poombi grunzte: *Kommt her!*, und zwar in einem Ton, der keinen Widerspruch duldete. Zögernd kamen sie näher, und dann plötzlich schossen sie an mir vorbei, wobei sie fast meine Beine streiften, und brachten sich bei ihrer Mutter in Sicherheit. Poombi beruhigte ihre ängstlich quiekenden Jungen mit einem tiefen, liebevollen Grunzen. Ich musste an unsere ersten gemeinsamen Tage denken und an meine ersten Gespräche mit dem winzigen Warzenschwein an einem regnerischen Nachmittag.

Ganz langsam drehte ich mich um und streckte meine Hand aus. Poombi nahm sie ins Maul, drückte sie auf den Boden und atmete tief und entspannt und vertrauensvoll. Die Frischlinge, die mittlerweile Vertrauen gefasst hatten, kamen näher heran und begannen nur wenige Zentimeter von mir entfernt an den Zitzen ihrer Mutter zu saugen. Für mich war es ein ganz außergewöhnlicher Augenblick. Und da wusste ich, dass sich nichts geändert hatte: ich würde immer zu Poombis Leben gehören.

Nachdem die Fütterung beendet war, zog Poombi mit ihren Jungen von dannen. Bis zur Spitze des Kopje waren es nur noch ein paar Meter, und der Abstieg auf der anderen Seite war einfach. Da ich nicht so recht wusste, was von mir erwartet wurde, rührte ich mich vorsichtshalber nicht vom Fleck. Poombi blieb stehen und drehte sich nach mir um, ging weiter und hielt erneut an, um mich anzuschauen. *Los, komm schon!,* schien sie zu sagen. Also folgte ich den dreien in gebührendem Abstand, darauf bedacht, bloß keine falsche Bewegung zu machen, mit der ich die Frischlinge verscheuchen könnte. Ich hätte mir keine Sorgen zu machen brauchen. Unten angekommen, begann Poombi zu grasen, und ich machte es mir in der Nähe bequem. Die kleinen Schweinchen kamen immer wieder zu mir, schnüffelten kurz an meiner Hand und stoben dann laut grunzend und quiekend davon. Die Namen, die ich ihnen gegeben hatte, waren absolut passend. Die Geräusche, die Gruntable von sich gab, erinnerten an das Ächzen eines alten Ledersattels, während Squeak sich mit einer Mischung aus Quieken und Zwitschern bemerkbar machte. Sie quasselten ohne Unterlass, genau wie ihre Mutter es früher getan hatte. Damit ich mich auch nicht ausgeschlossen fühlte, kam Poombi hin und wieder zu mir, stupste mich mit der Nase an und ließ sich kurz tätscheln, woraufhin die Frischlinge noch mutiger wurden. Als sie eine gute halbe Stunde später das nächste Mal gesäugt wurden, drehte Squeak sich zwischendurch zu mir um und saugte versuchsweise an einem meiner Finger.

Poombi führte uns danach weiter zwischen den Kopjes hindurch, eigentlich kein Gebiet, wo sie sich gern aufhielt, aber eins, das Schatten bot und Schutz vor fliegenden Räubern. Aber es war auch Leopardenterritorium, dachte ich besorgt, während ich den Frischlingen bei ihren Erkundungszügen zusah. Wie konnte ein Leopard dieses kleine Trio übersehen, das so arglos und geräuschvoll hier herumtollte?

Hin und wieder kniete sich eins der Jungen hin und zupfte ein paar Grashalme ab oder nahm etwas verwelktes Laub ins Mäulchen, nur um es gleich wieder auszuspucken. Das bestätigte mir, dass ich mit der Schätzung ihres Alters richtig lag. Die erste Woche ihres Lebens verbringen junge Warzenschweine in ihrer Höhle. Danach hatte Poombi wahrscheinlich angefangen, sie zu kurzen Ausflügen mit ins Freie zu nehmen. Erst im Alter von zwei Wochen würden sie anfangen, selbst nach Futter zu suchen, und so weit waren sie offenbar noch nicht. Wahrscheinlich waren sie nicht ganz zwei Wochen alt.

Nachdem Poombi uns in einem großen Halbkreis herumgeführt hatte, erreichten wir das Erdloch, das mir anfangs aufgefallen war. Ich näherte mich mit äußerster Vorsicht, wusste ich doch, wie wichtig ihr alle Höhlen waren, erst recht eine, die sie für ihre Frischlinge ausgesucht hatte. Aber ihr Verhalten mir gegenüber änderte sich nicht, und so setzte ich mich in einiger Entfernung auf den Boden, um zuzusehen.

Gruntable und Squeak flitzten sofort in die Höhle. Poombi schaute sich nach allen Seiten um, drehte auf Knien eine Runde um den Eingang herum, kroch vorwärts in die Höhle, kam wieder heraus und schob sich rückwärts hinein. Unter lautem Gezeter wurde in der Höhle kräftig gegraben, und eine große Staubwolke kam aus dem Loch. Ich zog mich ein Stück weit zurück und wischte mir den Sand aus den Augen. Zwar graben sich die Warzenschweine in Simbabwe keine eigenen Höhlen, doch die weiblichen Tiere nehmen Veränderungen an einem vorgefundenen Erdloch vor, vergrößern es und legen einen erhöhten Vorsprung für ihre Jungen an für den Fall, dass ihr Unterschlupf einmal überflutet wird. Aber anscheinend fanden gerade keine größeren Umbauarbeiten statt, denn nach wenigen Minuten kam die ganze Familie wieder nach draußen, Mutter und Kinder völlig mit hellbraunem Staub bedeckt, und Poombi führte ihre kleinen Frechdachse wieder hinaus in die offene Savanne.

Die dunklen Wolken waren im Lauf des Nachmittags fortgezogen. Der Abend war kühl und klar, und die Frischlinge waren glücklich, wieder draußen zu sein. Unpraktischerweise hatte Poombi einen Weg durch hohes Gras gewählt, und das ausgelassene Spiel wurde immer wieder unterbrochen, wenn sich eins der Schweinchen im Gestrüpp verirrt hatte und in panisches Gekreische ausbrach. Mit ein paar tiefen Grunzern brachte Poombi ihre Sprösslinge wieder auf den richtigen Weg, und eine Weile trabten sie brav hinter ihr her, bis sie den Schrecken vergessen hatten und wieder loswetzten.

Plötzlich blickte Poombi auf. Harald war eingetroffen. Langsam zog ich mich in Richtung Felsen zurück. Poombi rief die Frischlinge zu sich, trottete in Richtung Kopjes und verschwand mit ihnen zwischen den Bäumen. Besorgt um die Sicherheit meines Trios glitt ich von meinem Felsen und folgte ihnen, während Harald, so glaubte ich, in sicherer Entfernung zurückblieb. Ich fürchtete, dass Harald sich etwas von Poombis lässigem Umgang mit Menschen abgeguckt hatte, eine beunruhigende Entwicklung bei einem so großen Tier mit riesigen Hauern. Ich ging um den Kopje herum. Von Poombi war keine Spur zu sehen, aber als ich um einen Felsbrocken bog, stand mir plötzlich Harald gegenüber, der ebenfalls auf der Suche nach seiner Familie zu sein schien. Wir erschraken beide und flüchteten in entgegengesetzte Richtungen, doch fünf Minuten später liefen wir uns schon wieder über den Weg, was mir einen entsetzten Aufschrei und Harald ein überraschtes Grunzen entlockte.

In den ersten Wochen ihres Lebens entfernen sich Warzenschwein-Frischlinge nie weiter als höchstens zweihundert Meter von einem sicheren Versteck, ich nahm also an, dass Poombi die beiden zurück in das Erdloch am Fuß des Kopje geführt hatte. Offenbar war sie vor Harald auf der Hut und brachte ihre Jungen vorsichtshalber in Schutz vor dem gefährlichen Keiler, der ohnehin nicht an der Aufzucht beteiligt war.

Aber als ich nachsehen ging, schien niemand zu Hause zu sein. Bis sechs Uhr wartete ich vor der Höhle, dann kletterte ich noch einmal auf den Kopje, um einen letzten Blick in die Runde zu werfen. Drei erwachsene Keiler und eine Bache mit drei halbwüchsigen Jungen grasten auf dem Vlei. Harald war verschwunden, und ich hoffte, dass das ein gutes Zeichen war. Zeit für mich, nach Hause zu fahren.

Ich beschloss, den langen Weg zurück zum Auto zu nehmen, den Poombi mir gezeigt hatte. Als ich das Antilopengehege erreichte, dämmerte es bereits. Am Waldrand sah ich einen Paradiesschnäpper umherflattern, dessen Federn kastanienrot im Abendlicht aufleuchteten. Wie so viele andere Zugvögel – Bienenfresser, Afrikanische Wiedehopfe, Graukopflieste – war er zurückgekehrt, um sich an den Insekten gütlich zu tun, die uns der Sommer bescheren würde.

Die Luft war erfüllt von Düften und Geräuschen. Die Zikaden ließen ihr schrilles Zirpkonzert ertönen, und ich hörte das Rauschen eines Schwarms Grüntauben, die zu ihren Schlafplätzen flogen. Allein die Verheißung von Regen und das kurze Auftauchen von ein paar Gewitterwolken ließen die Natur auf der Stelle reagieren – alles drängte an die Oberfläche, färbte sich leuchtend grün und feierte den alljährlichen Triumph des Lebens über das eintönige Wintergrau.

In was für eine wunderbare Welt waren die beiden kleinen Schweinchen geboren worden!

Der Tag ging zu schnell zu Ende, und ich wusste, dass ich nie wieder einen solchen Tag erleben würde. Alle, die Tiere lieben, sind auf der Suche nach so einem ganz besonderen Verhältnis, hoffen auf ein Zeichen, das uns sagt, dass die Barriere überschritten wurde, dass es zu einer wirklichen Begegnung zweier Seelen gekommen ist. Und dieses Geschenk hatte mir ein Schwein gemacht. Wir träumen alle davon, „mit den Tieren zu sprechen". Nun, eins hatte endlich mit mir gesprochen.

Poombi war in Freiheit geboren. Zugegeben, eine Zeit lang war sie von Menschen betreut worden (was sie sich gern hatte gefallen lassen), aber dann hatte sie ihre Freiheit wiedererlangt und führte seit einem Jahr ein unabhängiges, selbstbestimmtes Leben.

Zwar kannte sie uns noch und reagierte auf uns, wenn wir uns begegneten, aber sie hatte uns deutlich zu verstehen gegeben, dass sie unsere Hilfe und Unterstützung nicht länger brauchte. Und jetzt hatte sie zwei Kinder, für die sie sich ins Zeug legen musste und die sie notfalls mit ihrem Leben beschützen würde. Und dennoch war ihr Vertrauen zu mir immer noch so groß, dass sie mir ihre Frischlinge vorgeführt hatte.

O Gott, dachte ich (nicht zum ersten Mal), *wie ich mein wunderbares, duftendes Schwein liebe!*

Gerhard Haase-Hindenberg

Der Mann, der die Mauer öffnete

Warum Oberstleutnant Harald Jäger den Befehl verweigerte und damit Weltgeschichte schrieb

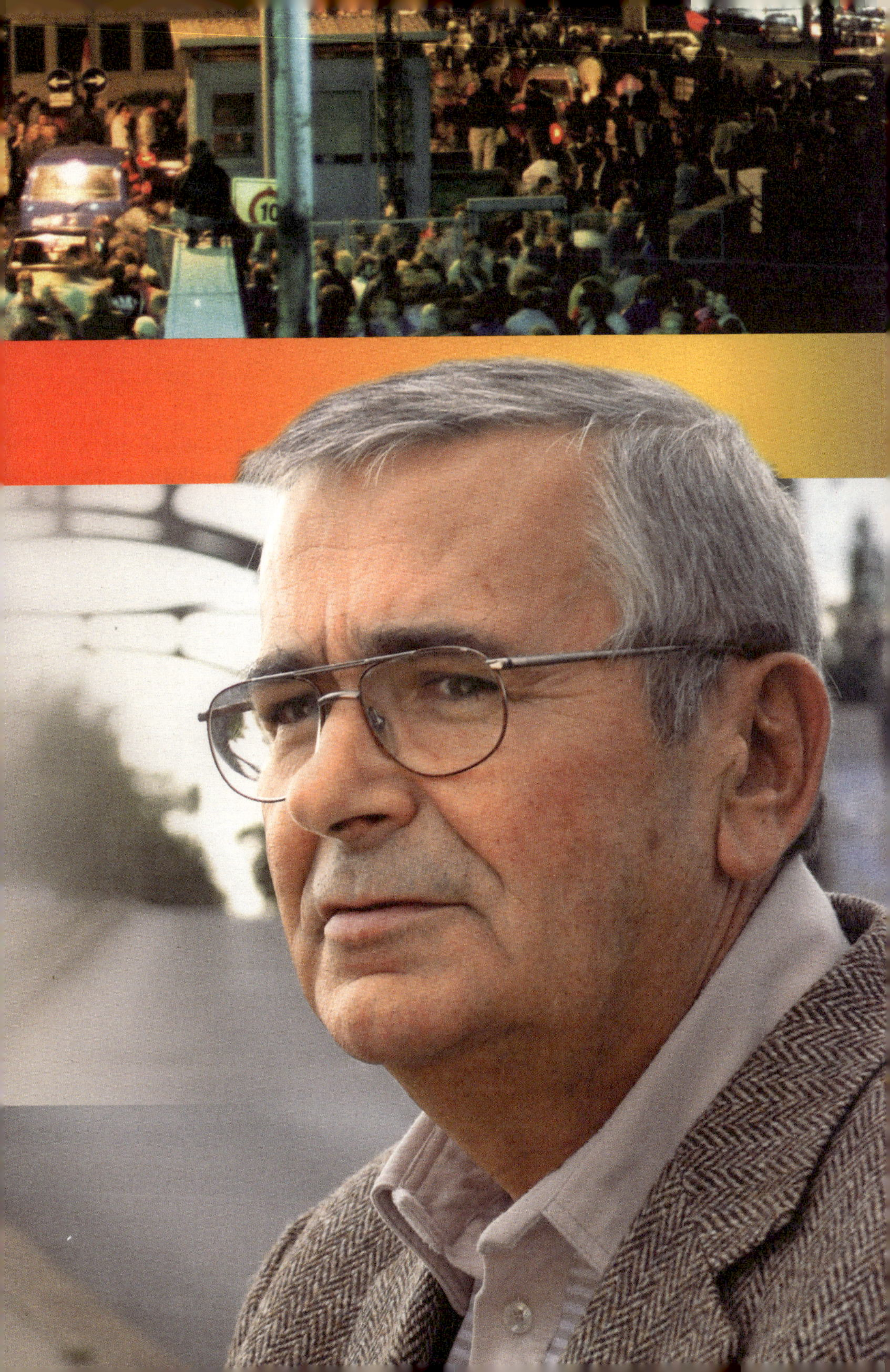
10

„Ein bewegendes Stück Zeitgeschichte."
  Rundfunk Berlin-Brandenburg

Vorbemerkung

Mehrfach war mir der Name des einstigen Oberstleutnants Harald Jäger in Zusammenhang mit den Ereignissen des 9. November 1989 begegnet: in einer Fernsehdokumentation und im *Spiegel* und auch in der Buchdokumentation „Mein 9. November" des Historikers Hans-Hermann Hertle und der Journalistin Kathrin Elsner. Aber überall, wo dieser ehemalige Staatssicherheits-Offizier befragt wurde, war man lediglich am Verlauf jener Nacht interessiert und nicht an dessen sehr persönlichem Motiv, die Grenzen zu öffnen – entgegen dem an diesem Abend mehrfach erneuerten Befehl.

Dabei lehrt die Geschichte, dass deutsche Offiziere niemals aus einer spontanen Laune heraus Befehle verweigern. Vielmehr ging dem immer ein oft lange währender innerer Prozess voraus. Dies war bei dem Generalstabsoffizier Claus Schenk Graf von Stauffenberg und seinen militärischen Mitverschwörern am 20. Juli 1944 ebenso der Fall wie bei dem preußischen General Johann Friedrich Adolf von der Marwitz. Der hatte sich fast zweihundert Jahre zuvor geweigert, den Befehl Friedrichs II. auszuführen, das sächsische Schloss Hubertusburg zu plündern. Noch heute ist auf seinem Grabstein zu lesen: WÄHLTE UNGNADE, WO GEHORSAM NICHT EHRE BRACHTE.

Hatte also auch der Befehlsverweigerer des 9. November 1989 eine solch stille Vorgeschichte von Zweifeln und inneren Kämpfen? Immerhin hätte er sich in jener Nacht angesichts der heranströmenden Massen auch ganz anders entscheiden können. Nur wenige Kilometer südlich von seiner Grenzübergangsstelle an der Bornholmer Straße hatte der diensthabende Offizier der Passkontrolleinheit an der Invalidenstraße eine gänzlich andere Problemlösung ins Auge gefasst: nämlich die Offiziersschüler der Grenztruppen als militärischen Trumpf einzusetzen. Sie hatten an der Parade zum 40. Jahrestag der DDR teilgenommen und waren danach wegen der angespannten Lage nicht in ihre Kasernen zurückgeschickt worden. Diese Entscheidung hätte in der Folge nicht zwingend zu einem Blutvergießen führen müssen. Dennoch wird der damalige DDR-Staats- und Parteichef Egon Krenz fünf Jahre später davon sprechen, dass sein Land in jener Nacht „am Rande eines Bürgerkriegs" gestanden habe.

Angesichts dieser Situation hielt Harald Jäger ein Beharren auf den Befehl des Ministeriums für Staatssicherheit, „die Grenzübergangsstelle zuverlässig zu schützen", für weltfremd. Wie so viele Entscheidungen der politischen Führung in den Monaten und Jahren zuvor. Das also war sie, die von mir vermutete mentale Vorgeschichte, die ich schon bei den ersten Begegnungen mit dem einstigen Oberstleutnant bestätigt fand. In monatelangen Gesprächen erzählte er mir aber auch eine außergewöhnliche und zeitweilig höchst widerspruchsvolle Lebensgeschichte, die erklärt, warum Harald Jäger derjenige geworden ist, der er am 9. November war. Aus beidem zusammen ergibt sich, weshalb er in jener Nacht den Befehl seiner Vorgesetzten verweigerte und damit schließlich Weltgeschichte schrieb.

Sonnabend, 30. September 1989

Um 18.58 Uhr tritt Außenminister Hans-Dietrich Genscher auf den Balkon der bundesrepublikanischen Botschaft in Prag. Im Garten und auf den Fluren warten fast 4000 DDR-Bürger, die in den letzten Wochen über den Zaun des Botschaftsgeländes gestiegen sind und hier ausgeharrt haben, um ihre Ausreise in die Bundesrepublik zu erzwingen. Als Genscher ihnen mitteilt, dass die DDR-Regierung diesem Wunsch endlich stattgegeben hat, bricht unbeschreiblicher Jubel aus.

Beleuchtete Fenster in fünfstöckigen Miethäusern zeugen davon, dass auch dort drüben Leben stattfindet. Die Scheinwerfer eines Streifenwagens, der vor dem Polizeiposten jenseits der Grenzbrücke umherkurvt, streifen deren im Dunkel liegendes gewaltiges Stahlgerüst. Oberstleutnant Harald Jäger blickt hinüber zu jenem Stadtbezirk auf der anderen Seite der Brücke, der Wedding heißt, jener anderen Welt, die für ihn von jeher die des Gegners ist. Feindesland. Unter ihm donnert die S-Bahn entlang. In den hell beleuchteten Waggons sind die gleichgültigen Gesichter der Passagiere zu erkennen, während sie auf der Grenzlinie zweier Weltsysteme entlanggleiten, unmittelbar neben der fast sechs Meter hohen Hinterlandmauer auf westlicher Seite.

Der Oberstleutnant war zum Postenhäuschen Vorkontrolle/Einreise heraufgekommen, weil er sicher war, dass der junge Oberleutnant, der hier heute Nacht seinen Dienst versah, mit ihm würde sprechen wollen. Immer wieder in den letzten Monaten hat der junge Mann das Gespräch gesucht mit dem erfahrenen Offizier, der drei Dienstränge über ihm steht. Er hatte Fragen – kritische Fragen, gelegentlich sogar Zweifel. Ob sich das sozialistische Wirtschaftssystem auf lange Sicht tatsächlich als leistungsstärker erweisen würde als das kapitalistische? Schließlich sehe es doch im Moment überhaupt nicht danach aus. Oder warum die westlichen Besucher vielfach einen selbstbewussteren Eindruck machen würden als die meisten Bürger der DDR? Im Straßenbild der Hauptstadt könne er sie leicht voneinander unterscheiden, an der Art, sich umzublicken, an Körperhaltungen und Gesten.

Harald Jäger versteht den jungen Offizier gut. Es sind vielfach die gleichen Fragen und Beobachtungen, die auch ihn beschäftigen. Der Oberstleutnant hat immer sorgsam vermieden, ihn in seinem Zweifel zu bestärken, aber vielleicht genügt es dem Untergebenen, dass er in dem Vorgesetzten jemanden hat, der ihn wegen seiner Fragen nicht gleich zum Außenseiter stempelt. Vielleicht gefällt ihm auch, dass der ihn nicht mit parteikonformen Phrasen abspeist. Wenngleich ihn dessen Antworten kaum befriedigen können. Harald Jäger weiß, dass er jedes Mal einen argumentativen Seiltanz vollführt, wenn er erklärt, dass die kapitalistische Wirtschaftsordnung immerhin einen Erfahrungsvorsprung von mehr als zweihundert Jahren habe. Als ob dies die Frage nach der perspektivischen Überlegenheit beantworten würde. Oder dass man bei den westlichen Besuchern ja nur deren Fassade sehe, hinter die man nicht blicken könne. Obgleich er doch genau dies seit einem Vierteljahrhundert regelmäßig und nicht ohne Erfolg tut, dort hinten in der niedrigen Baracke, mittels jener unverfänglich wirkenden Befragungstechnik, die im Fachjargon „Abschöpfen" heißt.

Der junge Mann neben ihm bleibt stumm. Dabei gäbe es gerade an diesem Abend einiges, worüber es sich zu sprechen lohnte. Ab heute nämlich, so glaubt Harald Jäger, wird vieles nicht mehr so sein wie vorher. Der Staat hat sich erpressen lassen, hat klein beigegeben vor ein paar Tausend Leuten. Immer wieder drängen die Bilder aus der heutigen *Tagesschau* vor sein geistiges Auge. Die vom westdeutschen Außenminister auf dem Balkon der BRD-Botschaft in Prag. Wie er mit heiserer Stimme und unverkennbarem Hallenser Dialekt verkündet, dass es den Besetzern erlaubt sein werde, in den Westen auszureisen. Die der Botschaftsflüchtlinge, wie sie sich jubelnd und weinend in die Arme fallen. Und er hört wieder und wieder die Stimme seiner Frau, die neben ihm

Der junge sächsische Ofensetzergeselle Harald Jäger

„Wirtschaftsflüchtlinge" murmelt. Als ob es so einfach wäre. Wer setzt schon für ein paar amerikanische Jeans oder den Traum von einem schnellen Auto die eigene soziale Sicherheit aufs Spiel? Da müssen noch andere Gründe eine Rolle spielen.

Frühjahr 1960 *Der Film „Zu jeder Stunde", den der siebzehnjährige Ofensetzerlehrling Harald Jäger im Bautzener Central-Kino sah, wurde zu einer Art Erweckungserlebnis. Die Geschichte einer Grenzpolizeieinheit an der Grenze zwischen Thüringen und Bayern war von der DEFA als die einer gut ausgebildeten Truppe an der Nahtstelle „zwischen Arbeitermacht und Klassenfeind" propagandistisch in Szene gesetzt worden. Es war nicht die erste Begegnung des Jugendlichen mit der Grenzpolizei. Schließlich hatte sich sein Vater schon ein Jahrzehnt zuvor für drei Jahre zum Grenzdienst in der Heimat verpflichtet. Nicht ganz freiwillig – in einem Kriegsgefangenenlager östlich des Urals, vier Jahre nach dem Ende des Krieges. Der kleine Harald war stolz auf dessen Uniform, nachdem er sich erst einmal erschrocken von dem fremden Mann abgewandt hatte, der dürr und abgerissen aus der Weite Sibiriens in die Bautzener Arbeitersiedlung Herrenteich zurückgekehrt war. Letztlich aber seien es Oberleutnant Hermann Höhne und seine Truppe in jenem DEFA-Streifen gewesen, die ihn veranlasst hätten, sich nach Abschluss der Lehre freiwillig zum dreijährigen Grenzpolizeidienst zu melden. So jedenfalls wird er es später seinen Kindern erzählen.*

Abend für Abend stellt sie sich ein – jene fast feierabendliche Ruhe vor dem nächtlichen Ansturm. Wenn nur noch einem beschränkten Personenkreis Einlass gewährt wird und die ersten Tagestouristen bereits die

Heimreise antreten. Auf halbem Wege zwischen der Vorkontrolle/Einreise und seinem Büro unten in der Dienstbaracke bleibt Oberstleutnant Jäger stehen und lässt diese Stimmung auf sich wirken, vor sich das riesige Areal seiner Dienststelle. Mit 22 000 Quadratmetern ist dies hier die größte Berliner Grenzübergangsstelle und wegen der nahen Wohngebiete auch die brisanteste. Wenngleich in den Häusern, die parallel zur Abfertigungsanlage stehen, fast ausnahmslos Genossen wohnen. Wenn nicht gar Mitarbeiter der „Firma", also der Staatssicherheit, der auch jeder Mitarbeiter der Passkontrolleinheit (PKE) – vom Leitungsoffizier bis zum einfachen Passkontrolleur – angehört. Sie stehen also nicht unter dem Befehl der Grenztruppen, die auf dem Turm schräg hinter Harald Jäger und unten am Grenzzaun Dienst tun. Das täuschen ihre Uniformen nur vor.

Seit einem Vierteljahrhundert ist Harald Jäger nun an diesem Grenzübergang tätig, der nicht wegen der Bewohner in den nahe gelegenen Häusern als neuralgisch gilt, sondern vor allem wegen jener, die in dem Stadtbezirk rundherum wohnen. Am Prenzlauer Berg leben nach Einschätzung des Ministeriums für Staatssicherheit überdurchschnittlich viele Personen, die man als „feindlich-negative Kräfte" bezeichnet und wie Staatsfeinde observiert. Hier hat der damals einundzwanzigjährige Harald Jäger als einfacher Passkontrolleur im Rang eines Feldwebels angefangen. Heute ist er Oberstleutnant und stellvertretender Leiter dieser Diensteinheit.

Mit fast allen Gebäuden und Örtlichkeiten der Grenzübergangsstelle verbindet er Geschichten und gesellschaftspolitische Epochen. Die Baracke in der Mitte dieses riesigen Areals war damals das einzige Gebäude hier. Dort, wo heute die Operativkartei mit den Ergebnissen von Tausenden von Gesprächen mit westdeutschen Reisenden lagert, war seinerzeit die Pass- und Zollabfertigung. Mit dem zunehmenden Reiseverkehr war es hier zu eng geworden. Inzwischen stehen rechts von dieser „Operativbaracke" nicht weniger als zehn Pkw-Spuren zur Verfügung, plus zwei Reservespuren, wenn es mal ganz eng wird. Weiter unten können bei Bedarf bis zu acht Passkontrollstellen für Fußgänger geöffnet werden.

Harald Jäger denkt zurück an die ersten Passierscheinabkommen, die sein Staat in den frühen 60er-Jahren mit dem Westberliner Senat abgeschlossen hatte. An den vereinbarten Feiertagen, an denen Besuche aus Westberlin möglich wurden, war hier die Hölle los. Erst mit dem Viermächteabkommen ein Jahrzehnt später war es Westberlinern möglich, die Hauptstadt der DDR ganzjährig zu besuchen. Damals wurden dann diese zehn Fahrspuren und die acht Passkontrollstellen für Fußgänger eingerichtet. Und jene Dienstbaracke, die ganz rechts parallel zu den Wohnhäusern steht. Hier haben Harald Jäger und sein Vorgesetzter ihre Dienstzimmer – wie auch der Leiter des Grenzzollamts. Nebenan sitzen Fahndungsoffiziere vor einer Monitorwand und prüfen jedes Personaldokument der Reisenden. Dieses wird nämlich von den Passkontrolleuren mit einer Unterflurkamera aufgenommen, via Standleitung überspielt und mit der Fahndungskartei verglichen. Im Raum gegenüber sitzt der Lageoffizier und beobachtet auf zwölf Monitoren die gesamte Grenzübergangsstelle. Er hält im Rapportbericht jede Besonderheit fest. Vor sich hat er die Telefonanlage, die ihn oder einen der PKE-Leiter auf Knopfdruck mit dem Operativen Leitzentrum (OLZ) in Schöneweide verbindet. Das OLZ untersteht der für Passkontrolle und Tourismus zuständigen Hauptabteilung VI des Ministeriums für Staatssicherheit und ist rund um die Uhr mit sämtlichen Passkontrolleinheiten an allen Grenzübergängen der DDR verbunden. Unabhängig davon befindet sich im Zimmer des Dienstleiters ein Telefon, über das ihn der Minister für Staatssicherheit höchstselbst jederzeit erreichen kann. Und nicht selten macht Erich Mielke davon auch Gebrauch.

Noch immer erfüllt es Oberstleutnant Harald Jäger mit einem gewissen Stolz, wenn er ganz links, abgetrennt vom normalen Publikumsverkehr, die Diplomatenabfertigung mit den zwei eigenen Fahrspuren ins Visier nimmt. Seit die DDR zu Beginn der 70er-Jahre eine internationale Anerkennungswelle erfuhr und 1973 sogar – gemeinsam mit der Bundesrepublik – Mitglied der Vereinten Nationen wurde, hat jener Teil der Grenzübergangsstelle an Bedeutung und Frequenz zugenommen. Viele Botschafter lassen sich über diese Spur zum Westberliner Flughafen Tegel fahren und mancher Botschaftsangehörige zu den Vergnügungsstätten auf dem Kurfürstendamm. Das hat vor einigen Jahren zu einer diplomatischen Verwicklung geführt, als der Koch der Schweizer Botschaft verhaftet wurde. Er war seit Wochen im Visier von Observateuren der Staatssicherheit gewesen. Offenbar hatte er mehrfach seine DDR-Freundin im Kofferraum auf seine Westberliner Streifzüge mitgenommen. Ausgestattet mit den Personalpapieren eines Botschaftsangehörigen, konnte er üblicherweise die Diplomatenabfertigung unkontrolliert passieren. Bis eines Tages auf höchster Ebene eine andere Anweisung erfolgte und der Schweizer Koch erfahren musste, dass er eben doch keine diplomatische Immunität besaß. Sein Fahrzeug war in die „Intensivbaracke" dirigiert worden, in welcher der Zoll – nicht selten auf Anweisung und mit Unterstützung der PKE-Kräfte – die Autos von Reisenden einer intensiven Kontrolle unterzog. Dabei fand man schließlich die ostdeutsche Freundin des Kochs. Harald Jäger weiß nicht, ob es an den anschließenden diplomatischen Verwicklungen lag, von denen er und seine Leute nur vom Hörensagen erfahren haben, dass die Intensivbaracke inzwischen nicht mehr genutzt wird. Trotzdem finden natürlich auch weiterhin solche Fahrzeugkontrollen statt – mittlerweile auf den vier speziell dafür eingerichteten Parkplätzen zwischen den zehn Pkw-Spuren und der Diplomatenabfertigung.

Wieder hört Harald Jäger hinter sich einen S-Bahnzug entlangdonnern. Diesmal ist es die Bahn, die zwischen Schönhauser Allee und Pankow auf der DDR-Seite verkehrt. Auch ohne auf die Gleise hinunterzublicken, kann er dies schon anhand der Nähe des Geräuschs erkennen.

Langsam setzt Harald Jäger seinen Weg schräg über die Grenzübergangsstelle in Richtung seiner Dienstbaracke fort. Seine Passkontrolleure wirken aus dieser Entfernung selbst dann wie militärisch agierende Marionetten, wenn sie nur wartend herumstehen. Er bekommt eine Ahnung davon, wie diese ihm so vertrauten Menschen auf die Einreisenden aus jener anderen Welt wirken müssen, die dort hinten jenseits der Brücke liegt. In aller Regel dauert das Zusammentreffen nur einen kurzen Augenblick. Doch wird es von den Beteiligten aus völlig unterschiedlichen Perspektiven wahrgenommen. Der Reisende, der den Grenzübertritt möglichst schnell hinter sich bringen will, trifft auf den Uniformträger, der eine ganze Reihe von dienstlichen Anweisungen zu beachten hat. Eine Begegnung, welche die Fremdheit zwischen den Beteiligten eher noch fördert. Dies erklärt auch, weshalb die Einreisenden sich dann oft auskunftsbereit zeigen, wenn ein freundlicher Oberstleutnant sie scheinbar zufällig in ein Gespräch verwickelt. Sie wissen nicht, dass man nur deshalb an ihren Personaldokumenten „eine Unregelmäßigkeit überprüfen" muss, weil ihr Wohnort in der Nähe eines amerikanischen Raketenstandorts liegt. Oder nahe einer bedeutenden Waffenschmiede. Weil sie zufällig den Gehaltsstreifen einer Behörde bei sich tragen. Oder auffallend viele Einreisestempel der USA im Pass haben. Sie ahnen sicher auch nicht, dass in dem gemütlich eingerichteten Büro, in welches sie der Offizier beiläufig bittet, die scheinbar private Unterhaltung aufgezeichnet wird. Im Nebenraum sind die Ergebnisse dieser Gespräche auf unzähligen Karteikarten festgehalten, deren Existenz selbst nach den Gesetzen der DDR illegal ist – stets zur Verfügung der landesweit operativ tätigen Mitarbeiter.

In einer halben Stunde wird, zaghaft zunächst noch, der Rückreiseverkehr beginnen, der sich dann bis Mitternacht deutlich steigern wird.

Bis dahin nämlich müssen die BRD-Bürger, die hier Stunden zuvor in die Hauptstadt der Deutschen Demokratischen Republik eingereist sind, diese genau hier auch wieder verlassen. Und weil die DDR mit Hinweis auf „Geist und Buchstaben des Vierseitigen Abkommens" einen völkerrechtlichen Unterschied zwischen BRD-Bürgern und denen aus Berlin-West macht, dürfen sich Letztere mit der Heimreise zwei Stunden länger Zeit lassen. In jedem Fall aber werden unter den Rückreisenden auch heute wieder „alte Bekannte" des Harald Jäger sein. Bürger, deren Namen man bei der Einreise in der Fahndungskartei gefunden hat. Nicht jeder, der dort registriert ist, muss zurückgewiesen und kaum einer gar festgenommen werden. Oftmals genügt es, zum Telefonhörer zu greifen und die Genossen von der VIII zu informieren. Diese Zivilkräfte übernehmen dann jene Aufgabe, wofür die „Hauptabteilung VIII" beim Ministerium für Staatssicherheit nun einmal verantwortlich ist: Observation und Ermittlung. Diese fürsorgliche „Rundum-Betreuung" endet, wenn das „Beobachtungsobjekt" wieder an den Grenzübergang zurückkehrt. Vorausgesetzt, es hat in den Stunden dazwischen nicht gegen die Gesetze der DDR verstoßen.

13. August 1961 *Es hatte einige Sekunden gedauert, ehe der achtzehnjährige Grenzpolizist Harald Jäger die Situation erfassen konnte. Ein langgestreckter Sirenenton, zwei Sekunden, eine ebenso lange Pause, dann von vorn. Es war eindeutig das Signal für den Gefechtsalarm, welches ihn und seine Stubenkameraden aus dem Tiefschlaf gerissen hat. Nicht das für den Grenzalarm, der im Fall einer Verletzung der Grenzanlagen zur Anwendung kommen würde. Gefechtsalarm bedeutete eine ernst zu nehmende Kriegsgefahr.*

Schon bald darauf hallten die Trillerpfeifen der Unteroffiziere durch die Flure. Dann deren Ruf: „Gefechtsalarm!" Fast gleichzeitig sprangen die jungen Burschen aus dem Bett, keiner von ihnen älter als zwanzig Jahre. Mechanisch schlüpften sie in ihre Uniformen, griffen zu Stahlhelm und Truppenschutzmaske, ehe sie die Treppe zur Waffenkammer hinunterstürzten, um Maschinenpistole oder Karabiner in Empfang zu nehmen. Das alles hatten sie zuletzt im Frühjahr geübt, während der Grundausbildung. Danach hatte man ihnen gesagt, dass der Gefechtsalarm künftig den Soldaten der Nationalen Volksarmee (NVA) vorbehalten bleiben würde – außer eben im Ernstfall!

Kaum zehn Minuten nach Auslösen des Gefechtsalarms war Harald Jäger Teil einer formierten Hundertschaft auf einem Kasernenhof in Schildow an der nördlichen Berliner Stadtgrenze. Wo würden sie wohl einge-

Harald Jäger im Jahr 1961 als Rekrut beim Grenzregiment 33 in Berlin

setzt werden? Und was würde ihre Aufgabe sein? Vor ihnen brüllte der Kompaniechef: „Genossen, die Lage ist ernst, aber nicht hoffnungslos!"

Natürlich war sie das nicht, hatte man doch die Geschichte auf seiner Seite – man war gar mit der „historischen Mission der Arbeiterklasse" betraut. Das wusste Harald Jäger nicht erst seit den politisch-ideologischen Schulungen in der Grundausbildung. Zuvor hatte ihm schon sein Vater diese „historische Mission" mit den einfachen Worten eines Schmieds erklärt. Gemäß marxistisch-leninistischer Weltanschauung verlaufe die Geschichte nach den Gesetzmäßigkeiten des Klassenkampfes. So wie einst die wirtschaftlich aufstrebende Bourgeoisie die politische Macht des Feudaladels gebrochen habe, so werde sich nun die revolutionäre Arbeiterschaft jener Kapitalistenklasse entgegenstellen, die gerade im Faschismus ihr wahres Gesicht gezeigt habe. Schon früh war Harald Jäger überzeugt, in einer wahrhaft großen geschichtlichen Epoche zu leben, und begeistert, daran mitwirken zu dürfen.

Dabei war sein Vater keineswegs als Kommunist aus dem sowjetischen Kriegsgefangenenlager zurückgekehrt. Die Wandlung war am 17. Juni 1953 passiert. Ausgerechnet die aufständischen Berliner Bauarbeiter hatten das bewirkt. Die westlichen Radiomoderatoren auch.

Diese würden lautstark die Freiheit preisen, hatte der Vater damals gesagt, und über die Verbrecher in den höchsten Stellen ihres eigenen Staates schweigen. Über jene Leute, die ihn noch im Mai 1945 an den Endsieg hätten glauben lassen – bis er zwei Tage nach der Kapitulation mit scharfen Waffen in der Tschechoslowakei aufgegriffen worden war. Danach war er an einen Ort gekommen, den zu erreichen sich nicht einmal sein einstiger Führer hatte träumen lassen. Zweitausend Kilometer östlich von Moskau.

Als die Arbeiter in Berlin gegen die Volkspolizisten vorgingen, sie verprügelten und vereinzelt sogar totschlugen, hatte sich der Vater demonstrativ mit der bedrohten Regierung solidarisch erklärt. Fortan wurde der Sohn von den Kindern in der Siedlung als „Kommunistenbengel" beschimpft. Er hätte sich gegenüber den Gleichaltrigen distanzieren können vom Vater, aber er wollte stolz sein auf ihn. Was war schon falsch an dem, was er sagte? Warum sollte man nicht gegen den Krieg sein? Stimmte es denn nicht, dass die Fabrikbesitzer an diesem Krieg viel Geld verdient hatten, und war es denn nicht richtig, dass man ihnen deshalb die Fabriken wegnahm? Das Bautzener Waggonwerk zum Beispiel, das einst dem Flick-Konzern einverleibt worden war, im gleichen Jahr, als der Angriff auf die Sowjetunion erfolgt war. Hier arbeitete der Vater nun wieder als Schmied, nachdem er die Uniform des Grenzpolizisten abgelegt hatte.

Der Vater hat einiges erzählt an diesem Tag. Vom Obdachlosenheim, das früher in der alten Kaserne gewesen war, und dass die Mutter dort die Kindheit habe verleben müssen, als gesellschaftliche Außenseiterin. Dann aber hätten die Nazis die Kaserne für ihre Soldaten gebraucht und deshalb die Siedlung „Herrenteich" gebaut, in der sie ja noch immer wohnten. Für 6000 Reichsmark habe man das kleine Häuschen erwerben können, als sie geheiratet hätten. Ein eigenes Heim mit niedrigen Zimmern und einem Plumpsklo, aber in bequemen Raten abzubezahlen. Deshalb sei er auf die Parolen der Nazis hereingefallen, und deshalb könne er jetzt nicht hinter der anderen Fahne herlaufen. Dreieinhalb Monate später lief er dann doch hinter dieser Fahne her, und der kleine Harald war stolz auf ihn. Und als die Kinder aus der Siedlung ihm „Kommunistenbengel" hinterherriefen, beschloss er, das als Ehrentitel anzusehen.

Der Kompaniechef holte Harald Jäger aus seinen Gedanken auf den Boden der Tatsachen zurück, als er kurz nach Mitternacht mit revolutionärem Pathos seine Ansprache über „die aktuelle militärische Bedrohung durch die imperialistischen Mächte" beendete. Dann teilten die

Gruppenführer die versammelten Grenzpolizisten dafür ein, die Zufahrtsstraßen nach Berlin für die eigene Bevölkerung aus dem Hinterland zu sperren. Harald Jäger fieberte dem Moment entgegen, in dem ein Gruppenführer endlich auch seinen Namen aufrufen würde. Ab sofort würden ihm die jungen Kerle am Straßenkontrollpunkt nicht mehr ins Gesicht lachen können, ehe sie sich auf Westberliner Arbeitsstellen als Lohndrücker und Streikbrecher betätigten. Sie würden ihre Arbeitskraft der heimischen Volkswirtschaft zur Verfügung stellen müssen. Die Landfrauen aus der Umgebung würden ihre Blaubeeren und Steinpilze künftig auf dem Pankower Wochenmarkt verkaufen müssen, da ihnen der Weg zu den Märkten auf Westberliner Gebiet verschlossen sein würde. Endlich hatte die Partei auf diese unhaltbaren Zustände reagiert. Das also war sie – die historische Mission! Harald Jäger war überzeugt, der 13. August 1961 werde in die Geschichte der deutschen Arbeiterbewegung eingehen.

Der Oberstleutnant hat das dringende Bedürfnis, mit jemandem zu sprechen. Darüber, was er eben erfahren hat, in den *Tagesthemen*, auf dem kleinen Junost-Fernseher im Dienstzimmer des Leiters der Passkontrolleinheit – dass die so genannten Botschaftsflüchtlinge über das Territorium der DDR reisen werden. Welcher realitätsfremde Trottel hat sich das nur ausgedacht? Wollte man staatliche Souveränität demonstrieren? Doch auch wenn die Entscheidung vom Ministerrat beschlossen und vom Politbüro abgenickt worden sein sollte – sie verstößt eindeutig gegen bestehende Gesetze. Harald Jäger könnte den Gesetzestext des DDR-Strafgesetzbuches, der den Tatbestand des „ungesetzlichen Grenzübertrittes" benennt, selbst im Schlaf herunterbeten. Schließlich hat ihn das Ministerium für Staatssicherheit in der hauseigenen Hochschule zum „Diplom-Juristen" ausbilden lassen. Nie hätte er für möglich gehalten, dass er einmal der eigenen Regierung würde vorwerfen müssen, diesen Straftatbestand zu begünstigen. Aber nichts anderes ist es, wenn man jene Botschaftsflüchtlinge vor deren Ausreise tatsächlich über DDR-Gebiet fahren lässt. Wenn man sich schon hat erpressen lassen, so wäre es juristisch haltbarer, nach geografischen Gegebenheiten einfacher, vor allem aber aus sicherheitsrelevanten Gründen sinnvoller, man schickte die Züge von Prag aus auf direktem Wege ins benachbarte Bayern. Womöglich würden nun auch andere Bürger versuchen, in diesen Zug zu gelangen. Die Passkontrolleure im Vogtland, oder wo immer dieser Zug die DDR wieder verlassen wird, könnten solche Grenzverletzer ja nicht herausfiltern.

Mit wem kann er über diese Gedanken sprechen? Harald Jäger will und kann sie nicht jenen ihm unterstellten Passkontrolleuren mitteilen, die dort draußen den nun zunehmenden Rückreiseverkehr der Tagestouristen kontrollieren. In wenigen Stunden wird ihn E., der wie er den Posten eines stellvertretenden Leiters dieser Passkontrolleinheit bekleidet, ablösen. Dann würde es ein Gespräch unter Oberstleutnants sein. Und nicht nur das – der Genosse hatte schon in der Vergangenheit immer ein offenes Ohr für Harald Jägers kritische Überlegungen. Und nicht selten hat er diese auch geteilt.

21. August 1961 *Am Morgen waren Harald Jäger und seinen Kameraden in einer Köpenicker Kaserne nagelneue Kaki-Uniformen verpasst worden. Das hatte nach ihrem erstmaligen Eintreffen am „antifaschistischen Schutzwall" auf westlicher Seite für Verwirrung gesorgt. Dort kannte man offenbar nur die grünen Uniformen der Volkspolizisten und die steingrauen der Nationalen Volksarmee und hatte daraus letztlich den Schluss gezogen, bei den neuen Grenzschützern müsse es sich um Russen handeln. Über zwei auf einen Kleinbus montierte Lautsprecherreihen wurden die Schrebergärtner auf der anderen Seite darüber „informiert", dass die bisherigen Volkspolizeiposten durch sowjetische Kräfte ersetzt worden seien. „Studio am Stacheldraht" nannte man die mobilen Rundfunkstationen, bei denen es sich um amerikanische Propagandasender handelte, bezahlt aus dem Etat der CIA – jedenfalls hatte ihnen das jener Feldwebel gesagt, der sie zum Grenzdienst eingeteilt hatte, hier an der vormaligen Stadtteilgrenze zwischen Treptow und Neukölln, die nun zu einer Staatsgrenze geworden war.*

Die falsche Annahme hielt sich auf der anderen Seite nur einen Tag. Zwischen Swing und Rock'n'Roll wurden die Grenzpolizisten schon am nächsten Morgen wieder in deutscher Sprache zur Fahnenflucht aufgefordert. Inzwischen hatte sich in Harald Jägers Truppe das Gerücht verbreitet, dass in der letzten Woche viele Volkspolizisten dieser Aufforderung gefolgt seien. Deshalb seien deren Einheiten in die jeweiligen Heimatbezirke zurückgeschickt und durch die zuverlässigeren Grenzpolizisten ersetzt worden. Das Gerücht vermittelte Harald Jäger das Gefühl, einer Elitetruppe anzugehören. Und das war ein gutes Gefühl – eine Mischung aus prinzipienfester Moral, jugendlichem Heldenmut und ganz profanem Stolz.

Tatsächlich gab es aus den eigenen Reihen bisher keine Fahnenfluchten an seinem Grenzabschnitt, der sich vom Flughafen Schönefeld bis zum Osthafen erstreckte. Dabei wäre es ganz einfach gewesen. Denn bis zu diesem Zeitpunkt hatte man hier nur an den vom Westen in den Osten führenden Straßen Betonplatten als Kraftfahrzeugsperren übereinandergeschichtet. Links und rechts davon waren lediglich Stacheldrahtrollen verlegt, die zu überspringen für gut trainierte Grenzpolizisten kein Problem darstellte. Und niemand hätte sie daran hindern können. Denn die Karabiner und Maschinenpistolen der Grenzschützer waren in den ersten Wochen jenes Sommers 1961 noch ohne Munition. Nur auf ausdrücklichen Befehl durfte die versiegelte Patronentasche geöffnet oder vom Postenführer ein MP-Magazin in Empfang genommen werden. Eigentlich war die Truppe, bei der Harald Jäger Dienst tat, in diesen ersten Wochen ein zahnloser Tiger – nur wusste das auf der anderen Seite niemand.

Die westliche Seite verfolgte ganz offensichtlich eine Strategie von Zuckerbrot und Peitsche. Das Zuckerbrot bestand aus Hershey-Schokolade und Wrigley's-Kaugummi, die von amerikanischen Soldaten und Westberliner Bürgern über den Stacheldraht geworfen wurden. Die Peitsche hingegen bestand aus gewagten Wendemanövern amerikanischer Jeeps ganz dicht am Grenzzaun. Die Posten mussten das als Provokation verstehen. Und Harald Jäger hatte sich provozieren lassen. In einer eigenmächtigen Aktion hatten er und sein Postenführer Furchtlosigkeit und Entschlossenheit demonstrieren wollen. Als ein amerikanischer Jeep herangerast war und die Spitze des aufgepflanzten Maschinengewehrs ein kleines Stück über die Betonplatten und damit auf DDR-Territorium ragte, hatten sich die beiden Grenzschützer nur kurz angesehen. Gleichzeitig hatten sie die Stahlhelme aufgesetzt, ihre Karabiner mit den leeren Magazinen durchgeladen und waren in Richtung des Klassenfeinds gestürmt. Im nächsten Moment war drüben der Rückwärtsgang eingelegt worden, und der Jeep war mit quietschenden Reifen davongefahren. Erst später war den beiden jungen Grenzpolizisten bewusst geworden, wie schnell ihre unüberlegte Aktion zu einem militärischen Konflikt hätte eskalieren können.

Die kleine Anhöhe kurz hinter der Vorkontrolle/Ausreise ermöglicht Oberstleutnant Harald Jäger einen idealen Überblick über das gesamte Areal, welches die offizielle Bezeichnung „GÜST (Grenzübergangsstelle) Bornholmer Straße" trägt. Als Feldwebel war er vor einem Vierteljahrhundert hierhergekommen. Nicht erst heute, an diesem ereignisreichen Tag, hat sich in der DDR vieles, hier aber fast nichts verändert. Nur der Oberleutnant dort oben an der Vorkontrolle/Einreise bringt mit seinen provokanten Fragen gelegentlich ein wenig von jener Stimmung auf die

GÜST, die seit Kurzem im Lande um sich greift. Eine Stimmung, die von denen ausgeht, die nicht über Prager Botschaftszäune steigen, von Leuten, die die DDR nicht abschaffen, sondern verändern wollen. Deshalb rufen sie auf Leipzigs Straßen und anderswo „Wir bleiben hier!" und neuerdings „Demokratie jetzt!"

Der Parteisekretär hingegen, der in diesem Moment dort drüben auf der Diplomatenspur mit militärischem Gruß den Wagen irgendeines Botschafters empfängt, steht für die traditionelle DDR. Die der realitätsfernen ideologischen Prinzipien jener alten Männer des Politbüros. Harald Jäger fragt sich in den letzten Tagen immer häufiger, von wem eigentlich die größere Gefahr für sein krisengebeuteltes Land ausgeht. Er ahnt, dass vielen der Leipziger Montagsdemonstranten die Vokabel von den „feindlich-negativen Kräften" nicht gerecht wird. Und nicht den Umweltschützern in der Berliner Zionskirche.

Dort unterhalb der Vorkontrolle/Einreise verläuft die wahrscheinlich am besten gesicherte Grenze der Welt. Doch sie hat ihre Wirkung endgültig verloren, seit ein Prager Gartenzaun zur nahezu ungesicherten Grenzstation zwischen den beiden feindlichen Brüdern „Deutschland" geworden ist. Mehr als einmal konnten Harald Jägers Leute kriminelle Schleuserbanden ermitteln und festnehmen, die DDR-Bürger ohne gültige Grenzübergangspapiere in den Westen schmuggeln wollten. In präparierten Fahrzeugen oder mit gefälschten Papieren. In dieser Nacht aber werden solch ungesetzliche Grenzübertritte von der Partei- und Staatsführung nicht nur geduldet, sondern auf deren offizielle Weisung

Herbst 1989: DDR-Bürger klettern in Prag über die Mauer der bundesdeutschen Botschaft.

hin durchgeführt. An diesem Abend fühlt jener Oberstleutnant, der in den vergangenen 28 Jahren eine beeindruckende Karriere hingelegt hat, seine berufliche Existenz zum ersten Mal ad absurdum geführt.

Dienstag, 3. Oktober 1989

Am Nachmittag trifft Erich Honecker im ZK-Gebäude aus Anlass des bevorstehenden 40. Jahrestages mit „Veteranen der Arbeiterbewegung" zusammen und erklärt, dass „die Existenz der sozialistischen DDR ein Glück für unser Volk und die Völker Europas" sei. In den Abendnachrichten gibt die DDR-Regierung bekannt, dass der pass- und visafreie Verkehr zwischen der DDR und der ČSSR mit sofortiger Wirkung ausgesetzt worden sei. Damit gibt es kein einziges Land der Erde mehr, in welches DDR-Bürger reisen können, ohne vorher ein Visum zu beantragen.

Die Meldung hatte sofort für Ruhe im Raum gesorgt. Angelika Unterlauf, die bekannte Nachrichtensprecherin des DDR-Fernsehens, hatte sie verlesen ohne den Hauch einer Wertung in der Stimme. Dennoch war nur selten zuvor hier in der Wirtschaftsbaracke zwischen Bockwurst und Club-Cola eine Ausgabe der *Aktuellen Kamera* von allen gleichermaßen aufmerksam verfolgt worden – von einfachen Passkontrolleuren, Mitarbeitern des Zolls und einigen wenigen Offizieren der Grenztruppen. Und vom stellvertretenden Leiter der Passkontrolleinheit Harald Jäger. Seither beschäftigen hier alle die gleichen Fragen, die in diesem Augenblick auch Millionen von DDR-Bürgern vor den Fernsehgeräten haben dürften. Handelt es sich bei dieser Maßnahme um eine auf Dauer angelegte Aussetzung des pass- und visafreien Verkehrs mit dem Nachbarland? Oder nur um eine zeitlich befristete? Was bedeutet das für jene, die bereits einen Winterurlaub in der Hohen Tatra geplant oder sogar fest gebucht haben?

Harald Jäger zeigt die eben verkündete Maßnahme, dass die Partei- und Staatsführung die Situation offenbar völlig falsch einschätzt. Wie sonst ist es zu erklären, dass man das Land international immer weiter isoliert, statt mit einer grundlegenden Reform des Reisegesetzes den Bedürfnissen der Bevölkerung Rechnung zu tragen? Schlagartig sieht er seine Vision, die er in den letzten Tagen in zahlreichen Gesprächen entwickelt hat, zur Illusion degradiert, eine Vorstellung, die ihm vor wenigen Monaten noch nicht in den Sinn gekommen wäre. Demnach solle allen Bürgern ein Visum erteilt werden, die ein solches beantragen. So würde man zu einer für jedermann nachvollziehbaren Praxis kommen und sich nebenbei einige Probleme vom Hals schaffen, etwa den Zulauf zu den Montagsdemonstrationen verringern, die es mittlerweile nicht mehr nur in Leipzig gibt. Wahrscheinlich würde die Zahl der Ausreiseanträge maßgeblich sinken. Außerdem würden viele der übersiedelten DDR-Bürger schon bald wieder zurückkommen. Weil sie im Westen keine ihren Qualifikationen entsprechende Arbeit fänden. Oder keine geeigneten Lehrstellen für ihre Kinder. Natürlich könne dann auch das aufwändige Grenzregime auf das zwischen souveränen Staaten übliche Maß heruntergefahren und dem Staatshaushalt so eine enorme Entlastung ermöglicht werden.

Niemand hatte dem Oberstleutnant Jäger widersprochen. Sogar sein Vorgesetzter, der Leiter dieser Passkontrolleinheit, hatte nachdenklich mit dem Kopf genickt. Ein Mann, der sonst Forderungen nach Veränderungen erst mal ablehnend gegenüberstand. Wahrscheinlich war auch ihm schon zu Ohren gekommen, dass derartige Denkmodelle inzwischen bereits auf den mittleren Ebenen des Ministerrats durchgespielt wurden. Nicht einmal der linientreue Parteisekretär brachte mehr die altbekannten Gegenargumente vor: die chronische Devisenschwäche der DDR mache die eigenen Bürger im westlichen Ausland zu Bettlern, die höhere Akademikerentlohnung dort würde zur Abwanderung von Ärzten und Wissenschaftlern führen.

April 1962 *Als die Gefahr endlich vorbei war, wurde dem jungen Grenzpolizisten klar, dass dies einer jener Tage war, die er nie vergessen würde. Dabei hatte er so angefangen wie fast alle anderen in den letzten acht Monaten, seit Harald Jäger hier an der Grenze Dienst tat. Am Morgen war er als Postenführer eingeteilt worden und hatte mit einem Kollegen dort Stellung bezogen, wo die Wildenbruchstraße auf die inzwischen zwei Meter hohe Mauer trifft. Jenseits davon hatte man ein Holzpodest errichtet, auf dem fast immer einige Menschen standen. Die meisten sahen einfach nur herüber, andere brüllten irgendwelche Schimpfwörter, und gelegentlich flogen auch mal Steine oder eine Bierflasche. „Nicht provozieren lassen!", war als Devise ausgegeben worden, und Harald Jäger hielt sich daran. Vor drei Tagen war an diesem Abschnitt ein Gefreiter abgehauen. Mitten am Tag hatte er seinen Postenführer abgelenkt und war dann blitzschnell über die Mauer geklettert. So wie sie es während ihrer Grundausbildung an der Eskaladierwand immer wieder hatten üben müssen.*

Harald Jäger entdeckte die Frau zuerst, die sich ganz hinten, noch jenseits der Elsenstraße, hektisch nach allen Seiten umdrehte, ehe sie mit schnellen Schritten ins Grenzgebiet hineinlief. Wo war sie nur so plötzlich hergekommen? Aus einem der Wohnhäuser am Grenzgebiet?

Der junge Grenzpolizist fühlte sein Herz bis zum Hals schlagen. „Was hat die Frau vor?", schrie er seinen Kollegen an.

„Wo sind denn die Posten da hinten?", brüllte der andere zurück.

Tatsächlich war das schon gar nicht mehr ihr Postengebiet, dort, wo diese Frau nun auf die Mauer zurannte. Die beiden waren mindestens dreihundert Meter von ihr entfernt. Keine der für einen solchen Fall vorgeschriebenen Maßnahmen war sinnvoll – anrufen, Warnschuss, Nacheile. Die Flüchtende hatte nur noch wenige Meter bis zur Mauer. Schüsse in diese Richtung verboten sich schon deshalb, weil Querschläger auf westliches Gebiet driften könnten. Warum aber unternahmen die Posten hinten an der Elsenstraße nichts?

Inzwischen war auch auf dem Holzpodest, nur wenige Meter von Harald Jäger entfernt, der Fluchtversuch bemerkt worden. Die Leute brüllten der Frau aufmunternd zu: „Lauf weiter! Du schaffst es!"

Das Blut hämmerte dem jungen Grenzpolizisten in den Schläfen. Er musste die Posten dort hinten auf die flüchtende Person aufmerksam machen. Schließlich hatte die Grenzverletzerin noch eine zwei Meter hohe Mauer zu überwinden. Er entsicherte seine Maschinenpistole und schickte eine dröhnende Salve in den östlichen Himmel. Das mussten die Posten an der Elsenstraße doch gehört haben!

Die Frau hatte inzwischen die Mauer erreicht. Nun erst entdeckte Harald Jäger die Leiter, die dort vorn offenbar von westlicher Seite über die Mauerkrone geschoben worden war. Ein wenig wacklig stieg die Frau die Sprossen hinauf und war im nächsten Moment auf der anderen Seite verschwunden. Auf dem Holzpodest nebenan wurde gejubelt und applaudiert. Harald Jäger empfand dies nicht nur als Willkommensgruß für jene unbekannte Frau, sondern auch als Schadenfreude gegenüber den Grenzschützern, die diesmal das Nachsehen hatten. Er habe das Gefühl gehabt, eine schmähliche Niederlage erlitten zu haben, wird er später bei der Auswertung auf der Dienststelle sagen. Und dort erst wird er erfahren, dass die Genossen an der Elsenstraße zuvor vom Westen aus mit Steinen beworfen worden waren und sich deshalb in Sicherheit gebracht hatten. Der Postenführer hatte in jenem winzigen Betonbunker auf dem Grenzstreifen Schutz gesucht, der nur einer Person Platz bot. Durch die schmalen Sehschlitze, so wird er argumentieren, habe sich für ihn nur ein eingeschränkter Blickwinkel ergeben. Sein Kollege sei links im Schützengraben abgetaucht. Die Grenzverletzerin habe einfach Glück gehabt. Doch einem spontanen Entschluss schien die Bürgerin offensichtlich nicht gefolgt zu sein. Die vom Westen herübergereichte Leiter sprach dafür, dass die Flucht von langer Hand vorbereitet worden war. Und gab es in diesem Fluchtplan womöglich jemanden, der wusste, wie die Posten auf Steinwürfe reagieren würden?

Auf der kleinen Fläche jenes Holzpodestes jenseits der Mauer waren mittlerweile immer mehr Schaulustige erschienen. Dazwischen entdeckte Harald Jäger plötzlich in einer dunkelbraunen Lederjacke den desertierten Gefreiten. Ein leichter Westwind wehte Fetzen der Unterhaltung herüber, die dieser mit einem Westberliner Schutzpolizisten führte. Ganz deutlich konnte er seinen Namen hören: Harald Jäger.

Applaus brauste auf, und man machte Platz für zwei amerikanische GIs. Irgendeiner rief plötzlich: „Knallt ihn ab!", dann begannen die Leute drüben zu skandieren: „Kill him! – Kill him! ..." Was würde passieren, wenn einer der GIs tatsächlich die Waffe auf ihn richten würde? Durfte er dann zurückfeuern? Was aber, wenn der andere nur provozieren wollte, wie der amerikanische Jeep-Fahrer vor einigen Monaten?

Sein Posten rief: „Lass uns in Deckung gehen!" Blitzschnell sprangen die beiden jungen Grenzpolizisten in die nebeneinanderliegenden Schützengräben. Hier, hinter aufgestapelten Betonplatten, waren sie in Sicherheit. So schien es zunächst jedenfalls. Bis drüben plötzlich jemand aufgeregt schrie: „Von dort oben könnt ihr ihn abknallen!"

Harald Jägers Blick ging hinauf zu dem Flachdach des achtstöckigen Hochhauses. Für einen geübten Schützen lag er hier wie auf dem Präsentierteller.

Als es auf der anderen Seite ruhig wurde, hätte er sich mit seinem Posten zurückziehen müssen. Das aber wurde ihm erst klar, als es nach ängstlichem Ausharren im Schützengraben zu spät dafür war. Tatsächlich tauchten dort oben die beiden GIs mit dem Schupo auf. Hatte der eine Amerikaner auch vorhin schon die Maschinenpistole bei sich? Harald Jäger begann zu zittern, eiskalter Schweiß lief ihm den Rücken hinunter. In diesem Moment musste er an seine Mutter denken, die dagegen gewesen war, dass der Sohn sich zum Grenzdienst gemeldet hatte. Aus Angst, wie ihm die ältere Schwester erst vor Kurzem erzählt hatte. Und dann erinnerte sich der junge Grenzpolizist Harald Jäger daran, wie sein Vater ihn einst auf dem Heimweg vom Fußballstadion auf der Müllerwiese in den Arm genommen und ihm gesagt hatte, er solle seine Zukunft in politischen Aufgaben suchen. Er hoffte in diesen dramatischen Minuten inständig, dass er diesem Vater irgendwann würde erzählen können, in welch gefährlicher Situation er sich befunden hatte.

Denn er verspürte überhaupt keine Lust, in einem Nachruf des Neuen Deutschland (ND) *zum Helden erklärt zu werden.*
  "Wenn einer von denen die Waffe hebt, putze ich sie alle drei vom Dach!", hörte er den Posten neben sich rufen.
  "Lass den Mist!", schrie Harald Jäger aufgeregt zurück. Er musste unbedingt verhindern, dass sein Kollege mit einer unbedachten Handlung jenem amerikanischen Soldaten dort oben überhaupt erst die Handhabe dafür lieferte, das Feuer zu eröffnen. Immer wieder hat er ihm deshalb zugerufen, er dürfe sich nicht provozieren lassen, hat geradezu gefleht, auf gar keinen Fall seine Waffe dorthin zu richten. Nach einer als schier endlos empfundenen Viertelstunde verließ der Gegner drüben das Dach. Und auch die Stimmen auf der anderen Seite waren nun verstummt. Erleichtert ließ sich der neunzehnjährige Grenzpolizist im Schützengraben nach hinten fallen. Langsam löste sich die Anspannung im Körper. Jetzt wusste Harald Jäger, dass er nicht dafür geboren war, ein Held zu sein.

Wie alle anderen wartet Oberstleutnant Jäger vor dem Fernseher in der Wirtschaftsbaracke auf weitere Details zu jener kurzen Meldung, die Angelika Unterlauf zu Beginn der *Aktuellen Kamera* verlesen hat. Zunächst aber strapaziert man die Geduld der Zuschauer mit einem ziemlich ausführlichen Beitrag über ein Veteranentreffen im Haus des Zentralkomitees aus Anlass des 40. Republik-Geburtstages. Alte Menschen küssen und umarmen einander, ehe Erich Honecker mit Applaus begrüßt wird. Man erhebt sich zur Nationalhymne. Dann wendet sich der SED-Generalsekretär an die „Kameraden, Aktivisten der ersten Stunde, Weggefährten und Genossen". Oberstleutnant Harald Jäger empfindet in diesem Moment eine große Sympathie für diese alten Menschen. Viele von denen kämpften schon für die Ziele der Arbeiterklasse, als es noch gefährlich war, Kommunist zu sein, hatten für ihre Ideale in Zuchthäusern und Konzentrationslagern gesessen. Auch Erich Honecker hatte viele Jahre im Zuchthaus Brandenburg verbracht. Andere waren in den Anfangsjahren der DDR zur Bewegung gestoßen. Damals hatte sich Erich Honecker am großen Aufbauwerk als Vorsitzender der „Freien Deutschen Jugend" beteiligt. Er befindet sich also unter jahrzehntelangen Weggefährten. Wird er die Gelegenheit wahrnehmen, ihnen gegenüber nicht nur die Erfolge zu benennen, sondern auch Fehler einzuräumen? Ist es nicht das, was die alten Kämpfer in einer solchen Zeit von einem Parteiführer erwarten, dessen historische Verdienste niemand in Abrede stellt?

Zunächst aber zieht es der Generalsekretär vor, darauf zu verweisen, dass die Existenz der DDR „ein Glück für unser Volk und die Völker Europas" sei, was die Veteranen zu spontanem Applaus, einige in der Wirtschaftsbaracke der GÜST Bornholmer Straße jedoch zum Lachen veranlasst. In endlosen Passagen verliest Erich Honecker dann, was jene Veteranen ohnehin wissen – dass „die Befreiung vom Hitlerfaschismus einen neuen Anfang für unser Volk" und die Gründung „der Deutschen Demokratischen Republik den ersten Arbeiter- und Bauernstaat auf deutschem Boden" bedeutet habe. An deren Spitze hätten einst „solche Persönlichkeiten gestanden wie Wilhelm Pieck, Otto Grotewohl, Walter Ulbricht ..." Starker Applaus folgt der Aufzählung einer ganzen Reihe weiterer Namen der Gründungsväter der Republik. Schließlich feiert er das Sozial- und Wohnungsbauprogramm als sozialistische Errungenschaft. Wieder Applaus. Fast unmerklich schüttelt Oberstleutnant Harald Jäger den Kopf. Sollte tatsächlich keiner der Zuschauer im ZK-Gebäude wissen, dass die zu geringe Produktivität der DDR-Wirtschaft diese gewaltigen Programme gar nicht finanzieren kann? Immerhin weiß er es doch auch. Und er hat es nicht erst von jenem kritischen Menschen erfahren, der vor einiger Zeit in die Familie gekommen war – dem Schwiegervater seines Sohnes Carsten, Ökonomieprofessor an einer thüringischen Universität. Das ist einer, der weiß, wovon er spricht. Er kann sich erregen über die Unfähigkeit des für wirtschaftliche Fragen zuständigen Politbüro-Mitglieds Günter Mittag. Es sei eine Katastrophe, dass „eine solche Null" ein staatliches Imperium von 22 Ministerien, 224 Kombinaten und 3526 volkseigenen Industriebetrieben dirigiere und überwache. Die Flüche des Wirtschaftswissenschaftlers wurden sogar noch deftiger, als Harald Jäger vorsichtig hatte durchblicken lassen, dass laut Aussage von operativ tätigen Mitarbeitern seiner „Firma" die Berichte ihrer Inoffiziellen Mitarbeiter (IM) aus den volkseigenen Betrieben niemals an Honecker weitergereicht würden. Schon gar nicht, wenn sie über oftmals verheerende Zustände berichteten. Das könne man „dem Generalsekretär nicht zumuten", habe Erich Mielke, der Minister für Staatssicherheit, erklärt, weshalb Honecker nach wie vor mit beschönigenden Zahlen versorgt werde.

„Die man uns anschließend im *Neuen Deutschland* als real verkaufen will!", schrie daraufhin der Schwiegervater seines Sohnes und warf gerade erst publizierte Statistiken auf den Tisch. „Das sind die Planvorgaben von vor zehn Jahren. Die hat man jetzt als aktuelle Produktionszahlen veröffentlicht und feiert sie auch noch als Erfolg! In diesem Artikel wird damit angegeben, wie viele Computer es in unseren volkseigenen Betrieben gibt. Weißt du, Harald, die Bowlingmaschine, die gestern Abend unsere Kegel wiederaufgestellt hat und oben elektronisch die Punkte anzeigte, die ist auch ein Computer. So was zählen die alles mit! Und Erich hat davon keine Ahnung, sagst du, weil eure Leute ihm die falschen Zahlen vorlegen? Also entweder ist er ein Idiot oder ein Ignorant – aber wahrscheinlich ist er beides!"

Bei einer Familienfeier hatte Harald Jäger ihn dann einmal zur Seite genommen und ihn gebeten, eine Überlegung zu kommentieren, die ihn seit Längerem beschäftigte. „Manche DDR-Rentner zeigen, wenn sie bei uns an der Bornholmer Straße aus dem Westen zurückkommen, den Genossen vom Zoll stolz einen ‚schönen Toaster', den sie drüben für ihre daheimgebliebenen Kinder bei Quelle gekauft haben ..."

„... ohne zu wissen, was der Aufkleber ‚Made in GDR' auf der Unterseite des Geräts aussagt", ergänzte sein Gegenüber.

Er kenne noch viele derartige Geschichten, bestätigte Harald Jäger. Seine Tochter Kerstin ziehe als Gärtnerin in der Grünpflanzengenossenschaft „Weiße Taube" Pflanzen auf, die nie eine hiesige Gärtnerei zu sehen bekämen. „Stattdessen werden diese Zierpflanzen auf westlichen Gartenmärkten verkauft ..."

„... zu Schleuderpreisen weit unter den Produktionskosten!", wurde seine Ausführung von dem Wirtschaftsprofessor abermals ergänzt.

Nun wusste Harald Jäger, dass er bei diesem Mann kein Blatt vor den Mund zu nehmen brauchte. „Am 13. August haben wir damals dichtgemacht, damit unsere Arbeitskräfte für dieses Land produzieren. Heute verschiebt unser Staat Konsumgüter in großem Stil! Unsere Werktätigen produzieren Waren, die sie niemals oder nur sehr selten selbst kaufen können ..."

Sachlich stellte der Wirtschaftswissenschaftler fest: „Die so erzielten Deviseneinnahmen stehen immerhin dem Staatshaushalt zur Verfügung. Die Frage ist allerdings, ob sie dort sinnvoll verwendet werden."

Harald Jäger gingen Gedanken durch den Kopf, die er niemals laut äußern würde. Wurde nicht die Arbeitskraft der Gärtner von der „Weißen Taube" dem Profit westlicher Kapitalisten zur Verfügung gestellt? Oder die der Arbeiter in dem Kombinat, das für Quelle die Toaster womöglich auch unter dem Herstellungspreis liefert? War also die einstmals abgeschaffte „Ausbeutung des Menschen durch den Menschen" in der DDR längst durch die Hintertür wieder eingeführt worden? Der Oberstleutnant erschrak über seine eigenen Überlegungen. Sie erschienen ihm nicht angebracht für einen, der für die Sicherheit eines Arbeiter- und Bauernstaates zu sorgen hat.

Auf dem Bildschirm kann Harald Jäger beobachten, wie die Arbeiterveteranen im Haus des Zentralkomitees wieder Platz nehmen, nachdem sie sich zwischenzeitlich zum gemeinsamen Gesang der „Internationalen" erhoben hatten. Nun lauschen sie ergriffen einem Chor, der ihnen die Lieder ihrer Jugend vorsingt. „Bau auf, bau auf/Freie Deutsche Jugend, bau auf!" Auf die krisenhafte Lage im Lande war Erich Honecker zuvor nur indirekt eingegangen. Und auch nur, um sie dem Klassengegner in die Schuhe zu schieben: „Gerade jetzt glaubt man in der Bundesrepublik, die DDR mit einem passenden Angriff aus den Angeln heben zu können. Daraus, liebe Kameraden, wird nichts!"

Spätestens jetzt müssen doch alle hier in der Wirtschaftsbaracke anwesenden Offiziere den Generalsekretär ihrer Partei als jemanden erkennen, der die Realitäten nicht mehr begreift. Oder sie bewusst falsch darstellt. Hatte man doch bereits in der vergangenen Woche die erhöhte Einsatzbereitschaft und vor drei Tagen die doppelte Mannschaftsstärke angeordnet. Ganz sicher nicht, weil man einen Angriff aus dem Westen erwartete. Sämtliche seit Langem existierenden operativen Alarmpläne sind schließlich gegen Teile der eigenen Bevölkerung gerichtet.

Nach exakt 22 Minuten und 41 Sekunden ist endlich Angelika Unterlauf wieder auf dem Bildschirm zu sehen. Nachdem sie noch einmal die amtliche Verlautbarung über die Aussetzung des pass- und visafreien Verkehrs zwischen der DDR und der ČSSR wiederholt hat, die nicht eine einzige Frage der besorgten DDR-Bürger beantwortet, bekommt der ADN-Journalist Olaf Dietze das Wort für einen Kommentar. Sicherlich hat keiner der hier anwesenden Uniformträger von jenem Propagandisten der staatlichen Nachrichtenagentur eine systemkritische Kommentierung erwartet. Aber einige Hintergründe darüber, was die Aussetzung des pass- und visafreien Verkehrs nun konkret bedeutet, schon. Stattdessen setzt er die Schuldzuweisung des Generalsekretärs fort und verliest monoton eine ellenlange Erklärung.

Nicht erst da hatte Harald Jäger erkannt: Phrasen bedeuten Defensive. Auch für ihn waren sie oft der rhetorische Notnagel, wenn er nicht mehr weiterwusste. In Diskussionen mit seinem Sohn, bei Gesprächen mit Untergebenen und nicht selten sich selbst gegenüber. Nun hat sich auch der Generalsekretär seinen alten Kampfgefährten gegenüber der Phrase bedient. Und Harald Jäger ahnt, dass dies kein gutes Omen ist.

Sommer 1963 *Natürlich wusste er, dass dieser „Hansen" eigentlich Alfred Müller hieß, und alle anderen im Kinosaal wussten es auch. Vielleicht hatte er etwas früher als die junge Frau neben ihm mitbekommen,* *dass Hansen vom Ministerium für Staatssicherheit als Kundschafter (wie sich sozialistische Geheimagenten selbst titulieren) in die Würzburger Handelsgesellschaft „Concordia" geschickt worden war, hinter der sich der amerikanische Militärgeheimdienst versteckte. An einen Einsatzort also tief im Feindesland, den man in Fachkreisen „unsichtbare Front" nannte. Harald Jäger, der Grenzpolizist, seit Kurzem im Rang eines Unteroffiziers, fand diesen Hansen toll – wie er sich das Vertrauen des Stabes des US-Geheimdienstes MID erworben hatte, einen Lügendetektortest überstand und trotz Beschattung die Verbindung zu seinem Führungsoffizier in der DDR hielt. Vor allem aber, wie er in einer spektakulären Aktion jene amerikanischen Angriffspläne stahl, welche die DDR schließlich der Weltöffentlichkeit präsentierte. Und dann war dem politischen auch noch das private Happy End gefolgt. Die junge Frau in Harald Jägers Arm ist fast vor Rührung zerflossen, als der heimgekehrte Kundschafter endlich wieder seinem halbwüchsigen Sohn gegenübertreten durfte. Drei lange Jahre hatte der Junge den Vater für einen „Verräter an der Sache der Arbeiterklasse" gehalten.*

Unteroffizier Harald Jäger und seine junge Freundin Marga waren begeistert von Alfred Müller. Die darstellerische Leistung, die er in „For Eyes Only", dem erfolgreichen Agententhriller der DEFA, gezeigt hatte, hielten sie übereinstimmend für seine bislang beste. Auf dem Heimweg hatte Marga dann darüber geredet, wie schwer es einem Genossen wie diesem Hansen wohl fallen müsse, seine Frau in der DDR zurückzulassen. Womöglich sei sie noch nicht mal in die Aktion eingeweiht gewesen. Anerkennend hatte sie festgestellt, in welche Gefahren der Genosse sich im Feindesland begeben hatte, das Ziel, die Erhaltung des Friedens, immer vor Augen. Für Marga waren solche Männer wie Hansen Helden. Der Unteroffizier aber, in dessen Arm sie dahinschlenderte, hing anderen Gedanken nach. Plötzlich schien es ihm, als ob er die Geschichte jenes Major Hansen bereits lange kennen würde. Er war mit Marga schon fast vor jenem Haus, in dem sie bei ihren Eltern wohnte, als es ihm einfiel. Vor einigen Jahren, er war vielleicht zwölf oder dreizehn Jahre alt gewesen, hatte er in der DEFA-Wochenschau „Der Augenzeuge" exakt eine solche Geschichte gesehen. Und nun fiel ihm auch der Name jenes Kundschafters wieder ein, der offenbar für die von Alfred Müller verkörperte Filmfigur Pate gestanden hatte: Horst Hesse.

Es hatte den Unteroffizier Harald Jäger nicht gestört, dass man die Handlung des Films von der Mitte der 50er-Jahre in den Sommer des Jahres 1961 verlegt hatte. So viel verstand auch er schon von Agitation und Propaganda, um zu wissen, was damit beabsichtigt war. Schließlich war noch immer nicht allen Bürgern der DDR klar, dass nur die Schließung der Grenze vor zwei Jahren den Frieden erhalten hatte. Dieser Film aber würde selbst hartnäckige Zweifler überzeugen. Wurde den Zuschauern doch eindringlich vor Augen geführt, wie raffiniert der amerikanische Geheimdienst gemeinsam mit dem Bundesnachrichtendienst nicht nur psychologische Kriegsvorbereitungen getroffen, sondern tatsächlich auch ganz reale Angriffspläne erarbeitet hatte.*

Natürlich freute es Harald Jäger, als ihm seine Freundin schließlich mit leuchtenden Augen erklärte, dass auch er einen wichtigen Beitrag zu dieser Friedensmission leisten würde – durch seinen freiwilligen Dienst an der Grenze. Er sagte ihr nicht, dass er viel lieber als Kundschafter die Wühltätigkeit des Gegners gegen den Sozialismus aufdecken und vereiteln würde. Wie sollte er in eine solche Position kommen? Schließlich konnte man sich bei der Staatssicherheit nicht einfach bewerben. Das wusste er von jungen Genossen, die wie er im vergangenen Jahr der SED beigetreten waren und nach der aktiven Zeit an der Grenze ihren Dienst gern bei der Staatssicherheit fortsetzen wollten. Man musste angesprochen werden. Aber vom MfS würde wohl kaum jemand auf einen Ofensetzer zugehen, der gerade mal acht Jahre lang eine sächsische Volksschule besucht hatte.

Vor dem dreigeschossigen Wohnhaus in Köpenick nahm Harald Jäger zum Abschied jenes Mädchen in den Arm, das er vor einigen Wochen bei einem Tanzvergnügen in der Kaserne kennen gelernt hatte. Der Politoffizier seiner Einheit hatte deren Patenbrigade eingeladen, die praktischerweise ausschließlich aus jungen Mädchen des „VEB Berliner Damenmode" bestand, wo Marga als Schneiderin arbeitete. Der junge Unteroffizier ahnte längst, dass dies eine schicksalhafte Begegnung war.

Aber er wusste nicht, dass auch jene Begegnung sich als schicksalhaft erweisen würde, die vor einigen Stunden stattgefunden hatte – vor diesem Haus hier, mit jenem zufällig heimkehrenden Jägersmann, der ihn in ein Gespräch verwickelt hatte. Er war einer jener Männer, die man in der DDR als die „der ersten Stunde" bezeichnete – und er war Margas

---

* Tatsächlich hatte sich Horst Hesse, der einstige Dispatcher (DDR-Bezeichnung für „Disponent" oder „Koordinator", Anm. d. Red.) aus dem Magdeburger Ernst-Thälmann-Werk, mit Zustimmung des Ministeriums für Staatssicherheit vom amerikanischen Geheimdienst anwerben lassen. Aus seinem Einsatzgebiet war er schließlich mit einem Panzerschrank des MID in die DDR zurückgekehrt. Doch seine Dienststelle zog ihn nicht darüber ins Vertrauen, dass sich darin zwar Ausweise, Meldestempel und diverse Dokumente, jedoch keinerlei Angriffspläne befanden.

Als der Film „For Eyes Only" im Juli 1962 in der DDR in die Kinos kommt, wird er schnell ein Kassenschlager.

Während eines organisierten Treffens der Patenbrigaden lernt Harald Jäger die Schneiderin Marga kennen, die später seine Frau werden wird.

Vater. Dieser hatte eine Karriere gemacht, wie sie auch in der DDR nicht alltäglich war: der gelernte Zimmermann war über ein juristisches Schnellstudium Richter geworden. Dann hatte ihn das Zentralkomitee der SED als Referenten für Rechtsfragen nach Berlin geholt. Leute mit einer solchen Biografie achteten auch im Arbeiter- und Bauernstaat darauf, dass die Töchter in „gute Hände" kamen, und damit waren nicht unbedingt Arbeiter und Bauern gemeint. Und so zeigte sich der ZK-Referent einige Monate später nicht gerade euphorisch, als ihm der künftige Schwiegersohn mitteilte, er wolle nach Ablauf seiner Dienstzeit in wenigen Wochen in den erlernten Beruf als Ofensetzer zurückkehren. Er schlug ihm vor, sich doch bei der Volkspolizei zu bewerben, und war enttäuscht, als ihm Harald Jäger mitteilte, keine Uniform mehr tragen zu wollen. Positiv überrascht hingegen hatte er reagiert, als der junge Mann an Margas Seite plötzlich fast nebenbei erklärte, dass er sich das Ministerium für Staatssicherheit als Arbeitgeber vorstellen könne. Allerdings hatte Margas Vater, als er schließlich ein Treffen zwischen Harald Jäger und einem Oberst der Staatssicherheit arrangierte, nicht geahnt, dass der junge Mann dabei an einen Kundschafterauftrag dachte wie in „For Eyes Only". Vielmehr hatte er für den scheidenden Grenzpolizisten zunächst einen Einsatz bei einer der Passkontrolleinheiten im Auge, die in jener Zeit gerade der Staatssicherheit eingegliedert wurden. Durch Qualifizierungsmaßnahmen würden seinem späteren Schwiegersohn hier vielfältige Karrierewege offenstehen.

Schon bald nach der Entlassung aus der Grenzpolizei heiratete Harald Jäger seine Freundin Marga. Wenige Monate nach der Hochzeit kam Sohn Carsten auf die Welt, ihm folgten in den nächsten drei Jahren die Töchter Kerstin und Manuela. Nicht zuletzt aus Verantwortung für die werdende Familie zog Harald Jäger nun doch wieder eine Uniform an – wieder die der DDR-Grenztruppen. Nur diesmal zur Tarnung, denn sein Arbeitgeber würden für das nächste Vierteljahrhundert nicht die Grenztruppen sein, sondern jene Institution, bei der man sich nicht bewerben, bei der man aber auch nicht kündigen konnte – der Staatssicherheitsdienst der DDR.

Der morgendliche Berufsverkehr ist schon in vollem Gange, als Oberstleutnant Harald Jäger sich im Wagen auf den Heimweg macht. Auf der Clement-Gottwald-Allee zuckelt ein Trabant vor ihm her. Dessen Fahrer gibt sich durch ein weißes Stück Stoff an der Antenne als jemand zu erkennen, der das Land für immer zu verlassen wünscht. Wenn der Antrag abgelehnt worden ist, wird der weiße Stoff durch schwarzen ersetzt. Als Mitarbeiter der Staatssicherheit hat er seiner „Firma" eigentlich Meldung über den Wagen da vorn zu machen. Harald Jäger aber hat dies nie getan. Weil ihm nicht einleuchten will, weshalb dem Ministerium für Staatssicherheit jemand zu melden sei, der sich zuvor selbst durch die Antragstellung registrieren ließ. Und nun ergibt es schon gar keinen Sinn mehr, da man zur gleichen Zeit Tausende mit dem Zug in den Westen fährt. Warum soll er mithelfen, jene Bürger zu kriminalisieren, die nicht den illegalen, wenngleich erfolgreichen Weg über eine Botschaftsbesetzung suchen?

Erich Mielke hätte dafür eine simple Erklärung parat. Harald Jägers oberster Dienstherr hatte vor einiger Zeit auf einer Veranstaltung gebrüllt: „Wer nicht für uns ist, ist automatisch unser Feind!" Es wurde geklatscht. Weil es der Minister war. Auch Harald Jäger hatte geklatscht. Obwohl er im privaten Kreis widersprach. So einfach könne man es sich nicht machen, sagte er zu seiner Frau, die ständig von mittleren Parteifunktionären umgeben war: in der Kreisleitung, in deren Abteilung „Mitgliederbewegung" sie nach der Babypause eine neue Arbeit gefunden hat und wo es auf jede Frage eine konfektionierte Antwort gibt. Deshalb kann er sich ihr nur schwer verständlich machen. Seine Gedanken sperren sich immer öfter gegen die ideologischen Vorgaben. Es kommt häufig zum Streit. Man müsse sich fragen, warum diese Menschen sich von uns abwenden, argumentiert er. Das provoziert ihren Widerspruch – „Wirtschaftsflüchtlinge!" Auf Tagungen aber schenkt er dem Minister Beifall.

Die jungen Leute im Trabant vor ihm haben sich mit ihrer Antragstellung immerhin auf eine Verpflichtung berufen, die Erich Honecker vor mehr als einem Jahrzehnt eingegangen war. Als Staatsoberhaupt dieses Landes hatte er sie am 1. August 1975 auf der „Konferenz für Sicherheit und Zusammenarbeit" in Helsinki mit seiner Unterschrift besiegelt: die Verpflichtung, seinem Volk die Möglichkeit einzuräumen, das Land zu verlassen – auch für immer.

Mehrfach hat Harald Jäger in den letzten Jahren das Gespräch vor allem mit jungen Leuten gesucht, die über die GÜST Bornholmer Straße ausreisten. Deren Beweggründe hielt er meist für egoistisch, oft auch für naiv und nur gelegentlich deshalb für nachvollziehbar, weil es unüberwindbare weltanschauliche Differenzen gab. Alle aber wollten sich einer Gesellschaft entziehen, die ihnen keinen „ideologiefreien Raum" zubilligte, sich oft in die privatesten Belange einmischte. Daran stört sich selbst Harald Jäger zunehmend. Obgleich er mit der staatstragenden Ideologie selbst gar keine Probleme hat.

Mai 1986 *Dem freundlichen Mittvierziger mit der Plastiktüte voller Bananen und Orangen hatte die Einreise verweigert werden müssen. Der Reisende aus Gelsenkirchen war mit dem grünen Pass der Bundesrepublik an die Grenze gekommen und hatte für einen Tag die Hauptstadt der DDR besuchen wollen. Der Einreise hätte nichts im Wege gestanden, wenn sein Name nicht in der Fahndungskartei gestanden hätte. Der Genosse an der Passkontrolle hatte die Pflicht gehabt, dem Mann mitzuteilen, seine Einreise sei nicht erwünscht, und auf dessen Nachfrage, man sei nicht befugt, ihm eine Auskunft zu erteilen. Der Passkontrolleur hätte auch beim besten Willen keine andere Auskunft geben können. Der Grund der Einreiseverweigerung war in der Fahndungsakte nicht vermerkt. Wenngleich der bundesrepublikanische Pass einen gewissen Hinweis gab – als Geburtsort stand da nämlich Bischofswerda in Sachsen. Außerdem war das Dokument erst vor knapp zwei Jahren ausgestellt worden. Es sprach also manches dafür, dass der Mann vor zwei Jahren aus der DDR ausgereist war. Legal. Im Falle einer illegalen Ausreise hätte nämlich der Straftatbestand der „Republikflucht" vorgelegen, und der Name des Betreffenden wäre in der Fahndungsakte für eine Festnahme annonciert gewesen. Wer hingegen via Ausreiseantrag die DDR verlassen hatte, dem wurde eine Rückreise, selbst besuchsweise, in der Regel für einige Jahre verweigert. Damit wollte die DDR-Regierung jene demotivieren, einen Ausreiseantrag zu stellen, die Eltern, Verwandte und Freunde zurücklassen würden.*

Harald Jäger selbst hatte den enttäuschten Mann zur Vorkontrolle/Einreise oben an der Brücke zurückgebracht. Der Abgewiesene sollte keine Gelegenheit bekommen, zu Bewohnern der nahe stehenden Wohnhäuser oder zu Passanten Kontakt aufzunehmen. Eigentlich hätte er den Mann stumm begleiten müssen. Doch der Oberstleutnant war neugierig. Vielleicht weil der Geburtsort des Reisenden, Bischofswerda, nicht so weit von Bautzen entfernt lag, der Heimat der eigenen Kindheit. Was ihn veranlasst habe, die DDR zu verlassen, hatte er den Mann gefragt, der mit hängendem Kopf neben ihm hertrottete. Um nach Amerika reisen zu können, hieß die Antwort. Ob er denn inzwischen dort gewesen sei? Da war der Mann plötzlich stehen geblieben. Nein, eine solche Reise könne er sich nicht leisten. Lange sei er arbeitslos gewesen, und auch jetzt habe er nur einen schlecht bezahlten Job. Aber das Gefühl zu haben, dass seine Regierung ihm eine solche Reise niemals verbieten könne – das sei Freiheit!

Es ist kurz vor neun Uhr. Oberstleutnant Jäger parkt den Wagen in seinem Wohngebiet in Hohenschönhausen, in dem ausschließlich Mitarbeiter des Ministeriums für Staatssicherheit wohnen. „Ganz schön geheim für einen Geheimdienst, wenn man die Mitarbeiter schon an der Adresse erkennt", hatte er zu den neuen Nachbarn gesagt, als sie vor einem Jahrzehnt gemeinsam hier einzogen.

Mittwoch, 4. Oktober/ Donnerstag, 5. Oktober 1989

Schon am Dienstagabend sind Tausende, die eigentlich zur BRD-Botschaft in Prag wollten und von der neuen Maßnahme ihrer Regierung überrascht worden sind, zurück nach Dresden geflutet. Als dann am Mittwoch die westlichen Medien bekannt geben, dass die ausreisenden Botschaftsflüchtlinge am Abend über Dresden fahren würden, besetzen zahlreiche DDR-Bürger den Hauptbahnhof, um in die durchfahrenden Züge zu gelangen. Aufgeregt bittet der SED-Bezirkschef von Dresden, Hans Modrow, den DDR-Verkehrsminister Otto Arndt, die Züge umzuleiten. Doch dieser sieht sich dazu außerstande. Zeitweilig gelingt es der Polizei unter Einsatz von Wasserwerfern und Tränengas, den Dresdner Hauptbahnhof zu räumen. Doch als sich in der Nacht wieder Züge mit Botschaftsflüchtlingen Dresden nähern, wird der Bahnhof abermals gestürmt. Nun wendet sich der Leiter der Dresdner Bezirksverwaltung der Staatssicherheit, Horst Böhm, (erfolglos) an Hans Modrow mit der Bitte, Armee-Einheiten anzufordern. Zu diesem Zeitpunkt aber gibt es darüber auf Ministerebene zwischen Erich Mielke (Staatssicherheit) und Heinz Keßler (Verteidigung) längst konkrete Absprachen.

Während die Züge mit Tausenden von geflüchteten DDR-Bürgern auf Abstellgleisen warten, kommt es rund um den Hauptbahnhof zu den schwersten Auseinandersetzungen zwischen Volk und Staatsmacht seit dem Aufstand vom 17. Juni 1953. Kaum einer ahnt, dass Armeekräfte und Panzereinheiten in Alarmbereitschaft stehen.

Man weine jenen „keine Träne nach, die sich selbst aus der Gesellschaft ausgegrenzt haben", ist nach Ausweisung der Botschaftsflüchtlinge in einem Kommentar zu lesen. Immerhin im *Neuen Deutschland*, dem Zentralorgan der Partei. Seither hat es kaum jemanden in Harald Jägers Umgebung gegeben, der sich nicht darüber aufgeregt hätte. Viele sprachen von einer „menschenverachtenden Formulierung".

Landesweit stieß jener Kommentar unter SED-Mitgliedern auf Widerspruch. Viele Funktionäre in den Kreis- und Bezirksleitungen der

SED waren irritiert, dass der zuständige Genosse im Politbüro, der solche Kommentare vor der Veröffentlichung auf den Schreibtisch bekam, die diffamierende Formulierung nicht gestrichen hatte. Offenbar hielt es niemand für möglich, dass Erich Honecker selbst den Beitrag redigiert haben könnte. Und schon gar nicht, dass jene Formulierung von ihm überhaupt erst handschriftlich eingefügt worden war. Das nämlich wird der Öffentlichkeit erst bekannt werden, als kaum noch jemand dem einst mächtigen Generalsekretär eine Träne nachweinen wird.

Sommer 1966 *Der junge Feldwebel Harald Jäger hatte schon in den Tagen zuvor mitbekommen, wie seine drei Kollegen, die den gleichen Dienstrang trugen wie er, nacheinander in die Dienstbaracke gebeten worden waren. Feldwebel N. hatte danach getönt, man habe ihm eine Tätigkeit an der Fahndungskartei angeboten, die er aber habe ablehnen müssen. Er wolle schließlich kein „Schreibtischhengst" werden. Dies war eine Haltung, die Harald Jäger nicht verstehen konnte. „Fahndung" hörte sich für ihn großartig an. Ein bisschen nach Agentenjagd und nach dem Aufdecken feindlichen Bandentums. Er hatte sehr bedauert, dass er nicht gefragt worden war.*

Endlich aber war auch er ins Leiterzimmer der Dienstbaracke gerufen worden. Der damalige Chef der Passkontrolleinheit hatte sich viel Zeit genommen zu begründen, weshalb man ihn erst jetzt hierhergebeten habe. Dies sei keine Arbeit, die man per Befehl zuweisen könne, hatte der Offizier erklärt, hier sei Kreativität gefragt und eine Menge Eigeninitiative. Eine Aufgabe, mit der man wachse. Da müsse jeder selbst einschätzen, ob er sich das zutraue oder nicht. Natürlich seien die älteren Feldwebel zuerst gefragt worden, das sei völlig normal. Und da er, Feldwebel Jäger, mit 23 Jahren nun mal der jüngste mit diesem Dienstgrad hier sei, komme er eben erst jetzt dran. Harald Jäger hatte, ohne zu zögern, zugesagt, sich für die im Aufbau befindliche Fahndungsabteilung seiner Grenzübergangsstelle zur Verfügung zu stellen.

In den ersten Wochen und Monaten sah die Tätigkeit im hinteren Bereich der Passkontrollbaracke überhaupt nicht nach Kreativität aus. Es mussten zunächst Hunderte von Karteikarten angelegt und je nach „Fahndungsziel" katalogisiert werden. Also, wer war festzunehmen, wer den operativen Kräften draußen zur Beobachtung zu melden ... Fortan musste der Pass eines jeden Einreisenden mit dieser neu entstandenen Fahndungskartei verglichen werden. Nur selten ging ein „dicker Fisch" ins Netz. Jemand, der in der DDR per Haftbefehl gesucht wurde und dessen Karteikarte entsprechend gekennzeichnet war. In gewisser Regelmäßigkeit aber hielt er den Pass eines Reisenden in der Hand, der zur Beobachtung ausgeschrieben war.

Der Vorgang, der dann einsetzte, ist seither immer der gleiche. Umgehend muss per Telefon die eigene Fahndungsleitstelle verständigt werden, welche sich ihrerseits ebenfalls umgehend mit der für „Observation und Ermittlung" zuständigen Hauptabteilung VIII in Verbindung setzt. Hier an der Grenzübergangsstelle gilt es dann, Zeit zu schinden. Der Reisende soll schließlich nicht dadurch gewarnt werden, dass er wesentlich länger als alle anderen aufgehalten wird. Er würde sonst sicher während seines Aufenthalts in der DDR umsichtiger vorgehen, einen konspirativen Treffpunkt womöglich gar nicht erst aufsuchen. Deshalb muss Harald Jäger an Tagen, an denen es kaum Verkehr an der Grenzübergangsstelle gibt, um Zeit zu gewinnen, schon mal selbst die Genossen von der VIII anrufen. Sie sitzen in konspirativen Wohnungen und warten auf ihre Einsätze. Zum Beispiel vorn, an der Schönhauser Allee, und etwas weiter östlich, in der Wisbyer Straße. Wenn die zu observierende Person mit dem Auto einreist, ist es insofern einfacher, als die Leute von der VIII sie unterwegs übernehmen können.

Das Ganze war von Anfang an eine Arbeit nach Harald Jägers Geschmack. Sie hatte zwar noch immer nicht jene abenteuerliche Brisanz wie die eines Major Hansen, den er einst im Kino bewundert hatte – ein wenig mit Agentenjagd aber hatte es schon zu tun. Und im Gegensatz zu jener der Passkontrolleure geschah sie natürlich im Verborgenen, was dem jungen Feldwebel endlich das Gefühl gab, einer geheimdienstlichen Tätigkeit nachzugehen.

Das Erste, was Harald Jäger beim Betreten der Dienstbaracke sofort spürt, ist diese seltsam gedrückte Stimmung. Stumm verfolgen hochdekorierte Offiziere die gespenstischen Szenen auf dem Bildschirm. Schon an einem einzigen Begriff im Off-Kommentar erkennt Oberstleutnant Jäger, dass es sich um einen Fernsehkanal des Gegners handeln muss – an dem Begriff „Stasi". Kaum ein Genosse würde das MfS öffentlich mit dem diskriminierenden Begriff „Stasi" bezeichnen.

Mit herangezoomten Kameraeinstellungen, vom gegnerischen Massenmedium wirkungsvoll in Szene gesetzt, wird der DDR-Führung hier vor dem Dresdner Hauptbahnhof das Ergebnis ihrer eigenen Fehlentscheidungen vorgeführt. Das Areal vor dem Hauptbahnhof gleicht einem Kriegsschauplatz. Polizeiautos brennen, Steine fliegen in Richtung der Volkspolizisten. Immer wieder suchen Demonstranten Lücken in der

Postenkette. Offenbar wollen sie die Gleise erreichen, auf denen man die letzten Züge aus Prag erwartet.

Zum Glück setze man offenbar keine Armee ein, bemerkt der Sprecher aus dem Off. Für einen kurzen Augenblick treffen sich die Blicke des Vorgesetzten und seines Stellvertreters. Kaum einen Wimpernschlag lang, von niemandem im Raum bemerkt. Und doch ist Oberstleutnant Jäger in diesem Bruchteil einer Sekunde noch einmal zur strikten Geheimhaltung verdonnert worden. Harald Jäger weiß, dass auch er eigentlich gar nicht wissen darf, was ihm sein Vorgesetzter am frühen Abend hinter vorgehaltener Hand anvertraut hat. Nämlich dass in Dresden schon seit gestern Armeekräfte und Panzereinheiten in Alarmbereitschaft stehen. In der Vergangenheit hatte der PKE-Leiter seinen Stellvertreter mehrfach für besonders brisante Aufgaben ausgewählt. Für solche, die einer hohen Geheimhaltungsstufe unterlagen. Sogar für solche, die eigentlich in den Bereich von E., des für „Fahndung und operative Arbeit" zuständigen anderen Stellvertreters fallen würden. Wie vor einigen Jahren, als zur Unterstützung der polnischen Genossen eine Einsatzgruppe zusammengestellt werden sollte. Die Solidarność-Bewegung war im befreundeten Nachbarland immer stärker geworden, weshalb das Ministerium Einheiten der verschiedenen Hauptabteilungen angewiesen hatte, Mitarbeiter mit operativer Erfahrung auszuwählen. Harald Jäger hatte sich für drei seiner Mitarbeiter entschieden, die nicht nur operative Erfahrungen mitbrachten. Sie verfügten auch über eine überdurchschnittliche Intelligenz. Die Genossen aber, die er für den Polen-Einsatz nach oben gemeldet hatte, waren nie zum Einsatz gekommen. Sie erfuhren auch nie, dass sie für einen solchen überhaupt vorgesehen waren. Der polnische Parteichef, General Wojciech Jaruzelski, hatte sich für eine andere Lösung des Problems entschieden – er hatte das Kriegsrecht verhängt.

Herbst 1986 *Es war kein Zufall, dass der Leiter der Passkontrolleinheit Bornholmer Straße Harald Jäger, der seit dem 1. Oktober 1980 auch offiziell sein Stellvertreter war, mit brisanten geheimen Aufträgen betraute. Schließlich war er schon von seinem Vorgänger auf die „besonderen Fähigkeiten des Genossen Harald Jäger" hingewiesen worden. Scherzhaft hatte dieser den jungen Oberleutnant damals als seinen „Aufklärungs- und Abwehrchef" bezeichnet. Jäger habe sich nämlich nicht nur in der Fahndung als zuverlässig erwiesen, sondern auch organisatorisches Talent beim Aufbau jenes operativen Bereichs bewiesen, der sich mit dem „Abschöpfen" der westdeutschen Reisenden beschäftigte. Insbeson-*

dere seiner freundlich-jovialen Art sei es zu verdanken, dass die von ihm entwickelte Operativkartei viele interessante Fakten enthalte, die inzwischen auch von den operativen Diensteinheiten anderer Hauptabteilungen, gelegentlich sogar von den „sowjetischen Freunden" geschätzt wurden. Mit selbst entwickelten Ermittlungspraktiken hatte er jene „Eigeninitiative" bewiesen, von der die Rede gewesen war, als man ihn von der Passkontrolle zur Fahndungsarbeit geholt hatte.

Schon der Blick seines Vorgesetzten hatte Oberstleutnant Jäger verraten, dass er abermals einen Auftrag mit höchster Geheimhaltungsstufe für ihn bereithielt. Man müsse aus der unheilvollen Entwicklung in Polen fürs eigene Land die richtigen Schlüsse ziehen, hatte der PKE-Leiter zunächst erklärt. Dann hatte er ihn mit einem ähnlichen Anliegen beauftragt wie einige Jahre zuvor für jenen Polen-Einsatz, der nie zustande gekommen war. Diesmal aber sollten die für den „Ernstfall" ausgewählten Genossen „groß und kräftig sein und möglichst nicht allzu weit auseinanderwohnen". Ferner sollte mindestens einer von ihnen einen Offiziersrang bekleiden und einer einen viertürigen Privat-Pkw besitzen. Sofort war Harald Jäger klar, dass der viertürige Pkw die größte Schwierigkeit darstellen würde.

Im Gebäude der Hauptabteilung VI in Berlin-Schöneweide war bei dessen Leiter eine „Alarmgruppe" gebildet worden. Hier war Harald Jäger dann mitgeteilt worden, was die ausgewählten Genossen erst erfahren würden, wenn die „Konterrevolution" Realität wäre. Nämlich dass sie Teil einer Festnahmegruppe seien. Dann würde ihnen hier in der Hauptabteilung ein versiegelter Brief ausgehändigt. Darin befänden sich Namen und Adressen jener „feindlich-negativen Kräfte", die von ihnen umgehend festzunehmen und an geheime Internierungsorte zu bringen seien. Ganz bewusst schien man die Vokabel „Lager" vermieden zu haben, obgleich es sich natürlich um solche handeln würde.

Waren da eben im Fernseher Schüsse zu hören? Auf dem Dresdner Bahnhofsvorplatz rennen die Menschen schreiend auseinander, ehe sie sich weiter hinten neu formieren. Ist das dort auf dem kleinen Fernsehschirm etwa schon die Konterrevolution? Wohl kaum. Diese Leute dort wollen ja nicht die sozialistische Ordnung beseitigen, sondern diese vielmehr verlassen. Augenscheinlich wird das auch von offizieller Seite so eingeschätzt. Schließlich liegen derzeit keinerlei Einreisebeschränkungen für den Raum Dresden vor, wie sie im Fall von konterrevolutionären Aktivitäten umgehend verfügt worden wären. Warum aber hält man dann Armeekräfte und sogar Panzereinheiten in Reserve? Ganz sicher nicht, um die Demonstranten einzuschüchtern. Dagegen spricht die hohe Geheimhaltungsstufe, weshalb auch Harald Jäger seine Überlegungen niemandem hier im Raum mitteilen kann.

Im nächsten Moment wird er von einer schrecklichen Ahnung erfasst. Dem Verdacht nämlich, man könne in Dresden nicht mehr auf die Durchsetzungskraft der Volkspolizei vertrauen und nicht auf die Wirksamkeit operativer Maßnahmen durch die Staatssicherheit, sondern eine Lösung à la General Jaruzelski bevorzugen. Es wäre nicht die erste fatale Fehleinschätzung der letzten Tage. Seine Gedanken überstürzen sich. Der Einsatz von Armee-Einheiten wäre Wahnsinn, würde womöglich den Bürgerkrieg bedeuten. Undenkbar, dass die sowjetischen Streitkräfte dabei ruhig zusehen. Sie haben geopolitische Interessen zu verteidigen. Gerade hier an der Nahtstelle der Systeme. Daran hat sich auch durch die Perestroika nichts geändert. Wie würde sich die NATO verhalten? Noch immer existiert kein Friedensvertrag mit den westlichen Siegermächten. Und die BRD hat trotz Entspannungspolitik nie aufgehört, eine Obhutspflicht zu beanspruchen für „die lieben Landsleute im Osten" …

Harald Jäger spürt, wie sein Körper zu zittern beginnt. Verunsichert sieht er zu seinen Kollegen hinüber. Sie starren mit ernsten Gesichtern auf den Bildschirm. Wie gern wäre er in diesem Moment so ahnungslos wie sie. Er spürt, wie ihm eiskalter Schweiß den Rücken hinunterläuft – ein Gefühl, das er zuletzt als junger Grenzpolizist in einem Schützengraben an der Treptower Wildenbruchstraße verspürt hatte.

Sommer 1976 *Er hatte keine Zweifel, dass er den Anforderungen genügen würde, in dem einen wie dem anderen Fall. Es war die Alternative, die Harald Jäger zu schaffen machte. Auch wenn es eigentlich gar keine Alternative war, denn man würde ihm die Entscheidung nicht überlassen. Diese Gewissheit aber hat er tagelang zur Seite geschoben und die vermeintlichen Wenn und Aber abgewogen.*

Zunächst mal war er stolz darauf, dass man ihm diese beiden Lebenswege überhaupt zutraute. Dafür hatte er einst drei Jahre lang in der Volkshochschule Köpenick alle Fächer gebüffelt, um den vollwertigen 10.-Klasse-Abschluss nachzuholen. Und das neben seinen vollen Dienstverpflichtungen. Danach hatte er seine gesellschaftspolitischen Kenntnisse auf Kreis- und Bezirksparteischulen vervollständigt. Hier hatte er sich in Rhetorikkursen und Rollenspielen offensiv mit gegnerischen Argumenten auseinandergesetzt, was sich beim „Abschöpfen" als hilfreich erwies. Nun also sollte er auf der Juristischen Hochschule des MfS in Potsdam-Eiche zum Diplom-Juristen ausgebildet werden. Dem würden sich höhere Leiteraufgaben mit den entsprechenden Offiziersrängen anschließen. Hatte sein PKE-Leiter doch erwähnt, dass er sich Harald Jäger schon bald als einen seiner Stellvertreter, in ein paar Jahren sogar als Nachfolger vorstellen könne. Somit lag der Rang eines Oberstleutnants für ihn in überschaubarer zeitlicher Nähe. Das war mehr, als er sich selbst wenige Jahre zuvor noch hatte erhoffen können.

Die berechenbare Geradlinigkeit seines weiteren Lebensweges hätte den mittlerweile fünfunddreißigjährigen Zugführer einer Passkontrolleinheit sicher nicht gestört, hätte ihm Margas Onkel nicht „diesen Floh ins Ohr gesetzt", wie es sein Schwiegervater nannte. Der Bürgermeister einer kleinen anhaltinischen Gemeinde im Kreis Nebra hatte Harald Jäger bei einem Besuch erzählt, dass in seiner Gegend in absehbarer Zeit der Kreisinnungsmeister der Ofensetzer in Rente gehe. Er könne sich doch, statt sich auf einer Juristischen Hochschule zum „Paragrafenreiter" ausbilden zu lassen, seiner Wurzeln besinnen und den Meisterkurs im alten Beruf absolvieren. Damit war die Idee geboren, die Harald Jäger tagelang durch den Kopf spukte.

Er hat nie einen Zweifel daran gelassen, dass er seinen erlernten Beruf gern ausgeübt hatte. Praktisch-handwerkliche Arbeiten verschafften ihm von jeher eine größere Befriedigung als das Büffeln von theoretischem Lehrstoff. Andererseits freute er sich schon seit Wochen auf die Begegnung mit den MfS-Mitarbeitern aus den anderen Hauptabteilungen, die mit ihm in Potsdam-Eiche studieren würden. Vielleicht würde er ja sogar Mitarbeiter der „Hauptverwaltung Aufklärung" kennen lernen, jene Genossen also, die die Kundschafter an der unsichtbaren Front anleiten und womöglich selbst im Feindesland als Kuriere und Instrukteure eingesetzt werden. Sie alle durften sich, wie er, nicht nur als „Schild und Schwert der Partei" bezeichnen lassen, sondern auch als eine wehrhafte Elitetruppe ihres Staates empfinden – wenngleich eine gesellschaftliche Anerkennung damit nicht verbunden war, weil die Mitarbeiter der Staatssicherheit natürlich konspirativ agierten und entsprechende Legenden hatten. So wie Harald Jäger als Angehöriger der Grenztruppen in Erscheinung trat, gaben sich andere als Mitarbeiter von Polizei oder Innenministerium aus. Hinzu kam, dass die gesellschaftliche Akzeptanz gegenüber der „Firma" allgemein nicht besonders hoch war. Im familiären Umfeld von Harald Jäger war dies freilich anders. Aber dass die Beliebtheit von Handwerkern in einer Mangelgesellschaft wie der DDR naturgemäß groß war, spielte bei seinen Zukunftsüberlegungen durchaus eine Rolle.

Einige Tage hatte sich Harald Jäger das freie Leben eines Handwerksmeisters ausgemalt, bei dem er nicht mehr unter der ständigen Beobachtung eines Vorgesetzten stehen würde. Aber er konnte auch Margas Hinweis nicht vom Tisch wischen, demzufolge dessen Bezahlung natürlich geringer sei als die eines Offiziers und sie immerhin drei Kinder großzuziehen hätten.

Schließlich wandte er sich an jenen MfS-Offizier, mit dem ihn sein Schwiegervater einst zusammengebracht hatte und der in all den Jahren ein väterlicher Freund geblieben war. Harald Jäger hatte nur von ihm wissen wollen, ob es – rein theoretisch – einen Weg gäbe, den Dienst beim Ministerium für Staatssicherheit zu kündigen. Der Mann, der ihm dort seinerzeit die Tür geöffnet hatte, sah seinen einstigen Schützling eine kurze Weile mit ruhiger Nachdenklichkeit an, ehe er ohne jede Zweideutigkeit antwortete: „Es gibt im Prinzip immer einen Weg, sich voneinander zu trennen. Allerdings würdest du dann auch ganz sicher niemals und nirgendwo in der DDR Kreisinnungsmeister werden."

Im darauffolgenden Monat hatte Harald Jäger sein Studium an der Juristischen Hochschule des MfS in Potsdam-Eiche aufgenommen.

Wann immer Oberstleutnant Jäger das Gefühl hat, sich zurückziehen zu müssen, begibt er sich hierher an die Basis – zu den Schalterhäuschen der Passkontrolle. Dorthin, wo sein Staat in diesen schwierigen Tagen noch immer selbstbewusst Souveränität demonstriert. Hier hat er stets jene Bodenhaftung gefunden, die er vor schwierigen Entscheidungen brauchte.

Viele Offizierskollegen können nur schwer nachvollziehen, wenn Harald Jäger ihnen erzählt, dass er mental am besten dort entspannen könne, wo er vor einem Vierteljahrhundert seinen Dienst als einfacher Passkontrolleur begonnen habe. Er sei eben einer von der „Pike", bemerken manche dann schmunzelnd. Nie lasse er „den Chef raushängen", wird ihm von den Kollegen hier draußen bestätigt. Als gegenteiliges Beispiel haben sicher viele den Leiter dieser Passkontrolleinheit im Kopf. Der ehemalige Lehrer hatte seine Karriere gleich mit der Offizierslaufbahn begonnen.

„Na, dann machen wir uns mal auf die Wildschweine gefasst!", sagt der PKE-Leiter mit unfeiner Ironie. Fast lautlos war er zu seinem Stellvertreter getreten, der am Postenhäuschen der Vorkontrolle/Ausreise gedankenverloren in Richtung Bornholmer Straße blickte.

Harald Jäger weiß nicht mehr, wer die Bezeichnung „Wildschweine" für Leute, die ohne gültige Grenzübertrittspapiere ankommen und die sofortige Ausreise verlangen, erfunden hat. Es gibt sie auch noch nicht so lange. In letzter Zeit sind es mehr geworden, bis zu siebzig in einem Monat. Anfangs hatte er deren Namen notiert und sie nach Hause geschickt mit der Belehrung, vorn auf dem großen Hinweisschild stehe, dass dies Grenzgebiet und daher das Weitergehen ohne gültige Grenzübertrittsdokumente untersagt sei, sie hätten somit eine Ordnungswidrigkeit begangen. Bis eines Tages ein junger Mann direkt nach der Zurückweisung hier an der Bornholmer Straße zur Grenzkontrollstelle an der Invalidenstraße gegangen war und dort nach seiner Festnahme erklärte, zuvor an der „Bornholmer" zurückgeschickt worden zu sein. Was hatte dieses „Wildschwein" mit dieser Aussage bezweckt?

Harald Jäger war in Erklärungsnot gekommen, als von ihm eine schriftliche Stellungnahme verlangt worden war. Er habe eine versuchte Republikflucht nicht gemeldet, jenen Straftäter nicht den Genossen der Abteilung IX zugeführt, die in der Uniform von Volkspolizisten Dienst tun. Er hat Gesetzestexte untersucht, hat überlegt: Wie könne man einem Bürger den Versuch eines illegalen Grenzübertritts unterstellen, der sich mit seinem Anliegen an die Grenzorgane wende? Jemand, der sich belehren und wegschicken lasse, sei vielleicht ein Provokateur, aber doch kein Republikflüchtling. Er wusste nicht, dass jenem jungen Mann gerade daran gelegen war, als solcher rechtskräftig verurteilt zu werden.

Frühjahr 1988 *„Unser Geiselnehmer ist hier oben bei mir!", hörte er flüsternd die Stimme des Oberleutnants von der Vorkontrolle/Einreise im Telefonhörer. Schlagartig war Oberstleutnant Jäger wach und blickte hinüber zur großen Wanduhr. Es war Viertel nach vier Uhr morgens. Eine knappe Stunde mochte er geschlafen haben, auf der schmalen Couch im Leiterzimmer in der Dienstbaracke. „Sag das noch mal!", forderte er den Posten auf. „Der Geiselnehmer, den wir letzten April überwältigt haben, er steht hier draußen und sagt, er wolle einreisen", wiederholte der Posten. „Ich komme!", rief Harald Jäger, der diensthabende PKE-Leiter, in den Hörer, griff nach seiner Uniformjacke und lief los.*

Sofort war die Erinnerung an jenen Spätnachmittag im letzten Herbst wieder da. Einer seiner Zugführer hatte ihn zu Hause angerufen und sich mit „Major Sommer" gemeldet. Mehr brauchte er nicht zu sagen. Oberstleutnant Jäger hatte im Auftrag des stellvertretenden Leiters seiner Hauptabteilung, Oberst Rudi Ziegenhorn, einen praktischen Alarmplan für den Fall einer Geiselnahme erarbeitet. Bei Wünsdorf südlich von Berlin war die Befreiung einer Geisel und das Unschädlichmachen des Geiselnehmers auf dem maßstabgerechten Nachbau einer Grenzübergangsstelle immer wieder geübt worden. Ausgelöst werden sollte der Alarm mit der Namensnennung „Sommer", denn in keinem der vier Züge, welche an der Bornholmer Straße Dienst taten, gab es einen Genossen dieses Namens.

Während Harald Jäger in seinem Dienstwagen zur GÜST raste, lief dort alles wie im Alarmplan vorgesehen ab. Erst später sollte er erfahren, dass der Geiselnehmer in einem Sägewerk bei Eberswalde mit einem Fleischermesser aus der Betriebsküche den dortigen Parteisekretär als Geisel genommen und einen Kraftfahrer gezwungen hatte, mit ihnen in einem Barkas-Kleinbus in Richtung Berlin zu fahren. An der Grenzübergangsstelle zeigte der am ganzen Körper schlotternde Fahrer ins Wageninnere. Dort entdeckte der Posten von der Vorkontrolle/Ausreise den Geiselnehmer auf der Geisel liegend – das Messer am Hals seines Opfers. Der Täter verlangte, dass man ihm unverzüglich die Ausreise nach Westberlin gestatte. Den Geiselnehmer im Blick, rief der Passkontrolleur den Lageoffizier an, meldete sich mit „Oberleutnant Sommer" und bat um Erlaubnis, einen Barkas die Grenze passieren lassen zu dürfen. Umgehend informierte der Lageoffizier nacheinander den Zugführer, das Grenzzollamt, den diensthabenden Offizier der Grenztruppen und den Posten der Vorkontrolle/Einreise oben an der Grenzbrücke. Sofort waren der Fahrzeugverkehr und die Fußgängereinreise gestoppt worden. Der – wie in jeder Schicht – anwesende Scharfschütze holte das Spezialgewehr aus dem Schrank und bezog seine Stellung in der Dienstbaracke unterhalb der Grenzbrücke. Gleichzeitig wurden das Operative Leitzentrum und von dort aus das Ministerium für Staatssicherheit informiert. Während all diese im Alarmplan vorgesehenen Aktionen liefen, hatte der Posten von der Vorkontrolle/Ausreise die Aufgabe, beruhigend auf den Geiselnehmer einzuwirken.

Als Harald Jäger eintraf, erlebte er gerade noch mit, wie auf das Zeichen des Zugführers hin ein Hauptmann die Seitentür des Barkas aufriss und dem Geiselnehmer Tränengas direkt ins Gesicht sprühte. Im nächsten Moment konnte er festgenommen und die Geisel befreit werden. Jeder auf der GÜST Bornholmer Straße war an jenem Nachmittag vor sieben Monaten davon überzeugt, dass der Geiselnehmer für Jahre hinter Gittern verschwinden würde. Und nun wollte ihn der Posten an der Vorkontrolle/Einreise dort oben erkannt haben.

Als Harald Jäger den mittelgroßen Mann im Schein der Lampe des Postenhäuschens entdeckte, war ihm sofort klar, dass sein Oberleutnant Recht hatte. Aber wie konnte das möglich sein?

Eine Provokation fürchtend, hatte Oberstleutnant Jäger beschlossen, sich strikt an die Dienstvorschriften zu halten – Irritation und Fassungslosigkeit überspielend. "Was wünschen Sie?"

"Da staunste, wa?", bekam er zur Antwort. "Ich wollte mir eure Grenzanlage mal von hier aus ansehen. Nachdem es ja das letzte Mal nicht geklappt hat."

"Wenn Sie in die Hauptstadt der Deutschen Demokratischen Republik einzureisen wünschen, so ist dies ab acht Uhr wieder möglich."

"Wer sagt denn, dass ich einreisen will? Ich wollte euch nur noch mal ‚Tach' sagen. War doch ein nobler Zug von der DDR, mich in den Westen zu schicken. Hat euch schließlich auch ein schönes Sümmchen eingebracht. Na ja, hatten wir schließlich alle was von ..."

Der verunsicherte Blick des Postens links hinter dem einstigen Geiselnehmer war Oberstleutnant Jäger unangenehm. Er konnte selbst nicht fassen, was er da eben gehört hatte. Sollte dieses kriminelle Subjekt, für dessen Festnahme seine Leute immerhin einiges gewagt hatten, tatsächlich gegen Devisenzahlung in die BRD abgeschoben worden sein? Das freche Grinsen des Mannes ließ blanke Wut in ihm hochkommen. "Ich fordere Sie auf, unverzüglich das Gebiet der Grenzübergangsstelle zu verlassen!"

"Ist ja gut, ich geh ja schon. Grüß mal schön deine Genossen!", sagte der einstige Geiselnehmer, ehe er in Richtung Grenzbrücke davonlief.

Noch immer spürte Harald Jäger den fragenden Blick des jungen Oberleutnants. Was sollte er ihm sagen? Sollte er von der PKE-Leitersitzung im letzten Jahr erzählen? Als Generalmajor Fiedler, der Leiter dieser Hauptabteilung, erklärt hatte, dass die chronische Devisenschwäche der DDR inzwischen dazu zwinge, für Westwährungen nahezu alles zu verkaufen – Meißner Porzellan, Blüthner-Konzertflügel, ja sogar Fuchsjagden. Sollte er berichten, dass die meisten der Ferienplätze in den luxuriösen Interhotels, die einst für „Helden der Arbeit" reserviert waren, nun für Devisen bringende Reisende aus dem westlichen Ausland zur Verfügung standen? Natürlich waren auf jener PKE-Leitertagung all diese Maßnahmen letztlich positiv dargestellt worden. Schließlich würden die Deviseneinnahmen ja in den Wohnungsbau gesteckt und kämen auf diese Weise den Werktätigen direkt zugute. Und sollte er dem jungen Genossen berichten, dass jenes sich hartnäckig haltende Gerücht wahrscheinlich stimme, wonach Kuriere der DDR-Staatsbank kofferweise Banknoten der eigenen Währung zu den Westberliner Wechselstuben tragen, um zum Schwarzmarktkurs D-Mark zu erhalten? Schon das alles konnte er dem Posten hier oben an der Vorkontrolle/Einreise nicht erzählen. Wie also sollte er ihm jenen ungeheuerlichen Vorgang erklären, der sich eben abgespielt hatte? Harald Jäger versuchte es gar nicht erst. Er hätte selbst jemanden gebraucht, der ihm eine einigermaßen plausible Erklärung dafür liefern konnte.

Die Ermahnung des Genossen Oberstleutnant Jäger war damals von höchster Stelle erfolgt. Auch bei den „Wildschweinen" handle es sich um Grenzverletzer. Seine Haltung ihnen gegenüber sei daher ideologisch nicht haltbar. „Wildschweine" müssten künftig verhaftet und zugeführt werden. Provokateure seien Staatsfeinde. Somit hätten sie das Privileg auf eine rechtsstaatliche Behandlung verwirkt. Harald Jäger weiß, was damit gemeint ist. Sein inzwischen verstorbener Schwiegervater, der Referent für Rechtsfragen beim ZK der SED, hatte ihm einst erklärt, man habe auch in der DDR eine Klassenjustiz. Wie überall auf der Welt werde daher im Sinne der herrschenden Klasse Recht gesprochen. Nur dass das im Sozialismus eben die Arbeiterklasse sei.

Nachdem Harald Jäger nun an diesem ereignisreichen Tag die Aussage seines Schwiegervaters eingefallen ist, lässt er einen Gedanken zu, den er sich in dieser Klarheit noch vor einem Monat verboten hätte. Damit lässt sich alles rechtfertigen, auch jeder Rechtsbruch, geht es ihm durch den Kopf, während er schweigend neben seinem Vorgesetzten auf die „Wildschweine" wartet.

Sonnabend, 7. Oktober 1989

Schon am ersten Tag der Feierlichkeiten zum 40. Jahrestag der DDR, dem 6. Oktober, hat es während des obligatorischen Fackelzuges am Abend erste spontane öffentliche Ovationen für Michail Sergejewitsch Gorbatschow gegeben. Am nächsten Tag wächst auf dem Alexanderplatz die Schar von ein paar Hundert Protestierern schnell auf einige Tausend, doch dann begeben sich viele zum Ufer der Spree – in Rufweite des Palastes der Republik, wo sich die gesamte Partei- und Staatsspitze auf dem Abschlussempfang befindet.

Am Rande dieses Empfangs kommt es zu einem vertraulichen Gespräch der Politbüro-Mitglieder Egon Krenz und Günter Schabowski mit dem ZK-Mitglied der KPdSU, Valentin Falin. Die deutschen Genossen erklären dem Gorbatschow-Vertrauten, dass bald ein Wechsel an der SED-Spitze vollzogen werde.

Draußen entwickeln sich Sprechchöre: „Gorbi, Gorbi" und „Wir sind das Volk!". Andere Demonstranten sind in den benachbarten

Stadtbezirk Prenzlauer Berg gezogen. Einheiten von Polizei und Staatssicherheit gehen nun gewaltsam gegen die Demonstranten vor. Es kommt zu Verhaftungen. Gleichzeitig werden auch in anderen DDR-Städten Demonstrationen mit massiver Gewalt beendet. In dem kleinen Ort Schwante, am nördlichen Rand von Berlin, findet an diesem Abend die Gründung einer sozialdemokratischen Partei für die DDR statt.

Je näher Harald Jäger in seinem Dienstwagen dem Zentrum der Hauptstadt kommt, desto mehr Transparente entdeckt er an Plätzen und Gebäuden, deren Losungen die Bevölkerung auf den Jahrestag einstimmen sollen. Bei seinem letzten Besuch in Bautzen hat er mit seinen Geschwistern über diese Parolen gesprochen. Ist dies nach vierzig Jahren DDR wirklich noch die geeignete Form, dem Volk politische Ziele zu vermitteln? Angesichts der Parolen zum 40. Republikgeburtstag würde Harald Jäger zwar nicht so weit gehen wie sein jüngerer Bruder, der inzwischen von „Durchhalteparolen" spricht. Aber die Menschen dort auf den Bürgersteigen, das weiß er, brauchen keine Parolen. Sie kennen schließlich die Realitäten in der DDR. Diejenigen, die zu diesem Lande halten und an seine Zukunft glauben, müssen nicht agitiert werden. Und jene, die den Glauben daran verloren haben, wollen es nicht.

Wie eh und je waren auch die Parolen zum 40. Jahrestag der DDR auf der Ebene des ZK ausgearbeitet und im Politbüro abgesegnet worden. Streng wird darüber gewacht, dass keine anderen in der Öffentlichkeit auftauchen, selbst wenn diese Staat und Partei über alles loben würden. Denn hinter einem Lob kann auch eine subversiv-satirische Haltung stecken. Wie dies vor einigen Jahren in Rostock der Fall gewesen sein soll, wo Schauspieler vom Volkstheater angeblich im Demonstrationszug ein Transparent entrollt hätten, mit der Losung: Die Sonne scheint, der Himmel lacht – das hat die SED gemacht!

Vielleicht will das Politbüro deshalb lieber selbst darüber bestimmen, wie das Lob gegenüber Staat, Partei und Arbeiterklasse zu formulieren ist. Auf der Parteiversammlung seiner Diensteinheit im vergangenen Monat musste er die Parolen über sich ergehen lassen. Vom Parteisekretär in die Form eines Referats gegossen – unter dem Tagesordnungspunkt „Vorbereitung des 40. Jahrestages". Harald Jäger hat geschwiegen, wie die anderen Genossen auch. Hätte er den Redner unterbrechen und daran erinnern sollen, wie jener einst geflucht hatte? Weil es kein Baumaterial für die Gartenlaube gab. Oder über die ständig schlechter werdende Versorgungslage mit Lebensmitteln und Textilien. Da war dieser Parteisekretär noch ein Passkontrolleur unter vielen gewesen. Nach seiner Wahl war er dann wie ausgewechselt, hielt sich offenbar plötzlich für bedeutend. Doch er war feige und leider auch unglaubwürdig. Wenn Genossen brisante politische Fragen an ihn richteten, war er auffallend bemüht, Antworten zu geben, die nicht gegen ihn verwendet werden konnten. Nur waren Stellungnahmen, die sich an der vorgegebenen Parteilinie orientierten, nicht unbedingt hilfreich. Die konnte man schließlich im *Neuen Deutschland* nachlesen.

Auf der Parteiversammlung in Vorbereitung des Republikgeburtstages aber hatte Oberstleutnant Jäger keines jener kritischen Worte gesagt, für die er draußen bei vielen auf der Dienststelle bekannt war. Und auch alle anderen lauschten den Ausführungen des Parteisekretärs schweigend und spendeten anschließend Applaus. Offenbar mutierte die Schulungsbaracke, wenn sie für Parteiversammlungen genutzt wurde, zu einer Art magischem Ort. Mit dem Überschreiten der Schwelle schienen alle regelmäßig ihre privaten Ansichten und Unzufriedenheiten abzulegen, um sie anschließend wie einen an der Garderobe aufgehängten Mantel wieder mitzunehmen. Das war nicht immer so gewesen in den vergangenen 25 Jahren. Aber je krisenhafter sich die DDR entwickelte, umso mehr wandelten sich die Sitzungen der Parteiorganisation zu Versammlungen janusköpfiger Applausspender. Und Oberstleutnant Harald Jäger ist einer von ihnen. Das weiß er auch.

Herbst 1987/Winter 1988 *Die Nachricht, die Marga mit nach Hause gebracht hatte, empfand er als empörend. Und Kerstin, seine Tochter, war gleichermaßen überrascht wie irritiert. Wie konnte die Kreisleitung der Partei festlegen, dass Kerstin ihr ab kommendem Frühjahr als Kandidatin* angehören solle? Wie eine derartige Entscheidung über ihren Kopf hinweg treffen? Vor allem aber über die Köpfe der Genossen ihrer Parteigrundorganisation, welche sie für eine solche Funktion vorzuschlagen und zu wählen hatten. Das habe nichts mit innerparteilicher Demokratie zu tun, hatte Harald Jäger seiner Familie erklärt. Im Gegenteil! Das leninsche Prinzip des „demokratischen Zentralismus" sehe nun einmal die Wahl von unten nach oben vor.*

Durch Zufall hatte seine Frau auf ihrer Arbeitsstelle, ebenjener Kreisleitung, davon erfahren. Doch derartige Vorgänge schienen mittlerweile üblich zu sein. Im Mai vergangenen Jahres war Harald Jägers jüngere

---

* *Kommunistische Parteien nahmen neue Mitglieder in ihre Führungsgremien zunächst als „Kandidaten" ohne Stimmrecht auf (Anm. d. Red.).*

NVA-Parade zum 40. Jahrestag der Gründung der DDR am Alexanderplatz in Ostberlin

Tochter Manuela von der FDJ-Kreisleitung darüber informiert worden, dass sie ab Herbst für eine Funktion in der FDJ-Leitung ihres Lehrjahres vorgesehen sei. Deshalb solle sie im Juli an einer Schulung teilnehmen – drei Monate bevor sie ihre Lehrstelle in der „Landwirtschaftlichen Produktionsgenossenschaft (LPG) 1. Mai" in Wartenberg antrat und deren FDJ-Gruppe überhaupt erst zusammengestellt würde. Auf Vorschlag des Vaters hatte das Mädchen damals abgelehnt.

Die Vorgänge beschäftigten Harald Jäger über Wochen. Selbst dann noch, als auch Kerstin eine Wahl in die Kreisleitung abgelehnt hatte und Marga wegen der Weitergabe jener Information gerügt worden war. Sollte es so sein, dass sich Leitungsgremien in Partei und Jugendverband gern Familienmitglieder von Mitarbeitern der Staatssicherheit aussuchten? Weil diese als besonders zuverlässig galten? Das wäre verständlich gewesen. Dennoch war eine Verletzung der leninschen Prinzipien nicht hinnehmbar. Er erzählte dem Parteisekretär seiner Dienststelle davon. Doch ausgerechnet jener Genosse, der sonst nahezu kritiklos die Linie der Partei vertrat, hielt plötzlich Verstöße gegen deren Statut für akzeptabel. Es kam zum Streit, ein Wort gab das andere, bis ihm der Funktionär vorschlug, doch aus der Partei auszutreten. Dies war eine besonders infame Methode, das Gegenüber mundtot zu machen. Denn der Genosse wusste, man kann nicht aus der Partei austreten, wenn man für „die Firma" arbeitet. Ein solcher Schritt würde nicht nur die eigene Existenz vernichten, sondern auch die der ganzen Familie. Eine unehrenhafte Entlassung aus der Staatssicherheit hätte für die Frau den Verlust der Arbeitsstelle in der Kreisleitung und für den Sohn den des Studienplatzes zur Folge. Für Mitglieder des MfS herrschte Sippenhaft.

Pünktlich um acht Uhr hat Oberstleutnant Harald Jäger von seinem Vorgesetzten für die nächsten vierundzwanzig Stunden das Zepter übernommen. Minuten später hat er jene Offiziere zu sich gerufen, die mit ihm diese Zeit hier verbringen werden – die Zugführer, den Sicherheitsoffizier, den Parteisekretär und den für die Fahndungsgruppe verantwortlichen Genossen.

Oberstleutnant Jäger hat seine Offiziere auf die besondere Bedeutung des Tages hingewiesen. Gerade heute, „am 40. Jahrestag unserer Republik", werde der Gegner nichts unversucht lassen, die Feierlichkeiten zu stören. Man habe deshalb insbesondere auf den Versuch der Einreise von „Demonstrativtätern" gefasst zu sein. Die versammelten Offiziere haben natürlich gewusst, was ihr diensthabender Leiter damit gemeint hat. Sie würden ihm im Zweifelsfall sofort Meldung machen, er wird sich dann den jeweiligen Fall ansehen und gegebenenfalls telefonisch die Zurückweisung der betreffenden Person empfehlen. Dann müssten umgehend deren Personalien per Telex auch den anderen Grenzübergangsstellen übermittelt werden. Umgekehrt würden von dort gemeldete Personen in die eigene Fahndungskartei eingearbeitet werden.

Harald Jäger hat in einen jovialeren Tonfall gewechselt: „Wie erkennt man einen Demonstrativtäter? Ganz sicher trägt er kein Schild um den Hals. Da ist schon der Erfindungsreichtum unserer Passkontrolleure gefragt." Er hat empfohlen, mit den Reisenden „das offensive Gespräch zu suchen". Am heutigen Feiertag böte sich zum Beispiel an, darauf zu verweisen, dass die Geschäfte in der Hauptstadt geschlossen seien. Auf diese Weise solle in Erfahrung gebracht werden, wie der Reisende den Tag zu verbringen gedenke. Vielleicht sogar ob ein Treffen mit irgendjemandem geplant sei. „Im Zweifel schicken wir heute lieber einen harmlosen Touristen zurück, als dass wir es Demonstrativtätern ermöglichen, unsere Feierlichkeiten zu stören", hat Oberstleutnant Jäger seine Instruktionen geschlossen. Und den diensthabenden Leiter des Zolls hat er gebeten, seine Leute besonders auf mitgeführte Druckerzeugnisse bei den Reisenden achten zu lassen. Allen Anwesenden ist unausgesprochen klar gewesen, dass es für westdeutsche Reisende schon lange nicht mehr so schwierig war in die DDR einzureisen wie heute.

Im Sinne der Instruktion habe sich der Passkontrolleur absolut richtig verhalten, nimmt sich Harald Jäger vor, später bei der Auswertung anerkennend zu bemerken. Als dieser nämlich von einem jungen Reisenden gefragt worden ist, weshalb die Einreise mit dem Fahrrad nicht gestattet sei, hat er sich umgänglich gegeben, lächelnd mit den Schultern gezuckt und bekannt, dass er diese Bestimmung selbst nicht verstehe. Dann hat er das Gespräch gesucht, wollte von dem jungen Mann aus Baden-Württemberg wissen, ob er ein passionierter Radfahrer sei. Die harmlos wirkende Frage führte zum Volltreffer. Freimütig bekannte er dem Passkontrolleur, dass er sich in der Partei der Grünen engagiere. Er kämpfe aktiv gegen die ökologiefeindliche Politik von Helmut Kohl. Sein Blick heischte nach Anerkennung. Kurz darauf fand der Zoll Flugblätter unter dessen Pullover. Der solcherart bestätigte Passkontrolleur stellte bei den beiden nächsten Reisenden denselben Wohnort fest wie zuvor bei dem jungen Grünen. Offenbar waren sie als Gruppe unterwegs und versuchten, als Einzelreisende getarnt, in die DDR einzureisen. Das also war sie, die List der gefürchteten Demonstrativtäter.

Routiniert leitet Oberstleutnant Jäger die nächsten Schritte ein. Es kostet ihn keine Mühe, von Oberst Ziegenhorn im Operativen Leitzentrum in Schöneweide die Genehmigung für die Zurückweisung zu bekommen. Nun erlässt er für die Genossen draußen die Anweisung, die jungen Leute hinzuhalten, bis auch der Rest der Gruppe an der Passkontrolle eingetroffen sei. Alle Personalien sollten listenmäßig erfasst werden. Die Einreise der Demonstrativtäter müsse unter allen Umständen verhindert werden – an allen Grenzübergangsstellen.

Mitte der 60er-Jahre *„Das ist eine riesige Sauerei!", hatte Paul Jäger gebrüllt und verstand erst mal gar nicht, warum seine ganze Familie schallend lachte. Dabei hatte er sich doch eben darüber empört, dass Schweinekadaver in die mit Wasser vollgelaufenen ehemaligen Steinbrüche gekippt wurden. Die nahe gelegenen LPGs, in denen die Schweinepest ausgebrochen war, hatten die verendeten Tiere einfach auf Lkws geladen und dort entsorgt, wo Kinder noch vor Kurzem das Schwimmen gelernt haben. Dies war das erste Mal, dass im familiären Kreis über Umweltverschmutzung gesprochen worden war. Mitte der 60er-Jahre! Es sollte in den nächsten zwei Jahrzehnten zu einem Dauerthema werden.*

Harald Jägers Vater Paul (rechts) – Schmiedemeister und Parteisekretär im VEB Waggonbau Bautzen – im Gespräch mit einem Lehrling

Ausgerechnet als die DDR-Presse das Fischsterben im Rhein anprangerte, hat seine Schwester Anita ihn an jene Stelle am Spreeufer geführt, wo Harald Jäger als Junge oft geangelt hatte. Welse, Karpfen, Rotbarsche und Stichlinge hatte es einmal dort gegeben, wo der Fluss inzwischen in allen Regenbogenfarben daherkam. „An der Farbe des Flusses kannst du sehen, was die Textilfabriken oben in Kirschau gerade färben", sagte Anita. „Zum Thema ‚Fischsterben' sollten wir besser den Mund halten."

Seine Schwester arbeitete in der Abteilung Inneres der Bautzener Stadtverwaltung und konnte noch einige Interna berichten. Zum Beispiel vom Protest der polnischen Freunde wegen des riesigen Schornsteins des Braunkohlekraftwerks „Schwarze Pumpe" in Hoyerswerda. Der sondere nämlich Rußpartikel ab, die bei Westwind weit ins Nachbarland flögen. Einmal erzählte Harald Jäger davon auf einer Sitzung des Parteilehrjahres. Damit wollte er eigentlich eine Diskussion über Umweltfragen in Gang setzen. Dann aber fragte ihn der Referent mit inquisitorischem Unterton, woher er diese Informationen habe. Es war klar, dass Harald Jäger niemanden belasten würde. Damit war aber auch klar, dass dieses Thema auf Veranstaltungen der Partei tabu war. Das hatte lange zuvor auch sein Vater schon erfahren müssen, als er gegen die „riesige Sauerei" bei der Kreisleitung Sturm gelaufen war. Als einige Jahre später der VEB Waggonbau Bautzen seine gesamten Abfälle in die Steinbrüche gekippt hatte, hatte auch er nicht mehr protestiert.

Nahezu wirkungslos war es immer – inzwischen aber ist es gefährlich geworden, über die Umweltprobleme im eigenen Land zu sprechen. Zumindest für einen Mitarbeiter der Staatssicherheit. Der öffentliche Protest wird inzwischen von anderen in die Gesellschaft getragen. Von meist jungen Umweltschützern, deren Mut Harald Jäger heimlich bewundert.

Doch wie soll er im Kollegenkreis die nachts abgeschalteten Filteranlagen im Klingenberger Kraftwerk kritisieren, gleichzeitig aber die Argumente jener jungen Leute vermeiden, die von der Partei ideologisch bekämpft werden? Nur noch im privaten Kreis und gegenüber sorgsam ausgewählten Kollegen äußert er gelegentlich Sympathie mit den Zielen der Umweltaktivisten. Er verbindet sie mit dem Vorschlag, die Partei solle den Dialog mit ihnen suchen. Und er erntet dafür Zustimmung, von fast allen in der eigenen Familie und auch von E., dem Operativoffizier. Auf diese Weise, so argumentiert er, würde die Partei dem Gegner den Boden entziehen, der bekanntlich versuche, diese Umweltgruppen für seine Zwecke zu instrumentalisieren. Oberstleutnant Jäger spricht darüber mit diesem und jenem, nur nicht mit seiner Partei, da deren politische Linie in allen Fragen auf ZK-Ebene festgelegt wird. Eine Kritik daran würde unangenehme Folgen haben – erst recht für einen hohen Offizier der Staatssicherheit.

DIE STIMME von Oberst Ziegenhorn verrät Anspannung und Nervosität. „Wo bleibt denn die Liste von euren Grünen?", brüllt er durch die Telefonleitung. „Wollt ihr, dass die erst woanders einreisen, bevor wir sie in die Fahndung einarbeiten, oder was?"

Nun heißt es Ruhe zu bewahren. „Sie sind immer noch da."

„Was soll denn das heißen? Es ist zwanzig Minuten her, dass du mich angerufen hast …"

„Das ist eine Gruppe, aber sie kommen einzeln an die GÜST!"

„Und warum schickt ihr sie nicht einzeln zurück? Sollen die bei euch 'ne Parteiversammlung abhalten?"

„Ich fürchte, wenn wir die Ersten zurückgeschickt hätten, würden sie drüben im Westen die anderen warnen. Dann bekämen wir deren Personalien nicht, und sie könnten ungehindert anderswo einreisen. Also dachte ich, sammeln wir sie alle hier, bis wir …"

„Also wann kriege ich die Liste?", wird Oberstleutnant Jäger von seinem Vorgesetzten unterbrochen.

Genau in diesem Moment tritt der Operativoffizier ins Büro. „Wir haben jetzt alle. Hier ist die Liste …"

Harald Jäger winkt ihn heran, während er ins Telefon ruft: „In drei Minuten!"

Auf dem Weg zum Telexgerät überfliegt Oberstleutnant Jäger die

Personalien der Zurückgewiesenen. Kaum einer von ihnen ist älter als Anfang zwanzig. Nachdem er den Lageoffizier mit der Übermittlung beauftragt hat, tritt er vor die Tür und blickt hinauf zur Vorkontrolle/Einreise. Dorthin, wo sich in diesem Moment eine kollektive Ausreise vollzieht. Die einer mit Bluejeans und Turnschuhen uniformierten Gruppe. Heftig diskutierend. Wahrscheinlich darüber, wie ihr gut ausgedachter Plan scheitern konnte. Und spätestens jenseits der Grenzbrücke wird sicher einer von ihnen den Vorschlag machen, es an einer anderen Grenzübergangsstelle noch einmal zu probieren.

Während der Fernschreiber in der Dienstbaracke hinter ihm die Personalien via Schöneweide an alle Berliner Passkontrolleinheiten schickt, legt sich Harald Jäger eine Rechtfertigung zurecht. Niemand wird ihn je danach fragen. Doch er verspürt das Bedürfnis, dem eigenen Gewissen gegenüber jene Zurückweisungen zu begründen. Die jungen Leute, die gerade eben frustriert von dannen zogen, waren sicher keine gefährlichen Demonstrativtäter. Und schon gar nicht vom Klassenfeind beauftragte Provokateure. Doch für zusätzliche Unruhe in der ohnehin aufgeladenen Stimmung in der Hauptstadt hätten sie sicher gesorgt. Das aber könnte man im Moment überhaupt nicht gebrauchen.

Jener Passkontrolleur dort drüben hat jedenfalls gute Arbeit geleistet. Ihm ist mit seiner jovialen und offensiven Art gegenüber den Demonstrativtätern gelungen, womit sich viele seiner Kollegen noch immer schwertun – er hat perfekt jene Rolle gespielt, die in den internen Dienstanweisungen des Ministeriums seit einiger Zeit als die eines „Diplomaten in Uniform" definiert wird.

„WANN hat unsere Jugend jemals einen Generalsekretär der KPdSU so freundlich empfangen?", hat Harald Jäger am Nachmittag arglos Oberstleutnant E. gefragt, während im Hintergrund des Leiterzimmers eine Zusammenfassung der Tagesereignisse im Fernsehen lief. Wo immer sich Gorbatschow in der Hauptstadt zeigte, waren auch „Gorbi! Gorbi!"-Rufer zur Stelle. Und die Kamerateams beider deutscher Staaten. Aber nur im westlichen Fernsehkanal war der sowjetische Parteichef als „Hoffnungsträger" bezeichnet worden.

„Wann hat es *das* schon mal gegeben?", hat Oberstleutnant E. zurückgefragt. Ein ironischer Unterton war dabei nicht zu überhören.

Fortan hat Oberstleutnant Jäger diese Nachfrage seines Kollegen nicht mehr losgelassen. Und sie ist auch in diesem Moment wieder präsent, als er in der Wirtschaftsbaracke Margas Stullen auspackt und dort den Fortgang der Feierlichkeiten im Fernsehen verfolgt.

Wessen Hoffnungsträger ist dieser fraglos charismatische Gorbatschow dort neben dem greisenhaften, sichtlich um gute Laune bemühten Honecker? Der jener „Gorbi! Gorbi!"-Rufer oder der der westlichen Medien? Vor allem: Wer erhofft sich was? Für diejenigen, die den Konsum im Auge haben, kann der sowjetische Generalsekretär kaum ein Hoffnungsträger sein. Nach allem nämlich, was man von Leuten hört, die in letzter Zeit in Moskau waren, ist die Versorgungslage dort noch weit schlimmer als in der DDR. Oder ist er der Hoffnungsträger jener Demonstranten, die auf den Straßen lautstark „Demokratie!" fordern? Auch in der Sowjetunion sind Partei und Staat kaum anders aufgebaut als in der DDR. Selbst Perestroika und Glasnost haben nichts an Lenins Prinzip des „demokratischen Zentralismus" geändert.

Beim besten Willen kann Oberstleutnant Harald Jäger nicht erkennen, weshalb er diesen Michail Sergejewitsch Gorbatschow als Hoffnungsträger empfinden sollte. Das aber findet er schade, denn diese Republik hätte dringend einen Hoffnungsträger nötig. Wenngleich er einen solchen gern in den eigenen Reihen entdecken würde.

Mittwoch, 18. Oktober/ Donnerstag, 19. Oktober 1989

Am Morgen des Mittwochs tritt das Zentralkomitee der SED zu einer Sondersitzung über die zugespitzte innenpolitische Krise in der DDR zusammen. Zu diesem Zeitpunkt ahnt kaum jemand, dass der Generalsekretär bereits am Vortag vom Politbüro gedrängt worden war, dem ZK auf dieser Sitzung seinen Rücktritt zu erklären.

Um 14.16 Uhr an diesem Mittwoch meldet die Nachrichtenagentur ADN, dass Erich Honecker das ZK gebeten habe, ihn „aus gesundheitlichen Gründen" von seiner Funktion als Generalsekretär zu entbinden. Gleichzeitig wird bekannt, dass er auch von allen anderen Ämtern zurücktreten wird. Auch die Politbüromitglieder Günter Mittag (Wirtschaft) und Joachim Herrmann (Agitation) verlieren ihre Funktionen. Auf Vorschlag Honeckers wird ohne Aussprache Egon Krenz zum neuen Generalsekretär des SED-Zentralkomitees gewählt. Am nächsten Tag veröffentlicht das *Neue Deutschland* die bereits vorbereitete Rede, die der neue Generalsekretär nach seiner Wahl vor dem ZK gehalten hat. Darin taucht zum ersten Mal der Begriff der „Wende" auf.

Solange Harald Jäger zurückdenken kann, hat dieser Mann eine politische Rolle in seinem Leben gespielt. Schon während seiner Kindheit in Bautzen war im fernen Berlin Erich Honecker der Chef der Freien Deutschen Jugend – „Vorsitzender des Zentralrates der FDJ", wie es korrekt hieß. Noch gestern waren seine Amtsbezeichnungen so lang, dass sie für manchen Nachrichtensprecher der DDR zum Zungenbrecher wurden: „Generalsekretär des ZK der SED und Vorsitzender des Staatsrates der Deutschen Demokratischen Republik." Nun also ist Erich Honecker alle Titel los.

Oberstleutnant Harald Jäger hatte geschlafen, als sich im ZK-Gebäude der Wechsel an der Spitze seiner Partei vollzogen hatte. Seit Beginn der Leipziger Montagsdemonstrationen Anfang September besteht erhöhte Einsatzbereitschaft an den Grenzübergangsstellen, was für ihn als stellvertretenden PKE-Leiter 24-Stunden-Dienste bedeutet. Er war am Morgen nach einem solchen nach Hause gekommen und hat deshalb erst am späten Nachmittag aus den DDR-Nachrichten erfahren, dass er einen neuen Parteichef hat. Vor dem heimischen Fernseher sitzend – allein, in einen Bademantel gehüllt und vor sich eine Tasse Kaffee.

„Infolge meiner Erkrankung und nach überstandener Operation erlaubt mir mein Gesundheitszustand nicht mehr den Einsatz an Kraft und Energie, den die Geschicke unserer Partei und des Volkes heute und künftig verlangen", war Erich Honecker zitiert worden. Harald Jäger hält die Begründung des scheidenden Generalsekretärs für glaubhaft und das Faktum selbst für begrüßenswert. Tatsächlich war der Generalsekretär im letzten Sommer operiert worden und danach nicht mehr zur alten Form zurückgekehrt. Was Harald Jäger und die meisten seiner Genossen gehofft hatten, war nicht passiert. Nämlich dass der genesene Generalsekretär endlich der krisenhaften Entwicklung im Lande entschlossen entgegentreten würde. Sollte Egon Krenz dafür nun der richtige Mann sein?

Harald Jäger muss sich selbst eingestehen, dass er wenig über den neuen Mann an der Spitze seiner Partei weiß außer jenen biografischen Eckdaten, die allgemein bekannt sind: FDJ-Chef, ZK-Sekretär für Sicherheitsfragen, Politbüromitglied … In der Öffentlichkeit, innerhalb und außerhalb der Partei, gilt Egon Krenz als Zögling von Honecker. Da wird es schwer werden, Vertrauen im Volk zurückzugewinnen. Deshalb gibt es innerhalb der Partei schon hier und dort Überlegungen, das „Neue Forum" – die bedeutendste der oppositionellen Gruppen – zu legalisieren und sogar darin mitzuarbeiten. Das leuchtet Harald Jäger ein. Schließlich ist das Neue Forum eine überparteiliche Organisation, was eine solche Doppelmitgliedschaft zuließe. Natürlich sollte man dort nur Genossen hinschicken, die darin geschult sind, sich mit den Argumenten von Andersdenkenden auseinanderzusetzen. Auf gar keinen Fall durfte man die Überlegenheit der eigenen Weltanschauung demonstrativ vor sich hertragen. Man musste inhaltlich überzeugen, in der Diskussion Gemeinsamkeiten herausarbeiten. Er ist sicher, dass es solche gibt. Wird Egon Krenz also den Dialog mit jenen wagen, die derzeit noch als „feindlich-negative Kräfte" gelten? Wird es mit ihm eine zufriedenstellende Reiseregelung geben? Wie gut ist Egon Krenz über die realen Probleme in der Volkswirtschaft informiert? Wird er sich die richtigen Zahlen besorgen, welche man seinem Vorgänger „nicht zumuten" wollte? Harald Jäger ist sicher, dass an diesem Tag solche und ähnliche Fragen Millionen DDR-Bürger beschäftigen.

Kopfschüttelnd verfolgt Harald Jäger in der *heute*-Sendung, wie Helmut Kohl definiert, was er in dieser Stunde „für entscheidend" hält: eine Politik der Öffnung, mehr Freiheit, notwendige Reformen im Bereich von Wirtschaft und Politik. Der Diplom-Jurist Harald Jäger weiß, dass das Grundgesetz der BRD den westdeutschen Bundeskanzler verpflichtet, in letzter Konsequenz nicht eine reformierte DDR, sondern vielmehr deren Annektierung im Auge zu haben. An dieser Bonner Perspektive hat auch Honeckers Staatsbesuch vor zwei Jahren nichts geändert. Für die Lösung ihrer gewaltigen gesellschaftlichen Probleme jedenfalls braucht die DDR nach Überzeugung des Oberstleutnants Jäger keine hinterhältigen „Empfehlungen" von Politikern, die ohnehin nur als Marionetten des internationalen Großkapitals agieren.

„Kommunisten sind Optimisten!" – das war für Harald Jägers Vater eine Art Lebensmotto, weil man als Kommunist schon gesetzmäßig die Geschichte auf seiner Seite habe. Diese unerschütterliche Überzeugung des Vaters vor Augen, nimmt sich der Kommunist Harald Jäger vor, den heutigen Tag als den eines hoffnungsvollen Neubeginns zu verstehen. Schon am vergangenen Freitag hat er in der Erklärung des Politbüros im *Neuen Deutschland* dick angestrichen: „Wir stellen uns der Diskussion!" Auch wenn Harald Jäger Zweifel hegt, ob dieser Egon Krenz der richtige Mann für den Generationswechsel an der Parteispitze ist, so erzeugt dieser Wechsel dennoch Hoffnung darauf, dass endlich eine freie Diskussion in der Partei möglich sein würde. Er hofft, dass dadurch vielleicht schon bald Genossen hervortreten und hohe Ämter bekleiden würden, deren Namen man heute noch gar nicht kennt.

Morgen früh wird Oberstleutnant Harald Jäger seine Leute wieder auf den „zuverlässigen und effektiven Schutz" der Grenze einschwören.

Dann aber soll es keine Routinefloskel sein. Am Beginn dieser neuen Ära will er ganz bewusst seinen Beitrag leisten – für einen Neuanfang im Parteileben und für eine positive Entwicklung dieses Staates. Trotz der gegenwärtigen Widrigkeiten ist Harald Jäger mehr denn je davon überzeugt, dass dem Sozialismus die Zukunft gehört. Nicht der Gesellschaftsordnung jenseits dieser Grenze, die ihren eigenen Laden nicht im Griff hat und massenweise Arbeits- und Obdachlose produziert. Und deren Repräsentanten verlogen Ratschläge erteilen, in Wirklichkeit aber die DDR lieber heute als morgen beseitigen würden.

MfS-Hochschule (1976–1982) *Eigentlich hatte sich Harald Jäger unter „Grundlagen der Kriminalitätsbekämpfung", dem Thema des Seminars an der Juristischen Hochschule des MfS, gar nichts Rechtes vorstellen können. Jedenfalls nicht als Geheimdienstaufgabe. Höchstens als Lehrfach für angehende Polizisten. Bis der junge Dozent im Range eines Majors die Zielsetzung des Seminars in der Aussage zusammenfasste, dass der Einsatz von Inoffiziellen Mitarbeitern (IM) überall da geboten sei, wo kriminalistische Methoden nicht ausreichten. Nun war Harald Jäger überzeugt, dass dieses Fach die Arbeitsbereiche seiner Kommilitonen weit mehr betraf als die seinen. Derjenigen, welche von der Hauptabteilung für „Beobachtung und Ermittlung" hierherdelegiert wurden und sicher auch jener, die in der „Telefonüberwachung" tätig waren. Oder jener, deren Arbeitsgebiet die volkseigenen Betriebe und großen Kombinate umfasste. Und natürlich jenes Kommilitonen, den sie „Hochwürden" nannten, weil seine Hauptabteilung „Kultur, Kirche und Untergrund" im Visier hatte. Sie alle setzten Inoffizielle Mitarbeiter ein.*

Trotzdem schrieb er fleißig mit. Er notierte, dass die „Gewährleistung der gesellschaftlichen Sicherheit" eine der „Hauptaufgaben der operativen Arbeit" sei und durch das „Zusammenwirken mit den anderen bewaffneten Organen und dem Zoll" erreicht werden solle. Es gelte, gemeinsam mit der Feuerwehr Brandstiftungen aufzuklären und mit der Transportpolizei die Verkehrswege zu sichern. „Gesellschaftlich bedeutende Straftaten" sollten in erster Linie an der Seite der Volkspolizei ermittelt und aufgeklärt werden, „Wirtschaftsdelikte und Sabotage" zum Beispiel und natürlich „jede Art von staatsfeindlichen Aktivitäten". Der Dozent beendete seine Ausführungen mit der, wie Harald Jäger fand, bemerkenswerten Aussage: „In der DDR gibt es keine politischen Gefangenen. Dafür sorgt ihr, liebe Genossen! Bei uns werden nur Straftäter wegen krimineller Delikte verurteilt. Notfalls konstruiert ihr eines!"

Die Staatssicherheit bei der Ermittlung gegen „feindlich-negative Kräfte": Hier filmt das MfS den Hof des Gemeindehauses der Ostberliner Zionskirche, einen Versammlungsort oppositioneller Gruppen, und wird dabei vom DDR-Umweltaktivisten Siegbert Schefke fotografiert.

Und dann waren die Studenten beauftragt worden, dafür Fallbeispiele aus ihrem jeweiligen Arbeitsbereich zu erarbeiten und in der Seminargruppe vorzustellen.

Noch vor dem Frühstück begibt sich Harald Jäger hinunter in das Erdgeschoss des sechsstöckigen Plattenbaus in Hohenschönhausen und entnimmt dem Briefkasten das *Neue Deutschland*. Vor seinem Dienst ist üblicherweise an eine Lektüre nicht zu denken. Auch an diesem Morgen kurz nach sechs Uhr ist der Oberstleutnant eigentlich noch zu müde, um sich dem Zentralorgan seiner Partei zu widmen. Die auf der Titelseite abgedruckte Rede des neuen Parteichefs aber kann er nicht unbeachtet lassen. Zu neugierig ist Harald Jäger zu erfahren, wie sich der neue erste Mann den gesellschaftlichen Problemen stellt. Vor allem ist er gespannt, ob Egon Krenz Klartext redet oder ob die Genossen mal wieder das Orakel zwischen den Zeilen bemühen müssen.

Der Oberstleutnant vertieft sich am Frühstückstisch in die Rede. Er überfliegt die Seiten auf der Suche nach Aussagen, die über bloße Bekundungen hinausgehen. Sätze, die eigenes Fehlverhalten eingestehen, neue Perspektiven aufzeigen. „Fest steht, wir haben in den vergangenen Monaten die gesellschaftliche Entwicklung in unserem Lande in ihrem Wesen nicht real genug eingeschätzt und nicht rechtzeitig die richtigen Schlussfolgerungen gezogen" – das ist ein solcher Satz. Doch weiter unten steht auch: „Unser historischer Optimismus resultiert aus dem Wissen von der Unabwendbarkeit des Sieges des Sozialismus, den Marx, Engels und Lenin begründet haben." Stehen die beiden Aussagen nicht in Widerspruch zueinander?

In der nächsten Spalte ist Egon Krenz fast schon wieder zum üblichen

Eigenlob zurückgekehrt: „Die kollektive Kraft unserer Partei beruht auf der politischen Erfahrung und auf der Lebenskenntnis der über 2,3 Millionen Kommunisten. Klar geführt durch das Zentralkomitee ..." Die Partei aber, das weiß Harald Jäger, ist schon lange nicht mehr an „der Lebenskenntnis der über 2,3 Millionen Kommunisten" interessiert. Das hätte schließlich auch kritische Diskussionen über die Beschlüsse des ZK bedeutet. Tatsächlich aber sollten die Genossen an der Basis diese möglichst unkommentiert in ihren jeweiligen Bereichen umsetzen. Dagegen hatte kaum jemand aufbegehrt. Insofern hat die gesamte Partei, haben alle 2,3 Millionen Kommunisten diese Fehleinschätzungen zu verantworten. Davon aber steht nichts in dieser Rede.

Mit schwindender Hoffnung überfliegt Harald Jäger, wie Egon Krenz im Namen des Zentralkomitees das Wort an immer neue Bevölkerungsschichten richtet: „Wir wenden uns an die hochgebildete und politisch engagierte Intelligenz unseres Landes, an die Wissenschaftler, die Schriftsteller, Künstler und alle Kulturschaffenden, an die Ingenieure, Pädagogen und Mediziner. Ihre Erfahrung und ihr Rat sind mehr denn je gefragt ..."

MfS-Hochschule (1976–1982) *Das erste Fallbeispiel für eine wirksame Kriminalitätsbekämpfung – zur Vermeidung einer politischen Strafjustiz – warf der Dozent selbst in die Runde. Die Aufgabe hieß: Ein Schriftsteller, auf dessen Werke die DDR-Verlage keinen Wert legen, weil sie mit der Weltanschauung der Arbeiterklasse nicht kompatibel sind, lässt Manuskripte in den Westen schmuggeln, wo sie dann gedruckt werden. Natürlich will man dem Mann nicht den Gefallen tun, ihn zu einem politischen Märtyrer zu machen. Womit aber wäre er zu packen?*

Für die in der operativen Tätigkeit erfahrenen Offiziere im Auditorium keine schwierige Aufgabe. „Er wird vom West-Verlag Geld bekommen", erklärte einer. „Devisenvergehen, Steuerhinterziehung – da kommt einiges zusammen."

Der Dozent nickt, will aber von dem Genossen wissen, wie das dem Schriftsteller nachzuweisen sei.

„Ein Geldbote bringt es ihm. Wir observieren den Schriftsteller und alle seine Gäste. Die Wohnung wird abgehört. Beim Zugriff werden die Devisen sichergestellt ..."

„... wenn sie unsere Zolloffiziere nicht zuvor schon bei der Einreise gefunden haben", unterbricht Harald Jäger. „Dann können wir nur hoffen, dass der Reisende die Adresse des Schriftstellers als Reiseziel ange-

geben hat. Sonst wäre es schwer nachzuweisen, für wen die Devisen bestimmt sind."

"Nicht wenn der Zoll uns hinzuzieht", erklärt ein Oberleutnant der Hauptabteilung IX, die als "Disziplinar- und Untersuchungsorgan" fungiert. "Wenn ein westdeutscher ‚Tourist' ein paar Hundert D-Mark in der Tasche hat, die auf der Zollerklärung nicht aufgeführt sind, dann erfahre ich, was er damit vorhat. Da könnt ihr sicher sein!"

Tatsächlich hatte niemand im Raum den geringsten Zweifel daran, dass diesem hünenhaften Vernehmer das gelingen würde.

„Wir wenden uns an die Vertreter der Kirchen, an alle religionsgebundenen Bürgerinnen und Bürger unseres Landes. Die sozialistische Gesellschaft braucht und will ihre Mitarbeit. Uns verbindet mehr, als uns trennt. Das wollen wir deutlicher aussprechen und für das Wohl unseres Staates, in dem wir alle leben, in gegenseitiger Achtung noch mehr nutzen und ausbauen …"

MfS-Hochschule (1976–1982) *"Hochwürden" – das passt, fand Harald Jäger. Sicher hatte der Genosse den Spitznamen wegen seines Einsatzgebietes. Aber er sah auch so aus. Korpulent, behäbig und den Ausführungen des Dozenten mit einem milden Lächeln lauschend. Während der Raucherpausen hatte Harald Jäger immer interessiert zugehört, wenn der Dicke über sein für einen Major der Staatssicherheit exotisches Arbeitsgebiet berichtet hatte: die Kirchen und Religionsgemeinschaften. Darüber, wie sich viele "Bürger christlichen Bekenntnisses" dem Argument nicht verschlössen, dass man doch gemeinsam das Ziel einer sozialen und menschenwürdigen Welt verfolge. Damit habe man vom einfachen Gemeindepfarrer bis zu hohen Kirchenfunktionären Bündnispartner gefunden. Mit jenen loyalen Kräften sei man sich einig, dass schließlich auch Jesus Christus so etwas wie ein früher Revolutionär gewesen sei. Einer, der den Kampf geführt habe gegen das damals herrschende Römische Imperium. "Leider verwechseln viele Christen heute unsere Partei mit den Römern!", ruft ein Vernehmer in die Runde und hat die Lacher auf seiner Seite.*

„Wir wenden uns an unsere Soldaten, an alle Angehörigen der Schutz- und Sicherheitsorgane. Unser Volk weiß, was es ihrem Einsatz zu danken hat. Die sicher geschützte Arbeiter- und Bauernmacht bleibt die erste Voraussetzung für alles, was sich unsere Gesellschaft in gemeinsamer Arbeit für eine gute Zukunft vorgenommen hat …"

MfS-Hochschule (1976–1982) *Die Offenheit, mit der die Genossen aus den anderen Hauptabteilungen ihre „Fallbeispiele" entwickelten, überraschte ihn. Harald Jäger war nicht zu jedem Zeitpunkt klar, ob es sich dabei um authentische Beispiele aus der alltäglichen Praxis handelte oder nur um theoretisch konstruierte Fälle. Jedenfalls nannte man den Vorgang, mit dem aus einem Staatsfeind ein Straftäter gemacht wurde, konsequenterweise „kriminalisieren". Und Harald Jäger fand auch gar nichts dabei. Schließlich hatte ihm ja schon vor Jahren Margas Vater erklärt, dass Staatsfeinde den Anspruch auf Rechtsstaatlichkeit verlören. Nun aber wurde er staunender Zeuge, was in der operativen Arbeit seiner Kollegen offenbar möglich war – nämlich nahezu alles. Einem „feindlich-negativen Objekt", das auf der Warteliste für einen Wartburg oder Trabant stehe, könne beispielsweise ein „Angebot" gemacht werden. Gegen den Betrag von 500 DDR-Mark, so würde ihm ein Mitarbeiter des staatlichen Kfz-Handels erklären, werde man ihn vorziehen, und er könne schon bald seinen Neuwagen in Empfang nehmen. Oder ein Gartennachbar könne ihm für seine Datsche auf verschlungenen Wegen Baumaterial besorgen, welches sonst kaum zu bekommen sei. Geht er auf solche Angebote ein, würde man ihn im ersten Fall wegen Bestechung und im zweiten wegen Hehlerei anklagen. Generell schlüge man auf diese Weise oftmals mehrere Fliegen mit einer Klappe. Zunächst seien die „feindlich-negativen Kräfte" für eine Weile aus dem Verkehr gezogen. Durch die Verurteilung aber seien sie bei anderen diskreditiert, und auf diese Weise sei schon manche oppositionelle Gruppe demotiviert worden. In anderen Fällen sei es im Gefängnis gelungen, Inhaftierte umzudrehen. Nach ihrer vorzeitigen Entlassung seien sie dann zu ihren oppositionellen Freunden zurückgekehrt, wo sie als entlassene politische Gefangene natürlich Vertrauen vorfanden und fortan für „die Firma" gute Arbeit leisteten.*

„Wir wenden uns an die Jugend. Ihre aktive Mitgestaltung der Gesellschaft ist charakteristisch für unsere Republik. Wir wollen der jungen Generation zur Seite stehen, damit sie den Sinn ihres Lebens bewusst in unserer Gesellschaft verwirklichen kann. Die Jugend will und soll mitbestimmen bei allen Entscheidungen, die ihr Leben betreffen …"

Herbst 1981 *Viel zu lange hatte er geschwiegen. Harald Jäger hatte geschwiegen, als er davon erfuhr, dass der fünfzehnjährige Schüler wie ein Krimineller aus seiner Klasse geführt worden war. Er hatte dessen zweijährige Bewährungsstrafe mit Arbeitsauflagen akzeptiert. Nicht einmal,* *als man den Jungen deswegen von der Erweiterten Oberschule geworfen hatte und das Ziel „Abitur" in weite Ferne gerückt war, hatte er interveniert. Obgleich das ja quasi eine zweite Bestrafung für dasselbe Delikt darstellte. Nun aber sollte dem Jugendlichen auch noch dessen sehnlichster Berufswunsch verwehrt werden, nämlich die Offizierslaufbahn einzuschlagen. Wieder mit dem Hinweis auf jene Sache damals.*

Endlich hatte Harald Jäger sich entschieden einzugreifen. Und er tat etwas für ihn Unübliches – er setzte auf die Wirkung der Majorsuniform, die er seit vier Wochen trug. Einem für den Staat wichtigen und künftig ganz sicher auch zuverlässigen Bürger werde hier die Zukunft verbaut – so hatte er sich vorgenommen, im Wehrkreiskommando in Weißensee zu argumentieren. Er musste die Angelegenheit seines Sohnes nicht als privates, sondern als öffentliches Interesse erscheinen lassen. Darin sah er die einzige Chance.

Jener Vorfall, der seit fast zwei Jahren immer nur als „Delikt" bezeichnet wurde, war letztlich ein Dummer-Jungen-Streich. Carsten hatte mit einigen Freunden in der Nähe des gemeinsamen Wohnviertels einen alten Bauwagen der Deutschen Reichsbahn entdeckt und in liebevoller Kleinarbeit die Innenausstattung hergerichtet. In diesem Bauwagen hatten sie einige Wochen verbracht und Silvester gefeiert. Als Carsten mit zweien seiner Freunde am Neujahrstag zurückgekommen war, um noch einige Silvesterkracher abzufeuern, hatten sie „ihren" Bauwagen zerstört vorgefunden. In ihrer Frustration hatten sie Feuerwerkskörper in den holzverkleideten Bauwagen geworfen und damit bewirkt, dass er bis auf das stählerne Fahrgestell abgebrannt war. Einer der drei Täter war erkannt worden und hatte beim polizeilichen Verhör sofort ein umfassendes Geständnis abgelegt. Die Kriminalisierung der drei Jungen nahm ihren Lauf.

Bei dem „Delikt" seines Sohnes handle es sich immerhin um „Vernichtung von Volkseigentum", musste sich der Major Jäger im Weißenseer Wehrkreiskommando von einem Hauptmann der NVA erklären lassen, weshalb „Zweifel an der sittlich-moralischen Reife des Täters" bestünden. Schlechte Voraussetzungen also für einen Offiziersbewerber. Harald Jäger aber verwies darauf, dass der junge Mann aus diesem Fehler gelernt und keinen sehnlicheren Wunsch habe, als seinem Land als Offizier zu dienen. Damit erreichte er immerhin, dass zugesagt wurde, man werde sich um eine Lehrstelle für den Jungen kümmern, bei der er nebenbei das Abitur machen könne. Eine Ausbildung im Bereich Nachrichtentechnik würde seine späteren Chancen in der NVA erhöhen. Wenn irgendwann die Vorstrafe aus den Akten getilgt sei, werde man sich mit dem Sohn des "Genossen Major" unterhalten. Zu diesem Zeitpunkt konnte niemand wissen, dass dieser Plan scheitern würde – an einer diagnostizierten Herzschwäche des Bewerbers.

Die Gespräche auf der GÜST Bornholmer Straße scheinen sich an diesem Morgen nur um den Wechsel an der Parteispitze zu drehen. Dabei weichen augenscheinlich alle jener Frage aus, die natürlich jeder im Hinterkopf hat: der Frage nämlich, ob das Ministerium für Staatssicherheit Veränderungen erfahren, ob es Umstrukturierungen oder Reformen geben wird, den eigenen Arbeitsbereich betreffend. Auffallend ist auch, dass niemand mehr über Erich Honecker spricht. Es scheint, als würde seine Amtszeit bereits am Tag nach ihrem Ende als Geschichte empfunden.

Sonnabend, 4. November 1989

In den 17 Tagen seit der Ablösung Honeckers haben in der DDR wesentlichere gesellschaftliche Veränderungen stattgefunden als in den vierzig Jahren zuvor. Schon drei Tage nach dem Personalwechsel an der Spitze der SED findet in einer Berliner Kirchengemeinde die erste große Pressekonferenz oppositioneller Gruppen statt. In der Folge verspricht der Vize-Generalstaatsanwalt von Berlin, Klaus Voß, alle "Anzeigen, Sachverhalte und Eingaben" in Zusammenhang mit den Verhaftungen vom 7./8. Oktober 1989 "unvoreingenommen und umfassend" zu prüfen. Am gleichen Abend kommt es in Leipzig mit 300 000 Menschen zur bis dahin größten Protestkundgebung in der Geschichte der DDR.

Am 24. Oktober wird erstmals in der Geschichte der Volkskammer ein Staatsoberhaupt nicht einstimmig gewählt. 26 Abgeordnete sprechen sich gegen die Wahl von Egon Krenz zum Staatsratsvorsitzenden aus, 26 weitere enthalten sich der Stimme. Am Abend findet im "Haus der jungen Talente" in Berlin eine Diskussion von Wissenschaftlern und Kulturpolitikern und erstmals auch Vertretern der Bürgerbewegung statt zum Thema "Die DDR – wie ich sie mir träume". Die Veranstaltung wird vom DDR-Fernsehen live übertragen.

Auffallend sind in diesen Tagen aber auch die ständigen Widersprüche aufseiten von Partei und Staat. Bereits am 20. Oktober hat die DDR-Regierung allen Bürgern, die zuvor das Land verlassen haben, Rückkehrmöglichkeit und Wiedereingliederungshilfe angeboten. Ungeachtet dessen lehnt der DDR-Generalstaatsanwalt auch eine Woche danach noch in einem Fernsehinterview ausdrücklich die Abschaffung des Straftatbestandes „ungesetzlicher Grenzübertritt" ab. Auf die Grenze angesprochen, erklärt Krenz am 1. November auf einer internationalen Pressekonferenz in Moskau, dass die Gründe für die Errichtung der Mauer weiterbestünden. Ihre Öffnung sei daher ein unrealistischer Gedanke.

Am 4. November kommt es dann zur ersten von den Behörden genehmigten Großdemonstration. Fünf Stunden lang ziehen eine halbe Million Menschen für die Forderungen nach Presse- und Versammlungsfreiheit sowie für radikale Reformen friedlich durch die Ostberliner Innenstadt. Während der anschließenden Kundgebung auf dem Alexanderplatz steigen neben namhaften Künstlern auch Politbüro-Mitglied Schabowski und der ehemalige Spionagechef und stellvertretende Minister für Staatssicherheit Markus Wolf auf das Rednerpodest. Das Volk aber hat den Respekt vor der Staatsmacht längst verloren – die beiden Männer werden ausgepfiffen.

An diesem Morgen ist Harald Jäger bereits mehr als eine Stunde vor Dienstbeginn auf der GÜST erschienen. Das hat einen Grund und eine angenehme Folge.

Die angenehme Folge ist der Anblick des beeindruckenden Naturschauspiels am Horizont jenseits der Schönhauser Allee. Er kennt diese Sonnenaufgänge seit vielen Jahren. Gelegentlich kommt er extra herauf zum Postenhäuschen der Vorkontrolle/Einreise, um sie zu genießen.

Der Grund für sein frühes Erscheinen aber liegt in der Schlaflosigkeit der letzten Nacht. Er weiß nicht, ob die angespannte Situation im Land dafür verantwortlich ist oder der nächste Untersuchungstermin, der ihm gestern vom Klinikum Buch mitgeteilt worden ist. Vor drei Jahren waren bei ihm während einer Routineuntersuchung Polypen im Darm festgestellt worden. Eine kurze Weile hatte es nach bösartigen Wucherungen ausgesehen. Da hatte bei Harald Jäger ein Bewusstsein für die Endlichkeit des Lebens eingesetzt. In Gesprächen mit Marga hatte er das gemeinsame Leben noch einmal Revue passieren lassen. Und für sich allein hatte er stille Bilanz gezogen. Da war er 43 Jahre alt gewesen.

Der Krebsverdacht war zwar letztlich nicht bestätigt worden, dennoch hat er seither vor den regelmäßigen Folgeuntersuchungen immer ein wenig Angst. Und am kommenden Freitag wird nun die nächste stattfinden – am 10. November, gleich morgens.

Zur Sorge um die eigene Gesundheit ist jene um die Partei hinzugekommen. In den vergangenen Tagen ist sie zunehmend in die Defensive geraten. Noch vor drei Wochen hatte deren neuer Generalsekretär erklärt, „alle gesellschaftlichen Umwälzungen" seien von der Partei angeführt worden. Aber was immer auch nach Honeckers Rücktritt von ihr unternommen worden war, um das Vertrauen des Volkes zurückzugewinnen, schien nach hinten loszugehen. Weder das Gespräch mit der Opposition vor einer Woche noch die direkte Diskussion führender Genossen mit der Bevölkerung zwei Tage später haben den erwünschten Schub an Popularität gebracht. Plötzlich, so scheint es, gelten nicht mehr das erneuerte Politbüro und eine den Problemen zugewandte SED als Hoffnungsträger, sondern die neu entstehenden Parteien und Organisationen der Opposition. Der schwierige Umgang mit Andersdenkenden muss offenbar neu gelernt werden. Wird der heutige Tag zu einem Meilenstein für den Dialog werden oder zu einer erbärmlichen Niederlage? Das hängt sicher davon ab, ob es der Partei in diesem Dialog gelingen wird, ihre führende Rolle zu verteidigen.

Gestern Abend hatte Egon Krenz im Fernsehen eine Rede gehalten. Harald Jäger aber hatte sich draußen bei seinen Passkontrolleuren aufgehalten, während der neue Staatschef zu seinem Volk gesprochen hatte, weil er das konsequente Dauergrinsen von Egon Krenz mittlerweile nicht mehr ertragen kann. Es würde ihm schon schwerfallen, die Rede heute irgendwann im ND nachzulesen, denn wahrscheinlich wirft auch diesmal wieder jeder Satz zwei neue Fragen auf.

Hier auf der GÜST waren sich schon gestern alle einig, dass es sich bei der für heute geplanten Demonstration und Kundgebung um ein außergewöhnliches Ereignis handeln würde – die erste genehmigte Demonstration auf den Straßen der Hauptstadt, zu der nicht die SED aufgerufen hat und auch keine der anderen in der DDR offiziell zugelassenen Massenorganisationen – weder der Freie Deutsche Gewerkschaftsbund noch die Freie Deutsche Jugend oder etwa der Demokratische Frauenbund. Die Initiative ging wohl von Schauspielern und Künstlern aus. Das hat Harald Jäger zumindest so verstanden. Und auch, dass zwischen den Organisatoren und der Volkspolizei eine „Sicherheitspartnerschaft" verabredet worden sein soll. Die demonstrierende Opposition würde zudem eigene Ordner stellen, hieß es in den Medien.

Die Absicherung der Grenzübergangsstellen würde durch die Volkspolizei erfolgen. Das hatte die Hauptverwaltung VI ihren PKE-Leitern ausdrücklich versichert. Ungeachtet dessen gilt für die Passkontrolleinheiten nach wie vor die „Erhöhte Einsatzbereitschaft" mit 24-Stunden-Dienst und Urlaubssperre für deren stellvertretenden Leiter sowie personelle Verstärkung an allen Grenzübergängen.

Es war verboten, Mitarbeiter der Passkontrolleinheiten zu fotografieren. Dieses Foto von Oberstleutnant Harald Jäger an der GÜST Bornholmer Straße entstand heimlich.

Auf der heutigen Demonstration würde es also keine Parolen geben, die zuvor in einem politischen Gremium abgestimmt und als verbindlich verkündet wurden. Aber Harald Jäger weiß auch so, welche Schlagworte auf den Transparenten stehen werden: „Pressefreiheit", „Versammlungsfreiheit", „Reisefreiheit" ... Er kann den Begriff „Freiheit" bald nicht mehr hören, obgleich er für manche dieser Forderungen durchaus ein gewisses Verständnis hat. So inflationär aber wie der Begriff der „Freiheit" in den letzten drei Wochen gebraucht worden war, muss die Frage erlaubt sein, ob man in diesem Land während der letzten vierzig Jahre etwa in einem Gefängnis gelebt habe. Eine Frage, die – das ist natürlich auch dem Oberstleutnant der Staatssicherheit klar – viele Demonstranten anders beantworten würden als er.

Harald Jäger dreht sich zur Grenzbrücke um und blickt hinüber in das erwachende Westberlin. Trotz der geplanten Großdemonstration in der Hauptstadt haben bisher weder die Hauptverwaltung in Schöneweide noch das Ministerium für Staatssicherheit spezielle Instruktionen übermittelt, wonach heute potenzielle Demonstrativtäter aus dem Reiseverkehr herauszufiltern und zurückzuschicken seien. Dies ist für den stellvertretenden PKE-Leiter, dessen Dienst in wenigen Minuten offiziell beginnen wird, eine jener Überraschungen, wie sie in den letzten Wochen fast schon alltäglich sind.

Frühjahr 1989 *Einige Wochen lang war der „V-Nuller" nicht in die Dienstbaracke der PKE gekommen, und doch hatte ihn Harald Jäger manchmal gesehen. Dann aber war dieser Genosse ein Angehöriger der*

Grenztruppen gewesen und nicht der offizielle Verbindungsoffizier, der wegen seiner Abkürzung VO intern eben „V-Nuller" genannt wurde. Denn im Gegensatz zu den Passkontrolleinheiten, die zwar die Aufschrift „Grenztruppen der DDR" auf der Uniformjacke trugen, tatsächlich aber dem Ministerium für Staatssicherheit unterstanden, war es bei diesem „V-Nuller" umgekehrt: er arbeitete zwar für das MfS, war aber Offizier der Grenztruppen und unterstand damit dem Ministerium für Nationale Verteidigung.

Jener Grenztruppenoffizier kam, wenn er als „V-Nuller" erschien, als offizieller Mitarbeiter der für die „Armeeabwehr" zuständigen Hauptverwaltung I mit einem konkreten dienstlichen Anliegen – er war auf der Suche nach speziellen Informationen aus der illegalen Operativkartei, von deren Existenz er Wind bekommen hatte. Denn neben seiner Aufgabe, in der eigenen Truppe Fahnenflucht schon im Vorfeld zu verhindern, gehörte zu seiner operativen Tätigkeit auch die Aufklärung westlicher Kontaktaufnahmen mit den Grenzsoldaten. Deshalb wollte er in unmittelbarer Nähe der Kasernen oder des Wohnorts von Offizieren Inoffizielle Mitarbeiter werben, nicht nur unter DDR-Bürgern, die dort wohnten, an einem Kiosk arbeiteten oder eine Gaststätte führten, sondern auch Reisende aus der BRD oder Westberlin, die regelmäßig im Operationsgebiet Freunde und Verwandte besuchten.

Im Laufe der Zeit hatte Harald Jäger durch die Gespräche mit dem V-Nuller fast mehr über Umfang und Inhalt der IM-Tätigkeit erfahren als einst an der Juristischen Hochschule des MfS. Natürlich war ihm schon vorher klar gewesen, dass es nahezu keinen gesellschaftlichen Bereich, kein Arbeitskollektiv, keine Schule oder kulturelle Einrichtung in der DDR gab, die nicht von der Staatssicherheit von innen überwacht wurde: durch ein flächendeckendes Netz an Inoffiziellen Mitarbeitern. Lange Zeit hatte er auch gar nichts dabei gefunden. Dadurch wurden immerhin Sabotageakte in den Betrieben aufgedeckt, wurde Korruption wirksam bekämpft und bürgerliches Gedankengut von Schulen und Universitäten ferngehalten. Bei einem dieser Gespräche mit dem V-Nuller aber hatte Harald Jäger erfahren, dass sich dieser im letzten Januar selbst daran beteiligt hatte, Bürgerrechtler in ihren Wohnungen festzuhalten, damit sie nicht – wie im Vorjahr – auf der traditionellen Liebknecht-Luxemburg-Kundgebung provozieren konnten. Er habe persönlich den bekannten Pfarrer Rainer Eppelmann am Verlassen der Wohnung gehindert. Als Harald Jäger darauf hingewiesen hatte, dass dies „Freiheitsberaubung" sei, hatte der V-Nuller gelacht, als hätte er eben einen guten Witz gehört. Und Harald Jäger hatte mal wieder seinen verstorbenen Schwiegervater im Ohr gehabt: „Staatsfeinde haben keinen Anspruch auf Rechtsstaatlichkeit."

Durch jenen Verbindungsoffizier erfuhr er auch, dass für die „Gewinnung von Inoffiziellen Mitarbeitern" Prämien bezahlt werden, 150 Mark für einen DDR-Bürger und bis zu 300 Mark für einen IM aus dem westlichen Ausland. Kein Wunder also, dass der V-Nuller immer wieder auf jene Operativkartei zurückkam.

Vor wenigen Tagen dann war er erneut aufgetaucht – wieder auf der Suche nach potenziellen Informanten. Ein Beweis dafür, dass die Anwerbung von IM trotz der Veränderungen im Land weiterging. Das aber verwunderte Harald Jäger nicht. Waren doch sämtliche Mitarbeiter der Staatssicherheit inzwischen aufgefordert worden, ihren übergeordneten Dienststellen regelmäßig Stimmungsbilder aus ihrem privaten Umfeld und dem beruflichen ihrer Ehepartner und Verwandten zu liefern. Es schien, dass nicht trotz, sondern gerade wegen der so genannten „Wende" eine gigantische Überwachungsmaschinerie in Gang gesetzt worden war. Harald Jäger, der etwas von Katalogisierung und Bewertung von Informationen verstand, fragte sich nur, wer diese riesige Menge an „Stimmungsbildern" jemals auswerten würde.

Zwölf Stunden ist es her, seit die Sonne hinter der Schönhauser Allee aufgegangen ist. Nun wiederholt sich das Naturspektakel jenseits der Grenzbrücke in der feindlichen Welt – als Sonnenuntergang.

Es sei heute erstaunlich ruhig gewesen, bemerkt der Posten an der Vorkontrolle/Einreise.

„Das kann man eigentlich nicht sagen", antwortet Oberstleutnant Jäger vieldeutig, was bei dem jungen Offizier zu einem verunsicherten Grinsen führt.

Nun haben also die Forderungen der Opposition selbst hier auf der Dienststelle Einzug gehalten, geht es Harald Jäger durch den Kopf, während er in die sinkende Sonne blickt. Selbst Radio und Fernsehen der DDR haben die Kundgebung vom Alexanderplatz live übertragen. Wo immer Oberstleutnant Jäger im Laufe der vergangenen Stunden hinkam, konnte er die Reden verfolgen: auf dem Fernseher im Leiterzimmer, nebenan bei den diensthabenden Fahndungsoffizieren im Transistorradio und dort hinten in der Wirtschaftsbaracke. Aber war das die Opposition? Schauspieler, Schriftsteller, Sänger, ein Filmregisseur? Wo waren die Vertreter der Arbeiterklasse aus den großen Berliner Betrieben? Aus dem Kabelwerk Oberspree zum Beispiel, dem VEB Glühlampenwerk oder dem Transformatorenwerk Karl Liebknecht. Wo waren auf dieser Kundgebung die Umweltschützer, wo die kritischen Experten für Wirtschaftspolitik? Von der wirklichen Opposition, die sich seit Jahren im Fadenkreuz der „Firma" befindet, die sich einst konspirativ in Hinterhöfen formiert und später zunehmend offener in Kirchen versammelt hatte, stand fast keiner auf dem Podium.

Mit einer Verspätung von mehr als vierundzwanzig Stunden findet Harald Jäger am Abend dieses historischen Tages endlich Zeit, sich der gestrigen Ansprache von Egon Krenz „an die Bürger der DDR" im *Neuen Deutschland* zu widmen. Als er die nur wenig verheißungsvolle Rede seines Partei- und Staatschefs vom Vortag zur Seite legt, vernimmt er plötzlich eine Stimme, die ihm während der Liveübertragung der Kundgebung am Nachmittag offenbar entgangen war. Jetzt erst, in einer Zusammenfassung, sieht Harald Jäger einen der Lieblingsautoren seiner Jugend im Fernsehen. Er erinnert sich, wie ihm seinerzeit in der Stadtbücherei in Bautzen die ältere Bibliothekarin den Roman „Kreuzfahrer von heute" empfohlen hatte, den er gleich zweimal hintereinander las. Er war begeistert von der authentischen Darstellung des amerikanischen Siegeszuges gegen die Nazis im letzten Jahr des Krieges, geschildert aus der Perspektive einer Propagandaeinheit der US-Armee, der jener alte Schriftsteller dort auf dem Podium damals angehört hatte. Im Hause der Familie Jäger in Bautzen war man seinerzeit stolz darauf, dass ein so bedeutender Schriftsteller – aus der Emigration zurückkehrend – sich für den Osten Deutschlands entschieden hatte. Doch später durften nicht alle seine Romane in der DDR veröffentlicht werden.

Nun hatte sich der Lieblingsautor des jugendlichen Harald Jäger am Nachmittag auf dem Alexanderplatz an eine halbe Million Menschen gewandt. In seiner Ansprache beschrieb er ohne moralischen Zeigefinger exakt jenes Gefühl, mit dem auch Oberstleutnant Jäger in den letzten Monaten und Jahren den Zustand dieses Landes empfunden hat: „... es ist, als habe einer die Fenster aufgestoßen nach all den Jahren der Stagnation, der geistigen, wirtschaftlichen, politischen, den Jahren von Dumpfheit und Mief, von Phrasengedresch und bürokratischer Willkür, von amtlicher Blindheit und Taubheit." Seinen ergreifenden Sätzen ließ der fast achtzigjährige Stefan Heym einen hoffnungsvollen Ausblick folgen: „Wir haben in diesen letzten Wochen unsere Sprachlosigkeit überwunden und sind jetzt dabei, den aufrechten Gang zu erlernen." Harald Jäger wünscht sich in diesem Moment nichts sehnlicher, als dass seine 2,3 Millionen Genossen diesen Ausblick des Stefan Heym auch auf sich beziehen.

Am 4. November 1989 demonstrieren auf dem Ostberliner Alexanderplatz mehrere Hunderttausend Menschen für Meinungs-, Presse- und Versammlungsfreiheit.

Donnerstag, 9. November 1989

Erstmals wird die Bürgerrechtlerin Bärbel Bohley von offiziellen DDR-Medien um Interviews gebeten.

In Berlin wird die 10. ZK-Tagung, die am Vortag begonnen hat, fortgesetzt. Mehrere Bezirksleitungen der SED setzen ihre Ersten Sekretäre ab: Hans-Joachim Böhme in Halle, Werner Walde in Cottbus und Johannes Chemnitzer in Neubrandenburg – vierundzwanzig Stunden nachdem sie Mitglieder beziehungsweise Kandidaten des neu gewählten Politbüros geworden waren. Schon am nächsten Tag werden sie auch diese Funktionen wieder verlieren.

Es sieht nach einem ruhigen Tag an der Grenzübergangsstelle aus. Keiner der Anwesenden, die an diesem frühen Morgen im Dienstzimmer des PKE-Leiters am Rapport zum Schichtwechsel teilnehmen, erwartet etwas anderes. Nicht jener Major der Grenztruppen, der als diensthabender Offizier an diesem Tag seinen Kommandanten vertreten wird, und nicht der Leiter des Grenzzollamts im Range eines Hauptkommissars. Nicht der Parteisekretär und schon gar nicht E., der stellvertretende PKE-Leiter, der sich für heute vom Dienst verabschiedet. Auch dessen Chef und Harald Jäger, der andere Stellvertreter, die beide eben erst den Dienst angetreten haben, stellen sich auf alltägliche Routine ein. Der

Leiter dieser Passkontrolleinheit wird mindestens bis 17 Uhr hierbleiben, sein Stellvertreter Harald Jäger wird bis um 8 Uhr am nächsten Morgen die Stellung halten.

Die übliche Abstimmung mit dem Revier 64 der Volkspolizei am nahe gelegenen Arnimplatz habe, laut Auskunft des Grenztruppen-Majors, „keinerlei Auffälligkeiten im Hinterland" ergeben. Nach Einschätzung der Hauptabteilung VI sind mithin keine besonderen Aktionen der Opposition zu erwarten. Und auch keine der zunehmend aktiver werdenden Bevölkerung. Vielleicht wolle man erst die Ergebnisse des seit gestern tagenden ZK-Plenums abwarten, bemerkt E. Der Posten oben an der Vorkontrolle/Einreise hat zudem feindwärts ein ruhiges Vorfeld gemeldet. Der Grenztruppen-Major bemerkt noch, dass unten in der Kleingartenkolonie „Bornholmer 1" für alle Fälle Offiziersschüler patrouillierten. Sie waren von der Offiziersschule im vogtländischen Plauen zur Parade am 40. Jahrestag nach Berlin beordert worden. Wegen der angespannten Lage hatte man sie danach nicht zurückreisen lassen, sondern per Ministererlass in Niederschönhausen kaserniert. Da es aber derzeit kaum Verwendung für die angehenden Offiziere gibt, lässt man einige von ihnen in der grenznahen Schrebersiedlung Streife laufen. Noch immer gilt an allen Grenzübergangsstellen die „erhöhte Einsatzbereitschaft", aber kaum einer der an diesem Rapport teilnehmenden Offiziere hält diesen Befehlszustand für gerechtfertigt an diesem feuchtkalten Novembermorgen.

9.00 Uhr

Schon am Vorabend war es zwischen Egon Krenz und dem für Sicherheitsfragen zuständigen Politbüro-Mitglied Wolfgang Herger zu einem Gespräch über die Notwendigkeit einer Reiseregelung gekommen, die über den am 6. November veröffentlichten Gesetzentwurf hinausgeht. Dieser Entwurf war in den letzten Tagen von der Bevölkerung wegen zu vieler Einschränkungen kritisiert worden. Noch bevor an diesem Morgen die ZK-Tagung ihre Beratungen wieder aufnimmt, ruft Herger DDR-Innenminister Friedrich Dickel an und verlangt von ihm die umgehende Ausarbeitung einer solchen Vereinbarung. Sie soll noch am selben Tag dem ZK vorgelegt werden. Wenig später tritt im Ministerium des Innern eine Arbeitsgruppe unter Hinzuziehung zweier hochrangiger Offiziere des MfS zusammen. Noch ehe man den in Eile entworfenen Text an das Politbüro weiterleitet, wird Generalmajor Gerhard Niebling – im MfS zuständig für die „ständigen Ausreisen" – über den Inhalt informiert.

Die Vorgaben der Partei waren noch immer nicht gekommen. Deshalb konnte sich Harald Jäger in seinem Dienstzimmer wieder nicht mit dem beschäftigen, was üblicherweise in diesen Wochen des Jahres zu seinen Pflichten zählt – die Erstellung des Arbeitsplans für das nächste Jahr. Denn woraus soll man die konkreten Ziele und Aufgaben für den eigenen Dienstbereich ableiten, wenn die Einschätzungen der allgemeinen politischen Lage durch die Partei nicht vorliegen? Obgleich viele Aufgaben von jeher die gleichen zu sein scheinen, hatten veränderte Gegebenheiten in der Vergangenheit immer wieder Modifizierungen notwendig gemacht. Die Zielsetzung „Herausfiltrierung von Personen im Reiseverkehr, die positiv oder negativ in Erscheinung getreten sind oder voraussichtlich in Erscheinung treten werden" zum Beispiel musste konkretisiert und auch bei der Schulung der Passkontrolleure berücksichtigt werden. Damit war darauf reagiert worden, dass in Leipzig Anfang September Bürger begonnen hatten, an jedem Montag nach dem Besuch eines Gottesdienstes Demonstrationen zu veranstalten. Illegale Demonstrationen. Wegen des schnell wachsenden Zuspruchs mussten neue Strategien und eine effektivere Taktik entwickelt werden. Harald Jägers Passkontrolleure hatten fortan Demonstrativtäter mit dem Reiseziel Leipzig aufzuspüren.

Eine der wenigen Privataufnahmen, die den MfS-Oberstleutnant Harald Jäger in seinem Dienstzimmer zeigen

Entsprechend den politisch-ideologischen Vorgaben mussten aber auch Schulungspläne für die Mitarbeiter erstellt werden. Dies zu organisieren ist seit Jahren Harald Jägers Aufgabe – mit dem Ziel, auf die politische Arbeit der Genossen, auch außerhalb der Dienststelle, Einfluss zu nehmen. Sie sollen befähigt werden, zum Beispiel auf ihre Ehefrauen einzuwirken, die Linie der Partei offensiv zu vertreten, in ihren

Parteiorganisationen im Betrieb oder in den Massenorganisationen wie dem FDGB oder dem Demokratischen Frauenbund. Das gilt in gleichem Maße für die eigenen Kinder, die ja in der FDJ organisiert sind. Und für alle zusammen in Gesprächen mit den Nachbarn im Wohngebiet.

Frühjahr 1989 *„Warum darf ich eigentlich nie West-Fernsehen sehen?", hatte Manuela, die jüngste Tochter von Harald Jäger, vor ein paar Wochen plötzlich gefragt. Siebzehn Jahre lang hatte sie sich gefügt in die Besonderheiten, die es mit sich brachte, dass der Vater Offizier der Staatssicherheit war. Sie durfte sich nicht am Alexanderplatz oder anderswo von jungen Männern aus Westberlin ansprechen lassen. Auch nicht von einem Franzosen oder Italiener. Manuela hatte auch erlebt, dass ihr Bruder seine Freundin erst heiraten konnte, nachdem deren ganze Familie überprüft worden war, denn die Familie durfte keine West-Verwandtschaft haben. Manuela akzeptierte das alles – sie wollte einfach nur mal jene West-Sendungen sehen, über die sich die anderen auf ihrer Lehrstelle regelmäßig unterhielten. Harald Jäger war in Erklärungsnot geraten. Erst recht, als Manuela davon erzählte, dass manche zu ihr ohnehin wegen des „Stasi-Vaters" auf Distanz gingen. Schon durch ihre Wohnadresse war die Familie ja als solche zu erkennen. Es tat Harald Jäger weh, dass die jüngste Tochter seinetwegen auf ihrer Arbeitsstelle isoliert war. Er hatte noch eine Weile verstreichen lassen, ehe er an einem Sonntagabend Manuela neben sich auf das Sofa bat, um mit ihr gemeinsam die „Tagesschau" anzuschauen. Und danach den „Tatort" – und beide fanden sie, dass er auch nicht spannender war als die heimische Serie „Polizeiruf 110".*

Solange jene Einschätzung der allgemeinen politischen Lage durch die Parteiführung, auf die Harald Jäger seit Wochen wartet, nicht vorliegt, kann auch kein Schulungsplan erstellt werden. Gemeinsam mit E. hat er zwischenzeitlich schon mal die Ergebnisse des sozialistischen Wettbewerbs aufgelistet. Das ist relativ einfach. Die GÜST Bornholmer Straße besteht aus vier Zügen mit je 14 Angehörigen, die gegeneinander antreten. Einmal im Jahr wird abgerechnet. Die Passkontrolleure welchen Zuges haben die wenigsten Fehler bei der Dokumentierung der Personalpapiere gemacht? Welche bei der Ausstellung von Tagesvisa? Die Fahndungsoffiziere welchen Zuges haben ihre „Tätigkeit fehlerfrei und die Arbeit mit der Fahndungskartei auf hohem Niveau gestaltet"? Welcher Zug hat die meisten Ersthinweise geliefert? Oder die meisten operativen Feststellungsergebnisse? Am 8. Februar – dem Tag, an dem im Jahr 1950 das MfS gegründet worden war und der seither offiziell als „Tag der Staatssicherheit" gilt – werden dann Wimpel und Geldprämien verliehen.

Offenbar ist in der letzten Stunde auch dem Chef von Harald Jäger das Ausbleiben der parteiinternen Einschätzung durch den Kopf gegangen. Als der PKE-Leiter das Dienstzimmer seines Stellvertreters betritt, gibt er ein bemerkenswertes Beispiel für Optimismus. Er sei sicher, sagt er, dass man das gerade tagende ZK-Plenum und dessen Ergebnisse habe abwarten wollen, um die allgemeine politische Einschätzung quasi auf einen aktuellen Stand zu bringen. Er ist sogar sicher, dass in dem gerade tagenden Plenum ein neuer, völlig überarbeiteter Entwurf des geplanten Reisegesetzes beraten wird. Damit würden auch gänzlich veränderte organisatorische und schulische Aufgaben an die Passkontrolleinheiten gestellt werden. Der „Entwurf des Gesetzes über Reisen ins Ausland", der vor drei Tagen in den DDR-Medien veröffentlicht und zur „öffentlichen Diskussion" gestellt worden war, war auf breite Ablehnung gestoßen, etwa die Beschränkung der Besuchsreisen auf dreißig Tage im Jahr oder § 6, wonach Reisegenehmigungen „zum Schutz der nationalen Sicherheit, der öffentlichen Ordnung, der Gesundheit oder der Moral oder der Rechte und Freiheiten anderer" versagt werden könnten. Harald Jäger hofft, dass in einem neuen Entwurf diese offensichtlichen Fehler ausgemerzt sein werden. Und er hofft auch, dass sein Vorgesetzter Recht damit hat, dass die Partei übermorgen, nach dem Ende des Plenums, die Vorgaben schickt, damit er endlich mit dem Erstellen des Jahresplans 1990 beginnen kann.

12.30 Uhr

> In der Mittagspause liest Egon Krenz im Präsidium der ZK-Tagung den dort noch herumstehenden Mitgliedern und Kandidaten des Politbüros den Entwurf der neuen Reiseregelung vor. Nachdem einige stilistische Veränderungen vorgenommen worden sind, ruft Wolfgang Herger den noch amtierenden Regierungschef der DDR, Willi Stoph, an. Man vereinbart, dass dieser Entwurf umgehend als Umlaufvorlage durch den Ministerrat geht. Als Generalmajor Gerhard Neiber nun der endgültige Text übermittelt wird, prüft er dessen Formulierungen vor allem darauf, ob man daraus nicht etwa „den Wegfall der Grenze oder gar den Abriss der Mauer" herauslesen könne. Die Souveränität der DDR solle auf keinen Fall Schaden nehmen. Diese Befürchtung aber ist unbegründet, weil auch dieser Entwurf vor einem Grenzübertritt die Einholung eines Visums verlangt.

Wenngleich ein solches „ohne Prüfung von Voraussetzungen" erteilt werden soll. In den meisten Fällen muss aber zuvor ein Pass beantragt werden, über den zu diesem Zeitpunkt nur knapp vier der sechzehn Millionen DDR-Bürger verfügen. Dessen Ausstellung würde einige Tage dauern. Damit ist also garantiert, dass der zu erwartende Druck von den Grenzübergangsstellen genommen würde. Im Ministerrat wird für eine Veröffentlichung der neuen Reiseregelung, die ab dem nächsten Tag „bis zum Inkrafttreten des neuen Reisegesetzes" gelten soll, eine Sperrfrist bis vier Uhr früh festgelegt.

Wie oft schon hat Harald Jäger in der Vergangenheit mit E., dem anderen Stellvertreter, hier oben an den Betonblöcken mit den eingebauten Sperrschlagbäumen gestanden – auf dem neutralen Platz zwischen feindwärts und freundwärts. Hier konnten sie unbelauscht über Dinge reden, die sie dort unten in den Dienstbaracken so nicht sagen würden, beispielsweise über die Grenzanlagen, deren „zuverlässigen Schutz" sie Tag für Tag befehlen. Man habe den antifaschistischen Schutzwall doch einstmals gegen den äußeren Feind errichtet, sagt Harald Jäger dann zu seinem Kollegen. Inzwischen habe man Hinterlandmauern gebaut, Signalzäune gezogen und Hundelaufanlagen angelegt, doch diese Perfektionierung der Grenzanlagen sei durchweg gegen das eigene Volk gerichtet. Und E., der für operative Aufgaben zuständige Staatssicherheitsoffizier, nickt nachdenklich mit dem Kopf: „Ja, da hast du wohl Recht!" Danach geht jeder wieder seiner gewohnten Tätigkeit nach.

6. Oktober 1983 *Den Hinweis auf jene Ungeheuerlichkeit, die es bis dahin offiziell gar nicht gab, hatte er durch Zufall entdeckt. Auf einer der hinteren Seiten im* Neuen Deutschland – *im Bericht über ein Gespräch, welches Honecker tags zuvor mit österreichischen Journalisten zum Thema „US-Atomraketen" geführt hatte – stand das, was Harald Jäger schließlich in eine ernsthafte persönliche Vertrauenskrise zu seiner Partei- und Staatsführung brachte:* „DDR-Staats- und Parteichef Erich Honecker hat am Mittwoch die möglichen Gegenmaßnahmen des Warschauer Paktes auf eine Stationierung neuer US-Raketen in Westeuropa präzisiert und bei der gleichen Gelegenheit den vollständigen Abbau der Selbstschussanlagen an der Grenze zur BRD angekündigt."
Das kann Honecker unmöglich gesagt haben, war Harald Jägers erster Gedanke. Die Existenz von Selbstschussanlagen, wie sie von den westlichen Medien immer wieder behauptet worden war, ist doch von DDR-Seite stets bestritten worden.

Bis zu jenem 6. Oktober 1983 hatte Harald Jäger keinerlei Zweifel gehabt, dass es sich bei den Berichten über die angeblichen Selbstschussanlagen um feindliche Propaganda handelte. Trotzdem fragte er einen Offizier der Grenztruppen danach, von dem er wusste, dass er eine Weile an der Grenze zur BRD eingesetzt war. Auch er hatte die Existenz dieser Anlagen als „Ente" bezeichnet, erwähnte allerdings, dass es Minenfelder gebe. Immerhin schien dem Grenzregime ein toter DDR-Bürger lieber zu sein als ein geflüchteter, war es Harald Jäger nach diesem Gespräch durch den Kopf gegangen. Aber gesagt hatte er es nicht. Er hatte nur die Hoffnung, dass niemand in seiner Familie ihn je auf diese Form der Grenzsicherung ansprechen würde. Der Einsatz von Minen war ihm peinlich, obgleich er als Offizier der Passkontrolleinheiten damit nichts zu tun hatte. Nun aber hatte er es als Genosse mit einer eindeutigen Lüge seiner Partei und deren Propaganda zu tun. Auch wenn die heimischen Journalisten, die einst die Selbstschussanlagen zu Hirngespinsten des Gegners erklärt hatten, wahrscheinlich nichts von deren Existenz gewusst haben, so war doch ganz sicher die ZK-Abteilung, die solche Berichte genehmigte, darüber informiert. Und nun wurden sie gemeinsam durch das Bekenntnis des Generalsekretärs Lügen gestraft.

Besonders schön hat er diese Betonblöcke nie gefunden. Daran änderten auch die Blumenkästen mit den Stiefmütterchen nichts, die der PKE-Leiter hatte daraufstellen lassen. Angesichts all der anderen Sperranlagen hält Harald Jäger die Betonblöcke mit den eingebauten Sperrschlagbäumen ohnehin für überflüssig. Heute aber empfindet er deren Existenz als ausgesprochen absurd.

Seit ein paar Tagen sind für die DDR-Bürger die Grenzen zur ČSSR wieder offen, von wo aus jeder ohne Schwierigkeiten in die BRD ausreisen kann. Und in diesen Tagen warten ohnehin alle auf das neue Reisegesetz, welches ihnen schon bald den Grenzübertritt erlauben soll – allen Bürgern und ohne Vorbedingungen, außer den Geheimnisträgern. Deshalb werden Harald Jäger und die anderen Offiziere der Staatssicherheit auch weiterhin auf die Schilderungen von Reisenden angewiesen sein, um sich ein Bild vom anderen Deutschland zu machen. Aber diese Reisenden werden künftig nicht nur den grünen Pass der Bundesrepublik vorweisen, sondern – weitaus häufiger als dies heute der Fall ist – auch den blauen der Deutschen Demokratischen Republik.

16.00 Uhr

Egon Krenz verliest vor dem Zentralkomitee den „Vorschlag des Ministerrats für eine neue Reiseregelung". Dann aber macht er einen folgenreichen Fehler. Statt nun die weiteren Schritte dem Ministerrat der DDR zu überlassen, drückt er ZK-Sprecher Günter Schabowski – ehe dieser den Raum verlässt, um zur Pressekonferenz über das 10. Plenum des Zentralkomitees zu gehen – den Entwurf mit den Worten in die Hand: „Teil das mit, das ist noch ein Extraknüller!" Schabowski aber war gar nicht anwesend gewesen, als jener Vorschlag für eine neue Reiseregelung verlesen worden war. Mit einem ihm völlig unbekannten Text in der Tasche tritt Schabowski kurz danach vor die internationale Presse.

In vier Stunden wird die Grenzübergangsstelle für die Einreise von Tagestouristen aus der BRD geschlossen. Dann werden die beiden Fahndungsoffiziere, die gelangweilt auf die Wand mit den sechzehn Monitoren blicken, noch weniger zu tun haben als in den letzten Stunden ohnehin schon. Es mag am Wetter liegen, dass heute fast keine Fußgänger eine der drei geöffneten Passkontrollbaracken ansteuern. Deshalb wird auch nur selten ein Reisedokument mit der Unterflurkamera aufgenommen und mittels Standleitung auf einen der Bildschirme übertragen, vor dem dann ein Offizier mit flinken Fingern die Fahndungskartei durchsucht.

Harald Jäger hat nebenan, am großen Pult des Lageoffiziers, Platz genommen. Dieser Raum hier ist für ihn so etwas wie das Herz der Grenzübergangsstelle. Hier laufen alle Fäden zusammen. Der Raum des Lageoffiziers ist Koordinierungsstelle für die Fahndung, den Zoll und die Grenztruppen. Vom Telefonpult aus lässt sich durch einen Knopfdruck die Verbindung mit dem Operativen Leitzentrum herstellen, und für den Fall der Fälle hängen dort drüben die Alarmkladden. Hinter einer jeden Nummer der handlichen Karteikarten verbirgt sich ein PKE-Angehöriger, der im Alarmfall verfügbar wäre. In weniger als einer Stunde hätten diese Genossen nach einem im Alarmplan detailliert festgelegten Verteilungsschlüssel verschiedene Orte aufzusuchen. Nur ein Teil von ihnen käme hierher zur GÜST. Der Rest hätte sich umgehend ins Operative Leitzentrum in Schöneweide zu begeben oder zur Ausgabe der Gefechtswaffen in die Waffenkammer am Weidendamm oder bis zur weiteren Verwendung in einem so genannten Konzentrierungsraum in der Ferdinand-Schulze-Straße zu warten. Zweimal im Jahr wird das in einem Probealarm geübt. Niemand hier auf der GÜST ist befugt, den Alarm auszulösen, das ist nur der Leitung der Hauptabteilung VI oder dem diensthabenden Offizier im OLZ gestattet. Einer aus dem dreiköpfigen Leiterkollektiv der PKE oder der diensthabende Zugführer würde sich dann unverzüglich an diese Alarmkladden begeben und den Lageoffizier zu den entsprechenden Schritten veranlassen.

Auf schätzungsweise 45 bis 50 Karteikarten blickt Oberstleutnant Jäger. Im Alarmfall könnte er also zusammen mit den sechzehn anwesenden Genossen über einen Alarmstab von rund fünf Dutzend Leuten verfügen. Ein Sturmangriff auf die GÜST, von welcher Seite auch immer, wäre damit kaum aufzuhalten. Dann aber gäbe es ja noch immer das „Zusammenwirken" mit den Grenztruppen, den regulären Verbänden der NVA und im Hinterland auch mit der Volkspolizei.

Harald Jäger weiß nicht, weshalb ihm ausgerechnet heute diese Alarmkladden ins Auge fallen, an einem solch ereignisarmen Tag. Vielleicht, so sagt er sich, ist er nur mal wieder ein wenig dünnhäutig, wegen dieser Darmuntersuchung morgen früh.

18.52 Uhr

> Fassungslos muss DDR-Regierungssprecher Wolfgang Meyer miterleben, wie Politbüromitglied Günter Schabowski im Fernsehen einen Ministerratsbeschluss verkündet, den es zu diesem Zeitpunkt noch gar nicht gibt – nicht wissend, dass die Mitteilung einen Sperrvermerk bis vier Uhr früh trägt. Zudem nimmt Günter Schabowski den Text ganz offensichtlich nun selbst erstmals zur Kenntnis. Das führt zu unsicherem Gestammel und bei den westlichen Medien – denen der Text ja nicht vorliegt – zu irritierten Nachfragen. Insbesondere der Hinweis, die neue Reiseregelung gelte „unverzüglich", hat die Annahme zur Folge, dass die Ausreise ab sofort an den Grenzübergangsstellen möglich sei. Ein folgenreiches Missverständnis!

Beim Betreten der Wirtschaftsbaracke wird Harald Jäger klar, dass eigentlich zu viele Leute zum Dienst eingeteilt sind. Zwei zusätzliche Passkontrolleure, ein weiterer Fahndungsoffizier und noch einer in der Operativgruppe – das ist an einem Tag wie heute eigentlich nicht sinnvoll, „erhöhte Einsatzbereitschaft" hin oder her. Jetzt sitzen einige von ihnen hier in der Kantine herum und quatschen. Auch die Grenztruppen und der Zoll haben ihre Schichten personell verstärkt. Und weil nun alle Abteilungen zusammen etwa die doppelte Mannschaftsstärke haben, wurde die Öffnungszeit der Kantine bis um 21 Uhr verlängert.

Kaum einer der Kantinenbesucher beachtet die Fernsehübertragung jener Pressekonferenz, die Politbüromitglied Günter Schabowski zu den

Ergebnissen der 10. ZK-Tagung abhält. Auch Harald Jäger hört nur mit einem halben Ohr hin, als er lustvoll in ein Brötchen beißt. Kurz darauf aber hat Schabowski Neuigkeiten zu vermelden, die für den Dienstbereich der Passkontrolleinheiten schon bald Konsequenzen haben könnten. „… ist heute, soviel ich weiß, eine Entscheidung getroffen worden. Es ist eine Empfehlung des Politbüros aufgegriffen worden, dass man aus dem Entwurf des Reisegesetzes den Passus herausnimmt …" Das betrifft die 30-Tage-Frist, ist sich Harald Jäger sicher. Die war nicht zu halten, „… weil wir es, äh, für einen unmöglichen Zustand halten, dass sich diese Bewegung vollzieht, äh, über einen befreundeten Staat …" Stattdessen werden die Leute sich wohl den Weg über die ČSSR sparen und hier ausreisen. Dafür würde einiges an Vorbereitung notwendig sein. Die bestehende Kontrolltechnik wird nicht ausreichen, die Passkontrolleure müssen in Schnellschulungen auf die neuen Aufgaben vorbereitet werden. Wahrscheinlich ist auch an die Öffnung zusätzlicher Grenzübergangsstellen gedacht. Schätzungsweise fünf Tage bis zu einer Woche muss man für all das rechnen. „… und deshalb, äh, haben wir uns dazu entschlossen, heute, äh, eine Regelung zu treffen …"

In diesem Augenblick stellt ein italienischer Journalist auf der Pressekonferenz exakt jene Frage, die auch Harald Jäger bewegt. „Wann tritt das in Kraft?" Unruhig in seinen Papieren herumsuchend, erklärt Schabowski sichtlich unkonzentriert: „Das tritt nach meiner Kenntnis … ist das sofort … unverzüglich." Harald Jäger bleibt der Bissen im Halse stecken. Ist der Genosse da oben verrückt geworden? Hat er wirklich „sofort" gesagt? Und „unverzüglich"? „… hat der Ministerrat beschlossen, dass bis zum Inkrafttreten einer entsprechenden gesetzlichen Regelung durch die Volkskammer diese Übergangsregelung in Kraft gesetzt wird." Oberstleutnant Jäger sieht sich fassungslos in der Kantine um. Aber keiner der an den anderen Tischen sitzenden Offiziere und Mannschaftsdienstgrade verfolgt das Geschehen auf dem Bildschirm. „Die ständige Ausreise kann über alle Grenzübergangsstellen der DDR zur BRD beziehungsweise zu Berlin-West erfolgen."

„Was redet der denn da für einen geistigen Dünnschiss?", platzt es aus Harald Jäger heraus. Schlagartig ist es still in der Wirtschaftsbaracke. Alle Anwesenden, inklusive des Kantinenpersonals, blicken stumm zu dem diensthabenden Leiter der Passkontrolleinheit hinüber.

„Der Schabowski spinnt! Er hat gerade verkündet, dass die Grenzen offen sind. Die DDR-Bürger könnten über jede GÜST ausreisen", erklärt Harald Jäger sichtlich erregt. Dann springt er auf und läuft in Richtung Ausgang.

„Harald, da musst du was falsch verstanden haben!", ruft ihm noch einer seiner Operativoffiziere hinterher. Doch da hat sich schon die Tür hinter Oberstleutnant Jäger geschlossen.

19.02 Uhr

> Die britische Presseagentur Reuters verbreitet, dass die „Ausreise über alle DDR-Grenzübergänge ab sofort möglich" sei. Es bleibt allerdings unverständlich, weshalb der Hinweis auf die Visumspflicht in dieser ersten Agenturmeldung unterbleibt, obgleich Schabowski auf jener Pressekonferenz explizit darauf hingewiesen hatte: „Die zuständigen Abteilungen Pass- und Meldewesen der VP – der Volkspolizeikreisämter – in der DDR sind angewiesen, Visa zur ständigen Ausreise unverzüglich zu erteilen ..."

Mit schnellen Schritten eilt Oberstleutnant Jäger in Richtung des Lageoffiziers. Noch immer hat er die ihm unverständliche Aussage von Günter Schabowski im Ohr. „Sofort" und „unverzüglich" – das kann man doch nicht missverstehen. Oder? So ein Gesetzentwurf muss doch erst noch von der Volkskammer ... Aber hieß es vorhin nicht, dies sei nur eine „Übergangsregelung"? Er ärgert sich, anfangs nicht richtig zugehört zu haben. Doch er glaubt sich zu erinnern, dass Schabowski etwas von „Visa zur ständigen Ausreise" gesagt hat. Und auch von „zuständigen Abteilungen Pass- und Meldewesen der Volkspolizeikreisämter" war die Rede. Diese Ämter sind doch heute gar nicht mehr geöffnet. Wie aber passt das mit „sofort" und „unverzüglich" zusammen? Wenn er sich aber schon solche Fragen stellt, was geht da wohl in diesem Moment in den Köpfen der Hunderttausenden von Fernsehzuschauern vor? Er muss auf der Stelle im Operativen Leitzentrum anrufen.

An der Telefonanlage des Lagepults drückt Harald Jäger den roten Knopf, der ihn mit der Einsatzleitung im OLZ verbindet. Nach einem kurzen Moment hört er die Stimme des Leiters dort: „Ziegenhorn."

„Hier Oberstleutnant Jäger von der GÜST Bornholmer ..."

„Was ist los, Jäger? Hast du auch den Quatsch von dem Schabowski gehört?"

„Ja. Was bedeutet das denn?"

„Nichts! Der hat irgendwas nicht richtig auf die Reihe gekriegt, das ist alles! Sind bei euch etwa schon welche, die ausreisen wollen?"

„Keine Ahnung, das kann ich von hier nicht sehen."

„Dann erkunde erst mal die Lage und ruf mich dann wieder an."

Günter Schabowskis irreführende Presseerklärung am 9. November 1989 löst den Ansturm auf die deutsch-deutsche Grenze aus.

19.04 Uhr

Der Generaldirektor der DDR-Nachrichtenagentur ADN, ZK-Mitglied Günter Pötschke, ist von Schabowskis Aussage in seinem Büro überrascht worden, wo er die Pressekonferenz im Fernsehen verfolgt hat. Im Gegensatz zu seinen westlichen Kollegen liegt ihm der Originaltext vor – mit der Sperrfrist bis vier Uhr morgens. Nach kurzer telefonischer Verständigung mit Regierungssprecher Wolfgang Meyer entschließt er sich, die Meldung mit der Überschrift „DDR-Regierungssprecher zu neuen Reiseregelungen" bereits jetzt abzusetzen. In den westlichen Redaktionen aber bleibt das Telex der staatlichen Nachrichtenagentur der DDR weitgehend unbeachtet.

Auf dem Weg zum Postenhäuschen Vorkontrolle/Ausreise waren ihm jenseits des Zaunes in einiger Entfernung drei Leute aufgefallen, die dort scheinbar zufällig herumstehen.

„War schon jemand da, um auszureisen?", fragt er den Posten, der ihn irritiert anblickt.

„Sie meinen mit Grenzübertrittspapieren …?"

„Nein, nein!"

„Also Wildschweine?"

Auf der anderen Seite des Zaunes haben sich inzwischen zu den drei Personen zwei weitere gesellt. Es ist nicht zu übersehen, dass sie die Situation an der Grenzübergangsstelle beobachten. Die kleine Gruppe im Auge behaltend, greift Harald Jäger zum Telefon, das ihn ohne Wählvorgang direkt mit dem Lageoffizier verbindet. „Kannst du mich noch mal mit der Einsatzleitung verbinden?", bittet Harald Jäger und hat Sekunden später wieder Oberst Ziegenhorn in der Leitung.

„In der Nähe des Hinterlandzauns stehen fünf Leute ... jetzt sind es schon sieben ..."

„Wenn sie zu euch rüberkommen, schickt ihr sie nach Hause. Wir haben noch nicht mal den Entwurf von diesen neuen Bestimmungen auf dem Tisch. Also, von unserer Seite gibt es keine Veränderungen."

Harald Jäger legt den Hörer auf und gibt die Weisung des Vorgesetzten an den Posten weiter: „Wenn von denen dort jemand rüberkommen sollte, schickst du sie nach Hause!"

Der Posten sieht seinen Oberstleutnant verständnislos an. „Ja, natürlich!"

Jetzt erst wird Harald Jäger klar, dass dieser Hauptmann ja noch gar nicht weiß, was sich auf jener Pressekonferenz abgespielt hat. Er überlegt, wie er es ihm in knapper Form erklären kann. Denn eine solche Erklärung wird er womöglich noch öfter liefern müssen.

19.17 Uhr

> Die *heute*-Sendung des ZDF meldet, SED-Politbüromitglied Schabowski habe „vor wenigen Minuten mitgeteilt, dass von sofort an DDR-Bürger direkt über alle Grenzübergänge zwischen der DDR und der Bundesrepublik Deutschland ausreisen dürfen". Auch hier kein Hinweis auf die Visumspflicht.

Auf dem Weg zurück zum Lageoffizier kommen Harald Jäger einige der Offiziere entgegen, die bis eben noch in der Kantine saßen. „Warum hast du dein schönes Essen stehen lassen?", fragt einer lachend. „Dafür gibt es doch gar keinen ...", setzt ein anderer an und wird von Oberstleutnant Jäger unterbrochen: „Mir ist der Appetit vergangen!"

Nun bedient er sich zur Informierung seiner Genossen jener knappen Form, mit der er eben auch den Hauptmann an der Vorkontrolle/Ausreise ins Bild gesetzt hat: „Der Schabowski hat auf der Pressekonferenz irgendwelchen Mist verzapft ... die Grenze sei ab sofort für alle geöffnet. Ich hab schon mit dem OLZ telefoniert. Ziegenhorn hat diese Äußerungen auch gehört, erklärt aber, es bleibe für uns alles beim Alten."

„Ja, natürlich!", bemerkt einer der Funktionsoffiziere zustimmend. „Es kann uns nur passieren, dass einige kommen und rüberwollen. Weil sie das so verstanden haben. Da unten stehen schon welche."

Nach dieser Bemerkung begibt sich Harald Jäger zur Dienstbaracke. Er instruiert die Fahndungsoffiziere an den Monitoren und bittet den Lageoffizier, den Posten oben an der Vorkontrolle/Einreise über die Vorgänge zu informieren. Immerhin sei es ja denkbar, dass auch aus

Westberlin Neugierige von der Nachricht der vermeintlich geöffneten Grenze angelockt würden.

Als Harald Jäger nach einigen Minuten zur Vorkontrolle/Ausreise zurückkehrt, stehen dort schon etwa 25 bis 30 Personen. Sie haben sich bereits in die Nähe des Postenhäuschens gewagt – zu dem schmalen, etwa sechzig Meter langen Schlauch, der die ausreisenden Fußgänger von der Pkw-Abfertigung trennt. Rechts begrenzt durch die Betonwand, hinter der sich der Dienstparkplatz der GÜST befindet, und links durch den zwei Meter hohen stabilen Gitterzaun. Drüben an der Diplomatenspur stehen in respektvollem Abstand zum Schlagbaum einige Trabis und ein Wartburg. Die Fahrer haben die Motoren ausgeschaltet und warten neben ihren Wagen.

Harald Jägers Blick trifft sich mit denen der Wartenden vor dem Postenhäuschen, die augenscheinlich schon wieder einige Schritte näher gekommen sind. Er hat den Eindruck, dass der eine oder andere kurz davor ist, ihn anzusprechen. Um dem zu entgehen, betritt er das Postenhäuschen. Und auch, weil er von hier aus die sich verändernde Lage ungestört beobachten kann.

19.56 Uhr

> In einer Eilmeldung der Deutschen Presseagentur (dpa) ist von „kurzfristigen Genehmigungen von Ausreisen und Privatbesuchen" die Rede und davon, dass dies „ohne große Formalitäten" vonstattengehen werde. Umgehend beginnt in Hamburg Heiko Engelkes – zweiter Chefredakteur von *ARD Aktuell* – die Information in die Spitzenmeldung der in vier Minuten beginnenden *Tagesschau* einzuarbeiten.

Bei seinem Routinekontrollgang hat der diensthabende Offizier der Grenztruppen oben von der Brücke aus die sich versammelnden Menschen am Vorposten/Ausreise gesehen und war sofort heruntergekommen. In dessen Gegenwart hat Harald Jäger noch einmal im OLZ angerufen, von Oberst Ziegenhorn aber erneut die Auskunft erhalten, dass keine neuen Instruktionen vorlägen. „Sag deinen Leuten, sie sollen die Bürger, die dort bei euch rumstehen, nach Hause schicken", hat der Vorgesetzte abermals gesagt und dann aufgelegt.

Oberstleutnant Jäger bat daraufhin den Diensthabenden der Grenztruppen, das Grenzregiment zu informieren und sich dort Instruktionen zu holen. Auch solle er das Revier der Volkspolizei am Arnimplatz über die Entwicklung an der Grenzübergangsstelle in Kenntnis setzen. Dann war Harald Jäger wieder hinüber zur Dienstbaracke gegangen, in deren linkem Teil das Dienstzimmer des Grenzzollamtsleiters liegt. Es könnten sich „Provokationen aus dem Reiseverkehr" heraus ergeben, hat er ihm gegenüber eine vorsichtige Warnung ausgesprochen.

Als Oberstleutnant Jäger nun wieder in Richtung des Vorpostens/Ausreise geht, kann er beobachten, wie sich der Hauptmann dort unten offenbar bemüht, die Wartenden zu bewegen, sich zumindest ein paar Meter zurückzuziehen. Er hat einige Mühe, sich gegen die lautstark argumentierenden Menschen jenseits des geschlossenen Grenztores durchzusetzen. Sie verweisen auf die Aussage von Günter Schabowski im Fernsehen. An der Endhaltestelle in der Mitte der Bornholmer Straße hält eine Straßenbahn und entlässt einige Dutzend neu ankommender Personen. Harald Jäger ahnt, dass sich dieser Vorgang nun im Zehnminutentakt wiederholen wird.

Er tritt zu seinem verzweifelten Hauptmann, und nun richten die dort Wartenden ihre Forderungen direkt an ihn, den Mann mit den höheren Rangabzeichen. Für einen Moment gelingt es Oberstleutnant Jäger, dafür zu sorgen, dass man ihm zuhört: „Genosse Schabowski hat ein neues Reisegesetz angekündigt. Aber er hat auch gesagt, dass Sie dafür eine Genehmigung brauchen ..." Gegen den wieder einsetzenden Protest anschreiend, erklärt er: „Sie werden alle diese Genehmigung erhalten. Es bestehen ja keine Vorbedingungen mehr. Doch nicht wir stellen diese Genehmigungen aus, sondern die Volkspolizei. Sie müssen sich also bis morgen früh ..."

Nun wird Harald Jäger endgültig überbrüllt: „Er hat aber gesagt, dass das sofort gilt!" – „Unverzüglich, hat er gesagt!" Einige der neu Hinzugekommenen rufen von hinten: „Das hat man doch gerade in den Nachrichten bekannt gegeben. Im ZDF! Die Grenzen wären ab sofort offen!"

Wie auf Bestellung fährt in diesem Moment ein Streifenwagen der Volkspolizei vor. Als ein Polizist aussteigt, den Harald Jäger als einen Leutnant des für die GÜST zuständigen Reviers am Arnimplatz erkennt, fällt ihm ein Stein vom Herzen. Endlich würde den Menschen eine kompetente Mitteilung gemacht werden. Gemeinsam mit dem diensthabenden Offizier der Grenztruppen, der eben zurückgekehrt ist, kämpft er sich durch die Menge, die den Volkspolizisten umringt.

„Na, Genosse Leutnant, was bringst du uns für Neuigkeiten?", fragt ihn Harald Jäger, als er ihn endlich erreicht.

Der Polizist sieht ihn mit offenkundigem Unverständnis an. „Was für Neuigkeiten? Ich habe gehofft, von euch was zu erfahren."

Das Murren der Umstehenden schwillt erneut bedrohlich an, was

Harald Jäger veranlasst, sich ins Postenhäuschen zurückzuziehen. Nach einer Weile wird es draußen wieder still. Der Leutnant der Volkspolizei hat sich von dem noch immer mitten in der Menge stehenden Streifenwagen aus über Lautsprecher an die Leute gewendet: „… es ist nicht möglich, Ihnen hier und jetzt die Ausreise zu gewähren." Der Rest seiner Ausführungen geht in allgemeinen Protesten und Unmutsäußerungen unter. Oberstleutnant Jäger versteht im Postenhäuschen nur noch Sprachfetzen: „Genehmigungen werden unmittelbar erteilt … keine Voraussetzungen … bei den Inspektionen der Volkspolizei …"

Da beobachtet Harald Jäger, wie Leute in Scharen in Richtung Schönfließer Straße davonziehen, die südwärts auf den Arnimplatz führt. Hat der Genosse Volkspolizist eben etwa verkündet, dass die Ämter für Pass- und Meldewesen außerplanmäßig ihre Pforten geöffnet haben? Das wäre die Lösung! Tatsächlich ist das Revier am Arnimplatz ja nur wenige Fußminuten von hier entfernt.

Harald Jäger atmet tief durch. Endlich scheint eine Maßnahme durchgeführt zu werden, die den Druck von den Grenzübergangsstellen nehmen wird. Vor allem von dieser hier. Denn wenn er Oberst Ziegenhorn glauben darf, ist es an den anderen Berliner Grenzübergängen ruhig. Das ist durchaus vorstellbar. Schließlich ist die Bornholmer Straße der einzige Grenzübergang der DDR, der mit der Straßenbahn erreichbar ist. Außerdem liegt er inmitten eines Wohngebiets.

Harald Jäger entschließt sich, im Postenhäuschen auszuharren, um telefonisch erreichbar zu sein. Denn es kann ja nur noch eine Frage von 20 oder 25 Minuten sein, ehe die ersten Bürger mit der Ausreisegenehmigung der Volkspolizei wieder hier erscheinen werden. Inzwischen wird wohl das OLZ anrufen, um Instruktionen zu übermitteln, wie nun zu verfahren sei.

20.22 Uhr

Bundestagsvizepräsidentin Annemarie Renger unterbricht im Bonner Plenarsaal die Debatte über ein Vereinsförderungsgesetz und erteilt Kanzleramtsminister Rudolf Seiters das Wort für eine überraschende Regierungserklärung. Er war zuvor – in Vertretung des bei einem Staatsbesuch in Polen weilenden Bundeskanzlers – über die Agenturmeldungen informiert worden und hatte seinerseits telefonisch den Bundeskanzler unterrichtet. Nun wendet sich Seiters an das Parlament. Vorsichtig formulierend verkündet er „die vorläufige Freigabe von Besuchsreisen und Ausreisen aus der DDR", die er einen „Schritt von überragender Bedeutung" nennt. Zur gleichen Zeit teilt in Ostberlin das seit 1974 für Planung und Finanzen zuständige ZK-Mitglied Günter Ehrensperger dem völlig konsternierten Zentralkomitee seiner Partei mit, „dass wir mindestens seit 1973 Jahr für Jahr über unsere Verhältnisse gelebt und uns etwas vorgemacht haben. Es wurden Schulden mit neuen Schulden bezahlt." Erregt ruft der 86-jährige Bernhard Quandt, Mitglied des ZK und des DDR-Staatsrates, in den Raum: „Ich bitte darum, dass der Diskussionsbeitrag nicht veröffentlicht wird! – Das ist unmöglich! Dann laufen uns die letzten Leute weg!" Und Egon Krenz antwortet zustimmend: „Nein, um Gottes willen! – Wir schockieren die ganze Republik!"

Die ersten Leute, die in Richtung Arnimplatz gezogen waren, sind vor wenigen Minuten wieder von dort zurückgekehrt. Die Revierbesatzung der Volkspolizei hatte ihnen mitgeteilt, dass vor morgen früh die Beantragung der Genehmigungen zum Grenzübertritt nicht möglich sein würde. Das hat sie verständlicherweise aufgebracht. Lautstark haben sie ihren Unmut kundgetan. Und da der Streifenwagen inzwischen weggefahren war, haben sie sich bis an den Grenzzaun herangeschoben. Sie schrien: „Wollt ihr uns verscheißern?" und „Das ist mal wieder die alte Nummer – man belügt das Volk!" Weiter hinten hat jemand zu skandieren begonnen: „Wir wollen rüber! Wir wollen rüber!" Im Nu brüllte der ganze Platz im Chor: „Wir wollen rüber!" Nach Einschätzung von Harald Jäger beginnt die Situation bedrohlicher zu werden. Er bittet seine diensthabenden Kollegen von Grenztruppen und Grenzzollamt ins Leiterzimmer.

Die Stimmung unter den erfahrenen Offizieren ist geprägt von Ratlosigkeit. Keiner fühlt sich befugt, eigenständig eine Entscheidung zu treffen. Deshalb haben sie soeben mit ihren jeweils vorgesetzten Dienststellen telefoniert. Ohne Ergebnis! Dabei sind die Grenztruppen und der Zoll insofern „fein raus" – wie es Oberstleutnant Jäger eher beiläufig bemerkt –, weil eine Lösung für jenes Problem da draußen in der Tat in die Kompetenz des Ministeriums für Staatssicherheit fällt. Harald Jäger ist während eines neuerlichen Anrufs bei Oberst Ziegenhorn unmissverständlich darauf hingewiesen worden, dass er und seine Leute „nach wie vor unter dem Befehl" stünden, „die Sicherheit an der Grenzübergangsstelle und deren zuverlässigen Schutz zu gewährleisten".

Diesen Befehl kennt er, solange er hier Dienst tut – seit einem Vierteljahrhundert. Doch niemals zuvor war dieser Befehl durch eine vergleichbare Situation schlagartig in den Bereich der Wirklichkeitsferne katapultiert worden. Hat er dem Vorgesetzten wirklich ein realistisches Bild der Lage vermittelt? Wahrscheinlich hat er sich durch die für

Oberst Ziegenhorn untypische nervöse Gereiztheit davon abhalten lassen. Und sicher nicht zuletzt deshalb empfindet er ehrliche Freude, als in diesem Augenblick völlig unvermutet E. auftaucht. Nach den ersten Fernsehbildern, so erklärt der andere stellvertretende PKE-Leiter, habe er sich sofort auf den Weg gemacht. Obgleich ja sein Dienst offiziell erst morgen früh um acht Uhr beginnt. Aber eine praktikable Lösung für die zunehmend unübersichtlich werdende Situation kann auch dieser operativ erfahrene Offizier nicht herbeizaubern.

Das Telefon klingelt. Harald Jäger stürzt an den Schreibtisch und reißt den Hörer von der Gabel. „Oberstleutnant Jäger!"

„Hier spricht der Lageoffizier. Ich wollte dir nur Bescheid sagen, dass unser PKE-Leiter jetzt auf dem Weg ins OLZ ist."

„Ins OLZ?"

„Ein Genosse aus der Schnellerstraße hat hier angerufen. In einer halben Stunde beginnt eine außerordentliche PKE-Leitersitzung bei Generalmajor Fiedler. Ich habe den Chef umgehend darüber verständigt."

Erleichtert legt Harald Jäger auf. Endlich kommt etwas in Bewegung. Wenn General Fiedler, der Leiter der Hauptabteilung VI, seine PKE-Leiter zur Sitzung bittet, kann das nur bedeuten, dass dahinter eine direkte Anweisung des Ministers steht, wenn nicht gar vom Politbüro.

Damit ist Harald Jäger allerdings einem tragischen Irrtum aufgesessen. Er kann nicht ahnen, dass sich die Parteiführung derzeit – über die Vorgänge an den Grenzübergangsstellen noch gar nicht informiert – mit der desaströsen Finanzlage des Landes beschäftigt...

Abermals läutet das Telefon. Diesmal ist es der Posten oben an der Vorkontrolle/Einreise. „Genosse Oberstleutnant, ich habe hier den Fahrer eines Botschafters. Der Polizist auf Westberliner Seite hat ihm gesagt, dass hier kein Durchkommen wäre, weil die gesamte Bornholmer Straße blockiert sei..."

„Was redet der denn für einen Quatsch?"

„Na ja, von hier oben sieht es ganz danach aus."

„Lass den Wagen rein, den kriegen wir schon irgendwie durch", entscheidet Harald Jäger.

Doch als er die Dienstbaracke verlässt, muss er feststellen, dass sich die Fahrzeuge tatsächlich auf der Bornholmer Straße bis zur Schönhauser Allee stauen. Auch die Menschenmenge unten am Schlagbaum hat sich inzwischen vervielfacht. Wie viele mögen es sein? Einige Hundert oder schon mehr als tausend?

Von der Grenzbrücke nähert sich die dunkle Limousine mit dem Diplomatenkennzeichen. Oberstleutnant Jäger ruft den zuständigen Offizier des Postenbereichs „Diplomatenabfertigung" zu sich und gibt ihm die Anweisung, „dem Wagen des Botschafters unter allen Umständen die Einreise zu ermöglichen". Die jenseits des Grenztores wartenden DDR-Fahrzeuge werden so lange hin und her rangiert, bis eine Lücke entstanden ist. Die Kooperationsbereitschaft der DDR-Bürger beruhigt Harald Jäger etwas. Trotz der angespannten Situation verhalten sich die Leute nicht renitent, sondern sind sogar zur Zusammenarbeit mit den PKE-Leuten bereit. Endlich verabschiedet der Offizier des Postenbereichs den Botschafter mit militärischem Gruß.

21.10 Uhr

Als letzter Redner der Bundestagssitzung hat eben FDP-Fraktionschef Wolfgang Mischnik, gebürtiger Dresdner, sichtlich bewegt erklärt: „Unsere Bewährungsprobe steht uns noch bevor. Erweisen wir uns alle dieser Bewährungsprobe würdig." Zu dem Zeitpunkt, als Mischnik in Bonn seine Rede begonnen hat, ist in Ostberlin die ZK-Sitzung zu Ende gegangen. Kurz danach hat im Büro von Egon Krenz das Telefon geklingelt. Jetzt erst erfährt der DDR-Staatschef durch seinen – vor zwei Tagen zurückgetretenen, aber noch amtierenden – Staatssicherheitsminister Erich Mielke von den Vorgängen an der Grenze. Da die Information noch sehr diffus ist, versucht Krenz Verteidigungsminister Heinz Keßler zu erreichen. Vergeblich, da dieser sich in seinem Dienstwagen auf dem Weg zu seinem Ministerium in Strausberg befindet. Nun meldet sich Mielke erneut bei Egon Krenz: „Die Leute bewegen sich in Richtung Grenzübergänge. Wir müssen irgendwie eine Entscheidung herbeiführen." Der Staatschef der DDR aber trifft eine solche Entscheidung nicht. Zur gleichen Zeit erheben sich in Bonn am Ende der Plenarsitzung die Abgeordneten und singen die Nationalhymne.

Aus der wachsenden Menge ist in der letzten halben Stunde eine unüberschaubare Masse geworden. Vor einiger Zeit sind Fernsehteams aufgetaucht. Deren auf die Kameras montierte Lampen streifen gleißend hell über die Szene. In der Mitte der Bornholmer Straße stauen sich die Straßenbahnen. Die zunehmend größer werdende Menschenmenge erlaubt ihnen nicht mehr, die Kehre zu fahren. Auf der Fahrbahn rechts neben den Gleisen stehen dicht an dicht Trabant und Wartburg, die mit ihren Hupen die Sprechchöre unterstützen.

Harald Jäger sieht hinüber zu den beiden Schlagbäumen, wohin er einen Teil der Passkontrolleure und Funktionsoffiziere als Verstärkung beordert hat. Sein gesamtes derzeit auf der Dienststelle anwesendes Personal besteht aus exakt sechzehn Kollegen – jeder von ihnen mit einer Pistole bewaffnet. Hinzu kommen noch vier Maschinenpistolen, die in der Dienstbaracke unter Verschluss gehalten werden. Ganz abgesehen davon, dass bereits seit Monaten befehlsmäßig abgesichert ist, dass an den Kontrollpunkten die Schusswaffe nur im äußersten Notfall und auch nur zur Verteidigung des eigenen Lebens eingesetzt werden darf. Wenn diese Masse sich das Recht auf Ausreise mit Gewalt verschaffen wollte, hätte man keine Chance, die GÜST zu halten. Wieder greift er zum Telefon, um sich mit Oberst Ziegenhorn verbinden zu lassen.

„Noch sind die Leute einigermaßen hinzuhalten. Ich weiß aber nicht, wie lange das noch möglich ist!", ruft er ins Telefon und dann fast flehend: „Es muss jetzt irgendeine Entscheidung fallen!"

Unüberhörbar um Sachlichkeit bemüht, erklärt Oberst Ziegenhorn: „Jäger, du kennst die militärischen Befehlsstrukturen. Ich kann dir keine Entscheidung mitteilen, die nicht von oben abgesegnet ist."

Harald Jäger will sich gerade danach erkundigen, wann denn mit einem Ergebnis der PKE-Leitersitzung bei Generalmajor Fiedler zu rechnen sei, als er realisiert, dass sein Vorgesetzter grußlos aufgelegt hat.

Beinahe mechanisch legt nun auch er den Hörer auf die Gabel. Er öffnet die Tür des Postenhäuschens und schreitet wie abwesend den Weg hinüber zur Dienstbaracke, hinter sich einen Klangteppich von einigen Hundert Stimmen: „Wir kommen wieder! – Wir kommen wieder!" Auf halbem Wege winkt er den Zugführer, der sich drüben an einer der Passkontrollbaracken für Fußgänger aufhält, zu sich. Gemeinsam betreten sie die Dienstbaracke.

Der Lageoffizier und sein Zugführer beobachten, wie der Oberstleutnant an die Alarmkladden tritt und einen Moment nachdenkend davor stehen bleibt. Harald Jäger ist sich bewusst, dass er in wenigen Augenblicken einen Schritt tun wird, zu dem er nicht befugt ist. Doch er ist fest entschlossen, für die Sicherheit seiner Untergebenen Verantwortung zu übernehmen. Und nachdem von Oberst Ziegenhorn keine Entscheidung zu erwarten ist, trifft er nun selbst eine solche. Auch wenn das in letzter Konsequenz seine Absetzung bedeuten kann. Er dreht sich zu Lageoffizier und Zugführer um und erklärt: „Ich rufe hiermit den Alarmfall aus!" Den stummen Blickwechsel zwischen den beiden ignorierend, stellt er die Kladden der zu alarmierenden Genossen auf das Lagepult. „Verständigt sofort die Alarmgruppenführer, dass alle diese Genossen erscheinen müssen. Handeln Sie *abweichend*, entsprechend Ihrem Auftrag, und beordern Sie *alle* Genossen auf die GÜST Bornholmer Straße."

Keiner der alarmierten Genossen würde also zum Operativen Leitzentrum fahren, zur Waffenkammer oder zum Konzentrierungsraum, wie es im ursprünglichen Alarmplan vorgesehen ist. Angesichts des Verkehrschaos auf der Bornholmer Straße rechnet Harald Jäger frühestens in einer Stunde mit der vollen Mannschaftsstärke. Und selbst dann werden die 45 alarmierten Genossen gegenüber den Massen dort unten keine nennenswerte Verstärkung darstellen. Aber es ist für ihn derzeit die einzige Chance, ein wenig mehr Präsenz zu zeigen.

21.19 Uhr

> Laut einem Bericht, den die Westberliner Polizeidirektion I ihrem Polizeipräsidenten übermittelt, erzählen Besucher, die aus Ostberlin zurückkehren, dass sich auf der Bornholmer Straße vor der Grenzübergangsstelle eine Schlange mit etwa hundert Trabant-Autos gebildet habe.

„Ich habe Alarm ausgelöst", sagt Harald Jäger in betont ruhigem Tonfall. Auf dem Weg zur Vorkontrolle/Ausreise hat er sich überlegt, nur diesen einen Satz zu sagen – und dann abzuwarten, wie sein Vorgesetzter im OLZ darauf reagieren wird.

„Wie viele Leute sind denn jetzt dort bei euch?", fragt Oberst Ziegenhorn, als habe er die Kompetenzüberschreitung seines Oberstleutnants gar nicht zur Kenntnis genommen.

„Im Moment sechzehn."

„Ich meine, auf der anderen Seite!"

„Da ist die ganze Bornholmer voll ... von Menschen und Autos. Bis hoch zur Schönhauser Allee."

Nach einem Moment der Stille sagt Oberst Ziegenhorn den Satz, den sich Harald Jäger erhofft hat: „Ich denke, es war eine richtige Entscheidung, den Alarm auszulösen."

Harald Jäger blickt hinüber zu den Menschen, die sich nur wenige Meter von ihm entfernt gegen das geschlossene Grenztor drängen. Er sieht in lachende Gesichter, die fröhlich und optimistisch in seine Richtung schauen, in aggressive Mienen, die ihre Enttäuschung herausschreien, auch in ängstliche, die ihn mit großer Skepsis beobachten.

„Ist noch was?", hört er den Vorgesetzten fragen.

„Das reicht aber nicht aus!", sagt Harald Jäger. Er weiß, dass er nicht befugt ist, einem Oberst Vorschriften zu machen. Aber die Situation verlangt nach klaren Entscheidungen. Er trägt die Verantwortung für diese Passkontrolleinheit. „Wenn von Ihrer Seite jetzt keine

Entscheidung getroffen wird, die unser Problem löst, werde ich mit den alarmierten Kräften die baulichen Objekte sichern und dann meine Leute anweisen ..."

„Bleib mal dran!", unterbricht Oberst Ziegenhorn den diensthabenden PKE-Leiter, der eben im Begriff ist, sich um Kopf und Kragen zu reden. „Ich rufe jetzt im Ministerium an. Aber du hältst die Klappe, verstanden?!"

Das klopfende Geräusch im Telefonhörer weist auf einen Wählvorgang hin. Nach zwei kurzen Klingelzeichen meldet sich eine etwas hohe Männerstimme mit einem knappen „Ja?". Harald Jäger kann nicht genau erkennen, ob es sich um die Stimme des Generalleutnants Neiber handelt, dem für die PKE zuständigen stellvertretenden Minister für Staatssicherheit, oder um Generalmajor Niebling, im MfS zuständig für die „ständigen Ausreisen". Aber ganz sicher ist er nicht. Nur dass die beiden Offiziere an diesem Abend schon mehrfach miteinander telefoniert haben, ist unverkennbar, denn Oberst Ziegenhorn kommt umgehend zur Sache. „Ich habe eben einen Bericht von Oberstleutnant Jäger bekommen, dem diensthabenden PKE-Leiter an der Bornholmer Straße. Er sagt, die Situation dort wird langsam bedrohlich."

„Kann der Genosse Jäger das denn überhaupt beurteilen?"

„Ich denke schon."

„Vielleicht hat er einfach nur Angst. Das kann man ja auch verstehen, aber jetzt gilt es, von unserer Seite besonnen zu bleiben."

Will dieser Mann drüben im bequemen Sessel des Ministeriums ihn als Angsthasen hinstellen? Muss er sich wirklich nach einem Vierteljahrhundert militärischer Erfahrung die Frage gefallen lassen, ob er die Situation da draußen richtig beurteilen kann?

„Sie sollten mal mit eigenen Ohren hören, was hier bei uns los ist!", brüllt Harald Jäger in die Muschel, reißt die Tür des Postenhäuschens auf und hält den Telefonhörer in Richtung der schreienden Massen.

Oberstleutnant Jäger überrascht sich dabei, dass er die Situation erhebend findet. Das Volk, welches da draußen „Macht das Tor auf!" skandiert, schickt seine Forderung via Telefon direkt ins Ministerium für Staatssicherheit – ohne es zu wissen. Als er den Telefonhörer wieder ans Ohr hält, stellt er fest, dass die Verbindung getrennt worden ist. Schlagartig verwandelt sich die Euphorie des Augenblicks in Enttäuschung und Wut. Oberstleutnant Jäger fühlt sich allein gelassen. Nie zuvor hat er deutlicher die Unfähigkeit und Realitätsferne der oberen Leitungskader erlebt als in den vergangenen zwei Minuten. Und nie zuvor war für ihn jene Kluft drastischer zutage getreten – zwischen dem Volk, das da draußen voller Hoffnung, aber auch Verzweiflung ausharrt, und einem selbstgefälligen Staatssicherheitsoffizier im Ministerium.

21.40 Uhr

> Es erfolgt der Rundspruch VPI I-II des Stellvertreters/Operativ des Ostberliner Polizeipräsidenten. Demnach sollen DDR-Bürger, die auf ihrer sofortigen ständigen Ausreise bestehen, an die Ausländermeldestelle im „Haus des Reisens" am Alexanderplatz verwiesen werden, die ab sofort geöffnet sei. Besuchsreisen könnten hingegen nach wie vor erst am nächsten Tag beantragt werden.

Wenige Minuten, nachdem die Leitung zum Ministerium gekappt wurde, erfolgt der Rückruf. „Hör zu, wir verfahren jetzt folgendermaßen ...", beginnt Oberst Ziegenhorn und stellt damit unausgesprochen klar, dass er Harald Jägers Verhalten von eben nicht thematisieren wird. Offenbar aber hat es bewirkt, dass endlich eine Entscheidung getroffen worden ist. „Diejenigen, die bei euch an der Vorkontrolle/Ausreise besonders provokativ in Erscheinung treten, isoliert ihr von der Menge. Die lasst ihr ausreisen, aber ihr setzt einen Passkontrollstempel quer über das Lichtbild. Ihr werdet die Personalien und auch die Nummern der Personaldokumente listenmäßig erfassen. Sorge dafür, dass sie umgehend in die Fahndungskartei eingearbeitet werden ..."

Der Oberstleutnant versteht nicht, was mit dieser Maßnahme bezweckt werden soll. „In die Fahndungskartei?"

„Ja! Die kommen nicht mehr rein", wird Harald Jäger instruiert.

Die juristische Fragwürdigkeit einer solchen Anweisung vor Augen, hält Harald Jäger diese Maßnahme dennoch für geeignet, Druck abzubauen. Wesentlich ist für ihn in diesem Moment nur, dass überhaupt irgendwas passiert. „Aber es werden sich auch andere mit hereindrängen. So exakt wird sich das nicht trennen lassen!", gibt er noch zu bedenken.

„Dann nehmt die auch mit ... also die zwei, drei Leute, die danebenstehen oder von hinten mit reindrängen. In diesem Fall stempelt ihr aber nicht über das Lichtbild, sondern auf die hintere Seite."

Schon während Oberst Ziegenhorn jene offenbar in den letzten Minuten ad hoc entschiedene Maßnahme erläutert, überlegt Harald Jäger, wie er diese praktisch umsetzen könnte. Auf jeden Fall wird er den Sicherheitsoffizier, Hauptmann S., mit dieser Aufgabe betrauen. Vorn an jener Fahrstuhltür, die dieser selbst vor ein paar Jahren dort eingebaut hat. Damals als der Plattenbau, in dem er wohnt, renoviert worden war, ist er mit dieser ausrangierten Fahrstuhltür hier angekommen. Tagelang hat er am Schließmechanismus herumgebastelt, bis die stabile Metalltür per Knopfdruck geöffnet und geschlossen werden konnte. Seither gehen alle Ein- und Ausreisenden durch diese Fahrstuhltür, wofür das von ihm geleitete Kollektiv damals die Neuerer-Prämie einstreichen durfte. Niemand konnte ahnen, dass dieses ulkige Requisit einmal in einer solch dramatischen Situation gute Dienste leisten würde.

„Du wirst sehen", gibt sich Oberst Ziegenhorn optimistisch, „erst lasst ihr ein wenig Druck aus dem Kessel, dann verdampft das Problem von ganz allein."

21.45 Uhr

In einem Interview mit dem *heute-journal* erklärt Bundeskanzler Helmut Kohl in Warschau: „Für das, was im Augenblick heute berechenbar war, haben wir Vorsorge getroffen; aber es ist eine sehr schwierige Lage, und die Entscheidungen, die hier zu einer Verbesserung der Lage führen können, führen müssen – ich halte das für überfällig –, müssen natürlich in der DDR getroffen werden ..."

Zur gleichen Zeit versucht der DDR-Staatsratsvorsitzende Egon Krenz, in Moskau Gorbatschow zu erreichen. Doch kurz vor Mitternacht (Moskauer Zeit) ist in der sowjetischen Zentrale niemand mehr bereit, eine Verbindung zum KPdSU-Generalsekretär herzustellen.

Der Sicherheitsoffizier ist beim Posten an der Vorkontrolle/Ausreise stehen geblieben, während Offiziere nebenan am Grenzzaun und drüben am Schlagbaum entlanggehen, um diejenigen, die am lautesten protestierten, dorthin zu dirigieren. Mit neugierigen, aber auch angespannten Mienen treten die ersten der „provokant auftretenden Personen" durch die Fahrstuhltür. Wie von Harald Jäger erahnt, mussten auch weniger provokante Personen – quasi zur Absicherung der Maßnahme – durchgelassen werden. Nun werden die Auserwählten gebeten, hintereinandergehend einem der Operativoffiziere hinüber zu den Passkontrollen zu folgen. Das formierte Anstellen ist nötig, damit der Offizier dem Passkontrolleur verschlüsselt mitteilen kann, wer den Stempel auf das Passbild bekommen soll: „Die ersten drei, der siebte und achte, die Nummern zwölf bis vierzehn ..."

Die Prozedur nimmt einige Zeit in Anspruch, da die Passkontrolleure die Personalien aller Ausreisenden listenmäßig erfassen. Zudem müssen die Personalausweise mittels der Unterflurkamera abgelichtet und hinüber zu den Fahndern geschickt werden. Jene, denen über das Lichtbild gestempelt wurde, müssen nun in die Fahndung eingearbeitet und via Telex den anderen Grenzübergängen gemeldet werden.

Harald Jäger schüttelt fast unmerklich den Kopf. Wie man es auch anstellt, es haut nicht hin. Alle diese Bürger durch die Fahrstuhltür zu leiten und an den Passkontrollen ordnungsgemäß abfertigen und registrieren zu lassen, diese endlos wirkende Schlange von Autos an den zehn Kfz-Spuren mit der anschließenden Zollkontrolle – das alles würde sicher Tage dauern. Und nachdem die Menschen freundseitig mitbekommen haben, dass einige Personen ausreisen dürfen, hat sich der Druck jenseits des Grenzzauns nicht etwa vermindert, sondern erhöht. Ohne Unterbrechung tigern die Funktionsoffiziere hin und her und zeigen auf einzelne oder mehrere „Provokateure". Die Fahrstuhltür öffnet und schließt sich fast pausenlos. Mittlerweile jubeln viele schon, wenn sie diese durchschreiten, noch ehe sie sich in die Schlange vor den Passkontrollen anstellen dürfen. Das führt jenseits des Grenzzauns inzwischen zur vielstimmigen Forderung, die Grenze endlich für alle zu öffnen.

Wieder und wieder sieht Harald Jäger das Politbüromitglied Schabowski vor sich. Diesen behäbig wirkenden Mann, der, mit hängenden Schultern über seine halbrunde Brille blickend, unsicher in seinen Papieren kramend, herumstottert: „Das tritt nach meiner Kenntnis ... ist das sofort ... unverzüglich." Dieser Kerl hat gesagt, was er nie hätte sagen dürfen und was auch niemals sein Auftrag gewesen sein kann.

Harald Jäger spürt Hass in sich aufsteigen. Hass, der sich nicht nur gegen diesen wenig umsichtigen Günter Schabowski richtet, sondern gegen alle, die in diesem Moment ihn und seine Leute hier im Regen stehen lassen. Wo bleiben die Anweisungen des für Sicherheitsfragen zuständigen ZK-Referenten Wolfgang Herger? Wo die Direktiven des Nationalen Verteidigungsrates? Und wo ein entscheidendes Wort von Egon Krenz, dem Chef von Staat und Partei? Weshalb werden er und seine Leute mit einer halbherzigen und noch dazu völlig unpraktikablen Lösung abgespeist? Anscheinend befindet sich die gesamte Führung dieses Landes in einer völlig konfusen Situation.

Hinter zwei offenbar angetrunkenen jungen Leuten drängt sich nun der letzte der alarmierten Genossen durch die Fahrstuhltür. Damit ist die volle Mannschaftsstärke von gerade mal 61 Leuten erreicht. Harald Jäger hat für alle wichtigen Objekte bis zu vier Genossen zur Bewachung abgestellt und die übrigen Bereiche personell verstärkt. Einer Lösung des Problems ist man dadurch aber um keinen Schritt näher gekommen. Es ist lediglich für eine behelfsmäßige Absicherung gesorgt – für den Fall, dass das Volk sein Schicksal in die eigenen Hände nimmt.

22.28 Uhr

In der *AK Zwo*, dem Nachrichtenmagazin des DDR-Fernsehens, wird noch einmal die ADN-Meldung verlesen, derentwegen der zuvor laufende Spielfilm bereits zweimal unterbrochen worden war. Der Nachrichtensprecher ist angewiesen worden, mit besonderer Betonung darauf hinzuweisen, dass die Abteilungen Pass- und Meldewesen, welche die für den Grenzübertritt notwendigen Visa ausstellen, „morgen um die gewohnte Zeit geöffnet haben". Auch ständige Ausreisen könnten erst erfolgen, „nachdem sie beantragt und genehmigt worden sind".

Natürlich ist Oberstleutnant Jäger klar, dass letztlich er die Entscheidung treffen und verantworten muss. Aber ist es in einer solch dramatischen Situation zu viel verlangt, dass man sich gemeinsam berät? Er sieht nacheinander jedem einzelnen der im Leiterzimmer versammelten Offiziere in die Augen. Und er stellt dabei allen die gleiche Frage: „Was soll ich tun?" Dem Parteisekretär, dem diensthabenden Zugführer, dem Diensthabenden der Grenztruppen und dem Leiter des Grenzzollamts. Aber alle diese erfahrenen Offiziere blicken stumm und verlegen zu Boden. Er wendet sich an E., der immerhin jetzt an seiner Stelle stehen könnte, wenn sein Dienst nicht erst morgen früh um acht Uhr wieder beginnen würde: „Was soll ich tun?"

Der andere Stellvertreter des PKE-Leiters senkt seinen Blick nicht. Er sieht seinem Kollegen, mit dem er viele kritische Worte gewechselt und die Vision einer DDR mit offenen Grenzen geteilt hat, in die Augen und erklärt: „Du musst das entscheiden, du bist der diensthabende Leiter!"

Nach kurzem Nachdenken entschließt sich Oberstleutnant Jäger, noch einmal eine Lagemeldung an das Operative Leitzentrum abzusetzen. Sofort nachdem er am Lagepult den roten Knopf gedrückt hat, meldet sich Oberst Ziegenhorn.

„Hier Oberstleutnant Jäger …"

„Ich habe keine anderen Instruktionen! Jäger, du kennst die Weisung!", wird er barsch unterbrochen. Diesmal ist das Auflegen des Telefonhörers auf der anderen Seite unüberhörbar.

Ins Dienstzimmer zurückgekehrt, hebt Oberstleutnant Jäger hilflos die Schultern: „Ziegenhorn hat keine anderen Instruktionen!"

Plötzlich finden die Offiziere ihre Sprache wieder und stürmen mit hilflosen Forderungen auf Harald Jäger ein: „Dann musst du eben eine Entscheidung treffen!" – „Irgendetwas musst du jetzt unternehmen!"

„Und was?", brüllt er zurück. Harald Jäger blickt in die erschrockenen Gesichter hochdekorierter Offiziere, die er in diesem Moment als

Feiglinge erlebt. Keiner von ihnen würde einen Beschluss hinterher verantworten müssen.

Harald Jäger nimmt sich vor zu provozieren. „Ich könnte die Schlagbäume öffnen und die Passkontrollen einstellen lassen ..." Niemand widerspricht. „Dafür aber habe ich keinen Befehl! Der Befehl lautet, die Grenzübergangsstelle zuverlässig und ... Na ja, den kennt ihr ja selbst."

Im Zimmer herrscht gespannte Ruhe. Wie aus weiter Ferne tönen vom Grenzzaun die Rufe der Menschen herüber.

„Wozu ich aber befugt bin", setzt Harald Jäger seine Provokation fort und zeigt auf den Diensthabenden der Grenztruppen, „ich kann *ihn* bitten, seine Offiziersschüler zur militärischen Absicherung herzuholen. Die können wir von hinten über den Kolonnenweg abgesichert auf die GÜST leiten und ganz schnell vorne in Stellung bringen." Harald Jäger beobachtet, auf welch unterschiedliche Weise sich Nervosität auf den Gesichtern der Offiziere abzeichnet. „Und wenn einer der Provokateure sich zu einem Übergriff hinreißen lässt, vielleicht sogar zu einem tätlichen Angriff – dann wird das Feuer eröffnet!"

Nun rufen alle erschrocken durcheinander, dass dies eine Katastrophe wäre, man über so etwas nicht mal nachdenken dürfe ...

Die Provokation hat gesessen. Und doch kann sich keiner dazu entschließen, dem Oberstleutnant zu der anderen – befehlswidrigen – Alternative zu raten. Dabei hofft unausgesprochen jeder hier im Raum, dass Oberstleutnant Jäger genau diesen Schritt veranlassen und auf die eigene Kappe nehmen wird. Obgleich ein jeder von ihnen weiß, zu welcher Konsequenz eine solche Befehlsverweigerung für ihn vor der militärischen Gerichtsbarkeit führen kann.

22.42 Uhr

> Hanns-Joachim Friedrichs beginnt an diesem Abend die *Tagesthemen* mit folgenden Worten: „Guten Abend, meine Damen und Herren. Im Umgang mit Superlativen ist Vorsicht geboten, sie nutzen sich leicht ab. Aber heute Abend darf man einen riskieren: Dieser 9. November ist ein historischer Tag! Die DDR hat mitgeteilt, dass ihre Grenzen ab sofort für jedermann geöffnet sind. Die Tore in der Mauer stehen weit offen!" – Diese Aussage kann der Berlin-Korrespondent Robin Lautenbach wenige Minuten später keineswegs bestätigen. Vor dem Grenzübergang an der Invalidenstraße, deren Tore unübersehbar geschlossen sind, berichtet er: „Die Lage an den innerstädtischen Berliner Grenzübergängen ist im Moment recht konfus und unübersichtlich. Hier in der Invalidenstraße hat sich am ganzen

Abend noch nichts getan. Viele Schaulustige und Westberliner stehen hier und warten weiterhin auf die ersten Ostberliner oder DDR-Bürger, die hier zu einem ersten kurzen Besuch herüberkommen."

Die Masse drückt von hinten die vorn Stehenden gegen den zwei Meter hohen Zaun. Das stabile Gitter ist inzwischen schon bedenklich nach außen gebeult. Drüben, an der Kfz-Abfertigung, stehen zehn Offiziere einer riesigen Menschenmenge gegenüber. Jeder dieser Offiziere trägt eine Pistole. Laut Dienstanweisung darf von der Waffe ausschließlich bei einer konkreten Gefährdung für Leib und Leben Gebrauch gemacht werden. Der Ermessensspielraum aber, wann der betreffende Offizier sich in einer solchen Weise gefährdet sieht, erscheint Harald Jäger in dieser Situation als nahezu unkalkulierbar.

23.07 Uhr

Spiegel-TV-Reporter Georg Mascolo und Kameramann Rainer März treffen auf der Grenzübergangsstelle Bornholmer Straße ein, wohin sie unmittelbar nach dem *Tagesthemen*-Bericht aufgebrochen waren. Sie richten ihre Kameras auf die Menge, die hinter den geschlossenen Grenztoren ruft: „Tor auf, Tor auf!" und „Wir kommen wieder!"

Auf einem der Monitore beim Lageoffizier entdeckt Oberstleutnant Jäger inmitten der Menschen vor dem Schlagbaum einen Mann, der offenbar auf irgendetwas gestiegen ist. Es sieht aus, als ob er eine Ansprache hielte. Harald Jäger ruft einen der beiden Wachen zu sich, die er für die Dienstbaracke eingeteilt hat: „Schau mal, da hält einer 'ne Rede. Lauf mal rüber! Ich will wissen, was …"

Der junge Offizier rennt aus dem Raum und stößt draußen fast mit einem der beiden Zolloffiziere zusammen, die schimpfend die Baracke betreten. „Was sollen wir denn da noch das Auto kontrollieren? Sollen sie meinetwegen ihre Kameras aufpflanzen, wo sie wollen …!"

Auf den Monitoren sechs und sieben kann Harald Jäger in Augenschein nehmen, worauf sich der Unmut der beiden Zöllner bezieht. Drüben bei den Schlagbäumen an der Kfz-Abfertigung haben zwei Zivilisten Position bezogen, der eine mit einer Kamera auf dem Schulterstativ und der andere mit einem Mikrofon in der Hand. Während er noch überlegt, ob er etwas gegen deren Anwesenheit im Gebiet der Grenzübergangsstelle unternehmen soll, beobachtet Harald Jäger, dass sich sein Sicherheitsoffizier auffallend nah im Bereich der Kamera aufhält. Er kennt diesen Hauptmann, seit sie im Sommer 1964 gemeinsam hier auf der Bornholmer Straße angefangen haben. Er weiß nur zu gut um dessen Stärken und Schwächen. Das Bedürfnis, sich ständig in den Vordergrund zu spielen, zählt er nicht zu seinen Stärken.

Der junge Wachoffizier kommt zurück und meldet völlig unmilitärisch: „Der Mann verliest 'ne Meldung vom ADN, irgendwas, dass ADN gemeldet habe, die Grenze sei offen ..."

„Ist das ein Journalist von ADN?", will der Oberstleutnant wissen.

„Das habe ich nicht richtig mitgekriegt, aber ich glaube schon."

Das Telefon klingelt, und Harald Jäger geht selbst an den Apparat. Der Posten an der Vorkontrolle/Einreise meldet: „Wir haben jetzt hier oben welche, die den Stempel auf dem Lichtbild haben und wieder einreisen wollen. Sie machen Ärger ..."

„Bin gleich da!" Während Harald Jäger aus dem Raum des Lageoffiziers läuft, ruft er entnervt: „Jetzt haben wir einen Zweifrontenkrieg!"

Als er oben am Postenhäuschen ankommt, stehen dort acht bis zehn Personen. Eine junge Frau läuft Harald Jäger entgegen. In Tränen aufgelöst fleht sie: „Ich muss nach Hause! Meine Kinder liegen im Bett, die müssen morgen früh zur Schule. Ich wollte nur mal mit meinem Mann kurz rüber, weil es doch im Fernsehen hieß, dass man das jetzt darf."

Harald Jäger nimmt der verzweifelten Frau den Personalausweis aus der Hand. Tatsächlich ist das Lichtbild der weinenden Frau gestempelt, das ihres Mannes aber nicht. Oberstleutnant Jäger kann sich beim besten Willen nicht vorstellen, dass diese schmächtige Frau vorhin provokativ in Erscheinung getreten war. Offenbar sind in der Hektik unten an den Passkontrollen Fehler passiert.

„Sie dürfen einreisen. Alle!", entscheidet er und wendet sich an den Posten. „Ruf unten an und sag den Passkontrolleuren, dass die Weisung nicht mehr gültig ist. Wer raus ist, darf auch wieder rein!"

Auf dem Weg zurück zur Dienstbaracke entdeckt Harald Jäger, dass sich sein Sicherheitsoffizier drüben an der Kfz-Abfertigung gerade vor der Kamera der Fernsehleute aufbaut, offenbar bereit, ein Interview zu geben. Harald Jäger ruft: „Genosse Hauptmann!"

Erschrocken läuft ihm der Angesprochene entgegen, verfolgt von den Fernsehleuten. Als sich die beiden Offiziere gegenüberstehen, erklärt Harald Jäger kategorisch: „Du gibst keine Stellungnahmen ab! Du sagst überhaupt nichts! Ist das klar?"

„Jawohl!", antwortet der Sicherheitsoffizier militärisch knapp.

Oberstleutnant Harald Jäger geht in Richtung seiner Dienstbaracke. Einer der beiden Fernsehleute ruft hinter ihm her: „Können wir Sie einen Moment bitte ...?"

Im nächsten Moment schließt der Oberstleutnant die Tür hinter sich.

Auf den Monitoren kann er verfolgen, dass sich der Sicherheitsoffizier an seine Anweisung hält. Er sieht aber auch, dass die Menschen jenseits des Schlagbaums immer unruhiger werden. Ist die Unruhe dort unten durch das Verlesen jener Meldung noch größer geworden? Durch das Auftreten dieses ADN-Mannes oder wer immer das war? Auf einem anderen Monitor sind Menschen zu sehen, die am Grenzzaun rütteln. Einige Personen werden bereits durch die Wucht der Masse dagegengedrückt. Von der Seite kommen die ersten Rückkehrer ins Bild. Sofort sind sie von Menschen umringt, denen sie gestenreich von ihrem Ausflug erzählen. Auf Monitor zwei ist die von der Turmkamera aufgenommene Bornholmer Straße zu sehen. Sie ist schwarz von Menschen.

„Wie viele sind das?", fragt Oberstleutnant Jäger den Lageoffizier.

„Fünfundzwanzig-, dreißigtausend?!", antwortet dieser prompt. Wahrscheinlich hat er sich diese Frage schon mehrfach selbst gestellt.

Nachdenklich stützt Harald Jäger sich auf das Lagepult. Vom OLZ ist wohl keine Entscheidung mehr zu erwarten. Die PKE-Leiter konferieren womöglich noch immer bei Generalmajor Fiedler. Wie lange kann er noch warten? Wenn diese Menschen dort hinter dem Schlagbaum erst mal beginnen, selbst die Initiative zu übernehmen, wird es zu einer Katastrophe kommen. Ohne einen Befehl zur Öffnung der Grenze wären die Grenztruppen befugt, den unerlaubten Grenzdurchbruch zu verhindern, ja, sie wären geradezu verpflichtet dazu. Die zuschnappenden Sperrschlagbäume könnten schwere Verletzungen verursachen. Eine Massenpanik wäre die fast zwangsläufige Folge.

Harald Jägers Blick fällt auf das Rapportbuch, in welches der Lageoffizier kurz nach 20 Uhr den letzten Eintrag geschrieben hat. „Führst du keinen Rapport mehr?", fragt er ihn erstaunt.

Der Lageoffizier schüttelt den Kopf. „Was soll ich denn schreiben?"

Einer der Zugführer betritt den Raum und wendet sich, vollkommen unüblich, unter Verwendung des militärischen Dienstgrades an den Vorgesetzten: „Genosse Oberstleutnant, meine Leute fragen …"

„Hör zu", unterbricht ihn Harald Jäger. „Du veranlasst, dass unverzüglich sämtliche Passkontrollutensilien hierhergebracht werden: Stempel, Sicherungsfarbe, Zählkarten, Visaformulare – alles. Außerdem von der Kfz-Abfertigung die kleine Fahndungskartei. Das packst du alles in den Safe!"

Der Zugführer sieht ihn erwartungsvoll an, und Harald Jäger setzt hinzu: „Und dann sollen sie die Passkontrollen einstellen."

Während der Zugführer kehrtmacht und fast aus der Baracke rennt, dreht sich Harald Jäger zum Lageoffizier um. „Das kannst du jetzt in deinen Rapportbericht schreiben!"

Oberstleutnant Harald Jäger spürt das heftige Klopfen der Halsschlagader, während er die Dienstbaracke verlässt und hinüber zum Schlagbaum schreitet. Der kurze Weg erscheint ihm plötzlich endlos. Als er dort ankommt, schwillt der Chor der Zehntausenden an: „Tor auf! Tor auf!"

Keiner seiner Offiziere wagt ihn anzusehen. Oberstleutnant Jäger beobachtet, wie die Passkontrolleure mit den Kisten zur Dienstbaracke hinüberlaufen. Im nächsten Moment machen sich auch von der Kfz-Abfertigung zwei seiner Leute mit der kleinen Fahndungskartei auf den Weg. Als sich die Tür der Baracke hinter ihnen schließt, tritt Harald Jäger ganz nah an seine Offiziere heran. Dann brüllt er ihnen den Befehl zu: „Macht den Schlagbaum auf!"

Nun erst sehen einige von ihnen irritiert zu ihrem diensthabenden PKE-Leiter. Sofort läuft der Sicherheitsoffizier herbei. Die beiden Offiziere, die sich so lange kennen, sehen einander in die Augen. Betont militärisch wiederholt der Oberstleutnant: „Den Schlagbaum auf!"

Das nun folgende Geschehen nimmt Harald Jäger wie in Zeitlupe wahr. Die Offiziere, die den Schlagbaum nach innen führen, die Menschen, welche sich johlend vorbeidrängen oder den Uniformierten auf die Schulter klopfen, sie sogar umarmen. Diese Bürger, so geht es ihm durch den Kopf, haben sich die Öffnung der Grenze soeben selbst erkämpft. Durch ihre Beharrlichkeit und durch ihren Mut. Harald Jäger ist diesen Menschen, die in diesem Augenblick durch die Schlagbäume und die Fahrstuhltür einer ihnen fremden Welt entgegenlaufen, aber auch dankbar. Für ihre Besonnenheit. Schließlich hätten sie gänzlich anders reagieren können.

Hinten an den Passkontrollstellen für Fußgänger gibt es einen Stau, während die Menschen auf den Kfz-Spuren entlanglaufen und vor freudiger Erwartung hüpfen. Aber warum? Es muss unbedingt ein zügiges Durchkommen sichergestellt werden, ehe sich jemand zu Unmutshandlungen hinreißen lässt. Er entschließt sich, den Lageoffizier vom Postenhäuschen der Vorkontrolle/Ausreise aus zu instruieren. Das wird schneller gehen, als zu versuchen, sich durch diese Menschenmenge zur Dienstbaracke durchzukämpfen.

Wie schon so oft an diesem Abend greift er zu jenem Telefon, das ihn ohne Wählvorgang mit dem Lageoffizier verbindet. „Ich hatte die Anweisung gegeben, dass die Passkontrollen eingestellt werden. Ich weiß nicht, was die Passkontrolleure dort treiben, aber es gibt einen Stau."

„Ich kümmere mich drum!"

Harald Jäger legt den Telefonhörer auf die Gabel, obgleich er weiß, dass er jetzt eigentlich der Einsatzleitung im Operativen Leitzentrum Meldung zu machen hätte – Oberst Ziegenhorn.

23.29 Uhr

> In der Sondersendung *DDR öffnet Grenzen*, die über die drei nördlichen Sendeanstalten (SFB, NDR, Radio Bremen) der ARD ausgestrahlt wird, schaltet Studiomoderator Horst Schättle erneut live an den Grenzübergang Invalidenstraße zu Robin Lautenbach, der nicht viel Neues zu berichten weiß: „Jetzt, in diesem Augenblick, sind sehr viele Touristen und Schaulustige von Westberliner Seite aus über die Grenzlinie gegangen bis direkt hinten hin, wo die Grenzmauer steht, zu dem Wachturm. Es werden Parolen gerufen, aber ganz offenbar ist bisher an dieser Stelle aus Ostberlin noch niemand herübergekommen."

Oft hat Harald Jäger hier gestanden. Auf dieser kleinen Anhöhe kurz hinter der Vorkontrolle/Ausreise. Um sich einen Überblick zu verschaffen über die Gesamtsituation auf der GÜST. Hierhin hat er sich auch jetzt begeben – aus demselben Grund. Das Bild aber, welches sich ihm in diesem Augenblick bietet, unterscheidet sich gänzlich von den theoretischen Bedrohungsszenarien der Vergangenheit. Ein massenhafter Ansturm auf eine Grenzübergangsstelle war zur Horrorvision stilisiert worden, der „zuverlässige Schutz" derselben hingegen zu einer fortwährenden Heldentat. Nun aber sieht er keineswegs eine aggressive, rachelüsterne Meute vor sich, sondern fröhliche Menschen, die jubeln und tanzen. Harald Jäger erlebt den „feindlichen Akt gegen die Staatsgrenze der DDR" als riesiges Volksfest.

Es lässt sich nicht länger verdrängen – er muss Oberst Ziegenhorn Meldung machen. Sofort beginnen ihm die Knie zu zittern. Eiskalt spürt er seinen Rücken und im Bauch ein Gefühl, als ob er sich übergeben müsste. Dabei hat er nichts mehr gegessen, seit ihm der Appetit durch Günter Schabowskis „sofort" und „unverzüglich" vergangen ist.

Was soll er Oberst Ziegenhorn sagen? Während er sich zur Dienstbaracke hinüberbewegt, überlegt er verschiedene Varianten. Soll er seinen Schritt begründen? Darf er dem Operativen Leitzentrum vorwerfen, ihn hier alleingelassen zu haben? Oder den Genossen im Ministerium?

Harald Jäger hätte nach hinten in das Leiterzimmer gehen und via Telefon ein Vieraugengespräch mit dem Dienstvorgesetzten führen können.

Kameramann Rainer März hält für *Spiegel TV* den Moment der Grenzöffnung im Bild fest.

Die Beharrlichkeit und der Mut Tausender Wartender wird endlich belohnt. Die ersten DDR-Bürger haben die Grenze nach Westberlin überschritten.

Auch nach Öffnung des Schlagbaums lösen sich die Staus an der Grenzübergangsstelle nicht sofort auf.

Doch die Anwesenheit des Lageoffiziers, eines Zugführers und der beiden Fahndungsoffiziere hier vorn am großen Telefonpult empfindet er als unterstützend, obwohl keiner etwas sagt. Sie alle haben den Augenblick der Grenzöffnung auf den Monitoren verfolgt. Im Raum herrscht bedrücktes Schweigen. Als Harald Jäger zum Telefonhörer greift, verlassen alle wie auf ein verabredetes Zeichen hin den Raum. Nur der Lageoffizier bleibt hinter seinem Pult sitzen.

Nach nur einem Klingelton hört Harald Jäger die ihm so vertraute Stimme: „Ziegenhorn!"

Dem Oberstleutnant gelingt es, seine Meldung knapp und in einem sachlichen Ton vorzubringen: „Ich habe die Passkontrollen einstellen lassen …!" Und nach einem Augenblick des gemeinsamen Schweigens: „Die GÜST war nicht mehr zu halten!"

Trotz der fortgesetzten Geräuschkulisse des Freudentaumels von draußen kann er am anderen Ende der Leitung das schwere Atmen seines Vorgesetzten hören. Und schließlich dessen müde Stimme: „Ist gut, mein Junge!"

23.37 Uhr

> Die Westberliner Polizeidirektion I übermittelt dem Polizeipräsidenten den Bericht, dass der „Übergang Bornholmer Straße praktisch offen" sei und sich von Ost nach West ein Menschenstrom „wie die Ameisen" bewege. Die Grenzer hätten sich zurückgezogen.

Er glaubt gespürt zu haben, dass auch Oberst Ziegenhorn eben ein Stein vom Herzen gefallen ist. Ist das die Lösung, die auch der Einsatzleiter im OLZ seit Stunden im Kopf hatte, aber nicht sagen durfte? Diesmal hatten sie beide gleichzeitig das Gespräch grußlos beendet.

Der Lageoffizier starrt auf die noch immer leere Seite des Rapportberichts. Harald Jäger verlässt den Raum. Die zwei jungen Wachen stehen mit hängenden Schultern und leeren Gesichtern neben der Tür, die sie von dem Geschehen draußen trennt. Die beiden Fahndungsoffiziere beobachten die schwer fassbaren Vorgänge – hinter geschlossenen Gardinen, auf Monitoren.

Vor der Dienstbaracke kann Harald Jäger bei Kollegen einen offensichtlichen Drang nach Vereinzelung beobachten. Nur selten stehen irgendwo zwei Uniformträger beieinander. Die meisten hingegen laufen scheinbar ziellos zwischen den Menschen auf dem belebten Platz umher. Harald Jäger verspürt nun ebenfalls das Bedürfnis nach Rückzug. Doch er möchte nicht in die Dienstbaracke zurück.

23.46 Uhr

MfS-Oberst Rudi Ziegenhorn informiert das Ministerium für Staatssicherheit telefonisch über die eigenmächtige Öffnung der Grenze an der Bornholmer Straße. Dort sagt ihm Generalleutnant Gerhard Niebling, der sich kurz mit dem stellvertretenden Staatssicherheitsminister Gerhard Neiber bespricht: „Ja, macht auf, es bleibt euch gar nichts anderes übrig." Vom Operativen Leitzentrum der Hauptabteilung VI aus weist Oberst Ziegenhorn nun auch die anderen Grenzübergangsstellen an, die Schlagbäume zu öffnen. Kurz darauf kann Robin Lautenbach – live in die Sondersendung *DDR öffnet Grenzen* geschaltet – an der Invalidenstraße die ersten Ostberliner auf Westberliner Gebiet begrüßen.

Die Operativbaracke auf der anderen Seite des Platzes war einmal das einzige Gebäude dieses Grenzübergangs gewesen – vor einem Vierteljahrhundert, als er hier als einfacher Passkontrolleur angefangen hatte. An diesen Ort, wo einst alles für ihn angefangen hatte, zieht es ihn nun zurück. Harald Jäger hofft, dass dort drüben die Anspannung der letzten Stunden weichen wird. Wenn er endlich unbeobachtet seinen Gefühlen freien Lauf lassen kann.

Doch als er die Operativbaracke betritt, steht dort bereits ein Hauptmann, dem Tränen über das Gesicht laufen. Wie konnte er vergessen, dass er selbst vorhin zwei Leute zur Bewachung hierheraufgeschickt hat? Auf gar keinen Fall darf er diesem Offizier gegenüber Schwäche zeigen. Der andere Offizier sitzt in dem alten Vernehmungszimmer und wird von Weinkrämpfen geschüttelt.

Mittlerweile hat sich Oberstleutnant Jäger wieder so weit im Griff, dass er dem Kollegen im Flur die Hand auf die Schultern legen und sagen kann: „Das Leben geht weiter!"

Er weiß, dass dies nicht nur als Trost für den jungen Offizier gemeint ist, sondern auch für sich selber. Das Leben geht weiter – aber wie?

0.00 Uhr

In der Sendung *DDR öffnet Grenzen* berichtet Robin Lautenbach live: „Hier am Grenzübergang Invalidenstraße spielen sich im Moment unbeschreibliche Szenen ab ... Die DDR-Posten sind offenbar machtlos und können hier nichts mehr unternehmen. Die Situation an dem Kontrollpunkt scheint bereits unkontrollierbar zu sein; jeder herausfahrende Trabi oder andere DDR-Wagen wird mit Sekt und Jubel und Blumen begrüßt."

Nun erst erhalten der in Strausberg tagende DDR-Verteidigungsminister Heinz Keßler und seine dort versammelten Generäle die Information, dass ein diensthabender Offizier einer Berliner PKE eigenmächtig die Grenze geöffnet habe. Kurz darauf meldet der Chef der Grenztruppen, Generaloberst Klaus-Dieter Baumgarten, dass auf Weisung des MfS alle Grenzübergänge geöffnet worden seien. Die vollkommen irritierten Militärs beginnen damit, verschiedene Handlungsszenarien durchzuspielen – auch ein militärisches.

Der Posten an der Vorkontrolle/Einreise, vor dessen Augen sich soeben eine gewaltige Ausreise vollzieht, erzählt Harald Jäger lauter belanglose Dinge. Zum Beispiel, dass er den Schlaf nach einer Nachtschicht oftmals als viel erholsamer empfinde als den nach der Tagschicht. Manchmal wird sein Redeschwall für einen kurzen Moment unterbrochen – von wildfremden Frauen, die ihm einen Kuss auf die Wange drücken. Oder von Männern, die ihm kumpelhaft auf die Schultern klopfen. Gleich danach aber berichtet er seinem diensthabenden PKE-Leiter bis ins letzte Detail, welche technischen Veränderungen er an seinem Wartburg 353 vorgenommen hat. Warum erzählt ihm der junge Mann das alles? Möchte er mit diesen profanen Schilderungen Normalität vorgaukeln? Will er einfach nicht zur Kenntnis nehmen, was um ihn herum vorgeht – dass das Volk in dieser Nacht ein gewaltiges Fest feiert? Auf jenem Platz, der für fast alle diese Menschen in den letzten 28 Jahren tabu war. Das alles war doch nicht sinnlos, sagt sich Harald Jäger immer wieder. Dieses Ereignis hier kann seine Meinung nicht revidieren, dass es Gründe gegeben habe, weshalb diese Grenze so bestand, wie sie bestand. Wohl aber fördert das, was sich hier abspielt, bei ihm die Erkenntnis, dass es sicher mehr als eine Ursache hat, weshalb dies jetzt nicht mehr so ist. Wenn ihn in diesem Augenblick jemand nach seinen Gefühlen fragte, so würde Harald Jäger antworten: „Dies ist die schlimmste und gleichzeitig die glücklichste Nacht in meinem ganzen Leben!"

0.17 Uhr

Überraschend taucht Walter Momper an der Grenzübergangsstelle Invalidenstraße auf. Später wird er erklären, er habe Sorge gehabt, „es würde zu einem Blutbad, zu Schießereien kommen". Tatsächlich hatte der diensthabende PKE-Leiter zunächst die Offiziersschüler als militärische Verstärkung angefordert. Als die jungen Leute dann aber bewaffnet und aufmunitioniert in Bussen angekarrt worden waren, hat er sich entschlossen, sie umgehend in die Kasernen zurückzuschicken. Nun muss er miterleben, wie der Regierende Bürgermeister von Westberlin den weißen Strich überschreitet und sich auf DDR-Territorium begibt. Während Walter Momper auf einen Tisch der DDR-Zollkontrolle steigt und sich über ein Megafon an die Menge wendet, unterrichtet der diensthabende PKE-Leiter aus seinem nur fünfzig Meter vom Geschehen entfernten Büro telefonisch Generalmajor Fiedler. Der Chef der Hauptabteilung VI lehnt jedoch den Vorschlag, Walter Momper festzunehmen, ab.

Unten im Grenzbereich laufen die Posten Streife wie eh und je. Während die Soldaten weiter „zuverlässig den Schutz der Staatsgrenze der DDR" garantieren, finden oben auf der Brücke längst Verbrüderungen statt. Inzwischen nämlich hat auch eine Bewegung von West nach Ost eingesetzt. Eine junge Frau mit langen blonden Haaren, die mit beiden Händen ihre abgeschabte gefütterte Wildlederjacke zuhält, kommt auf ihn zu und fragt: „Verzeihung ... äh ... darf man bei Ihnen rein? Ich würde gerne Freunde in Ostberlin besuchen."

„Herzlich willkommen in der Hauptstadt der Deutschen Demokratischen Republik!", sagt Harald Jäger. Unterhalb der Brücke, auf dem Kolonnenweg, erkennt er den diensthabenden Leiter der Grenztruppen, der offenbar zwei vorgesetzte Offiziere, einen Oberstleutnant und einen Major, über das Geschehen unterrichtet. Kurz darauf nähern sich die drei Offiziere der Treppe. Harald Jäger entschließt sich, die wenigen Meter zum Postenhäuschen zurückzugehen – auch auf die Gefahr hin, dass ihm der Posten von der Briefmarkensammlung seines Großvaters erzählt.

Die Offiziere kommen auf ihn zu, und der diensthabende Leiter des Grenzabschnitts macht sie miteinander bekannt – seinen Regimentskommandeur und dessen Stabschef mit dem diensthabenden PKE-Leiter, dem „Genossen Oberstleutnant Harald Jäger". Unerwähnt bleibt dessen Rolle bei der Öffnung der Grenze. Jedenfalls während seiner Anwesenheit.

Dem militärischen Gruß folgt von beiden Seiten eine gewisse Unbeholfenheit. „Tja, das ist alles noch ein bisschen ungewohnt, aber ... wahrscheinlich ging es ja nicht anders", sagt der Regimentskommandeur. In diesem Moment sehnt sich Harald Jäger nach den belanglosen Geschichten des Postens, der rechts von ihm versucht, die Anwesenheit der Grenztruppen-Offiziere zu ignorieren.

„Na, dann wollen wir mal unsere Mannschaft auf dem Turm inspizieren!" Mit dieser Bemerkung verabschieden sich der Regimentskommandeur, sein Stabschef und der diensthabende Leiter dieses Grenzabschnitts, um zielgerichtet den Wachturm anzusteuern.

0.20 Uhr

Der Chef der Grenztruppen, Klaus-Dieter Baumgarten, befiehlt auf Weisung des Verteidigungsministers Keßler „erhöhte Gefechtsbereitschaft" für die 12 000 Soldaten der Berliner Grenzregimenter – inklusive der stabsmäßigen Vorbereitung und Sperrung der Grenzübergangsstellen. Dafür aber werden keinerlei Vorbereitungen getroffen. Im Laufe der Nacht werden die Kommandeure der Grenzregimenter, in Ermangelung weiterer eindeutiger Befehle, die Maßnahmen auf eigene Verantwortung wieder einstellen.

Ist es Zufall, dass sie sich wieder bei den Betonblöcken treffen? Ohne Verabredung, an diesen hässlichen Gebilden mit den Blumenkästen, in denen in dieser Jahreszeit nichts blüht, und an den Sperrschlagbäumen, die keiner mehr braucht. In der Vergangenheit, wenn sie sich unter vier Augen unterhalten wollten, waren Harald Jäger und E. hierhergekommen. Die Ereignisse der letzten Stunde lassen die einstigen Treffen schon jetzt als historisch erscheinen.

Lässig an die Betonblöcke gelehnt, blicken die beiden Offiziere stumm zur Grenzbrücke hinauf. Inmitten all dieser Menschen, die zwischen Ost und West hin- und herfluten.

Plötzlich sagt E.: „Tja, das war's ja denn wohl!"

Hatte sein Offizierskollege eben tatsächlich den Gedanken ausgesprochen, den er sich selbst bisher nicht gestattet hat?

„Was meinst du?", will Harald Jäger wissen.

Sein Kollege sieht ihn ruhig und ohne erkennbare innere Regung von der Seite an. „Na, was meine ich wohl? – Das war's mit der DDR!"

1.00 Uhr

Im Ministerium für Nationale Verteidigung geht die militärische Führung der DDR im Streit auseinander. Nach teils heftiger Kritik über Mängel in seiner Leitungstätigkeit hatte Minister Heinz Keßler noch einmal das Wort ergriffen: „Genossen, sicherlich haben wir jetzt andere Aufgaben, als uns wegen Führungstätigkeit und Mängeln zu streiten. Die Republik ist in Gefahr! Wir verschieben die Diskussion." Keiner der anwesenden Militärs weiß, dass am Brandenburger Tor bereits Westberliner Bürger die Mauer erklommen haben. Dies ist nach DDR-Gesetzen eindeutig eine Grenzverletzung.

Es sind die gleichen Personen wie zwei Stunden zuvor, die sich um den Schreibtisch im Leiterzimmer gruppieren – der Parteisekretär, Oberstleutnant E. und der Chef des Grenzzollamts. Nur sitzt diesmal der PKE-Leiter dahinter, und dessen diensthabender Stellvertreter steht davor. Harald Jägers Chef war mit dem Wagen nicht mehr durchgekommen, er hat das Fahrzeug schließlich in einer Nebenstraße abgestellt und sich zu Fuß durchgekämpft. Jetzt lässt er sich Bericht erstatten. Aufmerksam hört er sich die Ausführungen seines Stellvertreters an, beobachtet von den stumm lauschenden Offizieren. „Ich sehe schon, das war das Einzige, was du machen konntest", sagt der PKE-Leiter schließlich.

Plötzlich scheint auch das Mitteilungsbedürfnis des Parteisekretärs wieder zum Leben zu erwachen. „Die Situation hat uns wirklich keine andere Wahl gelassen", sagt er, und die beiden anderen Offiziere nicken zustimmend.

2.00 Uhr

In der Nachrichtensendung von Radio DDR I wird eine Erklärung des DDR-Innenministeriums verkündet, wonach die derzeitige „Übergangsregelung" der offenen Grenzen nur bis zum Morgen des 10. November um acht Uhr gelte. Danach sei für das Passieren der Grenze ein Visum notwendig. Sofort bilden sich im ganzen Land vor den Pass- und Meldestellen der Volkspolizei lange Schlangen.

Wer hatte vorhin eigentlich die Idee, die Passkontrolleure dazu zu verpflichten, die Wirtschaftsbaracke zu öffnen und sich als Kantinenpersonal zu betätigen? Wer immer es war, es ist eine gute Idee gewesen. Harald Jäger hängt seinen Gedanken nach.

Nicht die wahrhaft dramatischen Stunden sind es, die ihn in diesen Minuten beschäftigen, sondern ein kurzer, unerfreulicher Dialog mit dem PKE-Leiter eben. „Du hast wohl nur deinen Arsch im Kopf", hat dieser drüben im Leiterzimmer gesagt. Dabei hatte Harald Jäger seinen Vorgesetzten lediglich noch einmal darauf aufmerksam gemacht, dass er am nächsten Morgen ziemlich pünktlich die Dienststelle zu verlassen wünsche, um rechtzeitig um zehn Uhr im Klinikum Buch sein zu können. Vorsichtiger konnte er seinen Wunsch nicht formulieren, den morgendlichen Rapport möglichst ohne Verzögerung zu beginnen. Auch wenn sich da draußen Weltgeschichte vollziehen mochte, das eigene Leben sei ihm immer noch näher, hat er erklärt und ihm damit klargemacht, dass er die Bemerkung des Vorgesetzten vollkommen überflüssig und zudem nicht besonders intelligent fand. Intelligente Bemerkungen hat man von diesem Mann ohnehin nur selten gehört. Er ist das, was man oft abfällig als „Apparatschik" bezeichnet. Ein Funktionärstyp, der Befehle und

Weisungen ordnungsgemäß ausführt, über gesellschaftliche Zusammenhänge aber nur selten nachdenkt.

In letzter Zeit hat sich Harald Jäger öfter bei der Vorstellung ertappt, wie er die Leitung der Passkontrolleinheit organisieren will, wenn er in vier Jahren die Nachfolge seines Vorgesetzten antreten soll. In diesem Moment aber stellt er sich die Frage, wie in vier Jahren wohl die Aufgaben an den Grenzübergangsstellen der DDR aussehen werden. Falls die DDR dann noch existiert.

Harald Jäger wagt eine Vision. Die Vision zweier souveräner deutscher Staaten mit normalen Beziehungen, an deren Grenzen sich die Abfertigung der Reisenden in beiden Richtungen in etwa so gestaltet, wie dies in den letzten Jahren schon an den Grenzen zwischen der DDR und der ČSSR der Fall war.

Er lehnt sich zurück und betrachtet für einen Moment das ungewohnte Bild in dieser ihm sonst so vertrauten Wirtschaftsbaracke: die Passkontrolleure, die Kaffee aufbrühen und Stullen schmieren. Er blickt hinauf zu dem abgeschalteten Fernsehgerät, auf dem er vor mehr als sechs Stunden eine nachlässig dahingesprochene Bemerkung eines verantwortungslosen Politfunktionärs gehört hat. Mit weitreichenden Folgen. Und weil sich langsam Müdigkeit in seinem Körper breitmacht, bittet er einen der Hauptleute um einen extra starken Kaffee.

10. November 1989:
Schlagzeilen der internationalen Presse

„Riesiger Riss im Eisernen Vorhang"	*The Times*
„Historische Stunden in Berlin"	*Berliner Morgenpost* (Extrablatt)
„Ostdeutschland öffnet Berliner Mauer und Grenzen und erlaubt den Bürgern frei in den Westen zu reisen"	*The Washington Post*
„DDR öffnet ihre Grenzen zum Westen – Die Mauer verliert ihre Funktion"	*Tagesspiegel*
„Berlin: die Mauer fällt"	*Le Figaro*
„Die Mauer ist weg! Berlin ist wieder Berlin!"	*B.Z.*

„Ostdeutschland öffnet Staatsgrenze zu West-
deutschland – Nach 28 Jahren Zusammenbruch
der Berliner Mauer" *Yomiuri* (Tokio)

„4. Parteikonferenz der SED für den
15. bis 17. Dezember 1989 einberufen" *Neues Deutschland*

Das Wartezimmer ist gut gefüllt. Die Köpfe der meisten Patienten scheinen sich hinter den ausgebreiteten Zeitungen zu verstecken. Die Titelblätter der DDR-Presse melden für Mitte Dezember eine Parteikonferenz der SED. Andere Wartende sind eingenickt. Die mollige Krankenschwester, die ab und zu erscheint und einen Namen in den Raum ruft, bringt für einen Augenblick Unruhe in das erstarrt wirkende Ensemble. Alles ist hier genauso wie bei der vorigen Untersuchung im August. Nichts weist darauf hin, dass in diesem Land heute Nacht eine Veränderung von weltpolitischer Bedeutung passiert ist. Und schon gar nicht kann einer von diesen Menschen auch nur erahnen, dass sie hier mit jemandem warten, der daran einen nicht unwesentlichen Anteil hat.

Vor zwei Stunden war er Marga und Manuela im Flur der Wohnung begegnet. Für Minuten nur – die Frauen befanden sich auf dem Sprung zur Arbeit. Marga hatte angemerkt, er sähe müde aus. Dann sagte er: „Ich habe heute Nacht die Grenze geöffnet!" Da hat Marga ihn irritiert angesehen, den Kopf geschüttelt und ihn gebeten, „nicht solchen Quatsch" zu reden.

Seit 28 Stunden ist er nun auf den Beinen. War es vielleicht eine Halluzination? Nein, denn als er seine Schwester Anita aus Bautzen anrief, hatte sie bereits aus den Medien von dem Ereignis erfahren. Er habe die schwerste Nacht seines Lebens hinter sich, hat er zu ihr gesagt. Nach einem Moment der Stille hat sie ihm versichert: „Du hast das Richtige getan! Du hast dich für die Menschen entschieden." Das hat geholfen.

Jetzt kann er sich wieder dem Wesentlichen zuwenden – seiner Gesundheit. Die mollige Krankenschwester ruft in den Raum: „Herr Jäger bitte!"

Mittwoch, 3. Oktober 1990

Um 0.00 Uhr endet die staatliche Existenz der Deutschen Demokratischen Republik. Entsprechend einem Beschluss der Volkskammer vom 23. August ist die DDR nach Artikel 23 des westdeutschen

Grundgesetzes mit Wirkung des 3. Oktober 1990 der Bundesrepublik Deutschland beigetreten.

Jenem Beschluss war am 18. März die erste freie Parlamentswahl in der Geschichte der DDR vorausgegangen, bei der die konservative „Allianz für Deutschland" mit 47,8 Prozent der Stimmen einen überwältigenden Sieg davontrug. Für die SED-Nachfolgepartei PDS hatten nur 16,3 Prozent der Wähler gestimmt.

Seit 14 Stunden ist Harald Jäger nun das, was er im Gegensatz zu Hunderttausenden seiner Landsleute nie werden wollte – ein Bürger der Bundesrepublik Deutschland. Das will er auch jetzt nicht sein, wenngleich ihn niemand danach fragt. Er musste das Scheitern seiner Weltanschauung erleben, und er hat nicht vor, nun schon das Hohe Lied der neuen Ordnung zu singen.

Zur Mittagsstunde an diesem Tag null hatte er sich entschlossen, noch einmal dorthin zurückzukehren, wo er jede Bordsteinkante kennt und jeden Baum. An jenen Ort, an dem er ein Vierteljahrhundert lang ein Tor in der Grenze jenes Staates bewacht hatte, der in der letzten Nacht aufgehört hatte zu existieren. Marga hat gefragt, was ihn jetzt noch „an die Bornholmer" ziehen würde. Er konnte ihr die Antwort nicht geben.

Von der Ecke Bornholmer Straße aus blickt er hinauf in Richtung jener Brücke, an der für ihn und die meisten DDR-Bürger einmal die Welt zu Ende war – bis zum 9. November 1989. Noch immer ist es für ihn ein Wunder, dass jene Nacht ohne ernsten Zwischenfall verlaufen ist.

Eigentlich will er sich diese Frage nicht mehr stellen: „Warum musste ausgerechnet ich in diese Situation geraten?" Doch beinahe täglich schleicht sich dieser 9. November in seine Gedanken, beeinflusst seine Träume und lässt ihn wieder und wieder diese Frage formulieren.

Während sein Blick über den einstigen Ort des Geschehens streift, wird er von einem heftigen Gefühl überrascht. Schlagartig empfindet es Harald Jäger als großes Glück, dass er es war, den das Schicksal auserkoren hatte. Für einen Augenblick nur hat er sich vorgestellt, was passiert wäre, wenn nicht er, sondern sein damaliger Chef an jenem Abend Dienst gehabt hätte. Ganz sicher wäre der Schlagbaum nicht ohne Befehl geöffnet worden. Niemals! Die Konsequenzen solchen Starrsinns mag er sich gar nicht ausmalen.

Noch Tage und Wochen nach jener Nacht lieferte Harald Jägers Vorgesetzter Beispiele für eine dogmatische Haltung. Bereits am Tag nach der Maueröffnung und das gesamte folgende Wochenende, als von

In der Nacht vom 2. auf den 3. Oktober 1990 feiern Tausende von Menschen die Vereinigung Deutschlands vor dem Brandenburger Tor.

staatlicher Seite versucht worden war, den unkontrollierten Grenzübertritt wieder zu unterbinden, begrüßte er das mit dem Hinweis: „Wir dürfen nicht den Ast absägen, auf dem wir sitzen." Und er tobte jedes Mal, wenn sein Stellvertreter wieder den Schlagbaum hatte öffnen lassen. Dabei ließen die untauglichen Maßnahmen der Regierung gar keine andere Wahl. Das Anstellen der Menschen an einer von der Volkspolizei auf der GÜST eingerichteten provisorischen Visumstelle, das Ausfüllen einer Zählkarte und das listenmäßige Erfassen an der Passkontrolle hatten sofort wieder zu endlosen Warteschlangen geführt.

Harald Jäger wusste damals nicht, dass zu diesem Zeitpunkt der Militärstaatsanwalt bereits Ermittlungen wegen der befehlswidrigen Grenzöffnung vom 9. November eingeleitet hatte. Es wäre nur noch eine Frage von Tagen gewesen, bis man ihn als deren Urheber ermittelt, festgenommen und vor ein Militärgericht gestellt hätte. Doch die rasante Entwicklung in der DDR setzte einer solchen Strafverfolgung ein schnelles Ende.

Noch Mitte Dezember, als Harald Jäger mit dem Kommandanten der Grenztruppen die Entfernung jener Betonblöcke mit den Sperrschlagbäumen verabredete, stießen sie auf den energischen Widerstand des PKE-Leiters. Es könne ja mal wieder anders kommen, sagte er. Außerdem dürfe man nicht den Ast absägen ... Erst als Harald Jäger Oberst Ziegenhorn überzeugt hatte, konnten Grenztruppen-Pioniere jene Requisiten vergangener Zeiten samt Blumenkästen entsorgen. Die nun anbrechende neue Zeit aber erlebte Harald Jäger als eine Zeit der fortgesetzten Demütigungen.

7. Februar 1990 *Auf den Tag genau 29 Jahre nachdem er als 17-Jähriger in Großglienicke bei Potsdam zum ersten Mal die Uniform der DDR-Grenzpolizei angezogen hatte, musste er im ehemaligen Ministerium für Staatssicherheit seinen Dienstausweis abgeben. Die Behörde hieß mittlerweile „Amt für Nationale Sicherheit". Seither schwammen die Passkontrolleinheiten im gesellschaftlichen Niemandsland, wenngleich mit den alten Dienstausweisen des MfS in der Tasche. Und diesen zeigte er an jenem Vormittag ein letztes Mal vor. Der am Eingang positionierte Volkspolizist wies mit einer kaum merklichen Kopfbewegung auf den bärtigen Herrn neben ihm, der Harald Jäger abfällig musterte. Umgehend stimmte man in der gegenseitigen Antipathie überein. Der langjährige Oberstleutnant der Staatssicherheit empfand es als demütigend, sich gegenüber einem Angehörigen des Bürgerkomitees ausweisen zu müssen. In diesem Moment des gegenseitigen Musterns war ihm nicht in den Sinn gekommen, worüber er später manchmal nachdenken wird. Nämlich dass dieser Mensch womöglich einst als „feindlich-negativ" eingeschätzt, verfolgt und drangsaliert worden war. Wie hatte er von jenem Menschen Freundlichkeit erwarten können, als er sich ihm gegenüber als Mitarbeiter der Staatssicherheit legitimierte?*

Am nächsten Tag durfte er sich beim zuständigen Regimentskommandeur für den Dienst in den Grenztruppen bewerben. Wenn es nach der Leitung der Hauptabteilung VI gegangen wäre, hätte er diese Chance nicht bekommen. Dort hatte man Wochen zuvor eine „Arbeitsgruppe" gebildet. Sie gab vor zu prüfen, welche Mitarbeiter zu einer Weiterbeschäftigung bei den Grenztruppen empfohlen werden sollten. Tatsächlich aber hatte deren Tätigkeit darin bestanden, sich untereinander Posten zuzuschieben. Der Name des Maueröffners Jäger jedenfalls stand nicht auf der Liste jener „Arbeitsgruppe". Offenbar aber hatten die Grenztruppen rechtzeitig von der Mauschelei Wind bekommen und eigene Übernahmekriterien erarbeitet. Nun durfte sich auch Harald Jäger bewerben.

Am definitiv letzten „Tag der Staatssicherheit", dem 8. Februar, saß Harald Jäger dem für die Bornholmer Straße zuständigen Regimentskommandeur als Zivilist gegenüber. In einer Kaserne der Grenztruppen in Niederschönhausen. An diesem Morgen, ausgerechnet am 40. Gründungstag des Ministeriums für Staatssicherheit, hatte sich in Berlin ein Komitee konstituiert mit dem Ziel der „Auflösung des ehemaligen Mi-

nisteriums für Staatssicherheit/Amt für Nationale Sicherheit durch den Ministerrat der DDR". Für die 85 500 hauptamtlichen und mehr als doppelt so vielen Inoffiziellen Mitarbeiter gab es an diesem Tag die Entlassungspapiere.

Am frühen Nachmittag saß Harald Jäger also jenem Regimentskommandeur gegenüber, dem er am 9. November an der Vorkontrolle/Einreise zwischen all den jubelnden Menschen begegnet war. In jener bedeutsamen Nacht drei Monate zuvor wäre er ihm gern aus dem Weg gegangen – nun war er froh, dass diese Begegnung stattgefunden hatte. Man ging vertraut miteinander um. Von ihm erfuhr Harald Jäger, dass sich der Grenztruppenkommandant an der Bornholmer Straße für ihn als seinen Stellvertreter stark gemacht habe. War das der Judaslohn dafür, dass er zuvor in dessen Auftrag auf der GÜST Bornholmer Straße die Selektion der Bewerber vorgenommen hat?

Die Grenztruppen hatten keine Bedenken gehabt, nach der bevorstehenden Auflösung der Staatssicherheit von der PKE erfahrene Passkontrolleure zu übernehmen. Warum sollten diese nicht auf der Dienststelle verbleiben, auch wenn sie künftig von den Grenztruppen befehligt wird? In den Wochen zuvor aber hatte die Staatssicherheit den erhöhten Personalbedarf an den Grenzübergangsstellen mit Leuten aus Bereichen gedeckt, in denen man sie nicht mehr brauchte. Also wurden ehemalige Observateure, Vernehmer und Mitarbeiter, die in der „Abteilung M" Briefe und Paketsendungen kontrolliert hatten, im Schnellverfahren zu Passkontrolleuren umgeschult. Solche Leute aber wollten die Grenztruppen nicht haben. „Niemanden, der in der Öffentlichkeit für das MfS gearbeitet hat" – so hieß die offizielle Formel. Man wolle vermeiden, dass das Ansehen der Grenztruppen Schaden nehmen könne, wurde hinter vorgehaltener Hand erklärt. Harald Jägers Rolle war nun tatsächlich die eines Judas. Er hatte quasi eine „reine Liste" der potenziellen Bewerber für eine Übernahme zu den Grenztruppen zu erstellen, die deren Ansprüchen entsprachen.

War es also der Judaslohn für diese Selektierung, dass nun dieser Regimentskommandeur die Meinung vertrat, Harald Jäger solle seine bisherige Tätigkeit an der Grenzübergangsstelle fortsetzen? Ab sofort aber als Angehöriger der Grenztruppen und Stellvertreter des Kommandanten – und nur noch im Range eines Majors, ein Dienstgrad, den er zuletzt im Januar 1985 bekleidet hatte.

Tatsächlich ging man in jenen Tagen – fünf Wochen vor der ersten freien Parlamentswahl in der Geschichte der DDR – in den Kasernen von NVA und Grenztruppen von einem Fortbestand des Staates aus. An *jenem 8. Februar 1990 jedenfalls war weder Harald Jäger noch dem Regimentskommandeur klar, dass sie beide sich in weniger als sieben Monaten neue Arbeitsplätze würden suchen müssen. Viele Demonstranten auf den Straßen der DDR aber riefen längst „Wir sind ein Volk!", die Blockparteien ersuchten ihre westdeutschen Schwesterorganisationen um Beistand im bevorstehenden Wahlkampf, und KPdSU-Generalsekretär Gorbatschow hatte am 30. Januar erklärt, „prinzipiell" nichts gegen die Vereinigung der beiden deutschen Staaten zu haben.*

Von da, wo der Posten Vorkontrolle/Ausreise stand, kann Harald Jäger mit einem Blick zwei gegensätzliche Bilder erfassen – die abgefackelte Dienstbaracke und die eingerüstete Grenzbrücke. Nichts sonst erinnert daran, dass hier bis vor wenigen Monaten eine für die DDR gleichermaßen neuralgische wie operativ bedeutsame Grenzübergangsstelle lag.

Das riesige Glasfaserdach, welches einmal die gesamte Kfz-Abfertigung überspannt hatte, soll mittlerweile an einer Tankstelle Verwendung gefunden haben. Und die einstigen Passkontrollbaracken dienen an verschiedenen Großbaustellen Pförtnern als Arbeitsplatz. Sie waren hier zur gleichen Zeit abgebaut worden, als in der DDR die D-Mark als Zahlungsmittel eingeführt worden war. Weil aber die Währungsunion bereits die finanzpolitische Angliederung an die Bundesrepublik bedeutete, konnte endlich auch der östliche Teil der Grenzbrücke eingerüstet werden. Da die DDR kein Geld mehr für eine solche Rekonstruktion gehabt hatte, war zunächst nur deren westlicher Teil erneuert worden. Nun hat man auf dem Gelände der ehemaligen GÜST Baumaterialien gelagert, die Grenztruppen mangels anderer Aufgaben für deren Bewachung abgestellt und die Dienstbaracke zu einem Aufenthaltsraum degradiert. Nur das gewaltige Lagepult erinnert noch daran, dass hier einmal das Herz einer Grenzübergangsstelle geschlagen hat.

März/April 1990 *Sämtliche vertraulichen Verschlusssachen waren schon vor Wochen aus der Dienstbaracke zur Hauptabteilung nach Schöneweide gebracht worden – in Abstimmung mit dem Bürgerkomitee und zu dessen offizieller Verfügung. Die Schulungsmaterialien, die Fahndungskartei, die Passkontrollordnung – alles, außer der Operativkartei. Denn diese gab es offiziell gar nicht. Sie zu führen war von jeher illegal und wahrscheinlich selbst nach DDR-Gesetzen strafbar. Wochen nachdem die Bürgerkomitees im ganzen Land Kreis- und Bezirksämter der Staatssicherheit besetzt hatten, lagen in der einstigen Operativbaracke noch immer die Karteikarten, zahlreiche Hefte mit Aufzeichnungen* *und andere Materialien herum. Es war der Grenztruppenkommandant, Harald Jägers neuer Vorgesetzter, der Ende März das Problem ansprach. Sechs Wochen zuvor hatte er ja nicht nur die Passkontrolleure und deren schrumpfenden Aufgabenbereich, sondern auch jenes illegale Requisit geerbt. Sein neuer Stellvertreter, mit dieser Kartei seit mehr als zwei Jahrzehnten bestens vertraut, hatte vorgeschlagen, alles durch den Reißwolf zu jagen. Doch die Papiermenge wäre geschreddert eher noch gewaltiger, und man wäre mit dieser Tätigkeit tagelang beschäftigt gewesen. Da hatte der Grenztruppenkommandant eine Idee – das Heizkraftwerk Glienicke. Die Anlage unterstand der Grenzabteilung Schildow-Glienicke, und ihre Grenztruppenausweise würden ihnen den Zutritt verschaffen. Es musste aber möglichst unauffällig vonstattengehen. Denn wem konnte man noch trauen? Am Ende stopften der Grenztruppenkommandant und sein Stellvertreter höchstpersönlich die einstmals abgeschöpften Ersthinweise und operativen Feststellungsergebnisse von Zehntausenden von Bundesbürgern in große Säcke. Viel zu viel, um sie gemeinsam mit dem zuverlässigen Fahrer in einer einzigen Fuhre nach Glienicke zu schaffen.*

Am Heizwerk angekommen, verwickelte der Grenztruppenkommandant den Heizer vorsichtshalber in ein privates Gespräch, während Harald Jäger und der Fahrer die Säcke zum Kessel schleppten. Als sie am Nachmittag zurückkehrten, war der Bezirksschornsteinfeger auf der Anlage. Sicher würde er sich schon aus professioneller Neugier dafür interessieren, was hier verbrannt werden sollte. Diesmal war es Harald Jäger, der sich dem Mann gegenüber als gelernter Ofensetzer offenbarte und ihn mit einer ganzen Reihe praktischer Fragen konfrontierte, den geplanten Bau eines Kamins in der eigenen Datsche betreffend. Während sich der Schornsteinfeger in der Rolle des Fachmanns gefiel, der praktische Tipps geben durfte, schleppten der Grenztruppenkommandant und sein Fahrer die letzten Säcke zum Heizkessel. Es war der 5. April 1990. In Berlin wurde die CDU-Politikerin Sabine Bergmann-Pohl zur Volkskammerpräsidentin gewählt, als im Heizkraftwerk Glienicke zwei Grenztruppenoffiziere eine Kartei verbrannten, die es offiziell nie gegeben hatte.

Am Freitag vor zwei Wochen hatte sich Harald Jäger zum letzten Mal in der Dienstbaracke aufgehalten, deren angekohlte Reste er nun aus der Nähe betrachtet. Angeblich war dem Auftraggeber die Absicherung der Baumaßnahmen durch die Grenztruppen zu teuer geworden. Jedenfalls war die ganze Truppe in die Kaserne nach Niederschönhausen beordert worden. Während sie nun auf dem Kasernengelände auf das Ende von Republik und Fahneneid warteten, hatten an der Bornholmer Straße Unbekannte die letzte der verbliebenen Baracken angezündet. Hier wie dort herrschte Endzeitstimmung.

Sommer 1990 *Der Regimentskommandeur war ziemlich aufgebracht, als er Harald Jäger dessen Bewerbung beim Bundesgrenzschutz auf den Tisch knallte. Im ersten Moment hat dieser die Erregung des Vorgesetzten gar nicht verstanden. Schon zu Beginn des Sommers hatte es doch geheißen, man sei verpflichtet, sich beim Bundesgrenzschutz zu bewerben. Andernfalls würde im Falle der Arbeitslosigkeit nach der für den 3. Oktober festgesetzten staatlichen Wiedervereinigung keine Unterstützung bezahlt. Deshalb hatte er die ausgeschriebenen Stellen studiert und sich schließlich um die mit der geringsten Qualifikation beworben – als Kurierfahrer. Damit wollte er lediglich der Form genügen. Erst langsam begriff Harald Jäger, dass der Regimentskommandeur dies ganz offenbar für verurteilenswert hielt. Nach einer Weile brüllte er etwas weniger, sprach von „Erfahrung, hoher Qualifikation" und „dem Titel eines Diplom-Juristen", was sich durchweg nicht mit der Tätigkeit eines Kurierfahrers vereinbaren lasse. Hätte er dem Vorgesetzten klipp und klar sagen müssen, dass er gar nicht die Absicht habe, die verhasste Uniform des Gegners zu tragen?*

Schließlich hat der Regimentskommandeur dem stellvertretenden Grenztruppenkommandanten noch einmal die Stellenausschreibungen des Bundesgrenzschutzes vorgelegt. Harald Jäger deutete auf die erste Position ganz oben: Leiter des Grenzkommandos Ost. „Das möchte ich gerne werden!"

Nun brüllte der Regimentskommandeur wieder. Dies sei „der Gipfel der Arroganz"! Hatte er die hintergründige Ironie nicht bemerkt oder sich womöglich selbst auf diese Stelle beworben – und sich im Gegensatz zu Harald Jäger sogar ernsthafte Hoffnungen gemacht?

Es ist nicht festzustellen, ob sich unter den meterhoch gestapelten Baumaterialien kurz vor der Brücke noch immer das Klinkerpodest befindet, auf das irgendwann einmal die Vorkontrolle/Einreise gestellt worden war. Harald Jäger erinnert sich an jene groteske Geschichte, die einst zum Bau dieses Klinkerpodests geführt hatte.

Es gab eine Zeit, da stand das Postenhäuschen zu ebener Erde. Weil die Brücke gekrümmt ist, blickte man zunächst auf körperlose Gestalten. Gesichter kamen näher, und erst nach und nach wurden die Personen um Rumpf und Beine vervollständigt. Eines Tages wurde auf der Brücke eine Frauenleiche gefunden: eine DDR-Rentnerin, die Stunden zuvor ausgereist war. Dutzende von Reisenden mussten über die Leiche gestiegen sein, ohne Meldung zu machen. Fassungslosigkeit herrschte unter den Grenzoffizieren. Die Zeitungen jenseits der Grenze berichteten in dicken Schlagzeilen über die Tote auf der Grenzbrücke. Dann der Anruf von ganz oben. Erich Mielke höchstselbst kümmerte sich um den Fall – wie immer, wenn es ein Vorkommnis aus seinem Dienstbereich auf die Titelseite der *Bild*-Zeitung brachte. Der PKE-Leiter hatte seinem Minister versichert, dass man von dem Postenhäuschen die Tote nicht habe sehen können. Das war das Ende der herannahenden Kopfmenschen. Man baute das Klinkerpodest, und die Posten an der Vorkontrolle/Einreise konnten fortan die gesamte Brücke überblicken.

September 1990 *Die Verabschiedungszeremonie der Grenztruppen im Kinosaal der Kaserne in Niederschönhausen sollte einen feierlichen Charakter haben. Zunächst sah auch alles danach aus. Obgleich sich Harald Jäger nicht für die patriotische Rede seines Regimentskommandeurs begeistern konnte, die er auf das „neue Deutschland" hielt. Dann aber war dieser schlaksige, blonde, für die Finanzen zuständige Hauptmann aufgetreten. Er erläuterte den „langjährigen Grenztruppen-Angehörigen", wie hoch – gestaffelt nach Dienstjahren – ihre Abfindung ausfallen würde, die sie sich in den nächsten Tagen gemeinsam mit den Entlassungspapieren abholen könnten. Vielleicht weil er immer wieder von den „langjährigen Grenztruppen-Angehörigen" sprach, hatte sich einer der PKE-Angehörigen gemeldet und darauf hingewiesen, dass sie ja erst vor sieben Monaten zu den Grenztruppen gestoßen waren. „Ihr habt doch eure Abfindung schon bekommen ... beim Ausscheiden aus dem Ministerium für Staatssicherheit", stellte der schlaksige Hauptmann fest und löste damit einen Sturm der Entrüstung aus. Tatsächlich nämlich hatten die PKE-Leute jenen auf die zurückliegenden Dienstjahre bemessenen Teil der Abfindung vor ihrer Bewerbung zu den Grenztruppen wieder zurückbringen müssen. Sie würden dem neuen Arbeitgeber überwiesen, hieß es. Im Falle eines „vorzeitigen Ausscheidens" – und darum handelte es sich ja nun – würde das Geld dann von den Grenztruppen ausbezahlt.*

Während die einstigen Passkontrolleure und PKE-Offiziere lauthals protestierten und der blonde Hauptmann irritiert in die Runde schaute, fiel Harald Jäger ein, was ihm im letzten Frühjahr zwei seiner Offiziere erzählt hatten. Sie waren die Einzigen gewesen, welche die Abfindung bis zum Stichtag nicht zurückgebracht hatten. Nach eindringlicher Ermahnung waren sie dann endlich ins ehemalige Ministerium gefahren, anschließend aber mit der gesamten Summe zurückgekehrt. Dort hätten chaotische Zustände geherrscht, berichteten sie. Riesige Mengen an Banknoten seien achtlos in Kartons geworfen und auf Tischen gestapelt worden. Als sie nun ihre Abfindung hätten zurückzahlen wollen, habe man abgewinkt und gesagt, man ersticke schon in Papier. Hier lag für Harald Jäger die Ursache – im Chaos der sich auflösenden Behörde.

Vielleicht wäre er dem hilflosen Finanzoffizier sogar zu Hilfe gekommen, wenn der Hauptmann nicht den Lapsus begangen und den protestierenden PKE-Leuten entgegengeschleudert hätte: „Regt euch mal nicht so auf! Euch von der Staatssicherheit haben wir doch den ganzen Schlamassel zu verdanken."

Harald Jäger schnellte von seinem Sitz hoch. „Schlamassel? Wer hat denn die Leute an der Mauer erschossen ... mit Dauerfeuer aus der MP? Wer hat an den Grenzen Minen verlegt und Selbstschussanlagen montiert? Das waren doch nicht unsere Passkontrolleure!"

Durch die lautstark einsetzenden gegenseitigen Schuldzuweisungen an jenem „Schlamassel" war es mit dem beabsichtigten feierlichen Charakter dieser Verabschiedungszeremonie endgültig vorbei.

Der Gang auf die Brücke war einst nur wenigen PKE-Leuten erlaubt. In jedem Fall brauchte es genau definierte Anlässe.

Die exakte Grenze verlief im letzten Drittel der Brücke westwärts und war mit einem breiten weißen Strich markiert. Davon ist längst nichts mehr zu sehen, obgleich die völkerrechtliche Grenze bis gestern 24 Uhr hier verlaufen ist. Doch an diesem Tag der nationalen Einheit ist die Trennung zwischen Ost und West, wenngleich unfreiwillig, auf andere Weise erkennbar – durch den eingerüsteten Ostteil der Brücke, der sich deutlich von dem bereits rekonstruierten westlichen Teil abhebt.

Harald Jäger stellt sich quer zum Brückenverlauf, einen Fuß im Westen und einen im Osten. Ganz abgesehen davon, dass sein linker Fuß jetzt dort steht, wo er damals nie stehen durfte, hat er diese Position hier oft eingenommen. Wenn er gemeinsam mit dem Sicherheitsoffizier den Grenztruppenkommandanten hierherbegleitete, so steckte in dem Kugelschreiber in seiner linken Brusttasche ein winziges Mikrofon aus westlicher Produktion. Damit waren, nachdem der Kommandant dem gegnerischen Revierleiter eine Protestnote vorgetragen hatte, dessen Reaktionen aufgezeichnet worden. Dem folgte das mühselige Schreiben eines detailreichen Berichts. Wie wurde die Protestnote, beispielsweise weil S-Bahn-Fahrgäste bei der Fahrt über die Grenze zwischen Friedrichstraße und Westberlin mit Bierflaschen warfen, feindwärts aufgenommen? Wurde sie von der anderen Seite kommentiert? Manchmal aber hatte auch Harald Jäger dem Westberliner Polizisten etwas mitzuteilen. Organisatorisches, den reibungslosen Ablauf der Grenzabfertigung Betreffendes. Dann kam er mit E. oder einem der Zugführer hierher. Vorher mussten derartige Ausflüge zum weißen Strich beim Grenztruppenkommandanten angemeldet werden, der seinerseits die Soldaten auf dem Turm verständigte. Trotzdem hatte es sich Harald Jäger zur Angewohnheit gemacht, bevor er die Brücke betrat, die Turmbesatzung noch einmal zu fragen, ob man sie auch tatsächlich informiert hatte. Er wollte nicht das Risiko eingehen, als Deserteur missverstanden und womöglich in den Rücken geschossen zu werden.

Man musste nie lange am weißen Strich warten, ehe einer der Westberliner Polizisten aus dem Häuschen auf der anderen Seite hierherkam. Aber es war Harald Jäger und seinen Leuten verboten, mit dem feindlichen Beamten zu sprechen. Deshalb hatte Harald Jäger einen Trick entwickelt: er unterhielt sich mit dem ihn begleitenden Genossen. Ihm teilte er nun alles mit, was eigentlich für den nur dreißig Zentimeter entfernten Polizisten gedacht war. Er sagte dann Sätze wie: „Es wäre doch schön, wenn man die Reisenden ab morgen darauf aufmerksam machen würde, dass zu den Feiertagen alle Kfz-Spuren geöffnet sind. Man darf also die gesamte Breite der Grenzübergangsstelle nutzen ..." Oder: „Wenn die Ampelphasen drüben im Westen in kürzeren Intervallen geschaltet wären, könnte man am Wochenende die Staus hier auf der Brücke vermeiden ..."

Wie absurd kommt ihm plötzlich sein eigenes Verhalten von damals vor, das ja nur eine realitätsfremde Vorschrift umschiffte. Denn wer konnte annehmen, er würde Staatsgeheimnisse verraten, wenn er sich direkt mit dem Westberliner Polizisten unterhielt? In Gegenwart eines zweiten Offiziers!

1. Oktober 1990 *Die Außenstelle der Bundeswehr, bei der er sich der finanziellen Unterstützung wegen zu melden hatte, lag ausgerechnet am Weidendamm. Dort, wo einst die Gefechtswaffen der Passkontrolleinheiten für den Alarmfall verwahrt worden waren. Er empfand es als Demütigung, nun den vermeintlichen Sieger der Geschichte aufsuchen zu müssen und um Geld zu bitten. Doch wovon sollten er und seine Familie in der nächsten Zeit leben? Marga hatte schon seit Monaten keine Arbeit mehr. Harald Jäger war jetzt 47 Jahre alt – zu jung, um sich zur*

Ruhe zu setzen. Zumindest in den ersten Wochen in diesem neuen Deutschland wollte er sich in Ruhe nach Arbeit umsehen. Er konnte sich vieles vorstellen – Taxifahrer, Zeitungsverkäufer, Pförtner ... Jedenfalls hat er nicht die Absicht, diesem gesamtdeutschen Staat dauerhaft auf der Tasche zu liegen. Um aber die erste Zeit überbrücken zu können, musste er sich zu dieser Außenstelle der Bundeswehr begeben. Das fiel ihm nicht so leicht wie anderen. Dem einstigen Parteisekretär zum Beispiel, der mittlerweile in einem Abrisskommando der Bundeswehr am Abbau jenes Bauwerks mitwirkt, welches er konsequent als „antifaschistischen Schutzwall" bezeichnet hat. Vielleicht, so überlegte Harald Jäger in letzter Zeit oft, fiele auch ihm manches leichter, wenn er diese Wandlungsfähigkeit besäße. Eine solche Eigenschaft aber hat Paul Jäger seinem Sohn offenbar nicht vermittelt.

Die Brücke, die bis gestern – nach offizieller Sprachregelung der alten DDR – die Hauptstadt der Deutschen Demokratischen Republik mit der selbstständigen politischen Einheit Westberlin verbunden hatte, ist heute nur noch eine von zahlreichen Berliner Brücken. Zum ersten Mal überquert Harald Jäger sie inmitten der Bundesrepublik. Am anderen Ende bleibt er stehen. Genau an der Stelle, wo einst die Baracke der Westberliner Polizisten stand und der hohe Gliedermastturm. Plötzlich fällt ihm wieder jene Frau ein. Schätzungsweise Anfang dreißig, blond, etwa 1,70 Meter groß. Damals hatten sie dieser Person im Bericht den Codenamen „Demonstrativtäterin Ingrid" gegeben. Wochenlang hatte sie hier auf einem Hocker gesessen, mit einem Plakat um den Hals, auf dem ein Kinderporträt zu sehen und der Satz zu lesen war: GEBT MEIN KIND FREI!

Harald Jäger dreht sich um und blickt hinüber zum Eingang des S-Bahnhofs Bornholmer Straße, rechts hinter dem weißen Strich. 28 Jahre lang hat dort kein Zug gehalten. In die Eingangshalle hatte die Operativgruppe damals einen Hochstand gebaut und Sehschlitze ins Mauerwerk geschlagen. Rund um die Uhr hielten dort jeweils zwei seiner Leute Fotoapparate im Anschlag. Sämtliche Personen, die sich mit der Frau unterhielten, wurden abgelichtet und die Kennzeichen aller Autos notiert, deren Fahrer dort anhielten. Wenn einer von ihnen anschließend auf die GÜST kam, wurde er ausführlich befragt. Was wusste er über diese Frau? Worüber hat er mit ihr gesprochen? Nach und nach hatten sie das Porträt dieser Frau und ihre Geschichte zusammengesetzt. Offenbar war sie in der DDR inhaftiert gewesen und in die BRD abgeschoben worden. Gegen Devisen, versteht sich. Aber sie

Eine Aufnahme des Grenzübergangs Bornholmer Straße aus dem Jahr 1961: Der weiße Strich in der Mitte markiert die Grenze zwischen Ost- und Westberlin.

Die Brücke an der Bornholmer Straße heute

hatte ihr Kind nicht mitnehmen dürfen. Es sei in der DDR zu fremden Leuten gekommen, hat sie damals behauptet und von „Zwangsadoption" gesprochen. Ein Begriff, der in der westlichen Berichterstattung seinerzeit häufig auftauchte, von den DDR-Medien aber als „Feindpropaganda" bezeichnet wurde. Wie einst die Selbstschussanlagen, von deren Existenz Harald Jäger aus dem *Neuen Deutschland* erfahren hat – wenige Jahre nachdem jene Frau hier saß.

Warum hatte ihn die Nachricht von den Selbstschussanlagen damals in eine tiefe Krise gestürzt, die Existenz dieser Mutter, der man das Kind weggenommen hat, aber nicht? Weil man sie als Staatsfeindin betrachten konnte? Warum konnte er nicht sehen, dass Humanität nicht mit inhumanen Mitteln erreicht werden kann? Weshalb nur glauben inzwischen so viele, dass die kapitalistische Gesellschaft diesen Zielen besser zum Durchbruch verhelfen kann? Harald Jäger nimmt sich vor, das kritisch zu prüfen und nicht vorschnell neuen Parolen hinterherzulaufen.

Am Fuße der einstigen Grenzbrücke wagt er den Blick zurück. Nicht nur zum östlichen Teil dieses imposanten Bauwerks, das derzeit noch eingerüstet ist. Er stellt sich wieder die Frage, über die er in den letzten Wochen so oft diskutiert hat – mit Marga und den Kindern, mit seinen Geschwistern in Bautzen, mit Carstens Schwiegervater und mit jenem ehemaligen Oberleutnant, mit dem er dort drüben auf dem Posten Vorkontrolle/Einreise manch kritischen Dialog geführt hat: „Ist unsere große soziale Idee wirklich gestorben?" Diese Idee, die für ihn seit früher Jugend das Motiv des politischen Handelns war? Seine heutige Antwort lautet: „Nein. In der vergangenen Nacht ist die DDR zu Grabe getragen worden, nicht jene soziale Idee." Aber Harald Jäger beginnt zu ahnen, dass sie für immer genau das bleiben wird – eine Idee.

Ein abschließendes Gespräch

Herr Jäger, sind Sie inzwischen angekommen in dieser Bundesrepublik Deutschland?

Inzwischen ja, aber es war eine lange und beschwerliche Reise.

Was war das Beschwerliche daran?

Zunächst mal wollte ich gar nicht ankommen, denn die Bundesrepublik war für mich das feindliche System. Und da sowohl ich als auch meine Frau zunächst in der Arbeitslosigkeit angekommen waren, konnte ich in der Bundesrepublik auch nicht das „gelobte Land" sehen. Aber ganz unabhängig davon wirkte natürlich die Ideologie fort, die ich von

Kindesbeinen an kennen gelernt hatte. Sie dürfen ferner nicht übersehen, dass sich während der fast drei Jahrzehnte meiner Tätigkeit in den bewaffneten Organen der DDR ein tief verwurzeltes Feindbild festgesetzt hatte.

Worin aber bestand das Feindbild nach dem 3. Oktober 1990?

Es war das gleiche Feindbild wie zuvor. Der Klassenfeind hatte zwar gesiegt, aber für mich war jeder Uniformträger, vom einfachen Polizisten bis zum Bundeswehrsoldaten, nach wie vor der Gegner. Das hat sich erst im Laufe der Jahre geändert, als die Söhne meiner Verwandten und auch die im Bekanntenkreis zur Bundeswehr eingezogen wurden. Da begann das Feindbild langsam zu bröckeln.

Wie lange hat diese „Reise" gedauert?

Ich beschreibe diese Entwicklung immer gern am Beispiel der Fußballweltmeisterschaften. Als im Sommer 1990 die damals westdeutsche Nationalmannschaft in Italien im Finale stand, habe ich noch gehofft, sie möge verlieren. Sie sollten nicht auch noch im Fußball Sieger sein. Vier Jahre später war es mir egal, ob die deutsche Mannschaft Weltmeister wird oder nicht. Bei der WM 2002 in Japan/Südkorea hätte ich zumindest nichts mehr dagegen gehabt. Ich habe mich auch schon ein wenig auf die nächste WM in Deutschland gefreut. Und als es im letzten Sommer dann so weit war, habe ich gehofft, wir – ich sage inzwischen „wir" – würden Weltmeister werden. Als wir es nicht wurden, war ich traurig. Der Fußball, diese schönste Nebensache der Welt, ist für mich eine Art Gradmesser für meine Identifizierung als Bürger des neuen Deutschlands.

Als „BRD-Bürger", wie es bei Ihnen hieß ...

Na ja, ich meine schon, dass die Bundesrepublik sich in dieser Zeit auch verändert hat. Nicht in ihren politischen Grundlagen, aber die Angliederung von 16 Millionen ehemaligen DDR-Bürgern hat die Mentalität dieses Landes verändert. Auch wenn dies vielen der „alten BRD-Bürger" nicht immer gefällt.

Können Sie sich denn inzwischen auch mit den eben von Ihnen zitierten politischen Grundlagen identifizieren?

Ich habe nach der Wiedervereinigung viele Jahre im Zeitschriftengewerbe gearbeitet. Erst als Angestellter, danach in einem eigenen kleinen Laden. Und da lagen nun immer die ganzen Zeitschriften herum, und ich las mal die eine und dann eine andere. Das war eine gute politische Schule, denn ich bekam einen unmittelbaren Einblick, was eine offene und kritische Berichterstattung bedeutet. Sozusagen eine Lektion an Presse- und Meinungsfreiheit. Und manchmal reagierte ich darauf, wie

nur einer reagieren kann, der so wie ich aufgewachsen ist und in der DDR gelebt und gearbeitet hat.
Nämlich?
(lacht) Wenn eine Zeitung zum Beispiel besonders hart mit dem Bundeskanzler oder einem Regierungsmitglied umgesprungen ist, dann habe ich gedacht: Das können die doch nicht machen. Man muss doch Respekt vor der eigenen Regierung und ihren Repräsentanten haben. Das passiert mir sogar heute manchmal noch – wenn ich zum Beispiel eine politische Talkshow sehe.
Gibt es weitere Einflüsse, die Ihnen bei der Identifizierung mit dieser Bundesrepublik hilfreich waren?
Vor allem die Reisen. Nun habe ich nie die finanziellen Möglichkeiten gehabt, in die ganz fernen Länder zu reisen. Dennoch haben meine Frau und ich einige schöne Reisen gemacht. Wir waren beispielsweise in Norwegen und auf der dänischen Ostseeinsel Bornholm. Vielleicht, weil ich an der Bornholmer Straße gearbeitet habe und meine Kollegen manchmal herumgesponnen haben, dass wir unser nächstes Kollektivvergnügen dorthin machen würden. Auf diesen Reisen habe ich ein Gefühl der Freiheit erlebt, das ich früher nicht kannte. Obgleich wir ja innerhalb der befreundeten Länder auch reisen konnten. Aber ich benötigte plötzlich kein Visum mehr, und niemand schrieb mir vor, wie viel Geld ich mitnehmen und im Ausland umtauschen durfte. Da habe ich dann diesen Mann verstanden, der damals mit den Orangen an die GÜST kam und den wir zurückschicken mussten. Als er mir nämlich sagte, Freiheit wäre es, wenn der Staat einem nicht vorschreiben dürfe, wann und wohin man reise.
Nun kann ich Ihnen einen Rückblick auf die DDR nicht ersparen. Und zwar den aus Ihrer heutigen Perspektive. Denn im Buch haben wir uns ja immer nur mit dem Harald Jäger und seinem Bewusstsein während des jeweiligen Zeitraums beschäftigt ...
Da gibt es in der Beurteilung einige Unterschiede. Als es die DDR noch gab, habe ich sie ziemlich lange aus der Perspektive des Kriegskindes gesehen. Unsere sozialistische Gesellschaft war für mich ein Garant für den Frieden. Und auch, dass der Faschismus keine Chance mehr bekommen würde.
Und Sie haben dafür einen anderen Unrechtsstaat akzeptiert?
Das ist wahr! Der Zweck heiligte die Mittel.
Wenn Sie den Unrechtsstaat DDR, dem Sie als Offizier der Staatssicherheit dienten, aus heutiger Sicht beschreiben würden ...
... dann würde ich das Machtmonopol der SED als eine ganz wesent-

liche, wenn nicht die wesentliche Ursache für dieses Unrecht ansehen. Also der bedingungslose Führungsanspruch der Partei. Selbst als ich schon vieles kritisch sah und innere Konflikte mit meiner Partei ausgetragen habe, war mir das nicht bewusst. Auf der Grundlage dieses Führungsanspruchs wurde in der DDR jeder Ansatz von Meinungspluralismus und Individualität unterdrückt. In der Verfassung wurden zwar alle Arten von Freiheit garantiert – Meinungsfreiheit, Versammlungs-, Vereinigungs- und Pressefreiheit ... Aber immer nur unter der Prämisse, dass es diesem Führungsanspruch nicht widerspricht. Dahinter steckte dieses „Die Partei hat immer Recht!". Damit wurde jede Eigeninitiative eingeschränkt bis unmöglich gemacht.

Was bedeutete dieses Machtmonopol für Ihren Dienstbereich?

Nun könnte ich sagen, wir waren Passkontrolleure, und die erfüllen auf der ganzen Welt staatliche Hoheitsaufgaben. Aber das wäre nur die halbe Wahrheit. Denn es macht ja auch für Passkontrolleure einen Unterschied, ob es den Bürgern ihres Staates erlaubt ist, das Land ohne Probleme zu verlassen oder nicht. Unsere operative Arbeit war zu einem Großteil darauf ausgerichtet herauszufinden, wer will die DDR illegal verlassen und wer will dieser Person von westlicher Seite dazu verhelfen. Das Machtmonopol der Partei hat in der Folge dann zu diesen unglaublichen Perversitäten an unserer Westgrenze geführt, zum Einbau von Selbstschussanlagen und der Verlegung von Minen. Aber auch wir Passkontrolleinheiten waren ja nicht ohne Grund beim Ministerium für Staatssicherheit ...

Sie waren vielleicht nur ein Rädchen im Getriebe dieses Systems, aber kein bedeutungsloses!

Das stimmt! Aber lassen Sie mich zunächst feststellen, dass ich zwar eine auch für DDR-Verhältnisse nicht alltägliche Offizierskarriere gemacht habe, es mir aber darum letztlich nie ging. Ich wollte wirklich etwas für meinen Staat tun. Die Aus- und Weiterbildungen, die ich später absolvierte, habe ich immer genau aus diesem Grund gemacht. Das aber brachte mit sich, dass ich vom anfänglichen Befehlsempfänger zum Befehlsgeber wurde. Doch die Tragweite der eigenen Befehle und Maßnahmen hatte sich ja nicht von einem Tag zum anderen verändert, sondern allmählich. Dann aber, und das ist eben dieser Widerspruch, der einer solchen Entwicklung innewohnte, habe ich immer mehr Zusammenhänge und Auswirkungen meiner Arbeit erkannt.

Welche denn?

Na ja, darüber haben wir ja in den letzten Monaten viel gesprochen. Lassen Sie mich zusammenfassend sagen, dass sich das gesellschaftliche

Leben in der DDR eben nicht so entwickelte, wie es in den von der Partei dominierten Medien dargestellt wurde. Statt für die gesellschaftlichen Widersprüche Lösungen zu suchen und mit der Bevölkerung zu diskutieren, wurde nur der Machtapparat ausgebaut.

Vor allem der Apparat des MfS, der mithilfe von Zehntausenden von IM das eigene Volk ausspionierte ...

Nun hatte ich ja zunächst nichts gegen Inoffizielle Mitarbeiter – anderswo nennt man sie V-Leute –, wenn sie denn gegen wirkliche Staatsfeinde eingesetzt würden, die die Grundlagen des sozialistischen Staates zerstören wollten. Aber schon während meiner Zeit an der Hochschule des MfS bekam ich ja mit, dass die Gewinnung neuer IM zu einem vordergründigen Ziel geworden war. Wirklich durchgeblickt durch dieses irre System habe ich aber erst, als mir der V-Nuller, also der Verbindungsoffizier, reinen Wein einschenkte. Da habe ich begriffen, dass die IM-Gewinnung zu einer Art Selbstzweck geworden war.

Dennoch blieben Sie das Rädchen ...

Ich blieb innerhalb dieses Räderwerks ein bereitwilliges Mitglied, das ist wahr. Auf der einen Seite wurden meine Fähigkeit zu Differenzierungen und teilweise meine Ablehnung größer, und auf der anderen Seite erfüllte ich ordnungsgemäß die mir zugedachten Aufgaben. Und damit habe ich das Unrecht dieses Systems mitgetragen. Ich wusste irgendwann von den Selbstschussanlagen, von den Toten an der Mauer ohnehin, und ich hatte Kenntnis von diesem immer weiter aufgeblähten IM-Netz. Jeder in meiner Position wusste das. Wer etwas anderes sagt, lügt. Und insofern, aber das gestehe ich mir noch nicht so lange ein, bin auch ich mitverantwortlich an diesem Unrecht.

Haben Sie unter diesem Widerspruch zwischen Erkenntnis und Handeln gelitten?

Ich habe darunter gelitten, dass der Staat, für den ich damals gelebt habe, sich anders entwickelte, als es meinem Ideal entsprach. Darüber habe ich im Verwandten- und Freundeskreis auch gesprochen. Der Einzige, der jemals zu mir gesagt hat, ich solle meine Arbeit doch einfach hinschmeißen, war mein Sohn Carsten. Er war ein junger Mann damals, und da sagt man schnell etwas Leichtfertiges. Trotzdem habe ich darüber nachgedacht. Vor allem darüber, was die Konsequenzen sein würden. Der Westen war natürlich für mich keine Alternative. Ich wollte ja den Sozialismus aufbauen und nicht im Kapitalismus leben. Aber ich war nicht zum Dissidenten geboren. Denn das hätte für meine Familie Konsequenzen gehabt, die ich ihr nicht hätte zumuten wollen. Mein Sohn studierte noch. Man hätte ihn, wenn ich seinen Rat befolgt hätte, vor die Alternative gestellt, sich entweder von mir zu distanzieren – was er nicht gemacht hätte – oder seinen Studienplatz zu verlieren. Nein, dazu war ich nicht bereit. Lieber hielt ich diesen Widerspruch aus. Wenn aber die DDR nicht untergegangen wäre, sondern diese Erstarrung der späten Honecker-Ära weiter angehalten und der Machtapparat des MfS immer mehr Einfluss gewonnen hätte – dann wäre irgendwann der Punkt gekommen, an dem ich nicht mehr hätte mitmachen können. Aber das kann ich natürlich nicht beweisen.

Was wäre damals, also in dieser späten Honecker-Ära, Ihre gesellschaftliche Wunschvorstellung gewesen?

Wahrscheinlich hätte ich Ihnen ins Ohr geflüstert: „Ein demokratischer Sozialismus!" Aber ich hätte nicht genau gewusst, was das eigentlich ist.

Die PDS verfolgt noch immer dieses Ziel …

Das ist als Ziel ja auch sympathisch. Ich habe nur inzwischen gelernt, dass es auf nahezu keine politische Frage auf dieser Welt eine Antwort gibt, die man mit Schwarz oder mit Weiß beantworten kann. Wenn es irgendwo einmal einen Sozialismus geben sollte, der ohne ein Schwarz-Weiß-Schema auskommt und sich Pluralismus leistet, dann schaue ich mir den mal genauer an. Vorerst aber bin ich froh, dass ich mich nach der langen Reise als Bürger dieses Landes begreife und trotz der vielen politischen und gesellschaftlichen Probleme darin sogar wohlfühle.

Spätestens jetzt könnte Ihnen jemand vorwerfen, ein „Wendehals" zu sein!

Wenn ich ein Wendehals wäre, wäre ich viel schneller angekommen. Ich habe genug dieser Wendehälse erlebt, die ihre Fahne sofort in den neuen Wind gehängt hatten. Nein, ich habe einen langwierigen Prozess hinter mir, mit sehr persönlichen Erfahrungen und Erkenntnissen. Vor allem das Begreifen der eigenen schuldhaften Verstrickung hat diese Entwicklung ja nicht leichter gemacht. Wer mich als einen Wendehals bezeichnet, den würde ich gerne fragen, wie er mich nennen würde, wenn ich die DDR noch immer in rosigen Farben schildern würde.

Wahrscheinlich einen „Betonkopf" oder eine „rote Socke" …

Genau. Davon gibt's ja auch noch viele. Aber ich gehöre nun mal nicht mehr dazu.

Berlin, im Herbst 2006

ÜBER DIE AUTOREN

Seit dem Erscheinen von *Hör auf den Wind* hat der übervolle Terminkalender von **Greg Mortenson** (links im Bild) weitere Einträge zu verkraften, denn nun stehen auch noch Lesereisen an. Dabei trennt er sich nur schweren Herzens von zu Hause. „Die langen Abwesenheiten von meiner Familie tun weh. Aber wenn ich in die Augen der Kinder in Afghanistan und Pakistan blicke, sehe ich darin meine eigenen Kinder. Sie alle sollen in Frieden leben können."

Sein Koautor, der Journalist **David Oliver Relin**, berichtet seit zwei Jahrzehnten über soziale Themen und ihre Auswirkungen auf Kinder. Immer wieder begibt er sich – vor allem in Asien – direkt zu den Menschen vor Ort: 1992 etwa durchquerte er Vietnam mit dem Fahrrad.

Veronika Peters, geboren 1966, verbrachte ihre Kindheit in Deutschland und Afrika. Sie verließ mit 15 Jahren ihr Elternhaus, machte eine Ausbildung zur Erzieherin und arbeitete in einem psychiatrischen Jugendheim, bis sie mit 21 Jahren in ein Benediktinerinnenkloster eintrat. Nach zwölfeinhalb Jahren verließ sie das Kloster, unter anderem weil sie in der Klosterbuchhandlung ihren heutigen Mann kennen gelernt hatte, den Schriftsteller Christoph Peters (im Buch „Vince" genannt). Mit ihm und ihrer Tochter lebt die Autorin in Berlin. Mit einigen der Schwestern des Klosters unterhält sie bis heute freundschaftliche Beziehungen. Sie baten Veronika Peters, den Namen des Klosters in ihrem Buch nicht zu erwähnen.

Nach einer idyllischen Kindheit in den Bvumba-Bergen im damaligen Rhodesien und zehn Jahren Weltreise studierte **Bookey Peek** in England Jura und wurde Rechtsanwältin in Australien. Doch diesen Beruf gab sie bereitwillig auf, um sich einen Traum zu erfüllen: Zusammen mit ihrem Mann Richard und Sohn David zog sie auf die Wildfarm Stone Hills in den Matobobergen. Trotz der verheerenden Zustände im heutigen Simbabwe hofft sie, ihr Wildreservat bewahren zu können. Neben ihrem Engagement für Tiere unterstützt sie die Schüler einer nahe gelegenen Schule durch Nahrungsmittelspenden und unternimmt mit ihnen Führungen im Reservat, um ihnen die Tiere in ihrer natürlichen Umgebung näherzubringen.

Der im Jahr 1953 geborene **Gerhard Haase-Hindenberg** machte sein Abitur auf dem zweiten Bildungsweg und siedelte zeitweilig in die DDR über, wo er an der Hochschule für Schauspielkunst „Ernst Busch" in Ostberlin studierte. Er arbeitete als Schauspieler, Regisseur und Autor an Theatern in Nürnberg, München und Berlin sowie für Fernseh- und Kinofilme. Regelmäßig publiziert er Reportagen und Interviews in der *Welt* und der *Berliner Zeitung* sowie für den Hörfunk. Im Jahr 2004 erschien sein erstes Buch *Der fremde Vater* über den Sohn des Kanzleramtsspions Guillaume, zwei Jahre später sein Buch *Göttin auf Zeit*, in dem er das Schicksal der Mädchengöttin Amita in Nepal schildert.

HÖR AUF DEN WIND. WIE EIN EINZELNER KINDERN EINE ZUKUNFT SCHENKT
Titel der Originalausgabe: „Three Cups of Tea. One Man's Mission to Promote Peace ... One School at a Time", erschienen bei Viking Penguin, einem Unternehmen der Penguin Group (USA) Inc. Ins Deutsche übertragen von Karin Dufner. © 2006 by Greg Mortenson und David Oliver Relin. © für die Fotos: S. 6: Greg Mortenson; S. 6/7: Minoru Otsuki; S. 17: Greg Mortenson (oben und Mitte), mauritius-images/CuboImages (unten); S. 23: Minoru Otsuki (oben), mauritius-images/CuboImages (Mitte), Greg Mortenson (unten); S. 29: Greg Mortenson; S. 48: Visum/Panos Pictures; S. 71: David Oliver Relin; S. 77: Greg Mortenson; S. 93: Greg Mortenson (oben und Mitte), David Oliver Relin (unten); S. 115: David Oliver Relin; S. 123: Greg Mortenson (oben und unten), David Oliver Relin (Mitte); S. 136: Greg Mortenson; S. 147, 166, 169: David Oliver Relin; S. 179: David Oliver Relin (oben), Greg Mortenson (Mitte), laif/Thomas Grabka (unten).

WAS IN ZWEI KOFFER PASST. KLOSTERJAHRE
© 2007 by Wilhelm Goldmann Verlag, München, in der Verlagsgruppe Random House GmbH. © für die Fotos: S. 184: mauritius-images/Westend61; S. 185: Nadja Klier/Photoselection.

MEINE FARM AM MATANJE. EINE AFRIKANISCHE FREUNDSCHAFT
Titel der Originalausgabe: „All The Way Home", erschienen bei Penguin Books, Südafrika. Nach der Übersetzung von Charlotte Breuer und Norbert Möllemann. © 2006 by Bookey Peek. © für die deutschsprachige Ausgabe: Droemer Verlag, ein Unternehmen der Droemerschen Verlagsanstalt Th. Knaur Nachf. GmbH & Co. KG, München, 2007. © für die Fotos: Richard Peek.

DER MANN, DER DIE MAUER ÖFFNETE. WARUM OBERSTLEUTNANT HARALD JÄGER DEN BEFEHL VERWEIGERTE UND DAMIT WELTGESCHICHTE SCHRIEB
© 2007 by Wilhelm Heyne Verlag, München, in der Verlagsgruppe Random House GmbH. © für die Fotos: S. 396/397: Andreas Schoelzel; S. 412: SV-Bilderdienst/AP; S. 423: Bundesarchiv (Filmplakat „For Eyes Only" Sign. BA-FA 3316) (oben); S. 441: akg-images; S 451: Siegbert Schefke/Robert-Havemann-Gesellschaft; S. 463: akg-images; S. 474: Andreas Schoelzel; S. 495: Spiegel TV (oben), Andreas Schoelzel (unten); S. 505: ullstein bild/Bodig; S. 515: picture-alliance/dpa (oben), picture-alliance/ZB (unten); alle weiteren Fotos: Privatarchiv Harald Jäger.

© für die Autorenfotos: S. 522: Steven Winslow (oben), Nadja Klier/Photoselection (unten); S. 523: Richard Peek (oben), Siegfried Büker (unten).

Umschlaggestaltung Softcover: Reader's Digest Deutschland: Verlag Das Beste, Stuttgart, unter Verwendung der im Folgenden aufgeführten Fotos (von oben nach unten): 1) Mädchen: Greg Mortenson; 2) Fenster: mauritius-images/Westend61; 3) Landschaft: Richard Peek; 4) Brücke: picture-alliance/dpa, Harald Jäger: Andreas Schoelzel.

Umschlaggestaltung Hardcover: Reader's Digest Deutschland: Verlag Das Beste, Stuttgart, unter Verwendung der im Folgenden aufgeführten Fotos: Brücke: picture-alliance/dpa (oben), Harald Jäger: Andreas Schoelzel (oben); Mädchen: Greg Mortenson (Mitte links); Fenster: mauritius-images/Westend61 (Mitte rechts); Landschaft: Richard Peek (unten).

Die ungekürzten Ausgaben von „Was in zwei Koffer passt", „Meine Farm am Matanje" und „Der Mann, der die Mauer öffnete" sind im Buchhandel erhältlich.